GW00676614

Das Mittelmeer vor Sizilien heute. Glitzerndes Blau, ein Sandstrand. Auf einem Schiff vor der Küste ziehen Taucher mit einem Kran ein Flugzeugwrack aus der Tiefe. Schwarzes Hakenkreuz auf silbernem Grund. Eine deutsche Ju 52 aus dem Zweiten Weltkrieg. Die Archäologin Nina kommt auf die Insel. Man hat das Flugzeug entdeckt, in dem ihr verschollener Großvater Moritz abgestürzt sein soll. Sein Verschwinden als Wehrmachtssoldat in Nordafrika war das große Geheimnis ihrer Familie. Ninas Mutter hat ihren Vater nie kennengelernt – eine Wunde, die über drei Generationen reicht.

Berlin, November 1942: Moritz, Kameramann im deutschen Afrika-Korps, verlobt sich vor seinem Abflug nach Tunis mit Fanny, Ninas Großmutter. Sie verbringen eine letzte Liebesnacht miteinander. Doch Moritz kehrt nie zu Fanny, die ein Kind von ihm erwartet, zurück. Was geschah wirklich in Tunis?

Unter den Angehörigen der Flugzeugpassagiere trifft Nina die charismatische Joëlle. Diese behauptet, dass Moritz im Krieg nicht gestorben sei, sondern unter falschem Namen weitergelebt habe – mit einer Jüdin, Joëlles Mutter. Nina kann es nicht glauben. Joëlle erzählt Nina die große Liebesgeschichte von ihrer Mutter Yasmina und dem jungen deutschen Soldaten Moritz ...

Daniel Speck, 1969 in München geboren, baut mit seinen Geschichten Brücken zwischen den Kulturen. Auf seinen Reisen trifft er Menschen, deren Schicksale ihn zu seinen Romanen inspirieren. Der Autor studierte Filmgeschichte in München und in Rom, wo er mehrere Jahre lebte. Er verfasste die Drehbücher zu ›Maria, ihm schmeckt's nicht‹ sowie zu ›Zimtstern und Halbmond‹. Für ›Meine verrückte türkische Hochzeit‹ erhielt er den Grimme-Preis und den Bayerischen Fernsehpreis. Sein Roman ›Bella Germania‹ stand 85 Wochen auf der SPIEGEL-Bestsellerliste und war das erfolgreichste deutsche Debüt 2016. Für das ZDF wurde er als Dreiteiler prominent verfilmt.

DANIEL SPECK

Piccola Sicilia

ROMAN

FISCHER Taschenbuch

Erschienen bei FISCHER Taschenbuch
Frankfurt am Main, April 2020

© 2018 S. Fischer Verlag GmbH, Hedderichstr. 114,
D-60596 Frankfurt am Main

Satz: Pinkuin Satz und Datentechnik, Berlin
Druck und Bindung: CPI books GmbH, Leck
Printed in Germany
ISBN 978-3-596-70261-9

Die Handlung und ihre Figuren sind frei erfunden, beruhen aber auf wahren Begebenheiten. Richard Abel, Khaled Abdelwahab, Renee und Leopold Beretvas haben ihr eigenes Leben riskiert, um ein anderes zu retten. Ohne ihren Mut wäre dieses Buch nie entstanden.

Prolog

Ich stelle mir vor: ein Mann am Klavier. Er singt um sein Leben. Wenn sie herausfinden, wer er wirklich ist, erschießen sie ihn. Aber er lacht charmant, genießt die Täuschung, zeigt den Offizieren das, was sie in ihm sehen wollen. Er weiß, das beste Versteck sind die Bilder in den Köpfen der anderen. Die Geschichten, die ihnen schmeicheln, halten sie für wahr. Alle Offiziere singen mit. *Wie einst Lili Marleen.* Von den stuckverzierten Mauern des Grand Hotel Majestic, die schon alle Sprachen der Welt gehört haben, hallen ab jetzt nur noch deutsche Worte. Die Sprache der Eroberer, die am Vortag alle Gäste hinausgeworfen und jedes Zimmer besetzt haben, vom Keller bis unters Dach. Nur die Mauern wissen, dass auch das, wie jedes andere Unglück oder Glück dieser Welt, vorübergeht.

Und dann ist da noch ein anderer Mann. Ganz unscheinbar, fast unsichtbar lehnt er an der Wand. Mein Großvater, damals Anfang zwanzig, in Wehrmachtsuniform. Als Einziger singt er nicht mit, summt nur leise vor sich hin. Er hält seine Kamera vors Auge und lässt den Blick durch den Raum schweifen. Seine Aufgabe ist es, Bilder in die Köpfe der Menschen zu bringen, Geschichten zu erzählen, die Geschichte schreiben. Der Mann, der noch nicht weiß, dass er mein Großvater werden wird, ist gerade erst in Nordafrika angekommen. Er kennt niemanden hier. Und obwohl er ein Bild der fröhlichen Kameradschaft zeichnen soll – deutsche Offiziere um den italienischen Pianisten am Flügel –, bleibt sein Blick an der einzigen Frau in der Bar hängen, ihren schwarzen Augen und schwarzen Locken. Niemand weiß, dass sie Jüdin ist. Sie trägt die französische Uniform der Zimmermädchen, sie geht von Tisch zu Tisch, um die Rosen in den Vasen auszutauschen. Für einen winzigen Moment entdeckt sie seine Kamera und blickt gleich wieder weg, als hätte er sie bei etwas Verbotenem ertappt. Und tatsächlich ist es nicht allein Yasminas rätselhafte Schönheit, die seine Aufmerksamkeit fesselt, oder die Frage, warum sie ihr selbst nicht bewusst zu sein scheint. Nein, ihm fällt als Einzigem im Raum auf, dass die Rosen, die sie aus den Vasen zieht, ebenso frisch sind wie die, mit denen sie sie ersetzt. Dass sie die Tische beim Flügel zweimal besucht und ihre Augen nicht von Victor, dem Pianisten, lassen kann. Was er nicht weiß, ist, dass Yasmina in Wahrheit hier ist, um Victor nah zu sein, um sich in den Mantel seiner Stimme zu hüllen. Die Stimme, nach der sie süchtig ist, seit sie ihr in den Nächten der Kindheit die Angst genommen hatte, verloren zu sein. Dass sie ihn beschützen will und bereit wäre, für ihn zu sterben. Was aber weder Yasmina noch der deutsche Soldat wissen, ist, dass sie die Frau seines Lebens, oder besser: seiner drei Leben, werden sollte. Drei Masken eines Chamäleons zwischen den Welten, die noch vor ihm liegen und die ich erst jetzt, fünfundsiebzig Jahre später, Schicht um Schicht freilege, als ungebetener Gast, als Archäologin in verbotenem Terrain.

Wenn Trauma der Verlust eines wesentlichen Teils von uns selbst ist, wie das Gefühl von Geborgenheit, Glück oder Gegenwart, dann sind meine Verwandten, also alle, die in diese Geschichte verstrickt sind – Juden, Christen und Muslime –, auf die eine oder andere Weise traumatisiert, mich selbst eingeschlossen. Und wenn *ich* nicht die Hoffnung hätte, dass man trotzdem wieder ganz und lebendig werden kann, wer sonst? Sie sind alle gestorben, ohne vorher ins Leben zurückgefunden zu haben. Jetzt liegt es an mir, wie diese Geschichte ausgeht.

1

NINA

In einer Hinsicht haben doch alle ihre Heimat verloren –
wir sind alle Migranten aus dem Land der Kindheit.

Georgi Gospodinow

Wie ein Traum aus der Tiefe, dunkel schimmernd unter den leicht gekräuselten Wellen, steigt es langsam ans Licht. Dann bricht es durch die Wasseroberfläche. Ein silbernes Flugzeugleitwerk, abgerissen vom Rest des Rumpfes, aber erstaunlich intakt, als hätte es nur darauf gewartet, aus seinem Schlaf am Meeresboden geweckt zu werden. Muschelkrusten wie auf einem alten Wal. Auf der Heckflosse, in verwaschenem Schwarz: ein Hakenkreuz. Schlamm tropft von den Flügeln. Es ächzt und stöhnt aus dem Inneren, während der Kran das Ungetüm vorsichtig an Bord hievt. Ein Taucher bewegt die Landeklappen. Deutsche Wertarbeit. Oft gesehen auf Schwarzweißfotos, die Aluminiumhaut der Ju 52, jetzt plötzlich in Farbe, inmitten von glitzerndem Blau. In der Ferne ein Strand, Felsen und Olivenbäume, man sieht Kinder spielen.

Ich starre auf den Bildschirm und kann es nicht fassen. Nicht weit von dort hatten wir am Strand gestanden und aufs Meer geschaut. Die Windmühlen von Marsala, die Weinberge und Tempel, unsere Hochzeitsreise durch Sizilien. Nie wäre mir in den Sinn gekommen, dass unter der Meeresoberfläche jene Maschine lag, die meinen Großvater nach Hause hatte bringen sollen. Kurz vor Trapani, dem Stützpunkt der deutschen Luftwaffe, stürzte sie ins Mittelmeer. Abgeschossen von den Alliierten, Benzinmangel oder Motorschaden, das wird noch herauszufinden sein. Sie sagen, es war am 7. Mai 1943, kurz vor der Geburt meiner Mutter.

Immer wieder schaue ich das Video an und lese die Mail, mit der es angekommen ist. Ich formuliere eine Antwort und lösche sie wieder. Dann schließe ich mein Büro ab, grüße den Nachtwächter und verlasse die Museumsinsel.

Die feuchte Luft riecht nach Laub, der Herbst kam früh in diesem Jahr. Fahle Lichtsplitter auf der Spree. Wenn es wahr sein sollte, dass mein Großvater in dieser Maschine starb, bedeutet das die endgültige Gewissheit, dass ich die letzte Überlebende der Familie bin. Erst starb meine Großmutter, dann meine Mutter. Alles, was übrigblieb, war das Geheimnis seines Verschwindens. Jetzt bin ich allein.

Die S-Bahn gleitet durch die Nacht. Dieselbe Strecke wie jeden Abend. Dinge, die sich nicht verändern, beruhigen mich. Fahrgäste steigen ein und aus, die Mode kommt und geht, aber die S1 bleibt immer die S1. Sie hat die Bombenangriffe überlebt und die Teilung der Stadt. Wahrscheinlich fuhr mein Großvater schon mit ihr. Tiergarten, Savignyplatz, Wannsee. Meine Berufskrankheit: Archäologen sehen die Welt nicht so, wie sie ist, sondern immer auch, wie sie war, Schicht um Schicht. Alles ist für uns zugleich präsent, Unsichtbares hinter dem Sichtbaren, die Spuren des Gestern hinter dem Heute, die Gegenwart als Konsequenz der Vergangenheit.

Mein Blick reist durch die Zeiten, als blätterte er durch ein Buch. Bahnhof Friedrichstraße, Gianni und ich betrunken in der letzten Nacht des alten Jahrtausends. Mein erster Besuch im Osten in den Achtzigern, ein schüchterner Teenager in Jeansjacke und Turnschuhen mit ihrer Mutter, die einen Freund im Osten hatte, der gern Westzigaretten rauchte. Wartende Parkaträger in der Kälte, Passierschein in der Hand, keiner traut sich, laut zu sprechen. Genauso detailliert sehe ich, was vor meiner Zeit war, als wäre ich dabei gewesen – die zerstörten Gleise nach den Bombennächten, meine Großmutter als junge Frau, die meinen Großvater in Uniform zum Bahnhof bringt, sie glaubt noch an den Sieg, er verschweigt ihr seine Zweifel.

Kurz nach Mitternacht rufe ich Patrice auf Sizilien zurück. Schon vier Nachrichten auf meiner Mailbox. Und das Video mit dem Hakenkreuz. *Du musst sofort kommen, das ist eine Sensation!* Wir kennen uns aus Studienzeiten, ein Austauschjahr in Perugia, dann trennten sich unsere Wege. Er hatte immer schon ein Faible für die Unterwasserarchäologie; ich bevorzuge festen Boden unter den Füßen. Was ich an der Wüste liebe, liebt Patrice an der Tiefe – und andersherum: Er hat Angst vor der Leere, ich habe Angst vor der Tiefe. Dort unten kann man schnell sterben oder schnell reich werden – alles dazwischen interessiert ihn nicht. Ich dagegen meide die Extreme, brauche festen Boden unter den Füßen und begnüge mich mit einer Festanstellung bei der Stiftung Preußischer Kulturbesitz.

Patrice war früher mal verliebt in mich gewesen – und ich in ihn, wenn ich ehrlich bin. Vielleicht wäre es ein tolles Abenteuer geworden, aber ich hatte mich schon für Gianni entschieden. Patrice war charmanter, attraktiver, verrückter – aber genau deshalb hätte er jede Frau unglücklich gemacht. Eine genügte ihm nicht. Ich erkenne Patrice' Stimme sofort, sie klingt jung und hell wie damals. Er ist völlig aus dem Häuschen.

»Du hast doch immer von ihm erzählt, weißt du nicht mehr?«

Ja. Mein Großvater, das Fragezeichen in meiner Familie.

»Die Maschine kam aus Tunis. Er war doch in Nordafrika stationiert, hast du gesagt, nicht wahr?«

»Es gab Millionen Verschollene im Krieg, woher willst du ...«

»Ich schick dir ein Foto. Was wir gefunden haben. *C'est in-*

croyable! Moritz hieß er doch, non? Und mit Nachnamen wie du?«

»Nein, wir haben verschiedene Namen. Patrice, ich hab gerade ganz andere Probleme.«

Seine Erregung springt nicht auf mich über. Meine Skepsis überwiegt.

Dann kommt das Foto an. Und noch eins. Und noch eins. Ich starre auf mein Handy, und mir läuft ein Schauer über den Rücken. Muschelverkrustet und gelb von Rost, aber doch erstaunlich gut erhalten: eine Kamera. Agfa, der Schriftzug gut erkennbar, vorne klafft ein Loch, dort, wo die alten Apparate ihren Faltbalg hatten. Ein zweites Foto, die Kamera von hinten, und zuletzt das vergrößerte Detail: eine Gravur im verrosteten Metall, von Sedimenten freigelegt: M. R. Oder ist es M. B.?

»Wie hieß er mit Nachnamen?«

»Reincke.«

Ich kenne die Kamera von einem Foto, einem der wenigen: mein Großvater als Zwanzigjähriger am Wannsee, offenes Hemd und Hosenträger, lächelnd, voller Optimismus, und zugleich mit einem scharfen, genauen Blick, in der Hand die Kamera, als warte er nur darauf, das Foto zu erwidern, das sie gerade von ihm machte: meine Großmutter als junges Mädchen, vor der Katastrophe.

»Nach über sechzig Jahren – Nina! Das Leben schreibt die verrücktesten Geschichten!«

Nein, *mein* Leben ist alles andere als verrückt, alles läuft in geordneten Bahnen, mein Leben ist eine Insel der Stabilität im Chaos dieser Stadt, sagen meine Freundinnen – gut, bis auf die Katastrophe mit Gianni. Wobei das auch nur allzu gewöhnlich war – die jüngere Geliebte und die Ehefrau, die eine verirrte SMS ihres Mannes auf dem eigenen Handy entdeckt. Nein, die Geschichten des Lebens sind allzu banal.

»Freust du dich nicht? Endlich hast du ihn gefunden!«

Ich schweige und weiß nicht, warum. Taubheit im Kopf, Taubheit in den Gliedern. Wenn es stimmt, dass mein Großvater vor der sizilianischen Küste am Grund des Meeres liegt, dann wäre er nicht mehr verschollen. Dann wäre sein Geheimnis, das immer meine Phantasie beflügelt hat, endgültig gelöst.

»Ein Fischer hat mir den Tipp gegeben. Es sind immer die Fischer, die was rausziehen. Dann haben wir das Leitwerk gefunden und ein paar Sachen aus dem Heck. Bordgeschirr, ein Sitzgestell ... und die Kamera. Jetzt suchen wir nach dem Rumpf.

Vielleicht finden wir dort noch mehr von ihm.«

Der Gedanke, einen im Meeresschlamm konservierten jungen Soldaten zu sehen, der mein eigener Großvater ist, gruselt mich. Dann setzt mein Verstand ein, der weiß, dass auch bei Unterwasserausgrabungen höchstens Skelette zu finden sind. Seesterne, Fische und Krebse fressen das Fleisch. Und selbst die Knochen werden mit der Zeit demineralisiert. Außer, die Körper liegen im Schlamm, vom Sauerstoff abgeschottet.

Aber die Initialen konnten vieles bedeuten. Martin Richter. Michael Biedermann.

»Der einzige Zweifel, den ich habe«, sagt er, »ist das Fabrikat. Die Wehrmachtsfotografen haben eine moderne Leica IIIc benutzt. Diese Kamera ist eine Agfa Karat aus den dreißiger Jahren.«

Das ist der Grund, warum Archäologen keine Krimis lesen. Wir ermitteln selbst den ganzen Tag. Und ich weiß nicht, ob ich jetzt die Kraft habe, mich in diese Details einzuarbeiten. Ich weiß nur: Er hat mehr gemacht als nur Fotos. Er wurde irgendwann zum Kameramann befördert, für die Wochenschau.

»Hör zu, Nina. Ich hab den Unfallbericht des Generalquartiermeisters von Trapani. Die Baunummer ist dieselbe, die wir am Leitwerk gefunden haben. Die Namen der Besatzung sind vermerkt. Was aber fehlt, ist eine Passagierliste. Damit hätten wir Gewissheit. Und da habe ich ... eine Bitte an dich.«

»Was?«

»Die namentlichen Verlustmeldungen liegen bei der WASt. Wehrmachtsauskunftsstelle. Also, wenn es noch eine Passagierliste gibt, dann dort. Aber da komm ich nicht ran, als kleiner französischer Taucher. Du musst Angehöriger sein. Wegen Datenschutz.«

»Wo ist das?«

»In Berlin.«

»Okay, kann ich machen.«

»Nina, du bist ein Schatz! Dafür lad ich dich auf ein Wochenende ein!«

»Wo?«

»Na, hier in Marsala. *C'est magnifique!* Du musst schnell sein, bevor die Verrückten kommen. Es war schon in der Zeitung, wir konnten es nicht verhindern. Flieg runter, Nina! Wie lange haben wir uns nicht mehr gesehen? Zehn Jahre?«

»Patrice, es tut mir leid. Ich kann nicht.«

»Warum? Was ist los?«

Ich erzähle ihm nichts von dem Erdbeben, das meine Ehe erschüttert hat. Von den Terminen mit den Anwälten und dem absurden Versuch, dreizehn Jahre Leben in Zahlen aufzurechnen und fein säuberlich zu trennen. Meine Existenz ist bereits so aus dem Gleichgewicht geraten, dass jede weitere Veränderung mich völlig aus der Bahn werfen würde. Ich erzähle ihm von einer Konferenz in London und verschweige, dass ich die letzten zehn Jahre in einem verstaubten Museumsarchiv verbracht habe. Ich habe verlernt zu reisen.

Die Wehrmachtsauskunftsstelle, am Morgen vor dem Termin beim Scheidungsanwalt. Ein sauber geordnetes Aktengefängnis: Hier haben sie die Lebensläufe weggesperrt, von denen nachher keiner mehr was wissen wollte. Wer wann wo was getan hat. Verwundet, vermisst, gefangen oder auf welche Art gestorben. Millionen von Männern. Ich stelle einen Antrag. Trage die Daten ein, die ein Unglück in Zahlen fassen. *Ju 52/3mg6e, Werksnummer 7544, Flugkommando Luftnachrichtenregiment, vermuteter Wehrmachtsangehöriger: Moritz Reincke, geboren am 2. März 1919 in Treblin, Pommern.*

»Wir schicken Ihnen eine E-Mail.« Freundlich, effizient und geräuschlos. Diese Behörde ist das Gegenteil der Stadt dort draußen. Warum bin ich noch nie hierhergegangen? Sie liegt an meiner U-Bahn-Linie. Ich kenne sogar einen, der dort arbeitet. Vielleicht hatte ich Angst vor allzu viel Wahrheit. Wen er getötet hat und in welche Schweinereien er verwickelt war. Das Schweigen, in das er gehüllt war, schützte uns vor allzu Schockierendem. Lieber ein Wortlaut, mit dem alle leben konnten: *In der Wüste verschollen.*

Gianni hat die Scheidungspapiere bereits unterzeichnet. Alles, was es noch braucht, um den Termin festzusetzen, der unser Scheitern aktenkundig macht, ist meine Unterschrift. Ich habe mich immer gefragt, warum Frauen auf Männer stehen, die mehr Geld haben als sie. So einer kann sich immer den besseren Scheidungsanwalt leisten. Ich sehe meinen zukünftigen Exmann über den viel zu großen Tisch hinweg an. Sein neuer Anzug sitzt wie immer perfekt, beim Aussehen macht er nie Kompromisse. Sein Anwalt, in dessen Kanzlei er mich gebeten hat, betont die Großzügigkeit des Angebots. Gianni lächelt. Ein Fremdgewordener, dessen Körper, Herz und Seele einmal eins mit mir waren. Wie man sich in einem Menschen täuschen kann. Ich erzähle ihm nichts von dem Anruf aus Sizilien. Ich sage nur, dass ich verreisen muss. Ich stecke die Papiere in meine Tasche, ohne zu unterschreiben, und bitte um Bedenkzeit. »Du kannst doch jetzt nicht wegfahren!« Gianni steht empört auf. Als wären wir noch ein Paar.

»Nina, es tut mir leid.«

Er will eine Absolution, meinen Segen für seine Zukunft mit Wie-auch-immer-sie-heißt. Ich wünsche ihm eine gute Zeit und verlasse die Kanzlei.

Wo ich auf einmal den Mut hergenommen habe, weiß ich nicht. Die Entscheidung fiel völlig spontan, wie hinter einer Wand aus Nebel, als wäre es nicht ich gewesen, die da sprach. Vielleicht ist es ebenso sehr eine Flucht aus der Gegenwart wie die Sehnsucht nach der Vergangenheit. Oder aber die Ahnung, dass der Schlüssel zu meinem verlorenen Selbst nicht hier zu finden ist, sondern in einer Geschichte vor meiner Geburt, die ein verrücktes Schicksal in einer Zeitkapsel aufbewahrt hat, von Muscheln überwuchert, in der Dunkelheit unter dem Meer. Ich gehe nach Hause und packe meinen Koffer. Es ist Freitagnachmittag.

2

Fast alles, was ich über meinen Großvater weiß, hat meine Mutter mir erzählt. Meine Großmutter sprach nur selten über ihn. In jeder Familie gibt es ein Tabu und einen, der es beschützt. Was unsere Familie besonders machte, war nicht, wie man auf den ersten Blick denken könnte, mein Vater, der in Amerika lebt. Ich telefonierte regelmäßig mit ihm, und meine Mutter verlor – obwohl sie diejenige gewesen war, die sich getrennt hatte – kein schlechtes Wort über ihn. Er existierte. Er war ein abwesendes, aber anerkanntes Mitglied der Familie. Mein Großvater dagegen schien nicht existieren zu *dürfen;* er war aus dem Familienkreis ausradiert worden, schon vor meiner Geburt. Aber Familien haben ein Gedächtnis, das über die Erinnerung eines Einzelnen hinausreicht. Warum ich schon als Kind neugierig war, etwas über meinen Großvater zu erfahren, weiß ich nicht. Vielleicht war es gerade Großmutters Schweigen, das ein Mysterium erzeugte.

Immer wenn ich nach ihm fragte, legte sich eine bleierne Schwere auf die Runde. Kein behagliches Schweigen, auch kein trauriges, sondern eines, das mit Eiseskälte daherkam, das meinen Atem stocken ließ und in mir die Angst auslöste, etwas Falsches gesagt zu haben, vergleichbar nur mit dem tiefen Unbehagen, das mich einmal befiel, als ich – als Kind mit fünf Jahren vielleicht – fragte, wer denn dieser »Hitler« sei, von dem die Erwachsenen so leise sprachen, als sollte ich es besser nicht hören. Allein die Erwähnung dieses Namens aus dem Munde eines Kindes schien alle am Tisch zu verstören. Ich schämte mich für meine Frage, als hätte ich sie verletzt, ohne zu wissen warum. Hitler und Großvater, irgendwie erzeugten sie die gleiche Art von Scham, gehörten beide in die Kategorie der Dinge, die man als Kind besser nicht erwähnt, um die Erwachsenen zu schonen. Die Antwort auf meine Frage, wo Großpapa denn sei, war immer dieselbe: »Er ist nicht aus dem Krieg zurückgekommen.« Und wenn ich dann nachfragte, ob er denn tot sei, sagte Großmutter weder ja noch nein, sondern nur: »Er ist verschollen.«

»Wo?«

»In der Wüste. Und jetzt iss deinen Apfelkuchen!« Das Wort »verschollen« begleitete mich nach solchen Nachmittagen bei Großmutter bis in meine Träume. Es gab also etwas zwischen tot und lebendig, ein Weder–noch, ein Unentschieden, eine Zwischenwelt, die Legenden gebar, so wie Flugzeuge im Bermuda-Dreieck oder Geisterschiffe, die dazu verdammt sind, ewig über die Ozeane zu kreuzen, ohne je einen Hafen anzulaufen oder unterzugehen. So ein ruheloser Geist war mein Großvater, und die Wüste übte seitdem eine eigenartige Faszination auf mich aus.

Als meine Mutter mir erzählte, dass der Pilot, der den »Kleinen Prinz« geschrieben hatte, auch ein Verschollener war, stellte ich mir vor, Saint-Exupéry und mein Großvater wären sich irgendwo in der Wüste Nordafrikas begegnet, hätten ihr Wasser geteilt und sich die Fotos ihrer Frauen gezeigt, die vergeblich auf sie warteten. Ich verschlang die Abenteuer des Kara Ben Nemsi und reiste in Gedanken nach Ägypten. Der Fluch des Tutanchamun, das Rätsel der Sphinx, die Täuschung der Fata Morgana. Spiegel im Sand. Vielleicht waren es die Verschollenen, die als Geister wiederkehrten? Wer weiß, warum man sich für einen Beruf entscheidet, vielleicht ist es Zufall. Aber sicher ist, dass ich nicht Archäologin werden wollte, um in einem Museumsarchiv zu sitzen, sondern um ungelöste Geheimnisse zu entschlüsseln.

Während meine Großmutter ihn am liebsten tot gesehen hätte, vermisste meine Mutter ihren verschollenen Vater. Sie hat ihn nie kennengelernt. Tatsächlich glaubte sie, dass er lebte, noch Jahrzehnte nach dem Krieg, *wollte* es glauben, gegen jede Wahrscheinlichkeit, während Großmutter das als dummes Hirngespinst abtat. Mir schien es fast absurd, wenn die beiden darüber stritten. Wenn das Wort auf Großvater kam, schossen die Gefühle kurz hoch, nur um kurz darauf von bleiernem Schweigen erstickt zu werden. Es gab einen versteckten Vorwurf meiner Mutter gegen ihre Mutter, eine unausgesprochene Schuld, die sie nicht tragen wollte. Fast schien es mir, als sei die Frage, ob er lebte oder nicht, allein eine Frage des Wollens, als würde diejenige mit der stärkeren Wunschkraft über sein Schicksal entscheiden. Während dieser Momente wurde mir zum ersten Mal bewusst, dass die Wirklichkeit Ansichtssache war, dass Geschichte aus Geschichten besteht und Gedanken aus Gefühlen geboren werden. Erinnerung als Vexierspiel mit dem Verstand, der vergeblich Wunsch und Wahrheit zu trennen versucht.

i would laugh

Immer wenn ich in ein Flugzeug steige, denke ich an meine
Mutter. Es muss unglaublich viel Anstrengung kosten, schlecht-
gelaunte Fluggäste freundlich anzulächeln, sich nie die Blöße
einer verrutschten Frisur zu geben und die Männerhand zu
ignorieren, die in der engen Kabine scheinbar unabsichtlich am
Hintern vorbeistreicht. Ich lächle immer besonders freundlich
zurück, um den Stewardessen etwas mitzugeben, selbst wenn
ihnen das gleichgültig ist. Es sind andere Zeiten; Fliegen hat
den Glanz verloren, der sich in den Augen meiner Mutter wider-
spiegelte, wenn sie mir von Los Angeles erzählte, von Bangkok
und Montréal. Sie liebte ihren Beruf über alles, vielleicht sogar
über mich, wer weiß.

Ich habe es ihr nicht übelgenommen, dass sie so oft weg
war, vielleicht habe ich ihr zu verdanken, dass ich auch heute
noch gern alleine vor mich hin arbeite; schon als Kind habe
ich mich nie einsam gefühlt, da war immer jemand in meiner
Phantasie, mit dem ich mich unterhalten konnte. Tatsächlich
habe ich nach dreizehn Jahren Ehe keine Angst vor der Einsamkeit, nur vor der Ungewissheit. Ich mag Rituale, die den
Tag strukturieren, die fein abgestimmten Abläufe morgens,
Gianni, der sonntags immer zuerst ins Bad ging, während ich
Kaffee machte, und die Brötchen, die er holte, während ich
unter der Dusche stand. Dass er meine Lieblingscroissants
kannte, die mit Marzipan von Butter Lindner, wohin er immer etwas länger gehen musste, aber es gerne tat, aus Liebe
zu mir oder weil er dann länger telefonieren konnte. Mit ihr.
Es dauerte eine Weile, bis ich es herausgefunden hatte. Aber
wenn man einmal angefangen hat, das Handy seines Liebsten

entertain myself with

zu durchsuchen, während er unter der Dusche steht, ist das längst der Anfang vom Ende.

Der Flug ist ein Katzensprung. Umsteigen in Rom – noch fällt es leicht, die Erinnerung fernzuhalten –, und von dort in einer Stunde nach Trapani. Auf jedem Flug gibt es die Mitte – nicht immer die Hälfte der Zeit, sondern den Punkt, an dem die Gedanken an den Abflugsort von den Gedanken an den Zielort abgelöst werden. Der Übergang zwischen Vergangenheit und Zukunft, eine wunderbare Schwebe in der Gegenwart, losgelöst von allen Koordinaten des Raums und der Zeit. Doch als die Maschine in den Sinkflug geht, bin ich immer noch nicht dort angekommen. Ich bin in Berlin, bei Gianni – er würde gerade in der Wohnung sein, um seine letzten Sachen zu holen, allein vielleicht, aber vielleicht auch mit ihr. Unter dem Kabinenfenster: der Flughafen von Trapani. Damals deutscher Luftwaffenstützpunkt. Man erkennt immer noch die rostigen alten Hangars. Hier sollte Moritz landen, im Mai 1943, nach einem kurzen Flug über die Straße von Sizilien. Hier ist er nie angekommen.

Niemand nimmt Notiz von mir. Patrice' Angebot, mich am Flughafen abzuholen, hatte ich abgelehnt. Nicht einmal meine Ankunftszeit hatte ich ihm mitgeteilt. Ich wollte allein ankommen. Sehen, wie es sich anfühlt, nach dreizehn Jahren wieder hier zu sein. Nicht dabei gesehen werden, wenn es mich auf einmal überschwemmt, das Gefühl von damals. Sizilien. Ausgerechnet Sizilien.

Ich habe einen Tick in Ankunftshallen. Niemand bemerkt ihn außer mir, aber ich werde ihn nie los. Gianni ist der Einzige, dem ich davon erzählt habe. Vor dreizehn Jahren, am Flughafen von Palermo, auf unserer Hochzeitsreise. Hast du dir mal vorgestellt, fragte ich ihn, einfach zu einem der Fahrer zu gehen, die dort mit einem Namensschild warten, einen falschen Namen zu nennen und mitzugehen? Es ist ganz einfach, du musst nur den Namen sagen, der auf dem Schild steht, sie fragen nicht nach dem Ausweis, sie wollen nur schnell wegkommen. Sie nehmen deinen Koffer, bringen dich zu ihrem Kleinbus oder, wenn du Glück hast, einer Limousine mit schwarzen Scheiben und fahren los. Du weißt nicht, wohin es geht, ein Konferenzsaal, ein Hotel, ein Schiff, du plauderst mit dem Fahrer und fragst dich, wie lange du ins Leben eines anderen schlüpfen kannst, wie in ein Kleidungsstück, zu groß, zu teuer, aber es fühlt sich gut an. Bis der erste Mensch dich nach deinem Pass fragt, machst du Urlaub von dir selbst. *Das würdest du dich nie trauen,* hatte Gianni damals gesagt, und er hatte recht. Wahrscheinlich wäre es auch nur halb so aufregend wie in der Vorstellung, aber darauf kommt es nicht an. Es ist der Moment der Auswahl, der mich fasziniert, wenn du auf fünf, sechs Schilder zugehst, jeder Name eine Tür zu einem anderen Leben. Das berauschende Gefühl, was alles möglich wäre. Wenn du nicht du wärst.

Der Parkplatz vor dem Flughafen ist fast leer. Eine Landschaft der Abwesenheit. Graues Meer, Novemberwolken, durch die plötzlich die Sonne bricht und sich auf dem nassen Asphalt spiegelt. Ein Wechselspiel zwischen Schauern, die übers Meer heranziehen, und unerwartet blauem Himmel. Der Regen ist schwer, das Licht unzuverlässig. Man kennt es anders. Man vermisst die betäubende Hitze, die Zikaden, den üppigen Rausch des Sommers.

Die Sonne steht schon tief und bricht durch die Wolken. Mit dem Geruch der Insel ist auf einmal auch der Geruch von Giannis Körper wieder da. Ich wehre mich gegen die Erinnerungen. Alles ist noch zu nah. Ich will ihn noch hassen dürfen. Ich kann ihm nicht vergeben.

Ich nehme ein Taxi nach Marsala. Froh über die Scheibe zwischen mir und der Welt. Ich warte darauf, dass es mich einholt.

Der Rausch unserer ersten Reise als verheiratetes Paar, *Signore e Signora Scatà,* unser Lachen, als ich zum ersten Mal so angesprochen werde, die ungewohnte Selbstverständlichkeit, das Gefühl, endlich angekommen zu sein. Aber das Gefühl bleibt aus. Die gleiche Landschaft, die damals Kulisse unserer Träume war, wirkt jetzt banal. Die Werbeplakate der Mobilfunkanbieter am Straßenrand. Das Geplapper aus dem Autoradio. Die Melancholie ist verschwunden. Am Straßenrand verkauft ein Gestrandeter rosa Plüschtiere, billiger Schund aus China. Damals waren die Städte dunkel, morbide und flüsternd, unsere Verliebtheit gegen die Dekadenz, unser Strahlen vor den zerfallenden Fassaden, unsere Zukunft vor ihrer Vergangenheit. Jetzt sind die Häuser hell, entzaubert. Ich frage mich, ob es nur ein Traum war und wer sich wirklich verändert hat: das Land oder ich.

Sizilien nach dem Sommer ist ein Jahrmarkt ohne Kinder. Leere Straßen durch leere Dörfer, traurige Palmen, Plastiktüten im Stacheldraht. Schilf, Mohn, Kakteen, Oliven, rote Erde, alte Steinmauern. Überall Schilder »Vende«, verschlossene Fenster und Türen. Afrikaner, die auf einem Parkplatz Fußball spielen. Immer wieder halbfertige Häuser, rostige Stahlborsten, die aus dem Beton ragen, für den oberen Stock hat das Geld nicht gereicht. Verlassene Baustellen, auf Eis gelegte Träume. Wer hat das geplant? Wo sind sie jetzt? Vielleicht ein junges Paar, das immer noch bei den Eltern wohnt, vielleicht haben sie sich getrennt. Hausbau, Zusammenziehen und Kinderkriegen, die drei häufigsten Trennungsgründe. Wir haben es auch ohne geschafft.

Vielleicht war es das Fehlen einer Zukunftsperspektive, die Stagnation in einer allzu sicheren Gegenwart, vielleicht braucht man ein gemeinsames Projekt. Ich erinnere mich an einen Satz von Saint-Exupéry, der sinngemäß sagte: Liebe bedeutet nicht, sich anzusehen, sondern gemeinsam in die gleiche Richtung zu schauen. Aber haben wir uns wirklich angeschaut? War das wirklich er, den ich geliebt habe, war es wirklich ich, die er gemeint hat? Nach der Trennung frage ich mich, ob wir uns nicht etwas vorgemacht haben, als ob ich ein besseres Bild von ihm gezeichnet hätte, dem ich eine bessere Version von mir zur Seite stellte, ein Traumpaar nicht nur für die anderen, sondern auch für uns selbst, eine Täuschung, ein Verrat. Vielleicht war sein Betrug nur eine Folge des Selbstbetrugs, in dem wir uns eingenistet hatten.

Abenddämmerung über Marsala. Eine Stadt wie Timbuktu oder Jericho: Der Name ist weltbekannt, aber die Realität ist banal. Ich hatte mir eine pittoreske Strandpromenade vorgestellt, belebte Fischrestaurants am Ufer, Kinder mit Eistüten. Stattdessen sehe ich: Hochhäuser aus den Siebzigern, hässliche Kästen, ein leerer Parkplatz, Würstchenbuden. Man sieht kaum das Meer, sondern aufgebockte Fischkutter mit geborstenem Rumpf, leere Hallen, Arbeitslose, die herumstehen und rauchen.

Patrice hat ein Hotel außerhalb der Stadt gewählt, um weniger Aufsehen zu erregen. Kleine Ansammlungen von Häusern entlang der Landstraße; man kann sie kaum Dörfer nennen, ocker und rosa, so hässlich, als lägen sie nicht am Meer. Dann, nach einer Abzweigung auf eine holprige Privatstraße, ein kleines weißes Strandhotel aus den Siebzigern oder Achtzigern, *Lido del Sole* ***, was für ein abgestandener Name. Aber er passt perfekt zu dem abgeblätterten Putz, den zerzausten Palmen und den verloren herumstehenden Plastikstühlen. Die Tristesse der Nachsaison.

»Die Signora ist nicht da«, sagt das Zimmermädchen. Ihr scheuer, gelangweilter Blick, die verwaiste Lobby, von irgendwoher dudelt ein Radio. Mein Zimmer riecht nach Muff und Putzmittel, es hat ein dunkelbraunes Doppelbett und einen Balkon, von dem aus man das Meer nicht sehen, aber hören kann. Die Sonne geht unter, der Himmel ist fast violett, und das *Lido del Sole****-Schild vor dem Haus beginnt zu flackern. Ich packe meine Sachen aus, hänge sie in den Schrank und schreibe Patrice eine Nachricht. Als es schon dunkel ist, höre ich erregte Stimmen von draußen; eine Frau und ein Mann, sie scheinen sich zu streiten. Als ich auf den Balkon trete, erkenne ich ihre Silhouetten im Dunkeln vor dem Eingang.

»*Désolé, madame,* das Hotel ist komplett ausgebucht!«

»*Ah bon?* Aber das sieht doch ein Blinder, dass hier nichts los ist!«

Ich erkenne Patrice. Der große Körper, die lebhaften Gesten. Die Französin – eine ältere Dame mit Sommerhut und Pelzstola um den Hals – wendet sich spöttisch lachend ab.

»Ich rufe Ihnen ein Taxi!«

»Ich komm schon allein zurecht!«

»*Au revoir, Madame.*«

Die Tür fällt ins Schloss. Ich höre die Französin leise vor sich hin fluchen. Dann geht sie mit ihrem Rollkoffer vor meinem Balkon vorbei. In dem Moment, als ich befürchte, sie könnte mich sehen, blickt sie nach oben. Ich erkenne ihr Gesicht nicht, nur den Hut und den Pelz, und irgendetwas gibt mir das eigenartige Gefühl, sie zu kennen. Ich tue so, als hätte ich sie nicht bemerkt, und gehe zurück ins Zimmer. Ich empfinde Mitgefühl mit der fremden Frau. Warum hat Patrice sie vertrieben?

Auf den ersten Blick hat Patrice sich kaum verändert. Ein Mann im besten Alter, sonnengebräunt und durchtrainiert. Auf den zweiten Blick erkenne ich die grauen Strähnen in seinen schulterlangen Haaren und dem Dreitagebart, die tiefen Lachfalten um seine blauen Augen. Etwas Abgekämpftes, Rastloses umgibt ihn.

»*Ça va,* Nina? Du siehst blendend aus!« Er war schon immer ein charmanter Lügner. Aber seine Umarmung tut gut. Unkompliziert, wie früher. Es ist laut in dem kleinen Hotelrestaurant, sie haben die Musik aufgedreht, auch wenn nur ein einziger Tisch besetzt ist. Patrice stellt mich seinen Taucherkumpels vor. Philippe, Benoît, Lamine. Die Überraschung am Tisch sind die Deutschen. Angehörige der Flugzeugbesatzung, auch erst vor kurzem angereist: Frau von Mitzlaff, Herr Bovensiepen, das Ehepaar Triebel. Ältere Herrschaften, freundlich, aufgeregt; eine eingeschworene Gemeinschaft, zu der sie jetzt auch mich zählen.

Fremde, die allzu vertraulich über »unsere Verwandten« reden, und Patrice, der mich fragt, warum mein Mann nicht mit mir gekommen ist. Zu allem Überfluss. Ein Moment der Stille, als das Wort »Trennung« fällt, mitleidige Floskeln, als hätte ich eine ansteckende Krankheit. Patrice überspielt es charmant, dann reihe ich mich möglichst unauffällig in die Gespräche ein, hülle mich in einen Mantel der Beliebigkeit, reiche ihm mein Glas, trinke Wein. Die Blicke der anderen, als hätten meine Kleider Löcher. Dabei ist es mein Inneres, durch dessen Risse der Wind zieht.

Patrice unterhält die Runde mit Schatztauchergeschichten. Er ist im guten Sinne jung geblieben, neugierig, enthusiastisch und ansteckend. Jetzt ist er der Abenteurer geworden, der er immer schon sein wollte. Kein Ring am Finger. Warum auch. Er hatte immer was laufen. Ich hatte damals nicht deshalb nein gesagt, weil ich ihn nicht attraktiv fand, sondern weil jemand wie er immer eine Attraktivere finden würde. Er wirft mir Blicke zu, während er redet. Als würde er seine Geschichten nur mir erzählen. Die Expedition auf den Spuren von Saint-Exupéry. Seine Obsession, das verschollene Flugzeug des Nationalhelden zu finden und damit selbst einer zu werden. Ich weiß noch, wie er damals mitten in der Nacht anrief, einmal kurz vor der Lösung des Rätsels und einmal tief niedergeschlagen. Heute kann er darüber lachen.

»Ist das nicht kurios?«, ruft er in die Runde. »Eine ganze

Nation sucht ihren berühmten Schriftsteller, Armeen von Schatztauchern, jahrzehntelang vergeblich, und dann zieht ein kleiner Fischer vor Marseille ein Armband aus seinem Netz. Er reibt die Gravur frei und fragt seinen Chef: *St. Exupéry, wer ist das?* Der Mann ist Tunesier, er kennt seinen Namen und seine Bücher nicht, aber er stammt aus der Landschaft, die Saint-Ex so geliebt hat! *Un drôle de destin!*«

Ich erinnere mich an Patrice' Anruf, Ende der Neunziger, und an die Traurigkeit, die mich erfasste. Die Endgültigkeit seines Todes. Patrice dagegen war Feuer und Flamme, das Wrack zu finden. Es begann ein Wettlauf verschiedener Teams und Streitereien mit der Regierung. Am Ende zog ein anderer Taucher die Wrackteile aus dem Meer. Ich erinnere mich noch gut: Die Presse feierte den Erfolg, aber mich ließ die Geschichte seltsam niedergeschlagen zurück. Vielleicht, weil Saint-Exupérys Ende so banal war: Der Vater des Kleinen Prinzen, abgeschossen von einem deutschen Jagdflieger. Vielleicht aber auch, weil sein Tod mich an den anderen Verschollenen erinnerte, für den sich niemand interessierte.

»Weißt du noch, was ich dir damals versprochen habe?« Patrice zwinkert mir zu. Ich weiß. Wenn ihm der große Saint-Ex durch die Lappen gegangen war, würde er wenigstens meinen unbekannten Großvater finden.

»Et voilà!«

Wir stoßen auf den Erfolg der Expedition an, dann schleiche ich mich unter einem Vorwand aus dem Restaurant. Ich muss Luft schnappen. Wenn ich unter Menschen bin, möchte ich weg. Und wenn ich allein bin, fühle ich mich einsam. Ich gehe ein paar Schritte, bis ich Sand unter den Sohlen spüre. Die Luft auf meiner Haut ist überraschend mild; ich habe zu warme Sachen eingepackt. Es gibt Zeiten, in denen sich die Grenzen zwischen dem Ich und der Welt auflösen. Jetzt umgibt mich eine Mauer aus Stein. Ich gehe weiter bis zum Meer, das tintenschwarz vor mir liegt. Kein Wind, kaum Brandung, als hielte die Welt den Atem an. Ich stehe am Rande Europas, in der Mitte meines Lebens, und habe keine Idee, wie es weitergehen soll.

Schritte im Sand. Es ist Patrice.

»Alles in Ordnung bei dir?«

»Ja.«

»Schön, dass du da bist.«

»Warum hast du die Angehörigen informiert? Ich dachte, du wolltest keinen Rummel.«

»Ja, ich weiß. Und seit es in der Zeitung stand, tauchen lauter Schaulustige und Spinner auf. Aber ich kann's nicht mehr alleine finanzieren. Wir müssen das Wrack bergen, bevor die Winterstürme beginnen. Keine Sorge, dich werde ich nicht um Geld bitten.«

»Warum hast du mich dann angerufen?«

Meine Frage empört ihn.

»Ich hab's dir versprochen! Willst du nicht mehr wissen, was mit deinem Großvater passiert ist?«

»Du machst die Expedition doch nicht seinetwegen. Warum interessiert dich dieses Flugzeug?«

Patrice war nie ein Mann für kleine, nostalgische Projekte. Er war immer auf der Suche nach dem großen Coup. Und immer war ein anderer schneller gewesen.

»Es waren vier Besatzungsmitglieder und zwanzig Passagiere. Vierundzwanzig Männer. Vierundzwanzig Familien, die nie Gewissheit hatten. Wie deine Mutter. Ich erinnere mich gut: ihre fixe Idee, dass er noch lebt, irgendwo. Wenn wir die Überreste finden, könnt ihr endlich Abschied nehmen.«

Ein schöner Gedanke. Aber ich nehme ihm den Altruismus nicht ganz ab.

»Dafür ist es zu spät.«

»Warum?«

»Meine Mutter ist gestorben. Vor zwei Jahren.«

»Oh. Das tut mir leid, Nina.«

»Schon gut.«

»Ich mochte sie gerne. Sie war immer jung im Kopf.«

Eine Weile stehen wir einfach nur schweigend da. Dann fragt er in die Stille hinein: »Und du hast keine Kinder?«

Ich schüttle den Kopf. Ich hasse diese Frage. Weil ich die Reaktion auf meine Antwort hasse. Das verständnisvolle Nicken, die gespielte Anerkennung einer emanzipierten Entscheidung, hinter der sich doch nur Mitleid verbirgt.

»Warum?«

Warum. Diese Frage hasse ich noch mehr, denn die gute Antwort, die ich immer hatte, funktioniert nicht mehr. *Wir haben das bewusst entschieden,* sagten wir immer, und dann führten wir all die Dinge auf, um die uns andere Paare beneideten. Wir liebten beide unseren Beruf und wollten keines dieser Paare sein, die sich verloren, wenn die Kinder kamen. Wir hatten so viele im Freundeskreis, die an der selbstgestellten Herausforderung, alles haben zu müssen - tolle Jobs, tolle Kinder und eine tolle Beziehung -, scheiterten, obwohl beide ihr Bestes gaben. Gianni und ich, wir wollten es besser machen. Wir wollten uns all das bewahren, was die Paare mit Kindern nicht mehr machen konnten, weil ihnen die Zeit fehlte, die Nerven, die Lust: Reisen, Tanzen, Filme, Bücher, und wir zwei, nur wir zwei. Einen Abend pro Woche zelebrierten wir unsere Liebe. Statt vor dem Einschlafen schnell noch Sex zu haben, ließen wir uns etwas einfallen, liebten uns bis spät in die Nacht, an den verrücktesten Orten, auf die verrücktesten Arten. Wenn einer unserer Freunde anmerkte, wie routiniert er unser Leben fand - denn im Alltag war es das tatsächlich -, dann sahen wir uns nur still an, vereint in einem Wissen, das nur wir beide teilten. Umso bitterer der Verrat. Er ging nicht fremd, weil wir keinen Sex mehr hatten oder weil er meinen Körper nicht mehr begehrte. Er floh vor meiner Seele.

Dabei war es am Anfang Giannis Entscheidung gewesen,

keine Kinder zu haben. Ich war unentschlossen. Ich hätte nein sagen können. Aber dann wäre er weg gewesen. Ich wusste, ich konnte ihn nicht ändern. Und weil ich ihn liebte, wollte ich ihn nicht ändern. Wir heirateten, und als sich ringsherum unsere Freunde trennten, alle mit Kindern, alle überfordert, hatten wir das Gefühl, es richtig gemacht zu haben. *Wir haben es gut. Wir haben uns.* Und jetzt ist es zu spät. Ich bin wütend auf ihn. Wütend auf mich, dass ich alles auf eine Karte gesetzt habe. Jetzt stehe ich allein da. Die Letzte aus unserer Familie. Nach mir ist Schluss. Ohne es je gewollt zu haben, stehe ich jetzt dort, wo vor mir schon meine Mutter und meine Großmutter standen: Wir sind Frauen, die ihre Männer verlieren. Was ist nur los mit uns?

»Und du, warum hast du keine Kinder?«, frage ich zurück.

Patrice zuckt mit den Schultern. »Braucht man das, um glücklich zu sein?«

»Bist du glücklich?«

»Ja.«

»Verrätst du mir dein Geheimnis?«

»Ganz einfach. Tu, was du willst. Alles. Außer heiraten.«

Sein ironisches Grinsen, entwaffnend. Ich mag ihn immer noch. Aber wären wir ein Paar geworden, hätten wir nur gestritten.

»Komm, ich zeig dir was.«

Patrice führt mich über eine dunkle Straße zwischen den leeren Sommerhäusern entlang. Irgendwo bellt ein Hund. Vor einer kleinen, unscheinbaren Garage bleibt er stehen, sieht sich vorsichtig um und schließt das Eisentor auf. »Du darfst niemandem davon erzählen«, sagt er. »Hier sind zu viele Verrückte unterwegs. Schaulustige, Schatzsucher und Nazi-Sammler.« Wir schlüpfen hinein. Er sucht nach dem Lichtschalter, dann flackert das Neonlicht auf, und wir stehen in einem Museum. Vor mir liegt das abgerissene Leitwerk der Ju52, wie eine groteske

Skulptur, voller Muschelablagerungen. Daneben, in ähnlichem Zustand, ein Lederstiefel, ein Stück von einer Landeklappe, ein Benzinkanister, ein völlig verrostetes Maschinengewehr, ein bizarr verbogenes Aluminiumteil ... und eine Kamera.

Ich bin nicht vorbereitet auf das Gefühl, das mich überkommt, als ich sie in meinen Händen halte. Es sollte Routine für mich sein, ein Fundstück aus dem Meer, zwanzigstes Jahrhundert, kein Bruch, gut konserviert, kaum Sauerstoffkontakt, wahrscheinlich im Schlamm gelegen. Aber die Gravur ändert alles.

M. R.

Meine Hände auf dem alten Metall. Dort, wo seine Hände lagen. Ich blicke durch den Sucher. An den Rändern ist der Ausschnitt verrostet, aber die Linsen sind erstaunlich intakt. Was haben seine Augen durch diesen Sucher gesehen?

»Mach sie auf«, sagt Patrice.

Ich untersuche das Gehäuse. Patrice hat es bereits gesäubert. Beim ersten Versuch klemmt die Klappe noch. Es knirscht ein wenig, dann springt die Klappe auf. Die Filmdose liegt noch drin. *Agfacolor.* Das Zelluloid hat sich zersetzt; Reste kleben als braune Masse auf dem Metall. Was war sein letztes Foto? Warum kommt der eine aus dem Krieg zurück, und der andere stürzt ins Meer? Mich überkommt eine Welle von Traurigkeit.

Patrice legt seine Hand auf meine Schulter.

»Warum gerade *dieses* Flugzeug?«, frage ich ihn. »Wonach suchst du wirklich?«

Ich spüre, dass er mir etwas verheimlicht. Statt einer Antwort sagt er:

»Erzähl mir von deinem Großvater.«

4

Alles, was meine Mutter von ihrem Vater kannte, waren sein Name, Großmutters Geschichten und ein paar alte Fotos. Großmutter hat die Geschichte ihrer Geburt mitten im Krieg nur einmal erzählt, und ich weiß nicht, ob ich alles korrekt wiedergebe. Woran ich mich genau erinnere, sind die Bilder aus ihrem Fotoalbum: ein achtzehnjähriges Mädchen in einer Wäscherei in Treptow, 1942, noch vor den Bombennächten, vor Stalingrad, als viele noch verdrängen konnten, was wirklich geschah. Auf den braunstichigen Fotos mit dem gezackten Rand sieht Großmutter so anders aus, zwar züchtig gekämmt und gekleidet, aber ungleich lebensfroher, trotz des Kriegs keine Spur der späteren Verhärmtheit. Eine treuherzig in die Kamera lächelnde Tochter aus anständigem, bürgerlichem Hause. Und dann der junge Mann auf einem Foto, mein Großvater in Wehrmachtsuniform, mit ausgezehrten Wangen zwar, doch lachend und fast unschuldig, man könnte meinen, sein Geschäft im Ausland, von dem er gerade auf Heimaturlaub war, sei Handel, nicht Töten. Ich frage mich, was er davon erzählt und was er für sich behalten hat, während die beiden in Badehose und Badeanzug auf einem Steg am Wannsee saßen. Es ist einer der letzten schönen Herbsttage, 1942 steht auf der Rückseite des Fotos, also kurz nachdem am Ufer desselben Sees die Vernichtung der europäischen Juden beschlossen worden war. Und die beiden strahlen in die Kamera, als wäre die Welt ein Blumengarten. Was er von den Verbrechen wusste, weiß ich nicht. Ich weiß nur, was Großmutter erzählt hat: dass er ein alter Schulkamerad aus Köpenick war und dass sie sich in diesem Fronturlaub, nachdem sie sich viele Briefe geschrieben hatten, wiedergesehen haben. Vermutlich hatte er kein Menschenleben auf dem Gewissen, *noch* nicht: Er war Kriegsberichterstatter, Kameramann der Propagandakompanie, sie benutzten Bilder als Waffen. Sie töteten keine Menschen, aber die Wahrheit.

Ob Moritz diese Wahl aus Überzeugung getroffen hatte – er war gläubiger Christ –, aus Feigheit, Ehrgeiz oder reinem Zufall, weiß ich nicht. Meine Großmutter erzählte nur, dass er kein schlechter Mensch gewesen sei, aber der Krieg ihn zerstört habe. Wie kannst du von ihm als Opfer sprechen, fragte ich sie, wenn er einer von denen war, die begeistert an die Front zogen?

»Das verstehst du nicht«, sagte sie, und: »Sei froh, dass du das nicht verstehst.«

Sie hatten sich noch vor dem Krieg kennengelernt. Am Wannsee, als sie mit ihren Freundinnen badete. Er war mit einer Gruppe von Jungs dort, und er fiel ihr gleich auf, weil er der Einzige von ihnen war, der nicht ins Wasser ging. Ein hübscher, drahtiger Junge, der den anderen zusah, während sie johlend vom Steg sprangen. Er hatte eine kleine Kamera in der Hand, eine Agfa Karat, mit der er seine Freunde fotografierte. Und als er Fanny sah, fotografierte er sie. Dieses erste Foto ist nie wieder aufgetaucht. Aber meine Großmutter erzählte mir davon, wie sie auf ihn zuging und frech sagte, wenn er sie schon ungefragt fotografiere, müsse er ihr das Foto auch schenken. Er habe schüchtern reagiert, wie ein Junge, der bei einem Streich ertappt wurde. Und tatsächlich kam er eine Woche später mit dem entwickelten Abzug wieder zum See, um ihn ihr zu schenken. Ein hübsches junges Mädchen im Badeanzug, das in dem Moment, wo der Fotograf abdrückte, die Kamera entdeckte. Ihr koketter, staunender Blick.

Sie erfuhr, dass er Schüler im evangelischen Internat am See war. Eine Schule, in die nur die Kinder aus besseren Kreisen gingen. Kreise wie Fannys Familie. Aber Moritz war anders als seine Klassenkameraden. Er stammte nicht aus Berlin, sondern aus Ostpreußen, vom Land. Seine Eltern waren Bauern, einfache Leute, und dass er auf diese Schule gehen durfte, hatte er nur dem Glück zu verdanken, oder dem Unglück, je nachdem, wie man es sah. Seine Mutter war bei der Geburt seiner Schwester gestorben. Sein Vater war überfordert, ein Bauer ohne Frau und Magd mit zwei Kindern. Moritz passte auf seine kleine Schwester auf, aber sie war ein Frühchen mit zerbrechlichen Lungen, und drei Jahre später starb auch sie.

Der Vater begann zu trinken, verlor sich, schlug den Sohn. Moritz vermisste seine Mutter, der er viel ähnlicher war als seinem Vater. Von ihr hatte er seine Sensibilität geerbt, seinen besonderen Blick für die Dinge. Ihm fielen Dinge auf, die andere übersahen. Dinge, die der Vater und die anderen Jungs nie verstanden. Der Dorfpfarrer war Moritz' einziger Vertrauter in der Schule. Er verstand die Not des Jungen und überredete den Vater, den Sohn in ein Internat zu geben. Er organisierte ein Stipendium der Kirche. Und stieg mit dem Elfjährigen in den Zug nach Berlin.

Das Internat war eine andere Welt, in der Moritz lernte, dass Kunst nichts Wertloses und Empfindsamkeit keine Schwäche war. Er entdeckte die alten Meister, die Gesetze der Perspektive und die Kraft der Bilder. Er lernte Latein und Klavier. Und er lernte Fanny kennen. Da war er sechzehn. Ein schüchterner, aber attraktiver Junge und ein selbstbewusstes Mädchen aus guter Familie. Alteingesessenes Berliner Bürgertum. *Er war ein Bauernjunge,* sagte Großmutter. Einmal lud sie ihn zum Essen ein. Ihre Eltern mochten ihn. *Wir haben ihn unter die Fittiche genommen,* sagte Großmutter. Was auch immer das bedeutete. Sie erzählte immer nur in Andeutungen, nie chronologisch und manchmal voller Widersprüche. Mal erinnerte sie sich liebevoll an ihn, meist aber überwog die Verbitterung. Sie sparte vieles aus, erinnerte sich aber an kleine Details, dass er ihren Apfelkuchen liebte und, abgemagert wie er war, futterte wie ein Scheunendrescher, aber das große Bild des Kriegs, dessen Teil er war, verschwimmt in ihrer Erinnerung. Der Krieg war für sie nicht etwas, wofür oder wogegen man sich stellen konnte, sondern etwas, das einfach geschah, wie ein Naturereignis. Sie war noch Kind einer Zeit, in der Krieg und Frieden sich abwechselten wie die Jahreszeiten.

Großmutter erzählte, dass Moritz sie auf dem Steg am See zum ersten Mal geküsst hat. An dem Tag, als er seinen Wehrpass bekam. Er hatte sich freiwillig gemeldet. Moritz war weder ein Draufgänger noch besonders kräftig. Aber er hatte ein Talent, mit dem er alle Gleichaltrigen überflügelte: Er konnte gut fotografieren. Als er hörte, dass sie bei der Propagandakompanie Kameraleute suchten, war das seine Chance, sich zu beweisen. Jemand zu werden. Den Makel seiner Herkunft wettzumachen. Kurz nach der Ausbildung wurde er nach Frankreich beordert, zur Luftwaffe, wo er mit den Aufklärungsfliegern Luftaufnahmen machte. Dann wurde seine Staffel nach Sardinien verlegt, später nach Nordafrika, immer weiter südlich, und Moritz ahnte nicht, dass er sein Heimatdorf nie wiedersehen würde. *Warum so weit weg?*, fragte Fanny. *Fürs Zuhausebleiben bekommt man keinen Orden*, antwortete er.

Im Herbst 1942 hatten Fanny und Moritz nicht viel Zeit, bevor er zurück an die Front musste. Nur zwei Wochen Urlaub, in denen sie sich jeden Tag sahen, jede Sekunde ein Geschenk, das sie auskosteten, ohne zu wissen, wo und wie lange er eingesetzt werden würde. Großmutter erzählte, diese zwei Wochen mit Moritz sei die schönste Zeit ihres Lebens gewesen. Erst als ich nachbohrte, ob es wirklich so idyllisch war - 1942! -, erzählte sie von dem Sonntag, als sie mit Moritz in den »Zoopalast« ging. Fanny wollte unbedingt die Wochenschau sehen. Bilder sehen, die er gedreht hatte. Bilder aus Nordafrika. Sie hatten schon deutsche Soldaten am Atlantik gezeigt, in Paris und vor Moskau. Aber nichts faszinierte die Menschen so sehr wie Afrika. Die Wüste, eine leere Fläche der Imagination, die sich mit Bildern eines »ritterlichen« Kriegs füllte. Rommel, der Wüstenfuchs. Hans-Joachim Marseille, der Stern von Afrika. Hundertvierundfünfzig Luftsiege, und ein abgeschossener Engländer, den er aus der Wüste rettete. Mussolini, der dem jungen Fliegerass die *medaglia d'oro* ans Revers heftete.

Alle redeten über die Soldaten, die sich auf einem heißen Panzer in der Sonne ein Spiegelei brieten. Die Wochenschau im Zoopalast zeigte deutsche und italienische Kameraden, die nackt in einer Oase plantschen, Freundschaft der Faschisten. Dann siegreiche Stukabomber und englische Spitfires, die wie Fliegen vom Himmel fielen. Ein italienischer Soldat im Zelt bei der Rasur, mit Schaum ums Kinn und einem umgedrehten Helm als Waschbecken, in die Kamera lachend. Heia Safari, der Krieg als Abenteuer, *denn heute gehört uns Deutschland und morgen die ganze Welt.*

Moritz hatte die Szene bei der morgendlichen Rasur gedreht, kurz vor der mörderischen Schlacht um Tobruk. Er hatte den Italiener nie wiedergesehen.

Fanny war stolz auf Moritz, doch als sie das Kino verließen, war er eigenartig still und bleich. Sie gingen etwas trinken. Noch war der Ku'damm nicht verdunkelt. Später in der Nacht sagte er ihr, wie es »dort unten« wirklich aussah. Die kaputten Motoren und der Mangel an Treibstoff. Die Hitze am Tag und die Kälte in der Nacht. Die Suppenteller voller Fliegen und Wasser, das nach Diesel schmeckte. Gelbfieber und Typhus, die fast so viele Kameraden dahinrafften wie die englische Artillerie. Die Erschöpfung, die Verwirrung, der Durst und der Durchfall. Wir hatten während der ganzen Schlacht die Hosen voll, sagte Moritz.

Er filmte einen Feldwebel, der zwischen den Granateinschlägen orientierungslos durch den Wüstensand taumelte, zerstörte deutsche Panzer und den grotesk verstümmelten Körper von Hans-Joachim Marseille, der aus seiner brennenden Maschine gestürzt war. Nichts davon hatten sie in die Wochenschau geschnitten, natürlich, da sahst du nie den Tod, dort triumphierten die Lebenden, während sie in Wirklichkeit kurz darauf verreckten. Du hörtest auch keine Marschmusik, sondern ein Pfeifen in den Ohren nach den Granateinschlägen, die das Trommelfell zerrissen, und dann, in der gespenstischen Stille, das Wimmern der Sterbenden.

In der Wochenschau wiederholten sie stattdessen den Publikumsrenner, das Spiegelei auf dem Panzer. Was wirklich passiert war in diesem Herbst, gab kein gutes Bild ab. Die verlorene Schlacht im ägyptischen El Alamein, Tausende Tote und Verletzte, der geplatzte Traum von Kairo, dem Suez-Kanal und den Ölquellen des Nahen Ostens. Rommel rettete die überlebenden Männer, Deutsche und Italiener, und vierzig Panzer. Hinter vorgehaltener Hand hieß es, er hätte sich dem Führerbefehl widersetzt, bis zur letzten Patrone die Stellung zu halten. Moritz hatte Glück, die Schlacht zu überleben, die Propagandakompanie wurde früher abgezogen, Rückzug war nicht fotogen. Ein kleines, halb zerschossenes Flugzeug brachte Moritz und seine belichteten Filme aus Tobruk nach Kreta, während der Rest von Rommels Panzerarmee nach Westen floh, durch die libysche Wüste, verfolgt von den britischen Jagdbombern.

Das war die Wahrheit, und die Wochenschau zeigte Wüstenromantik. Alle redeten über das Spiegelei, nicht über die Niederlage. Im Übrigen war die berühmte Aufnahme gestellt – während Moritz das Ei filmte, hielt sein Assistent einen Bunsenbrenner unter den Panzerstahl.

Fanny war verstört, als sie das alles hörte. Aber sie sagte nichts dazu. Es gab Dinge, über die man besser schwieg. Dann zeigte er ihr den Bescheid, den er bekommen hatte: Er musste wieder einrücken, früher als geplant. Die Gerüchteküche munkelte, dass es zurück nach Afrika ging. Aber wohin? Libyen war verloren. Ein enormes Aufgebot an Fahrzeugen und Panzern wurde hastig mit sandfarbener Tarnung gestrichen, Wüstenuniformen wurden im Akkord genäht, ganze Divisionen aus Frankreich und Italien umgeleitet. Hitler wollte Nordafrika um jeden Preis halten. Moritz und Fanny blieb nur noch ein Tag.

Auch wenn es meine Großmutter nicht ausdrücklich erwähnt, irgendwann muss sie mit Moritz geschlafen haben. Wovon sie jedoch erzählt, ist sein Versprechen. Daran erinnert sie sich so genau, dass sie jedes Wort einzeln betont: »Fanny, ich verspreche dir, dass ich zurückkomme.« In der Art, wie sie ihn zitiert, schwingt auch heute noch mit, dass ein Versprechen etwas Heiliges ist, etwas, das unter keinen Umständen gebrochen werden darf. Wer das wagt, wird aus der schützenden Umarmung der Liebe ausgeschlossen. Er machte ihr einen Antrag, den sie glücklich annahm, aber sie hatten keine Zeit mehr, ein Aufgebot zu bestellen.

Deshalb gingen sie nicht in die Kirche, sondern feierten auf ihrer Wiese am Wannsee, wohin sie in aller Eile ihre Freunde einluden, am Tag vor seiner Abreise. Kurz bevor es zu regnen begann, stellten sie sich auf den Steg und gaben sich das Eheversprechen. Moritz hatte auf dem Schwarzmarkt zwei Ringe gekauft, immerhin echtes Silber, für Gold hatte sein Sold nicht gereicht, zwei Freundinnen waren Trauzeugen, sein bester Freund legte sich ein Leintuch um die Schultern und spielte den Priester. Sie meinten es tatsächlich so, wie sie es sagten: bis dass der Tod euch scheidet, mit dem jugendlichen Ernst, der heiliger und unbedingter ist als der von Erwachsenen, weil er noch an die Erfüllung von Versprechen glaubt, an die Eindeutigkeit, das Ungebrochene und Unbesiegbare. Ihr hastiges Ritual war ein Festhalten am Normalen in einer aus den Fugen geratenen Welt, der aberwitzige Versuch einer Absicherung gegen das Unabsehbare, als gäbe es irgendwo im Herzen einen unzerstörbaren Schrein des Guten. Es war eine Wette gegen das Schicksal, eine Umkehrung von Ursache und Wirkung: Weil sie den Bund fürs Leben eingingen, würde er nicht sterben.

In der Nacht vor seiner Abreise schlief Fanny, ohne dass die Eltern davon wussten, in seiner Kammer unterm Dach. Am Morgen begleitete sie Moritz zum Bahnhof – ein ganzer Zug mit jungen Männern, denen man das Ziel noch nicht verriet. Der Abschied am Gleis, wie sie ihn in der Menge verlor und wiederfand, der letzte, hastige Kuss und das flaue Gefühl im Magen, als der Zug sich in Bewegung setzte. Seine lange Fahrt über München, Verona, Rom und Neapel, eine Postkarte vom Hafen, wo eine Armada aus Schiffen und Flugzeugen sich aufmachte, das Mittelmeer zu überqueren. Nichts als Gerüchte über den Einsatzort. Neun Monate später, im August 1943, als auf Berlin schon Bomben fielen, wurde meine Mutter geboren.

5

»Eine Sache haben wir gemeinsam: Wir sind alle verschieden.«
Roberto Benigni

Kitesurfer fliegen übers Meer. Der Wind hat aufgefrischt. Ein Minibus bringt uns zum Hafen von Marsala, wo Patrice' kleines Schiff liegt. Frau von Mitzlaff, die Tochter des Bordfunkers. Herr Bovensiepen, der Neffe des Piloten. Herr Triebel, der Enkel des Bordmechanikers, und seine Frau. Wir kennen uns kaum, fühlen uns aber merkwürdig verbunden. Geschichten über die Verstorbenen, jede Familie ist anders, aber alle ähneln sich in einem Punkt: dem Gefühl, das ein Teil von uns fehlt. Ein Teil, der auf dem Meeresgrund liegt. Den wir ans Licht holen wollen, um ihn zu befreien. Um uns davon zu befreien.

Der einzige Unterschied zwischen ihnen und mir ist, dass sie es bereits schriftlich haben. Die Namen der Besatzungsmitglieder stehen auf der Liste des Generalquartiermeisters von Trapani: *Die um 7 Uhr morgens zum Einsatz gestartete Ju 52, Flugzeugführer Lt. Bovensiepen (Bz. CD + QM), kehrte vom Transportflug nicht zurück und stürzte auf dem Rückflug, von Tunis kommend, im Raume 64833/05 ins Wasser. Uffz. v. Mitzlaff, Gottfried; Gefr. Bittner, Rudi; Obgfr. Heinze, Theodor; Ofw. Köster, Johannes.* Auf die Fragen nach meinem Großvater antworte ich mit Mutmaßungen und bin froh, dass sie nicht nach *meinem* Leben fragen.

Patrice macht das Schiff klar zum Auslaufen. Ein paar Fischer schauen uns zu, die Herren Triebel und Bovensiepen, beide Segler, fachsimpeln mit den Tauchern, und ich gehe Kaffee holen. Ich überquere die trostlose Straße und finde eine kleine

Bar. Davor stehen ein paar Fischer und Arbeitslose herum und rauchen. Sie weichen grußlos zur Seite, als ich hineingehe, nicht aus Unhöflichkeit, sondern aus einem stillen, unaufdringlichen Respekt heraus, für den ich die Sizilianer immer geschätzt habe.

Der Barista nimmt kaum Notiz von mir. Ich bestelle acht *caffè* an der Kasse und reiche ihm mein *scontrino*. Ein paar Männer stehen herum und frühstücken, Espresso und Brioche. Im Fernsehen läuft eine Fußballwiederholung, die niemanden interessiert. Ich warte. Plötzlich eine Frauenstimme hinter meinem Rücken, deutsch mit Akzent: »Guten Morgen.«

Ich drehe mich um. Am Tresen steht eine ältere Dame zwischen den Männern. Schicker Hut über weißen Locken, Leinenkleid, etwas zu sommerlich für die Jahreszeit, indischer Schal. Sie ist klein, aber energisch. Erst auf den zweiten Blick erkenne ich sie: die Französin von gestern. Jetzt fallen mir ihre Augen auf: smaragdgrün, leuchtend. Eine Frau, deren Präsenz den Raum erfüllt, während sie zugleich fehl am Platz wirkt. Eine Aura von trotziger Fröhlichkeit umgibt sie. Zu jung im Kopf, um alt zu sein. Zu alt, um sich darum zu scheren, wie sie anderen gefällt. Eine Frau, die in kein Schema passt – jedenfalls in kein mir bekanntes.

Bis ich verstehe, dass diese Französin eine Jüdin aus Israel ist, die in einem arabischen Land geboren wurde –, werden noch Stunden vergehen, Tage, die sich anfühlen wie ein ganzes Leben. Die wichtigsten Begegnungen begreift man erst im Nachhinein als solche. Während sie geschehen, scheinen sie so selbstverständlich, als griffen die Räder des Schicksals geräuschlos ineinander, mit oder ohne unser Zutun, mit oder ohne unser Einverständnis. Sie lächelt mir zu, mit einem ironischen Zug um den Mund. Ich erinnere mich an Patrice' Warnung vor den Schaulustigen.

»*Buongiorno*«, antworte ich auf Italienisch, um etwas Distanz zu schaffen.

»Sie kommen aus Deutschland?«

»Ja.«

»Welche Stadt?«

Ihr Italienisch ist besser als meins. Man würde meinen, es wäre ihre Muttersprache.

»Berlin.«

»Sind Sie wegen dem Flugzeug hier?«

Der beiläufige Ton ihrer Frage steht im Widerspruch zu der suchenden Art, mit der sie mich fixiert, zu indiskret und vertraut für eine Fremde. Sie reicht mir die Hand.

»Joëlle.«

Ich erwidere ihren Gruß.

»Nina.«

Ihr Händedruck ist warm und freundlich. Ich kann meinen Blick nicht von ihren Augen lassen. Noch nie habe ich ein so leuchtendes Grün gesehen. Sie ist gerührt, und ich weiß nicht wovon.

»Heißt deine Mutter zufällig Anita? War sie Stewardess bei der Lufthansa?«

Jetzt wird sie mir unheimlich.

»Entschuldigung, kennen wir uns?«, frage ich.

»Noch nicht.« Sie lächelt mich liebevoll an, fast mütterlich.

»Er hat mir von ihr erzählt.«

»Wer?«

»Dein Großvater.«

Ich erschrecke, und das scheint ihr leidzutun. Sie wägt ihre Worte ab, bevor sie sie ausspricht, leise aber bestimmt:

»Ich bin seine Tochter.«

Sie schmunzelt. Ich fühle mich auf den Arm genommen.

»Moritz Reincke?«

»*Eh oui.* Das ist mein Vater.« In ihrer Stimme schwingt Zärtlichkeit mit, aber auch Wehmut.

»Sie müssen da was verwechseln.«

»Hat er dir nie von uns erzählt?«

Ich starre sie an, als wäre sie verrückt. Vielleicht ist sie das auch.

Aber sie bleibt ruhig, öffnet ihre Handtasche, zieht ein Foto aus ihrem Kalender und reicht es mir. Es ist ein Passbild, schwarzweiß, mit dem gezackten Rand der vierziger Jahre, und zeigt Moritz, eindeutig Moritz, wenn auch ohne Uniform, dafür mit Anzug und Krawatte. Sein ernster Blick in die Kamera.

»*Otto caffè da portar via!*« Der Barista stellt meine Pappbecher auf den Tresen. »Wollen Sie eine Tüte, Signora?«

Mir schwirrt der Kopf. »*Sì*«, murmle ich, und: »Wo ist das aufgenommen?«

»In Tunis.«

»Wann?«

Sie dreht das Foto um. Auf der Rückseite befindet sich ein Stempel: »*23 Juin 1943, Studio Moncef Boubakeur, 23 Avenue de Carthage, La Goulette.*«

»Mein Geburtsjahr«, sagt sie und lächelt verschmitzt. Ich stutze. Dasselbe Jahr, in dem meine Mutter geboren wurde. Als würde sie meine Gedanken lesen, fügt Joëlle hinzu: »Wie deine Mutter.«

Der Barista reicht mir die Papiertüte mit den Kaffeebechern. Ich stehe wie betäubt herum. »Woher wissen Sie von uns?«

»Er hat mir davon erzählt. Von seiner anderen Familie.«

Ich bin sprachlos. *Seine* Familie? Wir: *die anderen*? Wann soll er ihr davon erzählt haben, wenn er 1943 abgestürzt ist?

Sie nimmt dem Barista lächelnd die Tüte ab und reicht sie mir. »Ich glaube, deine Freunde warten auf ihren Kaffee.«

Ich will nicht, dass Patrice mich sucht. Aber ich kann jetzt unmöglich weggehen. Wenn sie die Wahrheit sagt, wären wir verwandt. Die Halbschwester meiner Mutter. Man kann meiner Mutter vieles unterstellen, aber nicht, dass sie mir so etwas Ungeheures verschwiegen hätte.

»Ich wollte deine Mama immer mal kennenlernen. Ich hab euch gesucht. Aber er hat mir nur ihren Vornamen verraten und dass sie in Berlin lebt.«

Wann, will ich fragen, aber sie kommt mir zuvor:

»Wann hast du ihn zum letzten Mal gesehen?«

Was für eine Frage!

»Nie!«

Sie sieht mich fragend an. In ihrem Kopf arbeitet es.

»Aber er hat deine Mutter doch besucht?«

»Er ist tot. Seit 1943. Abgestürzt, ein paar Kilometer weiter draußen im Meer. Haben Sie das gestern nicht mitbekommen?«

Sie schweigt. Enttäuschung breitet sich auf ihrem Gesicht aus. Oder eher: Traurigkeit. Einen kurzen Moment lang scheinen wir ein ähnliches Gefühl zu teilen. Aber ich bin mir nicht sicher. Dann lächelt sie unerwartet.

»Die können lange suchen. Sie werden ein bisschen alten Schrott finden, aber sicher nicht deinen Großvater.«

»Woher wollen Sie das wissen?«

»Schätzchen, er ist mein Papà. Er hat mir Schwimmen beigebracht, Fahrradfahren und Klavierspielen. In dem Flugzeug finden sie vielleicht ein paar alte Naziskelette, aber wenn du mich fragst, der alte Herr ist putzmunter. Wir hätten es sonst erfahren.«

Ich habe nur eine Erklärung: dass sie einen anderen meint.

»Um sicher zu gehen: Wir reden schon von demselben Mann? Moritz Reincke.«

Der Name scheint ihr fremd vorzukommen. Aber sie nickt.

»Bei uns hieß er Maurice. Aber es ist ein und derselbe. Er hatte zwei Frauen, zwei Leben ... und danach vermutlich noch ein drittes.«

Mir wird schwindlig. Ich habe in letzter Zeit zu viele Lügen gehört, um meinem Urteilsvermögen zu trauen.

»Was heißt, bei uns? Wo kommen Sie her?«

»Hör zu, meine Liebe«, sagt sie schließlich. »Du bringst deinen Freunden jetzt ihren Kaffee, dann bestellen wir uns zwei Champagner, ich erzähle dir von unserer Familie, und dann erzählst du mir von deiner. Einverstanden?«

Etwas in mir will weglaufen. Wenn das Fundament, auf dem die eigene Welt gebaut ist, nicht der Wahrheit entspricht, wie leicht ist man dann zu erschüttern? Ich gehe wie betäubt zur Tür hinaus und über die Straße zum Kai. Alle stehen auf dem Boot, der Motor läuft schon. Ich reiche Patrice' Kumpel die Tüte und sage, dass ich mich nicht wohl fühle. Bevor Patrice mich sehen kann, laufe ich zurück in die Bar. Die Entscheidung fiel mir nicht schwer. Es ist, als hätte ich einen besseren Ausgrabungsort als den im Meer entdeckt.

Joëlle flirtet mit dem Barista, der eine Flasche Spumante aufmacht.

»Kein Champagner, aber wir werden's überleben.«

»Das Flugzeug ist im Mai '43 abgestürzt«, sage ich. »Wann sind Sie geboren?«

»Dezember '43.«

Meine Mutter ist im Sommer geboren. Es könnte also sein, dass er kurz vor seinem Tod zwei Kinder gezeugt hat. Aber was ich mir nicht erklären kann: das Passbild, das sie mir gezeigt hat, stammt vom Juni '43. Ein Monat nach dem Absturz.

»Wo sind Sie geboren?«

»In Tunis.«

»Und da leben Sie immer noch?«

»O nein. Heute lebe ich ein bisschen überall. In Paris, in Haifa ... *Cin cin!* Auf Maurice!«

Sie stößt mit mir an. Ich bin irritiert.

»Haifa in Israel?«

»*Oui.* Ich bin eine tunesische Jüdin mit französischem Pass. Und israelischem, wenn du's genau wissen willst.«

Wieder zieht es mir den Boden unter den Füßen weg. Wenn

sie Jüdin ist, muss ihre Mutter Jüdin sein. Ein Wehrmachtssoldat und eine Jüdin, 1943?

»Wann hat er Ihre Mutter kennengelernt?«, frage ich. »Und wo?«

»Rauchst du?«

»Nein.«

Sie legt ein Päckchen französische Zigaretten auf den Tresen. »Komm, wir gehen raus.«

Ohne meine Antwort abzuwarten, geht sie zur Tür. Ich folge ihr. Draußen zündet sie sich eine Zigarette an. Ihre Hände zittern leicht. Ich sehe Patrice' Schiff aus dem Hafen laufen.

»Es ist eine lange Geschichte.« Sie bläst den Rauch aus und sieht mich prüfend an. »Sie handelt von der Liebe und vom Verschwinden. Ich erzähle dir den Teil, den du nicht kennst, und du erzählst mir den Teil, der mir fehlt.«

Erzählungen sind Scherben, denke ich. Scherben eines Lebens, die wir ausgraben und aneinanderhalten, um zu sehen, ob sie passen. Manchmal ergibt es keinen Sinn, ein anderes Mal entsteht daraus eine Vase, eine Statue, ein Tempelfries.

»Das Schlamassel begann ein Jahr vor meiner Geburt. Nicht weit weg von hier, auf der anderen Seite des Mittelmeers. In Tunis. Meine Mutter hieß Yasmina. Sie war noch ein halbes Kind, als der Krieg begann. Das Leben war gut. Bis die Deutschen kamen.«

6

YASMINA

*Der Kaffee muss so heiß sein wie die Küsse eines Mädchens
am ersten Tag, süß wie die Nächte in ihren Armen
und schwarz wie die Flüche der Mutter, wenn sie es erfährt.*

Arabisches Sprichwort

Als in der libyschen Wüste Tausende junge Männer starben, feierte Tunis noch das Leben.

36, Avenue de Paris. Ein weißer Palast mit Belle-Époque-Balkonen und großen Markisen gegen die Sonne. Wer die Drehtür des Hotel Majestic durchquerte, die geschwungenen Treppen hinaufstieg und auf dicken Teppichen die Bühne des Foyers betrat, gehörte zu jener Schicht, die das Weltgeschehen von oben betrachtete, in komfortablen Sesseln beim Nachmittagscocktail, abgeschirmt gegen die Hitze und die plötzlichen Regenschauer, die im Herbst über der Küstenstadt heruntergingen und gelben Saharastaub auf den schwarzen Autos hinterließen.

Hinter den Mauern des Grand Hotels, wo schwere Ventilatoren die Luft kühlten, waren die Stimmen leiser und die Schritte gedämpfter. Man trank Champagner, Pernod und Pastis; in der Bar spielte Jazz und Swing bis tief hinein in die arabische Nacht.

Die Reisenden aus Europa fanden hier Exotik unter Palmen, aber mit fließend warmem Wasser und persönlichem Butler. Die Bourgeoisie von Tunis zelebrierte ein Stück Paris mitten in Nordafrika.

Yasmina, die noch ein Mädchen war und doch bald, ohne es zu ahnen, Joëlles Mutter werden sollte, stand an der Tür zur Bar und lauschte. Sie trug die schwarze Schürze und weiße Bluse der Zimmermädchen, und sie durfte hier nicht sein. Nur den Kellnern war es erlaubt, die Bar zu betreten. Die Frauen arbeiteten dort, wo kaum jemand sie sah: Sie putzten die Zimmer und wuschen im Keller die Bettlaken. Als Yasmina vor einem Jahr hier anfing, hatte sie sich sofort gegen die Wäscherei entschieden, denn nichts fand sie so aufregend wie die leeren Zimmer der Gäste, deren Koffer und Kleider Geschichten erzählten und Fenster zu verborgenen Welten öffneten. Ein kurzer Moment nur, wenn sie sich auf das ungemachte Bett setzte, den Blick im Raum umherschweifen ließ und dann die Augen schloss, um den Duft einzusaugen, den die Fremden im Raum verströmt hatten, und sich vorzustellen, was letzte Nacht in diesem Bett geschehen war. Die Stille kann sprechen, dachte sie. Je leiser es ist, desto lauter hört man die Stimmen von gestern, das Echo von Worten in fremden Sprachen, von Akten der Liebe oder Gewalt, Spuren des Glücks und Unglücks, das sich ins Gedächtnis der Zeit eingeschrieben hatte.

Yasmina war neunzehn Jahre alt und hungrig nach Leben, ein Mädchen aus der Vorstadt mit dunklen Locken und einem schüchternen Lächeln, das verführte. Ein Mädchen, das wenig Worte machte, so dass manche sie zu Unrecht übersahen, doch sie sah jeden. Wache, dunkle Augen, die alles wahrnahmen, was sichtbar und unsichtbar war. Eine eigenartige Stille umgab sie, selbst in der größten Hektik des Betriebs. Sie schwieg nicht, weil sie nichts zu sagen hatte, sondern weil sie sich bemühen musste, ihre starken Gefühle, die sie oft überschwemmten und zu überwältigen drohten, im Zaum zu halten. Yasmina hatte ihr Land noch nie verlassen, aber im Hotel Majestic musste sie nicht reisen, um die Welt zu sehen; die Welt kam zu ihr.

Wenn sie die Zimmer fertig geputzt hatte, ging sie zu Latif, dem Concierge, den sie mochte, weil er wie ein gutmütiger Bär aussah und manchmal eine der frischen Rosen, die der Blumenhändler täglich brachte, abzweigte und ihr heimlich schenkte. Dann verteilte sie die Blumen in der Lobby, den Salons und den Toiletten, die dreimal täglich zu reinigen waren. Die Kellner in der Bar waren alle Männer. Yasmina durfte den schönsten Raum des Hotels als einzige Frau aus dem Personal betreten, um zu den Toiletten zu gelangen, aber sie hatte sich unauffällig zu bewegen, nur am Rand, nie in der Mitte. Die Gäste wollen Geputztes sehen, hatte ihre Chefin ihr eingeschärft, aber nicht das Putzen, denn das würde sie nur an den Dreck erinnern. Das beste Zimmermädchen sei ein unsichtbares.

In der Bar saßen unter den trägen Ventilatoren Männer in hellen Anzügen, die Zigarren rauchten, und Damen mit weiten Hüten, die nie den Kopf senkten. Man servierte Minztee und Champagner. Die Männer diskutierten über Rommel und Montgomery, die Schlacht von El Alamein, den Wendepunkt des Nordafrika-Feldzugs. Hinter den dicken Mauern des Majestic klang der Krieg wie ein Boxkampf, den man im Radio verfolgte. Der Wüstenfuchs gegen die *Desert Rats*. Der unbesiegbare Rommel war geschlagen, hatte seine Männer gerettet, indem er den verbündeten Italienern das Benzin stahl und sie in der Wüste zurückließ, während er den Rückzug antrat, aus Ägypten durch Libyen, Tausende von Kilometern durch die Wüste, verfolgt von britischen Jagdfliegern.

Die Damen, das blieb Yasmina nicht verborgen, während sie die Rosen in die Tischvasen stellte, hörten weniger ihren Männern zu als dem Mann am Klavier. Weißer Anzug, dunkle Haare, rote Rose im Knopfloch. Seine Stimme klang so anders, wenn er sang, dachte Yasmina, das Klavier verwandelte ihn. Wenn Victor seine Chansons sang, war er nicht mehr der große

Bruder, der ihr die Welt erklärte, sondern ein Mann, der in diese Welt gehörte, auf einer Stufe mit den großen Chansonniers aus dem Radio, die sie gemeinsam gehört hatten, als Kinder in ihrer Vorstadtwohnung am Hafen. Victor besaß eine magische Präsenz, die mühelos die Herzen öffnete. Man kann Charme nicht erklären, der eine hat ihn, der andere nicht.

Sein Lächeln war das eines Lausbuben, der nie erwachsen werden wollte. Schon als Jugendlicher war er es, der plötzlich einen Witz erzählte, wenn die Familie schweigend zum Kaddish für einen verstorbenen Onkel zusammensaß. Er ertrug es nicht, wenn Mamma weinte, er konnte das Schwere nicht ausstehen, so wie andere Spinnen nicht ausstehen konnten; sein Element war die Luft. Wenn er dich anlächelte, war es wie eine Einladung zum Tanz.

Deshalb liebten ihn die Frauen: Mit Victor wurde alles leicht. Wenn er sang, erhob sich seine Stimme über die Mühen des Alltags. *Adorable.* Vielleicht lag es daran, dass er Französisch sang, so wie die großen Chansonniers, dachte Yasmina, denn jede andere Sprache verleiht uns eine andere Persönlichkeit oder eröffnet uns die Gelegenheit, eine andere, bislang verborgene Seite unserer Person zum Schwingen zu bringen.

Auch für Yasmina war das so: Italienisch war die Sprache der Großmutter, der Familie, der Liebe zu den kleinen Dingen im Haus, der *bombola di gas* und der *fiammiferi*. Es war die Sprache des Essens und der Tiere, all dessen, das man liebte und liebkoste. *Cocomero. Gatto. Maggiolino.* Und es war die Sprache ihres Spitznamens, den nur ihr Bruder benutzen durfte, da er ihn ihr gegeben hatte: *Farfalla.* Schmetterling.

Auf Italienisch war sie Kind, auf Französisch war sie *Mademoiselle.* In dieser Sprache, die alle im Hotel sprachen, auch die Araber, war sie erwachsen und siezte die Menschen. *Pardon, Monsieur. Bien sûr, Madame.* Es war die Sprache, die man schrieb, die Sprache der Gesellschaft, der Polizisten und der Bürokratie.

Daneben, oder besser dazwischen, gab es noch die Sprache der Straße, des Marktes und des Muezzin, das Arabische, in dem sie die Nachbarn grüßte, auch die jüdischen, und dem Obsthändler Gottes Segen wünschte, auch wenn ihr Gott nicht seiner war. Denn ihr Gott sprach die älteste all der Sprachen, die des Shabbat, der Gebete und des heiligen Buchs, aus dem der Vater an den Feiertagen las, mit Buchstaben, die nur er entziffern konnte. In dieser Sprache schwieg sie.

Jeder Ort hat seinen Klang, hatte Victor einmal gesagt, so wie er seinen Geruch und seine Farbe hat: Die von Bäumen umsäumten, schnurgeraden Boulevards von Centre Ville klangen französisch, die verschlungenen Gassen der Medina mit ihren Bögen und blauen Holztüren arabisch, die dunkle, nur von Kerzen erleuchtete Synagoge hebräisch, und in der Küche war das Italienische zu Hause. Die Sprache eines Ortes durchdringt unsere Gedanken, ja sogar unsere Träume, fand Yasmina, und macht uns an jedem Ort zu jemand anderem.

Victor, der eigentlich Vittorio hieß, was die Gäste nicht wussten, sang »L'accordéoniste«. Während die feinen Damen in die Toilette kamen, um ihre Wangen zu pudern, ihre Frisuren zu richten und Heimlichkeiten auszutauschen, schob Yasmina ihren Putzeimer zur Seite und drehte sich weg, um möglichst nicht aufzufallen.

Still hörte sie den Damen zu, die wie ihre Männer draußen in der Bar Französisch parlierten, auch wenn sie keine Franzosen waren. *Adorable! Magnifique! Extraordinaire!* Eine göttliche Stimme! Hast du seine Hände gesehen? Wenn er so küsst wie er singt! Yasmina lächelte still in sich hinein, ohne den Stolz darüber zeigen zu können, Victors Schwester zu sein, und ihre Eifersucht. Sicher, sie besaß das Privileg, ihm viel näher zu stehen als alle anderen, doch auch wenn er jede Nacht im Zimmer nebenan schlief, blieb er unerreichbar fern.

Nachdem er vom Klavier aufgestanden, den Applaus genossen und mit diesen oder jenen Gästen einen Pernod getrunken hatte, wusste Yasmina, dass Victor sie suchen würde. Wie immer wartete sie im Innenhof am Ausgang der Wäscherei, wo sie ihm diskret einen Schlüssel zusteckte, eine Nummer zuflüsterte und hoffte, er würde wenigstens kurz ihre Hand nehmen und sie fragen, wie ihr Tag war, doch er lächelte nur, zwinkerte verschmitzt und verschwand schnell. Yasmina blickte hinauf in das quadratische Stück Himmel über dem Hof, Vögel im letzten Licht, die klare Herbstluft und der Ruf zum Abendgebet, der von der Medina herüberwehte.

Yasmina schlich die Stufen des kleinen, staubigen Treppenhauses hoch, das nur den Bediensteten vorbehalten war. Sie war im Begriff, etwas Verbotenes zu tun, das wusste sie, aber etwas in ihr war stärker. Neugier, und mehr als nur Neugier. Konnte es Sünde sein, Zeugin einer Sünde zu sein? Es gab zwei Arten von Verboten, dachte sie: die äußeren und die inneren, die der Gesellschaft und die des Gewissens. Während Victor ein äußeres Gesetz übertrat und dabei kein schlechtes Gewissen hatte, rang sie mit ihrem Inneren, obwohl sie gegen kein Gesetz verstieß. Im dritten Stock öffnete sie die Tür zum Gang, blickte sich um, ob jemand zu sehen war, dann sperrte sie leise die 308 auf – nicht zufällig hatte sie die 307 für Victor gewählt, denn sie wusste, dass beide Zimmer nicht belegt und durch eine Zwischentür verbunden waren. Sie schloss die Tür hinter sich und schaltete das elektrische Licht nicht an. Sie kannte diese Zimmer so gut, dass sie mit geschlossenen Augen den Weg finden konnte.

Durch die Vorhänge fiel der fahle Schein der Straßenlaternen, es roch nach frischer Bettwäsche. Vorsichtig schlich sie über den Teppich und legte das Ohr an die Tür. Sie hörte ein Kichern von nebenan, dann Stille, dann den leisen, lustvollen Schrei einer Frau, und Victors Stimme. Yasmina legte ihre Hand auf die Türklinke und öffnete leise die Tür, nur einen Spalt breit, genug, um das große Bett zu sehen. Dunkles Holz und weiße Laken, und zwei nackte Körper, die sich darin bewegten. Yasmina hörte ihren eigenen Herzschlag in den Ohren und hielt den Atem an. An den Kleidern, die vor dem Bett lagen, erkannte sie die Französin von vorhin. Im Halbdunkel mit dem gelösten Haar wirkte sie ganz anders, diese feine Dame, die vorhin noch gefasst und diskret ihre Wangen gepudert hatte, bevor sie zurück an den Tisch ihres Mannes gegangen war, ein Franzose im weißen Anzug. Hier fand Yasmina sie verstörend schamlos und auf faszinierende Weise animalisch. Sie war etwas älter als Victor, und Yasmina fragte sich, ob sie bereits Kinder hatte, vermutlich nicht. Liebte sie Victor? Liebte Victor sie? Meinte er, was er sagte? Und warum benutzte er für seine Frauen immer französische Kosenamen? Niemals sprach er Italienisch mit ihnen, geschweige denn Arabisch, selbst mit den Italienerinnen und Araberinnen nicht.

Es war nicht das erste Mal, dass Yasmina ihren Bruder beobachtete. Wie oft sie es schon getan hatte, wusste sie nicht mehr, es war zu einer heimlichen Obsession geworden, die sie mit Scham erfüllte, aber noch mehr mit Lust, und da diese Lust ein inneres Verbot übertrat, eines des Gewissens, erfüllte es sie mit noch mehr Scham. Und jedes Mal war sie von Neuem schockiert, wie anders ihr geliebter Bruder mit den anderen Frauen war. Roher und zugleich galanter, unglaublich selbstsicher und fremd, ja, fremd war er ihr, obwohl er doch der Mensch war, der ihr von allen am nächsten stand. Und etwas an dieser Fremdheit faszinierte sie; sie wollte auch ein Stück davon abbekommen, auch eine andere werden, als sie in der Familie war, und im Innersten war sie bereits diese andere, nicht mehr Tochter, sondern Frau, ohne aber in der Lage zu sein, dieser Fremden einen Namen und ein Gesicht zu geben. Wie ein Gewitter, das sich in ihr zusammenbraute, ohne dass sie es steuern konnte.

Die Fremde in ihr machte ihr Angst, und da sie niemanden hatte, mit dem sie darüber sprechen konnte, lief sie vor ihr weg und wusste doch, dass sie nicht entkommen konnte, denn diese Fremde war sie selbst. Wir tragen verschiedene Masken, hatte Victor einmal gesagt, je nachdem, wo und mit wem wir unterwegs sind. Aber Yasmina empfand es anders: Die Yasmina, die sie zu Hause war, die gute Tochter aus guter Familie, war keine Maske, die sie nach Belieben ab- und anlegen konnte, sondern eine Haut, die sie lange Zeit umhüllt und beschützt hatte, doch nun zu eng wurde. Und wie eine Schlange, die nur wachsen kann, indem sie sich unter einem Stein versteckt, ihre alte Haut abstreift und eine neue wachsen lässt, drängte die Fremde in ihr mit ungeheurer Macht ins Leben. Diese heimlichen Momente, wenn sie Victor und seinen Frauen zusah, das war ihr Versteck unter dem Stein.

Doch heute geschah etwas, das nie zuvor geschehen war. Während Victor auf der Französin lag, die seine Hüften umklammerte und lustvoll stöhnte, hob er plötzlich seinen Kopf, als fühlte er die Präsenz eines Fremden. Dann sah er Yasminas Augen im Türspalt. Er erschrak.

»Was hast du?«, fragte die Frau.

»Nichts, *ma chérie.*«

»Ist da jemand?«

»Nein, da ist niemand.« Er beugte sich zu ihr und küsste sie, bis sie wieder die Augen schloss, kicherte und stöhnte. Verschwinde, gab Victor seiner Schwester mit dem Blick zu verstehen, aber sie konnte sich nicht abwenden, gebannt und gefesselt, und er hatte keine andere Wahl, als weiterzumachen.

Als sie später wie jede Nacht durch die Avenue de Paris zum Vorortzug gingen, schwiegen sie. Victor lief schneller als sonst, sie hatte Mühe, ihm zu folgen. Aber sie wagte nicht, ihm zuzurufen, er solle auf sie warten. Er hielt gerade so viel Abstand, um sie nicht zu verlieren. Vor der Kathedrale an der Avenue Jules Ferry stiegen sie in den letzten Zug zur Vorstadt. Auf Holzsitzen in ausrangierten Waggons der Pariser Metro am Industriehafen entlang, über den großen See, der Centre Ville von ihrem Viertel am Meer trennte. Flamingos am Bahndamm, schlafend auf einem Bein, während das elektrische Licht sie kurz erfasste. Der Luftstrom durchs offene Fenster wurde kühler, aber Yasmina schwitzte unter ihrem Kleid. Victors schweigender Blick in die Nacht.

Sie waren die Einzigen, die in Piccola Sicilia ausstiegen, ihrem Viertel am Fischerhafen, wo die Straßen enger waren, die Häuser niedriger und die Luft nach Meersalz, Jasmin und gebratenem Fisch roch. Am Himmel Wetterleuchten, die Sommerhitze war noch nicht vollständig verglüht, man konnte noch baden. Schweigend kamen sie vor ihrem Elternhaus an. Eine kleine weiße Villa der Jahrhundertwende im europäischen Stil, unscheinbar zwischen zwei Nachbarhäuser gezwängt, mit flachem Dach, einem winzigen Vorgarten und Bougainvilleen, die an den Fenstern hochrankten. Man konnte von hier aus das Meer nicht sehen, aber die Schornsteine der auslaufenden Schiffe hinter den Häusern.

»Victor, verzeih mir. Ich wollte nur ...«

»Schhh... Komm rein.«

Er schloss leise die Tür auf. Ohne sie noch einmal anzusehen, verschwand er im Bad.

Yasmina betrat die Küche, wo die Mutter wie jede Nacht ihr Essen auf den Tisch gestellt hatte. Zugedeckt mit Tüchern, standen dort zwei Teller mit Sandwiches, exakt gleich groß geschnitten, darauf hatte die Mutter immer geachtet, seit sie klein waren, beim Essen, bei den Kleidern, beim Taschengeld, nie sollte Yasmina das Gefühl haben, weniger wert zu sein als ihr Bruder, nur weil er das leibliche Kind war und sie nicht. Doch gerade diese Obsession der Mutter mit Gerechtigkeit, diese übertriebene Besorgtheit erinnerte Yasmina immer daran, dass sie eben doch keine normale Familie waren.

Warum sollte Victor nicht das größere Stück Fleisch bekommen? Er war schließlich der Junge. Die Gleichbehandlung empfand sie als Sonderbehandlung, so wie sie eigentlich einem Gast zukommen sollte, aber nicht der jüngeren Tochter.

Sie hatte Hunger, hätte jetzt jedoch keinen Bissen heruntergebracht. Sie wollte mit Victor sprechen, aber wusste nicht, wie. Wer die Frau war, interessierte sie nicht. Sie wollte nicht darüber sprechen, was passiert war, sie wollte sich nicht erklären und verlangte keine Erklärung von ihm. Sie wollte, dass er wusste, dass sie ihn nicht verurteilte, damit er sich nicht schämte, denn wieso sollte er sich dafür schämen, dass er begehrt und geliebt wurde? Sie wollte ihm nur sagen, dass sie ihn wegen dem, was sie gesehen hatte, nicht weniger liebte. Und was sie eigentlich hören wollte, war, dass er sie deshalb auch nicht weniger liebte. Ein Blick hätte ihr gereicht, einer seiner warmen Blicke, die ihr das Gefühl gaben, dass alles gut würde.

Sie hörte, wie er aus dem Bad kam und nach oben in sein Zimmer ging, ohne *buona notte* zu sagen. Die plötzliche Distanz kränkte sie. Normalerweise saßen sie noch ein wenig in der Küche, aßen schweigend oder machten Witze über die Hotelgäste, dann ging Victor immer auf den Balkon und rauchte eine letzte Zigarette, während sie die Milch heiß machte, die er vor dem Schlafengehen liebte, Milch mit Honig und Datteln, jede Nacht, ein Glas für ihn und eins für sie.

Yasmina schüttete die Milch in den Topf, erhitzte sie, nahm ein paar Datteln aus dem Kühlschrank, goss die Milch in ein Glas, rührte den Honig hinein, legte die Datteln auf die Untertasse, ging hoch zu seinem Zimmer und klopfte leise an die Türe. Victor öffnete, schon im Unterhemd. Yasmina schob sich an ihm vorbei und stellte die Milch neben sein Bett.

»Ich werde Papa nichts davon sagen.«

Er nickte.

»Wie viele Frauen hattest du schon?«

»Warum willst du das wissen?«

»Einfach so. Ich finde das nicht schlimm, weißt du?«

»Ich auch nicht.« Er grinste.

»Ich mach mir nur Sorgen wegen der Ehemänner. Was, wenn einer es rausfindet?«

»Du kennst die Frauen nicht. Sie sind viel schlauer als ihre Männer.«

»Liebst du sie?«

»Ich mache Liebe mit ihnen. Das ist ein kleiner Unterschied.« Er trank seine Milch und sah sie verschmitzt an.

»Welche magst du am liebsten? Die Französinnen?«

Victor lachte. »Das ist doch egal. Schöne Frauen kommen von überallher. Gute Nacht, Schwesterchen, du musst morgen früh raus.«

Yasmina nahm sein Glas und ging zögernd zur Tür. Dann drehte sie sich um.

»Bin ich schön?«

»Aber sicher, du bist sehr schön!«, antwortete er.

»Sagst du das nur, weil ich deine Schwester bin?«

»Nein!«

»Aber ich will es ehrlich wissen. Von dir als Mann. Findest du mich schön?«

»Du bist ein sehr besonderes Mädchen, Yasmina.«

»Was meinst du mit besonders? Anders?«

»Ja, du bist anders, Schwesterherz, und das ist eine ganz besondere Art von Schönheit. Deine Schönheit. *Buona notte, farfalla.*« Er gab ihr einen Kuss auf die Stirn.

7

Yasmina stand nackt vor dem Spiegel in ihrem Zimmer. Er meinte es gut, aber das wollte sie nicht. Sie wollte, dass er ehrlich war oder zumindest log und ihr sagte, dass sie schöner war als die Frauen, die er küsste. Aber er sagte: anders. Kein Wort verletzte sie so sehr wie dieses, denn das Anderssein empfand sie als Makel.

Der Blick in den Spiegel als Erinnerung daran, dass sie nicht wirklich dazugehörte. Dass ihre Mutter nicht wirklich ihre Mutter und ihr Vater nicht wirklich ihr Vater war. Dass sie nicht, wie alle anderen Kinder, einen selbstverständlichen Platz in ihrer Familie hatte, einen, der nie hinterfragt wurde, sondern dass sie es nur dem Mitleid der Eltern zu verdanken hatte, hier sein zu dürfen. Alle anderen Kinder waren einfach da, sie aber *durfte* da sein. Und in diesem Dürfen verbarg sich die Angst, dass diese Erlaubnis jederzeit widerrufen werden konnte.

Als sie in die Familie kam, hatte sie Angst davor, wild herumzurennen oder laut zu rufen, wenn sie Durst hatte, oder sich einem Befehl des Vaters zu widersetzen. Auch wenn ihre Eltern sie liebten wie ein eigenes Kind und sie nie im Stich gelassen hätten – Yasmina musste gefallen, um bleiben zu dürfen. Später aber, als sie kein Kind mehr war, schälte sich aus dem Verborgenen, sie wusste nicht, woher, eine andere Seite ihrer selbst heraus, die ganz und gar nicht leise sein wollte, um kein Missfallen zu erregen. Wer leise war, wurde übersehen. Doch in ihr brannte die Sehnsucht, wirklich gesehen zu werden, und zwar als die, die sie war. Denn sie wusste nicht, wer sie war, und suchte eine verwandte Seele, die ihr einen Spiegel vorhielt.

Andere Kinder hatten ihre Eltern, in denen sie sich wiederfanden. Aber ihre Mutter, die sich bewegte und sprach wie eine Europäerin, kam ihr oft vor wie eine Fremde, und die Liebe des Vaters konnte die Leere in ihrem Inneren nicht füllen.

Sie begann zu rebellieren, erst im Kleinen, indem sie ein Gebäck nicht aß oder auf dem Heimweg von der Schule trödelte. Dann zog sie die Kleider nicht mehr an, die ihre Mutter für sie nähte, und suchte sich Freundinnen, von denen sie wusste, dass sie ihren Eltern missfielen, Außenseiter auch sie, Straßenkinder, »kein guter Umgang für eine wie wir«. Aber sie war eben nicht »wie wir«, sie war eine andere, auf der Suche nach sich selbst. Und dann entdeckte sie etwas Machtvolles und Verbotenes, das sie berauschte, weil kein anderer davon sprach, weil es etwas Ureigenes war. Eine andere Dimension mitten in ihrem kleinen Zimmer, wo sie still unter der Bettdecke lag, die Augen schloss, das Blut in den Ohren pochen hörte und vor Lust zu fliegen begann. Ein Rausch, der nicht von dieser Welt war.

Regentropfen klopften ans Fenster. Auf einmal war die Erinnerung wieder da, so spürbar, als wäre es erst gestern gewesen. Die Gewitternacht im Sommer, sie war vielleicht acht oder neun, schon keine Fremde mehr in der Familie. Sie konnte nicht schlafen, so schwül war es draußen; die Hitze stand in ihrem kleinen Zimmer, stand über der Stadt, bis sich ein gewaltiger Sturm zusammenbraute. Blitze erhellten die Nacht, die Palmen tanzten wie verrückt, und das Anrollen der schweren Wellen auf den Strand war bis in Yasminas Zimmer hinein zu hören. Die Angst lähmte Yasmina. Angst vor etwas, das viel größer war als sie, unbeherrschbar, wild, aber unheimlich schön. Donner, so laut, dass sie sich die Ohren zuhielt.

Yasmina verkroch sich unter die Decke, ihr Atem ging schnell, ihr Herz schlug bis zum Hals, sie wagte nicht, die Eltern zu rufen, es war, als wären sie auf einmal weit weg, so allein und ausgeliefert fühlte sie sich. Sie weiß nicht mehr, wie sie es schaffte, aus dem Bett zu springen, barfuß und nur mit ihrem Nachthemd bekleidet, aber sie weiß noch heute, wie es sich anfühlte, unter Victors Decke zu kriechen, seinen Körper zu spüren, und wie der Sturm in ihr sich beruhigte, als er seinen Arm um sie legte.

»Mach die Augen auf, *farfalla!*«, hatte er gesagt. »Es ist bloß ein Gewitter. Nur wenn du die Augen schließt, macht es Angst. Weil du dann Dinge siehst, die es gar nicht gibt. Also mach die Augen auf. Und wenn es blitzt, jetzt, zähl die Sekunden, bis es donnert. *Uno, due* ... hörst du, es ist nicht über uns, vielleicht ist es jetzt über der Medina, aber nicht hier, weil der Schall länger braucht als das Licht, wusstest du das? Nichts ist schneller als das Licht, nicht einmal ein Flugzeug!«

Es war nicht, was er sagte, es war, wie er es sagte, der Klang seiner Stimme, das Vibrieren seiner Brust, als er sprach, sein Blick auf die Dinge. Er wusste Bescheid über die Welt, mit ihm war sie kein Ort, an dem man sich fürchten musste, sondern ein Abenteuer, ein Karussell, ein Freudenfest. Noch nie hatte Yasmina so viel Geborgenheit gefühlt wie in dieser Gewitternacht. Ihr Puls wurde ruhig, während es draußen weiter donnerte, aber sie wollte nicht einschlafen, um dieses wunderbare Gefühl nicht zu verlieren. Es würde ihr nichts ausmachen, wenn das Haus einstürzte, solange seine Arme sie nicht losließen.

Dabei war ihre erste Begegnung alles andere als ein gutes Omen gewesen. Sie war vier Jahre alt, und Victor wirkte damals so viel größer mit seinen sieben Jahren. Er trug eine Schiebermütze und braune, schlammverkrustete Lederstiefel. Es war Winter, und sie fror mit ihren dünnen Sohlen auf den kalten Fliesen. Es gab keinen Ofen in dem großen Schlafraum, nur Waschbecken aus weißer Emaille, die viel zu hoch hingen, endlose Reihen von Betten, schwarzes Eisen und weiße Decken, und hohe Fenster gab es, und ein Kreuz hing über der Tür, ein braunes Holzkreuz ohne Christus. All das sah Yasmina noch jetzt vor ihrem inneren Auge, als wäre es gestern gewesen. Die aufgeregten Rufe der anderen Kinder, sie rannte mit, ohne zu verstehen, was passierte, die strenge Stimme von Frère Robert in seinem weißen Mönchsgewand, der den Kindern befahl, leise zu sein und zu warten, und dann diese Familie, die etwas unschlüssig im Gang stand. Eine elegante Frau mit schwarzem Hut, der Mann im grauen Anzug, der mit dem Mönch redete, und der siebenjährige Victor an seiner Hand, damals schon typisch Victor: sein neugieriger Blick zu den anderen Kindern, Komplize im Alter, aber überlegen in der Stellung, der Einzige mit Eltern, und guten noch dazu.

Immer wieder waren Paare ins Waisenhaus gekommen, um mit den Brüdern zu sprechen und sich ein Kind auszusuchen, und nicht immer gaben die Mönche ihnen eines. Sie achteten auf ihre Schützlinge; lieber sollten sie hier aufwachsen als bei schlechten Eltern, und von denen gab es viele. Manchmal rannten die Kinder schreiend vor ihnen davon, sie spürten es instinktiv, und nur Gott weiß, was mit ihnen geschah, wenn sie doch mitgenommen wurden, denn die Mönche waren arm, und immer wieder kamen neue Kinder ins Heim. Schreiende Bündel, die nachts vor der Pforte abgelegt wurden, von Huren, Armen oder viel zu jungen Mädchen, so wie Yasmina vor zwei Wintern. Keine der Familien, weder die guten noch die schlechten, hatten sie gewollt, denn Yasmina war wild und ungehorsam und sprach nicht viel. Entweder schwieg sie oder tobte. Sie war ein böses Kind, sagten die Mönche, und natürlich wollte niemand sie mitnehmen, wer wollte schon ein böses Mädchen? Selbst die bösen Eltern fragten nach einem braven Mädchen. Yasmina wusste nicht, dass sie womöglich anders war, als die Mönche sagten, denn was die Mönche sagten, war Gesetz – bis zu diesem Tag.

Sie erinnert sich noch an den ersten Blick von Victor. Staunend, aber mit dem Wissen um seine Überlegenheit schaute er zu den

Kindern der Mönche. Nur sie, Yasmina, schien er zu übersehen, vielleicht weil sie die Kleinste war, vielleicht weil die anderen Mädchen hübscher waren, wahrscheinlich weil sie ein böses Mädchen war, und er sagte kein Wort, als der Mönch auf sie zeigte und der Blick des Vaters auf sie fiel, prüfend, vor allem aber voller Mitgefühl.

Und dann hörte sie ihren Namen, Yasmina, und sie blickte verschämt zu Boden, denn sie war ein böses Mädchen. Doch der Mönch rief sie zu sich. Sie blickte auf und sah den Mann und seine Frau lächeln, was sie überraschte. Warum waren sie nett zu ihr? Wussten sie nicht, dass sie kein braves Mädchen war? Komm, sagte der Mann, komm, sagte die Frau, komm, sagte Frère Robert, sag *bonjour* zu Madame und Monsieur Sarfati. Aber Yasmina sah zuerst nur Victor, den Jungen, der fast doppelt so alt war wie sie.

Yasmina weiß heute noch, wie sie zögernd losging und genau in diesem Moment Victor an der Hand seines Vaters zog, worauf der Monsieur sich zu ihm hinunterbeugte, Victor ihm etwas ins Ohr flüsterte und auf einen Jungen zeigte, einen älteren, und wie sie dabei unsicher wurde und ihr Schritt sich verlangsamte. Sie wollen mich nicht, spürte sie, sie wollen Ahmed, er ist ein braver Junge, und ich bin ein böses Mädchen. Sie blieb stehen und blickte verschüchtert zu Madame, um herauszufinden, ob Gefahr drohte. Doch ihre Augen waren freundlich. Yasmina verstand nicht, was der Vater zu seinem Jungen sagte; sie sprachen Italienisch. Auf einmal entstand Verwirrung. Alle diskutierten miteinander, und der Vater wies seinen Sohn zurecht. Doch der Junge insistierte, bis die Mutter leise auf ihn einredete und niemand mehr Yasmina beachtete.

Alle anderen Kinder waren unsicher, was das für sie zu bedeuten hatte. Dann hörte Yasmina zum ersten Mal ein Wort, das niemand im Kloster gebraucht hatte. Es fiel, als der Vater auf sie zeigte, um seinem Sohn etwas zu erklären. »*Ebrea*«, sagte er.

Yasmina verstand die Bedeutung dieses Wortes nicht, aber sie begriff, dass es so etwas wie ein Zauberwort sein musste, denn es brach Victors Widerstand. Dieses Wort musste die geheime Kraft haben, ihr eine Überlegenheit gegenüber den anderen Kindern zu geben. Eine mysteriöse Macht, von der sie nichts wusste, die aber in der Welt der Erwachsenen mit ihren undurchdringlichen Gesetzen und Regeln eine große Bedeutung hatte.

Victor, das weiß Yasmina heute, wollte lieber einen Bruder, einen Spielkameraden, einen Gleichaltrigen. Es gab welche, natürlich, er hätte sich nur einen auszusuchen brauchen. Doch der Vater wählte *sie* aus, die Kleinste, ein Mädchen, die Wilde, die Nutzloseste, denn sie konnte vieles noch nicht, das die anderen konnten: nähen, Fußball spielen, stillsitzen und bis hundert zählen. Aber sie trug etwas in sich, das kein anderer hier besaß, ein Geheimnis, das sie – ohne ihr Zutun und Wissen – mit dieser fremden Familie teilte, ein unsichtbares, aber Tausende von Jahren altes Band: »Sie ist Jüdin«, sagte Monsieur Sarfati zu seinem Sohn, »so wie wir.«

Erst an diesem Tag erfuhr Yasmina davon, denn bei den Franziskanern beteten alle Kinder zum Gott der Mönche, egal, ob sie Mohamed, Christine oder Yasmina hießen. Und seit diesem Tag war sie für immer dankbar dafür. Jüdisch sein, das schien zu bedeuten: anders zu sein als die anderen, etwas Besonderes zu sein, und darin lag zugleich ihre Rettung und ein Fluch. »*Ebrea*« war das Zauberwort, das sie mit den einen verband und von den anderen trennte. Fremde fanden in ihr etwas Eigenes, und Vertraute wurden plötzlich zu Fremden. Die neidischen Blicke der anderen Kinder, das Tuscheln und die gehässigen Worte, als Monsieur Sarfati ihr freundlich die Hand reichte und sagte: »Ciao, Yasmina«, verwirrten sie, aber noch mehr verwirrte es sie, dass dieser fremde Mann sie offensichtlich mochte. Ein böses Mädchen konnte man nicht mögen, darum verweigerte sie ihm die Hand, doch er lächelte unbeirrt weiter, als sähe er in ihr etwas, das niemand anders sehen konnte, kein Mönch und kein anderes Kind und nicht einmal sie selbst: etwas Gutes. Seine warmherzigen Augen rissen ein Loch in die Geschichte des bösen Mädchens, ein kleines nur, aber groß genug, um in ihr eine Ahnung zu wecken, dass die Geschichte über sie vielleicht doch nicht stimmte. Dass jemand sie liebenswert finden konnte, obwohl sie war, wer sie war. Denn dieser Mensch besaß ein Zauberwort, das stärker war.

Sie hatte immer gespürt, dass sie anders war als die anderen, aber auf einmal war dieses Anderssein kein Makel, sondern eine Auszeichnung. Sie reichte dem Monsieur ihre Hand, und er sagte einen Satz, den sie noch nie gehört hatte: »Du bist ein gutes Mädchen.«

Eine Stunde später hatten die Erwachsenen alle Papiere unterschrieben, und Yasmina verließ die Franziskanermission von Carthage mit ihrer neuen Familie. Draußen kam ein kühler Wind vom Meer, die Pflastersteine waren noch nass vom letzten Schauer, aber die helle Wintersonne flutete die weißen Mauern der Mission mit einem so unwirklich hellen Licht, dass sie ihre Augen zukneifen musste. Sie wusste, sie würde nie wieder zurückkehren.

Es dauerte lange, bis Victor sie akzeptierte, und Akzeptanz bedeutet noch nicht Respekt. Erst war es ein Nebeneinanderleben, ihr Zimmer im weißen Haus der Familie Sarfati - ein ganzes Zimmer nur für sie! - lag neben seinem, aber ihre Welten waren so verschieden, als käme sie von einem anderen Planeten. Victor tat einfach so, als existierte sie nicht, als wäre er immer noch der unangefochtene Prinz seiner Eltern. Erst viel später, als er sie ins Klo einsperrte, wusste sie, dass er sie nicht mehr ignorieren konnte. Später sah sie zu, wie der Vater ihn dafür bestrafte, was er seiner Schwester angetan hatte. Ja, er sagte »Schwester« und nicht »Yasmina«, so wie sie nun »Papà« sagen sollte statt »Monsieur Sarfati«. In Victors trotzigem Blick zu ihr, während er auf dem Knie des Vaters lag, der ihn fünfmal mit dem Gürtel schlug, lag der Anfang einer heimlichen Komplizenschaft, die sie fortan verbinden sollte.

In der folgenden Nacht, als sie wie immer nicht einschlafen konnte, weil sie die Dunkelheit fürchtete, schlich sie heimlich in Victors Zimmer. Er schlief. Sie schloss die Tür hinter sich und ging auf Zehenspitzen zu seinem Bett, wo sie vorsichtig unter seine Decke glitt, leicht wie eine Feder, um ihn nicht zu stören, obwohl ihr Herz so laut schlug, dass sie fürchtete, ihn mit ihrem Herzschlag zu wecken. Als sie bereits neben ihm lag, ihre Brust sanft und vorsichtig an seinen Rücken geschmiegt, wachte er auf. Sie konnte seine Augen nicht sehen, wusste aber, dass er sie öffnete. »Ich kann nicht schlafen«, flüsterte sie. Victor drehte sich um und sah sie an. Er war überrascht, aber nicht feindselig. Er ließ sie gewähren. Sie schloss die Augen, um unter seinem Blick wegzutauchen, um mit ihm zu sein, ohne gesehen zu werden, und eine tiefe Ruhe erfüllte ihren rastlosen Geist.

Die Gespenster, die jede Nacht in ihrem Bett erschienen, kamen nicht hierher. Sie waren ihr vom Kloster in ihr neues Zuhause gefolgt. Übermächtige, glühende Gestalten der Dunkelheit, vor denen sie sich zu Tode fürchtete. Anders als alles, was den Tag ausmachte – die strengen Mönche, die Gemeinheiten der anderen Kinder, die sie hinter sich ließ –, klebte alles, was die Nacht ausmachte, an ihr wie Pech. Sobald es dunkel wurde, erschienen die bösen Geister wieder, wie die Mücken, die im Schutze der Nacht aus den Pfützen in die Häuser kamen.

Im Kloster hatte sie niemandem davon erzählt, um nicht für verrückt gehalten zu werden. Hier bei ihrer neuen Familie hatte sie ein einziges Mal gewagt, Papà zu bitten, nachts die Tür ihres

Zimmers nicht zu schließen, damit ein Lichtschein hereinfiele. Als er sie nach dem Grund fragte, mit einer Stimme, die ihr Vertrauen gab, hatte sie ihm von den bösen Geistern erzählt, die sie heimsuchten, in der Hoffnung, er würde sie verstehen und beschützen können. Aber Papà sagte nur, was sie sehe, sei nicht wirklich. Sie müsse keine Angst haben. Yasmina nickte, wie brave Mädchen nicken, und er wünschte ihr eine gute Nacht, wie es gute Väter tun. Doch sobald er die Tür geschlossen hatte, fielen die finsteren Mächte wieder über Yasmina her. Sie sprach nie mehr darüber, aber seitdem mischte sich auch Verzweiflung in ihre Angst. Die stumme Verzweiflung der zum Schweigen Verdammten.

Jetzt aber, neben Victors warmem Körper, waren die Geister zum ersten Mal weit weg. Als würden sie es nicht wagen, in seine Nähe zu kommen. Er war stärker als sie. »Danke«, flüsterte Yasmina und nahm seine Hand, ohne ihre Augen zu öffnen.

Von nun an wusste sie, wohin sie gehen konnte, wenn die Geister wiederkamen. Und Victor ließ sie gewähren. Etwas an dieser heimlichen Umarmung im Dunkeln musste auch ihm gefallen, sonst hätte er den Eltern davon erzählt. Doch sie ahnten nichts davon. Spätestens wenn der Morgenruf des Muezzin das erste Morgenrot ankündigte, schlich Yasmina am Schlafzimmer der Eltern vorbei zurück in ihr Bett. Das ging jahrelang so, während sie heranwuchsen, ohne dass es jemand bemerkte und ohne dass sie bei Tageslicht darüber sprachen. Bis zu einer heißen Sommernacht, als sie in der Hitze nicht schlafen konnte. Sie schlich in Victors Zimmer, schlüpfte leise unter das dünne Laken und schmiegte ihren Rücken an seine nackte Brust. Durch ihr Nachthemd konnte sie seine heiße, schweißnasse Haut spüren. Sie wartete, bis sein Arm sie umfing, lauschte seinem Atem und glitt langsam hinüber in den Schlaf ... bis sie plötzlich etwas Überraschendes spürte. Etwas Hartes und Heißes, das ihre

Hüfte berührte. Unbekannt, aber nicht unheimlich. Es weckte ihre Neugier. Als ihre Hand unter die Decke glitt, um hinzufassen, drehte Victor sich um. Sie wagte nicht, ihn anzusprechen, und auch er erwähnte es nie mehr. Yasmina lernte, dass es auch unter Menschen, die sich lieben, Dinge gibt, die unter einer Decke des Schweigens ihr eigenes Leben führen.

Das Geheimnis zwischen ihr und Victor war von Anfang an mehr als das, was andere Geschwister miteinander verbindet. Denn trotz aller gegenteiligen Beteuerungen der Eltern war ihr Verhältnis nie selbstverständlich, sondern immer aufgeladen von einer Neugier und einer Spannung, die sich aus ihrer unterschiedlichen Herkunft ergaben. Victor, der von Geburt an selbstsicher war, hatte instinktiv ihre Unsicherheit gespürt, doch als er schließlich aufhörte, sie zu quälen, fand er einen besseren Weg, seine eigene Stärke zu spüren: indem er sie beschützte.

Auf der Straße zählte nicht, wer du bist, sondern *mit* wem du bist. Yasmina war mit Victor, und mit Victor legtest du dich besser nicht an. Er war der Anführer seiner Clique, und wer einem von ihnen eins auf die Mütze gab, bekam die Fäuste der anderen zu spüren. Yasmina war die Prinzessin der Vorstadt, die Jungs ihre Leibgarde.

Überhaupt, das Viertel. Nur eine kurze Fahrt mit dem Vorortzug von der Franziskanermission in Carthage entfernt, war Piccola Sicilia doch eine völlig andere Welt. Dasselbe Meer, das vom Klosterhügel aus zu sehen war, aber unerreichbar blieb, hier am alten Fischerhafen lebte man mit ihm. Victors Bande verbrachte die Nachmittage am Strand, und durch die Straße, in der die Sarfatis wohnten, die Rue de la Poste, kamen die Sommerfrischler aus der Stadt von der Vorortbahn, Frauen mit weißen Sonnenschirmen und Männer mit schweren Picknickkörben, um sich auf die Fischrestaurants, Cafés und den Strand zu verteilen. Während das Waisenhaus eine schattige Enklave war, in der Disziplin, Gehorsam und Enthaltsamkeit herrschten, barst das kleine Einwandererviertel vor Lebenslust, Genuss und Geschrei in der prallen Sonne. In Piccola Sicilia amüsierten sich die Nachtschwärmer auf der Piazza, in den Bars und Kinos, während die Franziskaner nach dem Abendgebet das Licht im Schlafsaal ausschalteten. In der Mission hatte es nur einen Gott gegeben, den der Christen, und eine Sprache, die der Franzosen, während sich hier unten am Meer die Glocken von Sant'Agostino mit dem Ruf des Muezzin und den Gebeten der vierzehn Synagogen vermischten, nicht wetteifernd, sondern nebeneinander wie die verschiedenen Sprachen: Italienisch, Französisch und Arabisch in seinen beiden Dialekten, dem der Muslime und dem der Juden.

Jeder hatte zwei, manchmal drei Namen und Identitäten. Papà hieß in der Synagoge Abraham, bei seinen Kollegen Albert und bei seiner italienischen Mutter Alberto. Ihren Lieblingsenkel Victor nannte sie Vittorio, aber in seinem Ausweis stand Victor - alle in Tunesien geborenen Europäer erhielten bei der Geburt die französische Staatsbürgerschaft -, und an den jüdischen Festen nannte der Rabbi ihn Avigdor, was ähnlich klingt, aber eine andere Bedeutung hat: nicht Sieger, sondern Beschützer. Mamma hieß Meïma, eine traditionelle Abkürzung von Miriam, aber alle nannten sie Mimi, das klang moderner und verwies auf ihre europäischen Wurzeln. Wie viele andere waren ihre Familien in Schiffen aus Livorno gekommen, aus Napoli oder Palermo, um an der südlichen Küste des Mittelmeers eine neue Heimat zu finden. Tunis, die weiße Stadt im Norden Afrikas, das Gesicht immer nach Europa gewandt, hatte sie mit offenem Herzen aufgenommen und zu ihren eigenen Kindern gemacht. Und so wurde auch Yasmina ein Kind dieses Viertels, wo niemand sie fragte, woher sie einmal gekommen war, denn hier lebten die Menschen in der Gegenwart, ohne allzu sehr zurückzuschauen oder sich allzu viele Sorgen um die Zukunft zu machen.

La Piccola Sicilia, das waren der Strand und die Palmen, der Duft von Brot am Morgen, gegrilltem Fisch am Mittag und Jasmin am Abend. Es war das Viertel, wo die eine Hälfte der Menschen das Essen kochte, das die andere Hälfte verspeiste. Es waren die dürren Katzen, die vor den Restaurants Fischreste fraßen und im Schatten der Mauern schliefen. Es war das Cinéma Le Théâtre, wo es an den Feiertagen freien Eintritt für die Kinder gab, an Weihnachten, Id und Purim, und niemand fragte sie, welche Religion sie hatten, wenn sie gemeinsam ins Kino strömten. Es war das Schlurfen der *babouches* – die Lederpantoffeln der Araber – über das staubige Pflaster, es waren die gemurmelten Gebete von Monsieur Borgel, der im Sommer, wenn es drinnen zu heiß war, sein Maariv vor der Hausmauer verrichtete, um allen zu zeigen, wie fromm er war, und die Rufe der Kinder, die neben ihm Fußball spielten. Es war der muslimische Bäcker, der bei der Osterprozession Zuckergebäck an alle verteilte, die durch die Straßen zogen, vereint um die Madonna di Trapani, vorbei an den Frauen, die mit nackten Füßen auf den Balkonen und Dächern standen, von der Kirche bis zum Hafen, »*E viva la Madonna, viva la Santa Madonna!*«. Alle waren bei diesem Volksfest dabei, denn wer weiß, vielleicht erhörte die Madonna auch die Gebete der Muslime und der Juden – war sie nicht Mariam aus dem Koran, eine Jüdin aus Nazareth? Theologische Diskussionen, bei denen ein besonders frommer Moslem ihre Jungfräulichkeit anzweifelte und ein Jude ketzerisch fragte, wie es denn sein könne, dass Gott eine Mutter habe, wurden bei einer Anisette in der Bar aufs nächste Jahr vertagt.

Sicher, es war kein Paradies, wo gibt es das schon, aber man hielt zusammen, denn die Feinde waren gemeinsame Feinde: die Moskitos im Sommer, die Flöhe im Winter und der staubige Scirocco aus der Sahara, der die Frauen verrückt machte.

Man hatte Wichtigeres zu tun, als über Religion zu streiten. Man feierte zusammen, man zankte, aber am nächsten Tag sah man sich wieder, auf dem Markt, im Treppenhaus, in der Schule; also ging niemand zu weit. Man wusste Maß zu halten, im Streit und in der Liebe, man wusste, du kannst deinen Nachbarn einen dummen Esel nennen, aber du darfst niemals seinen Gott beleidigen oder, schlimmer noch, seine Mutter. Außerdem gab es dreimal so viele Feiertage wie in Europa – die Juden luden Christen und Muslime zu Hanukkah ein, feierten Weihnachten in den Häusern der Christen, und zum Id el-Fitr am Ende des Ramadan schlugen sich alle zusammen die Bäuche voll. Die Kinder tanzten bis spät in die Nacht. Sie waren Festgeschwister.

Bei diesen bunten Feiern gab es drei Themen, über die man einfach nicht sprach: Gott, Sex und Politik. Wozu auch? Alle liebten das Leben zu sehr, um immer recht zu haben. Recht haben ist anstrengend. Du kannst entweder recht oder Spaß haben, aber nicht beides zugleich.

In diesem kleinen Land, das kaum Öl oder Erz besaß, waren Gastfreundschaft und Toleranz die wertvollsten Ressourcen. Koexistenz war keine Utopie, sondern Notwendigkeit. Wenn die Alten heute auf diese Zeit zurückschauen, bricht es ihnen das Herz. Die Juden, die Italiener und die Franzosen sind gegangen. Heute haben alle Autos, Fernseher und Smartphones, aber Yasminas Kindheitsparadies ist ein ärmeres Land geworden.

8

Erst in Piccola Sicilia entdeckte Yasmina eine nie gekannte, unbeschwerte Freiheit. Die Sommer am Strand, die warmen Septembernächte auf der Piazza vor der Kirche und die Jasminblüten hinterm Ohr der Frühlingsflaneure. Hier lernte sie, dass sie nicht das Mädchen war, von dem ihr die Missionare erzählt hatten. Es gab keinen Grund mehr, zu schreien, da sie gehört wurde; es gab keinen Grund mehr, sich zu verstecken, da sie gesehen wurde. Hier durfte sie frei am Strand herumlaufen, stundenlang im Meer schwimmen und auf den Hochzeiten der Nachbarn tanzen, ohne bestraft zu werden. Ihre Eltern – und das waren sie nun, da sie »Papà« und »Mamma« zu ihnen sagte –, zeigten ihr eine andere Geschichte über sich selbst, eine bessere, eine Geschichte, in der sie nicht am Rande stand, sondern in der Mitte, umgeben von Menschen, die auf sie gewartet hatten. Ganz langsam entspannte sich etwas in ihr, ganz langsam spürte sie, dass sie ihren neuen Eltern nicht zur Last fiel, sondern tatsächlich geliebt wurde. Die Mutter war da, wenn sie fiel, und der Vater gab ihrem neuen Ich einen Platz in der Welt – vorausgesetzt, sie gehorchte den Regeln und nahm an den Riten teil, die denen, die sich an sie hielten, Schutz versprachen. Den Schutz ihres Gottes und den ihrer Gemeinschaft.

Wenn Yasmina später einmal zusammenfassen sollte, was es für sie bedeutete, jüdisch zu sein, dann würde sie sich an den Vater erinnern, der am Tisch saß und seinen Kindern sagte, dass sie etwas Besonderes seien, jedes von ihnen einzigartig und in seiner Einzigartigkeit von Gott so gewollt, und dass diese Besonderheit eine Aufgabe war: nichts zu glauben, was die Leute erzählten, denn die Welt sei voller Geschichten, und nicht die Hälfte von ihnen sei wahr. Wir, die Juden, hätten eine alte Tradition, die durch alle Zeiten, Länder und Kulturen bestand. Wir wären die Fische, die gegen den Strom schwammen, wir benützten unseren eigenen Kopf, um alles zu hinterfragen, selbst die Thora. Wir sollten nur glauben, was wir auch geprüft hatten, denn Gott habe den Menschen einen Verstand gegeben, damit er nicht dumm wie ein Esel durch die Welt trotte.

Das war Papà, und was er sagte, war glaubwürdig, denn er lebte es. Nicht nur in der Synagoge, nicht nur am Shabbat, sondern auch mit seinen Patienten im städtischen Krankenhaus, wo Yasmina ihn gerne besuchte. Docteur Albert Sarfati im weißen Kittel mit umgehängtem Stethoskop, im erhitzten Gespräch mit einer Mutter, die glaubte, ihr Kind sei dem bösen Blick zum Opfer gefallen. Nein, gute Frau, sagte Albert geduldig, geben Sie ihm diese Tabletten, es sind gute aus Frankreich, und waschen Sie seine Haare, die Kleider und das Bettzeug, waschen Sie es heiß, gute Frau, denn Fleckfieber wird durch Läuse übertragen, nicht durch einen Fluch!

Albert sah sich weniger als Heiler, sondern mehr als Aufklärer. Er glaubte an die Wissenschaft, und in der Synagoge stritt er sich stundenlang mit denen, die die alten Schriften buchstäblich auslegten. Sie führten endlose Diskussionen darüber, wie Gott die Welt an nur sechs Tagen erschaffen konnte und ob der Mensch von Adam oder vom Affen abstamme.

Er stand auf Kriegsfuß mit der Vergangenheit; sein Ehrgeiz galt dem Aufbau eines modernen Tunesien, in dem Vernunft und Fortschritt über Staub und Aberglauben triumphierten. Er liebte seine Stadt und ihre Menschen trotz aller Unzulänglichkeiten, niemanden wies er ab, angetrieben von wacher Neugier auf die Menschen in all ihren Verschiedenheiten. Den Armen widmete er ebenso viel Zeit wie den Reichen, manchmal sogar noch mehr, denn er war überzeugt, dass Bildung die einzige

Medizin gegen Armut war. Er sorgte dafür, dass seine Patienten das Krankenhaus nicht nur körperlich geheilt verließen, sondern auch mit einem neuen Gedanken, den er ihnen in den Kopf gepflanzt hatte.

Äußerlich jedoch wirkte Albert wie ein Mann aus einem anderen Jahrhundert. Wenn Dottor Sarfati durch die staubige Rue de la Poste schlurfte, sah er aus wie eine Figur von Giacometti, hochgewachsen und dünn, mit langsamem, fast zweifelndem Schritt, den Kopf leicht gebeugt und in Gedanken, doch höflich den Hut zum Gruß hebend, vor seinem Friseur, seinem koscheren Fleischhändler und Menschen auf der Straße, deren Namen er vergessen hatte, aber er grüßte dennoch zurück, denn man konnte ja nie wissen. *Buongiorno Dottore, bonjour Monsieur, shalom, assalamu aleikum.* Er ging so langsam, als würde er sich selbst dabei beobachten: Der Kontakt der Ferse mit dem Boden, das Abrollen auf dem Ballen, das Abknicken und Anspannen der Zehen. Er ging, als staunte er über die menschliche Fähigkeit zum aufrechten Gang, als watete er auf dem schmalen, schwankenden Steg der Wissenschaft durch einen Sumpf aus Unwissenheit. Seine Langsamkeit war kein Ausdruck von Trägheit, im Gegenteil, wenn er bedächtig die Zeitung umblätterte oder vor dem Schlafengehen umständlich seine runde Brille von den Ohren zog und faltete, war das Ausdruck eines wachen Geistes, der alle körperlichen Bewegungsabläufe präzise verfolgte, bestimmend und beobachtend zugleich.

Seine Augen waren, anders als sein Körper, schnell. Auf der Straße suchten sie sich einzelne Passanten aus der Menge heraus und studierten sie mit geradezu wissenschaftlicher Neugier – die Narbe auf einem Gesicht, das Humpeln einer alten Frau, die Beinstümpfe eines verkrüppelten Bettlers auf dem Trottoir. Er konnte diese Menschen studieren, ohne ihnen in die Augen zu sehen, sein Blick war der eines Forschers, nicht ohne Mitgefühl, doch was ihn faszinierte, waren Funktion und Krankheit des Körpers, nicht das, was andere Seele nannten.

Obwohl er mit Jacob, dem Rabbi von Piccola Sicilia, befreundet war, lieferten die beiden sich hitzige philosophische Debatten. Noch keiner, sagte Albert, habe beim Aufschneiden eines menschlichen Körpers eine Seele gefunden. Und keine Wundermittel abergläubischer Weiber und betrügerischer Händler, sondern einzig die moderne Pharmazie sei dazu geeignet, die Menschheit von ihren uralten Plagen zu befreien. Während er für gewöhnlich ein gütiger und friedliebender Mensch war, konnte er sich über nichts so aufregen wie den Aberglauben der Leute. Obwohl hier geboren, sah er sich als Europäer in Afrika, als einsames Licht der Aufklärung in einem undurchdringlichen Meer aus Magie, Scharlatanerie und Krankheitskeimen. »Das ist Aberglaube, mein Kind«, sagte er immer, »halte dich an die Fakten! Die Leute erzählen viel und wissen wenig.«

Selten reiste er in den Süden. Er war Hauptstädter durch und durch, er liebte die breiten Boulevards und geraden Straßen des europäischen Viertels mit seinen weißen Jugendstil-Fassaden, den schicken Cafés und dem Operntheater. Er war ein *homme de culture,* und seine ganze Begeisterung lag darin, die moderne Wissenschaft an die junge Generation seines geliebten Heimatlands weiter zu vermitteln.

Wie sehr muss es Albert beschämt haben, dass ausgerechnet seine eigenen Kinder nicht in seine Fußstapfen traten! Victor, sein Erstgeborener und einziger Sohn, der das Abitur nur mit Ach und Krach bestanden hatte und nicht Arzt, sondern Unterhaltungskünstler werden wollte. Yasmina, auf der dann all seine Hoffnungen ruhten (obwohl sie ein Mädchen war), die die besten Noten schrieb, aber dann das Gymnasium nicht beenden konnte. Es lag nicht an ihr. Es lag an der Krankheit, die

Europa befallen hatte. Wie ein Krebs, der streute und nun auch Nordafrika erreicht hatte.

Seit Hitler Frankreich besetzt hatte, führte die Vichy-Regierung im Mutterland und in den Kolonien neue Rassegesetze ein. Jüdische Ärzte und Rechtsanwälte verloren ihre Zulassung, jüdische Lehrer und Professoren wurden aus dem Staatsdienst entlassen, die Schulen und Universitäten führten Quoten für Juden ein. Jüdische Kinos und Zeitungen wurden enteignet, die französische und die Mussolini-treue italienische Presse schürten Ressentiments gegen Juden. In Algerien war es am schlimmsten, dort unterrichteten entlassene Lehrer in leeren Fabrikhallen die Schüler, die nicht mehr auf die staatlichen Schulen gehen durften. Tunesien hielt noch dagegen, so gut es ging; das Land war stolz auf seine laizistische Tradition, die schon bestanden hatte, bevor es zum französischen Protektorat wurde. Der Bey versuchte mit allen möglichen Tricks, die Anwendung der Gesetze zu verzögern. Die tunesischen Juden, sagte er, sind meine Kinder. Doch in diesen Zeiten halfen schöne Worte nicht viel; die wahre Macht lag in den Händen der Franzosen, und die hatten vor den Deutschen kapituliert.

Anfangs schien es weniger eine Sache der Ideologie, es gab keinen offenen Hass; das Ganze war ein bürokratischer Vorgang, in dem loyale Beamte ihre Pflicht erfüllten. Jüdischen Ärzten wurde die Zulassung nicht entzogen, sie durften zumindest jüdische Patienten weiter behandeln, was zu absurden Situationen in Alberts Krankenhaus führte, wo muslimische Patienten auf einmal keine Behandlung mehr bekamen, obwohl es ihnen völlig egal war, welche Religion ihr Arzt hatte, Hauptsache, er verstand sein Handwerk. Junge christliche Ärzte mussten eingestellt werden, und die erfahrenen jüdischen Kollegen erhielten einen Entlassungsbescheid. Albert blieb vorerst verschont, denn er besaß den italienischen Pass, und der italienische Konsul erwirkte als Verbündeter Deutschlands Ausnahmen für seine Staatsbürger. Doch Albert weigerte sich, sein Privileg zu nutzen: Wenn seine Kollegen gehen müssten, sagte er, würde er auch gehen. Denn wenn er etwas hasste, war es Ungerechtigkeit, und wenn er an etwas glaubte, war es die Vernunft. Ohne die jüdischen Ärzte würde der Betrieb zusammenbrechen; jeder wusste, dass es zu wenig gute Ärzte gab. Doch er hatte nicht mit der Dummheit der Menschen gerechnet. Den Bürokraten ging es nicht um die Patienten, sondern um den eigenen Posten. »Es tut mir persönlich sehr leid, Monsieur Sarfati, aber was soll ich machen? Gesetz ist Gesetz.« Das war der Satz, den er damals überall hörte, vom Buchhalter bis zum Klinikdirektor. In einem Klima der Angst dachte jeder zuerst an sich. »Bleiben Sie doch, Monsieur, Ihre Kollegen werden es verstehen«, bat ihn der Direktor, aber Albert war in solchen Dingen nie besonders geschickt gewesen, sondern hielt eisern an seinen Prinzipien fest. Er kündigte. Das brachte ihm zwar großen Respekt in der jüdischen Gemeinde ein, doch davon konnte man sich kein Brot kaufen.

Mimi war alles andere als begeistert über seine Entscheidung. Sie herrschte über die Haushaltskasse, da Albert mit Geld auf Kriegsfuß stand. Mehr als ein notwendiges Übel war es nicht für ihn; allzu oft behandelte er seine Patienten umsonst, wenn sie knapp bei Kasse waren – und das waren die meisten, die zu ihm kamen, da seine Gutmütigkeit sich schnell herumgesprochen hatte. Die Löcher, die Albert damit in die Haushaltskasse riss, waren der einzige echte Streitpunkt in ihrer sonst harmonischen Ehe.

Mimi war äußerst loyal, doch was die materiellen Dinge des Lebens betraf, war sie das genaue Gegenteil ihres Mannes. Wenn Rechnungen mit der Post kamen, legte er sie ungeöffnet beiseite; nicht weil er sie nicht bezahlen wollte, sondern weil er lieber zur Zeitung griff, in der ein Artikel ihn mehr interessierte als die allzu banalen Dinge des Alltags. Wenn man Albert und Mimi auf der Straße sah – er im immer gleichen alten Anzug und sie mit ihren feinen Handschuhen, dem eleganten Hut und den hohen Schuhen –, wirkten sie wie aus zwei verschiedenen Welten. Tatsächlich stammte sie, anders als er, aus einer altehrwürdigen Livorneser Kaufmannsfamilie. Mit ihren gesellschaftlichen Verbindungen, ihrer aparten Schönheit und ihrem charmanten Witz hätte sie seinerzeit jeden Mann aus der besseren Gesellschaft von Tunis bekommen können, hatte aber einen Antrag nach dem anderen abgelehnt. Stur und hellsichtig hatte sie sich für den Medizinstudenten Albert entschieden, der keine Villa in Carthage besaß, nicht am Grand Prix der Automobile und den Bällen im Palast des Bey teilnahm, sondern seine Tage damit verbrachte, über die Sonderbarkeit des Menschen zu staunen. Sie liebte ihn, Punkt. Vielleicht gerade deshalb, weil er so anders war, und vielleicht auch, weil sie in seiner Sonderbarkeit einen Spiegel ihrer eigenen exzentrischen Sturheit fand, an der ihre Eltern verzweifelten.

Als sie Alberts Antrag annahm, waren ihre Eltern schließlich erleichtert, dass nach all den »Neins«, die so manche gesellschaftliche Verbindung zerbrochen hatten, endlich ein »Ja« aus ihrem Munde kam. Und entgegen aller Unkenrufe stand ihre Ehe unter einem guten Stern, vielleicht gerade weil sie so unterschiedlich waren und sich nicht in die Quere kamen. Er lebte in seiner Welt der Ideen, sie herrschte über die materiellen Dinge des Alltags; er brachte den Kindern das Denken bei, sie den Glauben; er war ohne sie verloren, und sie wusste, dass er sie nie für eine andere verlassen würde, wenn ihre Schönheit einmal verblühen sollte. Doch alles beruhte auf der selbstverständlichen Übereinkunft, dass er das Geld verdiente, welches sie ausgab. Dass er jetzt zum ersten Mal in ihrer Ehe mit leeren Händen nach Hause kam, stellte Mimis Geduld, von der sie ohnehin nicht viel besaß, auf eine harte Probe.

»Mach dir keine Sorgen«, sagte Albert, »Ärzte brauchen sie überall.« Er fragte unter muslimischen Kollegen herum, ob jemand Verstärkung in seiner Praxis brauchte, inoffiziell natürlich. Er kannte einen jüdischen Anwalt, der seine Kanzlei an einen französischen Treuhänder übergab, und einen Großhändler, der bei einem muslimischen Basarhändler als Buchhalter anheuerte. Doch der Einzige, der ihm helfen konnte, war ein befreundeter arabischer Apotheker, Monsieur Ben Amar, der ihn als Gehilfe einstellte – eine andere Arbeit hatte er nicht. Und so fuhr Dottor Sarfati mit seinem Auto durch die Stadt, um Medikamente auszuliefern. An seinem schwarzen Citroën Traction Avant hielt er fest, den wollte er um keinen Preis verkaufen. Lieber hätte er von trockenem Brot gelebt, denn wer ein Auto hatte, gehörte zu einer Schicht, die sich als modern und europäisch verstand. Doch auch wenn er es vor seinen Kindern nicht zugeben wollte, wusste er zu gut, dass sein Traction Avant ihn vielleicht vor dem Staub auf den Straßen schützen mochte, doch gegen das Unglück, das die Juden befiel, war er machtlos.

Victor verdiente mit seinen Auftritten im Hotel Majestic mehr als sein Vater. Die Geldscheine, die er nach Hause brachte, steckte er Mamma heimlich in der Küche zu, um Papà nicht zu beschämen. Es fiel Albert schwer, Geld von seinem Sohn anzunehmen, auch weil er damit aufhören musste, Victors Tätigkeit, die in seinen Augen kein ernstzunehmender Beruf war, zu kritisieren. In Alberts Augen gab es nur ein Métier, das für Victor in Frage käme, nämlich die Medizin. Dass Victor nicht einmal studieren wollte, konnte Albert nie verstehen. Nicht dass er die Musik nicht liebte, im Gegenteil, er hatte dafür gesorgt, dass Victor klassischen Klavierunterricht bekam. Aber das, was Victor begeisterte, die Chansons, die leichte Unterhaltung in den Sommernächten, das Spiel mit den Gefühlen seines Publikums, war für Albert nur unnützer Zeitvertreib. Vor allem missbilligte er Victors Lebensstil, den er egoistisch und verantwortungslos nannte.

»Was tust du für die Menschen, was tust du für dein Land?«, fragte er ihn. Denn Victor verprasste mehr Geld, als er zu Hause ablieferte. Doch jetzt waren sie auf sein Geld angewiesen, und Vater verstummte.

Seine Hoffnungen richteten sich nun auf Yasmina, die dankbar dafür war, dass ihr Vater sie auf die Universität schicken wollte. Albert war in dieser Hinsicht wirklich modern; für ihn war eine Ärztin genauso gut wie ein Arzt, und er traute es seiner Tochter ehrlich zu. Doch kurz bevor er sie an der medizinischen Fakultät von Algier anmelden wollte, traten die Rassegesetze in Kraft: Nur noch wenige Juden wurden zum Studium zugelassen; wer es schaffte, dessen Eltern hatten politische Beziehungen oder Geld. An die Universitäten von Paris oder Rom war wegen des Kriegs nicht zu denken. Albert versprach Yasmina, dass sie studieren würde, wenn der Krieg vorbei war, wenn die Briten und Amerikaner gesiegt hatten. Da hörte Victor, dass das Majestic ein Zimmermädchen suchte. Auch wenn es nicht die beste Art von Arbeit darstellte, war es immerhin das beste Hotel der Stadt. Für ein achtzehnjähriges Mädchen aus Piccola Sicilia lag nichts Unschickliches darin zu arbeiten, im Gegenteil, ungewöhnlich wäre es gewesen, hätte sie Medizin studiert.

9

Am 8. November 1942 erreichte der Krieg der Europäer Yasminas kleines Land. Als die Familie beim Frühstück saß, hielten alle den Atem an, während Albert am Regler des Radios drehte, um die BBC zu suchen. Er übersetzte für uns: Zum ersten Mal, seit Hitler die Welt mit Krieg überzogen hatte, gingen seine Gegner in die Offensive. Die größte Flotte, welche die Weltmeere je gesehen hatten, war über den Atlantik und von England gekommen und zur Überraschung aller in Nordafrika gelandet. Ihr Ziel war es, Rommels Armee zu vernichten und Europa vom Süden her zu befreien.

Tunesien im Zentrum des Mittelmeers war der Brückenkopf nach Sizilien, und man brauchte nur einen Atlas aufzuschlagen, um zu sehen, dass Piccola Sicilia auf einmal im Brennpunkt des Kriegsgeschehens lag. Wo einst die italienischen Auswanderer auf ihren Booten nach Nordafrika gekommen waren, sollten nun die alliierten Landungstruppen in die entgegengesetzte Richtung aufbrechen – die größte Invasionsarmee der Geschichte.

In den Häfen von Casablanca, Oran und Algier hatten die Vichy-Franzosen zuerst Widerstand geleistet, sich aber dann der alliierten Übermacht ergeben. Über hunderttausend Soldaten strömten aus den Schiffen, Tausende Lastwagen, Panzer und Flugzeuge wurden ausgeladen; eine riesige Armada rollte durch Algerien auf die tunesische Grenze zu. Von Osten, aus Libyen, kam Rommels Armee auf dem Rückzug vor den Briten, gescheitert im Versuch, nach Ägypten und Palästina vorzudringen. Zwischen den beiden Fronten lag das kleine, bisher vom Krieg verschonte Tunesien. Zum ersten Mal schien das Blatt sich zu wenden; die unbesiegbaren Deutschen gerieten jetzt in die Defensive. »*Das ist nicht das Ende*«, tönte Churchill aus dem Radio, »*Es ist nicht einmal der Anfang vom Ende. Aber es ist vielleicht das Ende vom Anfang!*« Als die Nachricht sich im Viertel ausbreitete, drangen die trillernden Freudenschreie der jüdischen Frauen durch die Straßen. Nach Jahren des Bangens und Zitterns gab es endlich Hoffnung!

Kurz nachdem die Invasion der Alliierten die Titelseiten erreicht hatte, flogen die ersten Flugzeuge über die Häuser von Piccola Sicilia. Es war Freitag, der 13. November 1942.

»Die Amerikaner sind da!«, riefen die Kinder und rannten aufgeregt auf die Straße. Yasmina lief auf den Balkon, aufgeschreckt vom Brummen in der Luft, und blickte in den Himmel. Erst waren es nur zwei oder drei, dann wurden es immer mehr. Wie Heuschrecken schwärmten sie übers Meer heran und verdunkelten die Sonne. Sie flogen sehr langsam und tief, um auf dem nahen Flugplatz El Aouina zu landen. Yasmina erkannte am silbernen Leitwerk der Flugzeuge das schwarze Hakenkreuz.

Es waren nicht die Amerikaner, es waren die Deutschen.

Der Schatten der Maschine zog über die Köpfe der Kinder.

Während alle noch darüber geredet hatten, wann die Alliierten in Tunis ankämen, ließ Hitler blitzschnell das letzte freie Land Nordafrikas besetzen. Es war ein Wettlauf mit der Zeit: Wer Tunesien hielt, kontrollierte das Mittelmeer, die Meerenge zu Sizilien und damit das Tor nach Europa. Alle Menschen in der Stadt hingen an ihren Radios, und je nach Sender konnte man sich eine andere Geschichte anhören. Radiofono Italia rief zum faschistischen Widerstand »auf dem Schlachtfeld, wo einst Scipio Hannibal besiegte«. In der BBC sprach General de Gaulle persönlich, der die Engländer schon kurz vor Tunis sah, »in tapferer Verteidigung von Freiheit, Toleranz und Frieden!«.

Und Radio Alger Française, von dem niemand wusste, auf wessen Seite es sich schlagen würde, spielte stundenlang die Marseillaise. Aus El Aouina hörte man eine Explosion – eine der deutschen Maschinen war bei der Landung in Flammen aufgegangen. Doch die Franzosen, die den Flugplatz kontrollierten, leisteten keinen Widerstand – sie überließen den Invasoren das Tor zur Stadt. In der Nacht standen alle Menschen auf den Balkonen und starrten in den Himmel. Das Dröhnen der Motoren übertönte das Meeresrauschen. Im Dunkeln war es besonders unheimlich. Aber wo waren die Deutschen? Wie viele waren es, die aus den Rümpfen der Flugzeuge kletterten? Was hatten sie vor?

Noch hatte niemand sie gesehen.

Papà drehte nervös am Empfängerknopf des Radios herum, von einem Sender zum anderen. Es war Shabbat, Mamma hatte am Vorabend eine Shakshuka zubereitet, pochierte Eier in scharfer Tomatensauce; die Wohnung duftete nach Kardamom, Koriander und Kreuzkümmel. Doch Victor trug schon seinen weißen Anzug und die frisch geputzten Schuhe. Er wollte mit eigenen Augen sehen, was in der Stadt los war.

»Keiner verlässt das Haus«, murmelte Albert.

»Mach dir keine Sorgen, Papà, im Hotel sind wir sicher.«

»Ihr bleibt hier, *basta!*«, rief Mimi.

Victor ließ sich nicht beirren. »Wir sind Italiener, sie werden uns nichts tun.«

»Mein Sohn, du weißt nicht, wozu Menschen fähig sind.«

»Aber die *boches* sind Verbündete der Italiener. Du wirst sehen, jetzt wird es leichter für uns!«

»Weißt du nicht, was sie in Italien mit den Juden machen?«

»Glaubst du, sie schauen nach, ob ich beschnitten bin? Wenn sie uns aufhalten, rufe ich einfach: ›*Viva il duce!*‹«

Albert warf einen besorgten Blick zu Yasmina, und ohne dass

er es aussprechen musste, wussten alle, was er dachte: Ihr sah man an, dass sie keine Italienerin war. Ihre leiblichen Eltern waren Juden aus Djerba; Sepharden, die von den Arabern kaum zu unterscheiden waren. Schon in der Schule hatte Yasmina gespürt, dass nicht alle Juden gleich waren, mehr noch: dass sie nicht gleich sein wollten. Die europäischen Juden betrachteten sich als die feinere Gesellschaft, während die arabischen Juden das Privileg beanspruchten, seit zweieinhalbtausend Jahren hier zu wohnen. Die einen waren Anwälte, Bankkaufleute und Ärzte, die anderen Händler und Handwerker. Sie beteten zwar miteinander, aber eine Heirat war tabu. Eher heiratete ein europäischer Jude eine Christin oder ein arabischer Jude eine Muslima. Die wahre Grenze verlief weniger zwischen den Religionen als zwischen den Schichten.

Yasminas Adoptiveltern hatten nie ein Geheimnis aus ihrer Herkunft gemacht, Albert war ein Mann der Wahrheit. Aber Yasmina spürte ihr Anderssein - ein Blick in den Spiegel genügte: ihre schwarzen Locken, ihre orientalischen Augen, unruhig, brennend, ihr voller Mund, all das kam ihr selbst fremd vor, da es keine Entsprechung bei den Menschen fand, die sie Mamma und Papà nannte. Auch wenn Mimi immer sagte: »Wir sind doch eine Familie, die italienischen und die arabischen Juden!«, blieb etwas haften, das Yasmina insgeheim als Makel empfand. Und genau diesen Makel spürte Yasmina nun wieder als einen Stich im Herzen, als ihr Vater sie ansah, ohne seine Gedanken zu verraten. »Ebrea«, das Zauberwort, dem sie einst ihre Rettung verdankte, war über Nacht zum Fluch geworden.

Yasmina dachte an die Wochenschaubilder, die sie im Kino gesehen hatten. Die Menschenmassen auf den Plätzen in Rom und Nürnberg. Alle trugen die gleichen Hemden, in Italien schwarze, in Deutschland braune. Alle hoben den Arm in derselben Sekunde, wie ein einziger Körper, alle riefen dieselben

Parolen; man konnte keine Individuen mehr unterscheiden. Könnte das auch hier geschehen? Hier, wo die eine verschleiert herumlief, die andere im Kleid aus Paris, der eine einen Burnus trug, der andere einen italienischen Anzug, der eine trug Kippa, der andere ein Kreuz um den Hals, und der nächste spielte mit Gebetsperlen in der Hand. Hier redeten alle durcheinander, in drei oder vier verschiedenen Sprachen. Der eine aß koscher, der andere halal, der nächste trank Wein. Könnte sich diese Einfarbigkeit, die Europa erstickte, je auf das bunte Tunis legen?

»Ich will wissen, was in der Stadt passiert«, sagte Victor und ging zur Tür.

»Hast du nicht gehört, was ich gesagt habe?«, rief Albert.

»Was soll mir schon passieren? Es ist meine Stadt, und wenn ich einen *boche* auf der Straße treffe, sage ich: ›Herzlich Willkommen, Herr Kraut, darf ich Sie auf einen Tee einladen?‹«

Victor war ein Goldkind. Alles war ihm in den Schoß gefallen, er hatte noch nie eine Niederlage einstecken müssen. Er glaubte an seine Aura der Unbesiegbarkeit.

»Victor, du hast den Krieg nicht erlebt. Du weißt nicht, wie eine Uniform einen guten Menschen in ein Tier verwandeln kann.«

»Ich hab keine Angst vor denen. Hitler? Wenn ich den Kerl reden höre, muss ich lachen! Wie kann man den ernst nehmen? Yasmina, komm!« Victor griff nach ihrer Hand.

Albert stellte sich in den Weg. »Wirf dein Leben weg, wenn du wirklich so dumm bist, aber lass Yasmina hier!«

»Wir bringen sie mit dem Auto zur Arbeit!«, schaltete Mimi sich ein. Als wären sie im Auto sicherer vor den Deutschen. Albert sträubte sich, aber wie so oft setzte Mimi sich durch. Es war das Gefühl, zusammen zu sein, was ihr Sicherheit versprach, eine gefühlte Sicherheit, mehr nicht.

»Nehmt eure Ausweise mit!«, gab Albert schließlich nach und band sich die Krawatte um. Victor warf mit der Anlasserkurbel den Motor an, und Albert gab Gas. Es war das einzige Ritual aus der Kindheit, das die beiden noch verband. Wolken zogen auf, vom Meer kam ein kühler Wind. Bald würde es regnen.

Auf den Straßen war es ruhiger als sonst. Unsicherheit lag in der Luft. Um nach Centre Ville zu gelangen, mussten sie am Flugplatz vorbei. Französische Soldaten sperrten die große Straße ab, die von dort in die Stadt führte. Offenbar hatten sie sich mit den Deutschen arrangiert. Albert nahm einen Umweg. Er fuhr langsam, noch langsamer als sonst. Während Yasmina schwieg, redete Mimi die ganze Zeit. Immer wenn sie Angst hatte, redete sie ohne Pause und machte damit alles nur noch schlimmer. Sie sprach von den brennenden Synagogen in Deutschland, von Juden, die aus ihren Wohnungen getrieben und wie Vieh in Lager transportiert wurden.

Victor, der vorne saß, drehte sich zu ihr um und nahm ihre Hand. »Mamma, glaub nicht alles, was die Leute erzählen! Im Hotel habe ich Deutsche kennengelernt, ein älteres Paar auf Reisen, das waren sympathische Menschen. Ich habe Beethoven für sie gespielt, und sie haben mir ein gutes Trinkgeld gegeben.«

»Victor«, fiel Albert ihm ins Wort, »dieses Hotel ist nicht die wirkliche Welt. Lies die Zeitungen, hör Radio, schau die Filme an! Wir reden nicht von den Deutschen, wir reden von den Faschisten! Hast du gesehen, wie sie ihre Städte bauen, Nürnberg, Berlin? Wie Mussolini in Rom: Nur gerade Linien und rechte Winkel. Die Säulen, die Straßen, die Aufmärsche, die Fließbänder der Kriegsfabriken – eine Architektur für Maschinen, nicht für Menschen!«

Yasmina sah schweigend aus dem Fenster. Der Orient war das Gegenteil der Bilder aus Deutschland: die Bögen und Gassen der Medina, verwinkelt wie Flüsse im Dickicht, Organisches, das planlos wuchs und wucherte. Die Völker des rechten Winkels suchen die Eindeutigkeit, dachte sie, während die Orientalen das Doppeldeutige lieben, das Spiel zwischen dem Sichtbaren und dem Verborgenen. Der Orientale sagte nie direkt, was er meinte; ein Ja hieß vielleicht Nein und ein Nein vielleicht Ja, damit jeder sein Gesicht wahren konnte. In den Vielvölkerstaaten des Orients standen immer mehrere Wahrheiten nebeneinander, flossen das Weltliche und das Spirituelle ineinander über – Paradoxe, die der Europäer zu lösen versucht, während der Orientale sie einfach hinnimmt. Wir sind viel zu chaotisch, dachte Yasmina, um gute Faschisten sein zu können. Wie wollen die Deutschen in einem Land, wo es vier Wochen dauert, einen Klempner für ein verstopftes Klo zu bekommen, den Krieg gewinnen?

»Du predigst doch auch immer die Rationalität der Moderne, Papà!«, entgegnete Victor gereizt.

»Ich rede von Vernunft«, sagte Albert und wich einem Pferdewagen aus, der ihnen auf der engen Straße entgegenkam. »Die Faschisten sind nicht rational, sondern fanatisch. Ein rationaler Mensch untersucht die Wirklichkeit, um sie besser zu verstehen. Die Faschisten hassen die Wirklichkeit, weil sie zu paradox ist, sie erschaffen ihre eigene Wahrheit, in der es nur Schwarz und Weiß gibt, so lange, bis sie ihre eigenen Lügen glauben. Darum können sie auch keine gläubigen Menschen sein, denn wer glaubt, akzeptiert ein Mysterium, das größer ist als er. Verstehst du jetzt, warum ich Angst um euch habe? Diese Nazis begreifen nicht, dass einer gleichzeitig Italiener, Tunesier und Jude sein kann.«

Sie schwiegen eine Weile, bis sie in Centre Ville ankamen. Der Verkehr war außergewöhnlich ruhig. Man konnte die Anspannung auf der Haut spüren, wie vor einem Gewitter. Französische Soldaten standen an den Kreuzungen, aber immer noch war kein Deutscher zu sehen. Dann sagte Victor, einfach nur um etwas zu entgegnen: »Du bist doch auch kein gläubiger Mensch – außer am Shabbat«, und zündete sich eine Zigarette an. Eine Provokation, die Albert stillschweigend hinnahm.

»Ich bin ein Mensch der Wissenschaft«, sagte Albert. »Solange weder die Existenz noch die Nicht-Existenz Gottes bewiesen ist, bleibt immer ein Zweifel. Und das ist gut, denn der Zweifel ist der Ursprung der Erkenntnis. Und er ist der Ursprung der Toleranz, mein Sohn. Wer zweifelt, wird nie Faschist. Der rechte Winkel ist eine Erfindung von Leuten, die Angst vor dem Zweifel haben!«

Victor lachte. Er lachte immer, wenn die Lage ernst war. »Das ist nicht wahr! Sieh dir das Viertel an, das die Franzosen gebaut haben, vor die alte Medina: Alles schön gerade, aber das sind keine Faschisten!«

»Ein Volk in geraden Straßen lässt sich leichter kontrollieren als im Labyrinth der Souks«, erwiderte Albert. »Aber schau dir die Art-Déco-Fassaden an, die üppigen Verzierungen, die Blumen und Faune! Wenn du mich fragst, die Franzosen sind wie die alten Römer: Einerseits von kühler Rationalität, andererseits von mediterranem Temperament. Imperialisten und Hedonisten zugleich!«

Victor grinste, und für einen Moment schienen sich die beiden wieder einig zu sein. »Deshalb sind sie zugrunde gegangen, die Römer – sie haben zu viel gefeiert! Was glaubst du, warum die Franzosen so schnell vor den Deutschen kapituliert haben? Wenn du mich fragst, werden sie Nordafrika verlieren. Sie lieben das Leben zu sehr, um uns dauerhaft zu beherrschen, denn Herrschen macht humorlos.«

»Darum fürchte ich die Deutschen mehr als die Franzosen«, warf Mimi ein. »Ihnen fehlt die mediterrane Seite, sie meinen es zu ernst, wie die Japaner: diszipliniert und gehorsam bis in den Tod.«

Dann sahen sie die ersten Deutschen. Zwei junge Soldaten in Tropenuniform standen, mit Gewehren bewaffnet, vor der britischen Botschaft. Die Passanten wechselten die Straßenseite. Eine absurde Situation, denn sowohl die Soldaten als auch die Passanten taten so, als wäre der andere nicht da. Blick geradeaus, Blick nach unten; sie vermieden es, einander in die Augen zu sehen. Albert fuhr zu schnell vorbei, als dass Yasmina die Gesichter der Deutschen erkennen konnte.

Vor dem Hauptpostamt standen zwei sandfarbene VW-Kübelwagen. Auf der Treppe postierten Soldaten, die niemanden mehr hineinließen. Nichts wirkte improvisiert, jeder kannte seine Befehle, alles folgte einem größeren Plan. Was passierte in dem Gebäude? Yasmina sah einen französischen Polizisten, der ein Plakat an einen Zeitungskiosk anschlug: »*Mitteilung an die Bevölkerung!*«, stand dort auf Deutsch, Französisch und Italienisch. »*Tunesien steht ab sofort unter dem Schutz der deutschen Armee. Den Aufforderungen der Wehrmacht ist unbedingt Folge zu leisten. Wer die Truppen der Wehrmacht behindert, wird erschossen!*«

»Fahr zurück, Albert«, flüsterte Mimi, »hier sind die Kinder nicht sicher.« Sie sagte tatsächlich »Kinder«.

»Im Majestic sind wir sicher«, erwiderte Victor trotzig.

Als sie sich dem Hotel näherten, sah auf den ersten Blick alles aus wie immer. Aber Yasmina ahnte, dass etwas nicht stimmte. Gegenüber vom Eingang des Hotels, auf der Avenue de Paris, stand ein deutscher Lastwagen. Albert hielt an. Doch von hinten hupte es. Durchs Heckfenster sah Yasmina einen sandfarbenen Kübelwagen mit deutschen Soldaten. Der Fahrer stand auf und brüllte: »Los! Weiterfahren!« Albert gab panisch Gas und würgte den Motor ab. Der Wagen machte einen Satz nach vorn, blieb stehen, und dann kam ein Stoß von hinten. Der Kübelwagen war aufgefahren. Jemand schrie etwas auf Deutsch.

»Gütiger Gott!«, rief Mimi.

»Lass den Motor an, Victor, schnell!«, befahl Albert.

Victor griff nach der Anlasserkurbel, sprang aus dem Wagen und lief nach vorne. Yasmina sah zwei Soldaten mit Stahlhelmen aus dem Kübelwagen steigen und nach vorne kommen. Ihnen folgte ein Offizier.

»Habt ihr die Ausweise dabei?«, flüsterte Albert.

»Ja.«

»Victor auch?«

Yasmina wusste es nicht. Durch die Scheibe sah sie, wie Victor die Soldaten begrüßte: »*Ciao, amico, come va?*« Mit seinem entwaffnenden Lächeln zeigte er ihnen die Anlasserkurbel und ließ seinen unschuldigen Charme spielen. Die Deutschen waren jünger als er. Erschöpfte Gesichter, noch fremd hier. Victor beugte sich vor den Kühler, setzte die Kurbel an und drehte, während die anderen danebenstanden und fachsimpelten. Albert pumpte aufs Gaspedal. Der Motor leierte, aber sprang nicht an. Mimi murmelte ein Gebet.

»Kein Gas geben!« Der Offizier klopfte an die Scheibe. Ein hartes, ausgezehrtes Gesicht mit kalten Augen. Albert nickte, Schweiß auf der Stirn. Eine Menschentraube bildete sich auf dem Trottoir. Der Offizier rief einen Befehl, woraufhin seine Soldaten das Auto an beiden Seiten anpackten und wegschoben. Ohne zu fragen. Victor musste zur Seite springen, die Kurbel fiel auf die Straße. Ein Soldat öffnete die Tür und griff ins Lenkrad, um den Wagen zum Straßenrand zu lenken. Albert war machtlos. In diesem Moment wurde Yasmina etwas Entscheidendes klar: Die Deutschen hassten uns nicht. Wir waren nur ein Hindernis, das aus dem Weg geräumt werden musste. Wahrscheinlich war es ihnen nicht wichtig, ob wir Juden, Araber oder Italiener waren. Sie schauten auf uns herab, weil wir keine von ihnen waren. Hass wird in einem heißen Herzen geboren, während Verachtung aus einem kalten Herzen kommt.

Das Auto stieß ans Trottoir und kam abrupt zum Stehen. Die Passanten gafften. »Wo ist Victor?«, rief Mimi. Yasmina drehte sich um und sah ihn hinter dem Auto, wo der Offizier ihm befahl, seine Papiere zu zeigen. Die Soldaten interessierte es nicht besonders, sich mit Einheimischen zu streiten. Auch dem Offizier ging es nicht um Victor, sondern darum, den vielen Umherstehenden zu zeigen, wer die neuen Herren in der Stadt waren. Victor war nur Mittel zum Zweck. Wahrscheinlich konnte der Deutsche nicht mal einen muslimischen von einem jüdischen Namen unterscheiden. Victor tat so, als würde er seine Papiere suchen, nur um Zeit zu gewinnen. Yasmina begriff es sofort: Er hatte keinen Ausweis dabei. Warum hatte er ihn nicht mitgenommen? Dummheit, Überheblichkeit oder ein Akt des Trotzes? Yasmina griff schnell zur Tür, um auszusteigen.

»Du bleibst hier!«, befahl Albert ungewöhnlich scharf.

»Wir müssen ihm helfen!«

»Bleib sitzen, hab ich gesagt!« Albert wollte gerade aussteigen, da löste sich ein Mann im eleganten Anzug aus der Traube der Umherstehenden. Es war Latif, der Concierge. »Victor!«, rief er laut, ging auf ihn zu und wendete sich auf Französisch an den Offizier: »Dieser Herr ist Angestellter des Hotel Majestic, Monsieur!«

»Was?«

»*Personale. Lavoro. Italiano.*« Es war Latifs unnachahmliche Mischung aus Höflichkeit, Diskretion und Autorität, die den Offizier umstimmte. Stets zu Diensten, aber nie unterwürfig.

»Aha. Personal. Und die Papiere?«

»Im Hotel, Monsieur. Alles hat seine Ordnung.«

»Na dann. An die Arbeit, los!« Der Offizier ging mit Latif und Victor zur Eingangstür. Latif machte Albert, der aus dem Auto gestiegen war, ein diskretes Zeichen, wegzubleiben. Albert nickte unmerklich und stieg ins Auto. Die Soldaten parkten den Kübelwagen vor dem Hotel.

»Was machen sie mit ihm?«

»Im Hotel ist er sicher«, sagte Mimi. Doch als sie Victor mit

Latif und dem Offizier in der Drehtür verschwinden sah, beschlich Yasmina ein ungutes Gefühl. Ohne nachzudenken riss sie die Autotür auf und lief über die Straße zum Hotel.

»Yasmina!« rief Albert ihr nach. Die Soldaten drehten sich zu ihm um. Yasmina lief an ihnen vorbei zum Eingang. Als sie durch die Drehtür kam, begriff sie, dass sie einen Fehler gemacht hatte.

In der Lobby herrschte Chaos. Überall standen Koffer, Munitionskisten und Kanister. An der Rezeption protestierte ein französisches Paar, die Gepäckträger schleppten Koffer zum Ausgang, Soldaten luden ihre Waffen ab. Ein Offizier mit einer Liste in der Hand verteilte die Zimmer. Yasmina sah Victor bei Latif stehen und ging zu ihnen. Der Offizier rief Befehle durch die Halle.

»Sie haben das Hotel beschlagnahmt«, flüsterte Latif. Seine Miene war untröstlich. Das ehrwürdige Majestic war ab sofort kein Hotel mehr, sondern die Kommandantur der deutschen Wehrmacht. Fassungslos starrte Yasmina ihn an.

»Was ist mit uns?«, fragte Victor.

»Für uns bleibt alles gleich«, sagte Latif mit bitterer Ironie. »Nur dass unsere lieben Gäste jetzt alle aus Deutschland kommen. Schnell, Yasmina, zieh dich um und ab nach oben. Alle Zimmer müssen gemacht werden.«

Yasmina wurde schwindlig.

»Und Victor?«, fragte sie. »Latif, du weißt doch, wir ...«

»Franzosen?«, unterbrach sie der deutsche Offizier mit der Liste, entnervt und überfordert von dem vielsprachigen Chaos.

»Italiener«, sagte Latif. »Sie sind Italiener.«

»*Nome, cognome?*«

»Caruso, Vittorio e Farfalla«, bluffte Victor. Der Offizier notierte ihre Namen auf seiner Liste und fragte Latif knapp: »Keine Briten oder Amerikaner unter dem Personal?«

»Nein, Monsieur«, sagte Latif.

»Gut«, seufzte der Offizier und lief den hereinpolternden Soldaten entgegen, um sie zur Ordnung zu rufen. Ein Sisyphos mit Stift als Waffe.

Latif zwinkerte den Geschwistern zu. »Und wie jeder gute Italiener hängt ihr euch jetzt eine Kette mit dem Kreuz um den Hals. *Capisce?*«

10

MARSALA

Joëlle zieht ein altes Foto aus ihrer Handtasche und legt es auf den Tresen, zwischen unsere Kaffeetassen. Es ist schwarzweiß, mit gezacktem Rand.

»Voilà, meine Mutter. Ein Jahr vor meiner Geburt.«

Yasmina steht vor einem herrschaftlichen Gebäude aus der Gründerzeit, dem Majestic, und trägt die Uniform der Zimmermädchen, typisch französisch, sogar mit Häubchen. Es wirkt wie eine Verkleidung, die ihr eigentliches Wesen nicht ausdrückt. Auf den ersten Blick ist sie eine hübsche Frau, aber »hübsch« ist das falsche Wort. Yasmina ist betörend. Ihre intensiven dunklen Augen scheinen den Betrachter fixieren und verschlingen zu wollen. Aber auch das Wort »Frau« trifft es nicht. Wenn man genau hinsieht, merkt man, dass sie noch ein Mädchen ist. Nicht unsicher, aber hungrig nach Leben.

Sie ist so anders als meine Großmutter mit ihren strengen, verbissenen Lippen. Ich kann verstehen, warum ein Mann sie anziehend findet. Ich spüre eine Erregung, wie ich sie früher auf Ausgrabungen gespürt habe. Wenn man ein Stück Stein oder Metall aus der Erde befreit, mit dem man durch die Zeiten sehen kann. Ein fast vergessenes Gefühl. Warum habe ich es aufgegeben? Ich habe nicht Archäologie studiert, um ein Archiv zu verwalten. Sondern um über die Grenzen des Gewohnten zu schauen: Aus alten Steinen setzen wir imaginäre Häuser zusammen, aus Häusern Städte und aus Städten Menschen, die darin lebten.

Sicher, ich kenne die alten Wochenschauen aus Afrika. Das Spiegelei auf dem Panzer. Heia Safari. Immer habe ich darüber gestaunt, wie jung die blonden Männer in der Wüste waren. Habe mir vorgestellt, auf einem der Bilder Moritz zu entdecken, bis mir wieder bewusst wurde, dass er ja hinter der Kamera gestanden hat. Vielleicht hat er genau diese Szene gefilmt.

Woran ich aber nie gedacht habe, sind die Menschen, von denen Joëlle erzählte. Es gab deutsche Protagonisten und alliierte Gegner. Im Grunde sahen sie sich ähnlich, mit ihren Tropenhelmen, den Abzeichen und militärischen Ritualen. Die Einheimischen jedoch waren nicht einmal Feinde, sondern nur: ein Mann im Burnus, eine weiß verschleierte Frau, Henna auf den Händen. Der Araber, der Jude, niemals Mohamed, David oder Yasmina, niemals Menschen mit eigener Geschichte, sondern Statisten im Hintergrund. Und nie habe ich mich gefragt, wie diese Menschen wohl die Europäer gesehen haben, die in ihre Länder einfielen, um sich dort gegenseitig die Köpfe einzuschlagen. Joëlles Geschichte ist der Gegenschuss aus der anderen Perspektive, der in den alten Filmen fehlt.

Ich brauche Zeit, um meinen inneren Kompass neu auszurichten. Ich weiß alles über das antike Ägypten, aber kaum etwas über diese Welt, die nur einen Katzensprung entfernt von hier liegt. Juden und Araber, in meinem Kopf das Sinnbild für ewige Feindschaft von biblischer Dimension. Joëlle lacht.

»Wir sind Cousins! Wir schreiben beide von rechts nach links, wir essen beide kein Schweinefleisch, wir haben beide einen Gott, der in der Wüste erscheint. Und wir feiern beide extrem laute Hochzeiten. Keiner von uns sah den anderen als Fremden an; wir kannten ja keine andere Welt als eine bunte. Wir kamen alle von irgendwoher. Schau dir an, wo Tunesien liegt, im Zentrum des Mittelmeers. Der Kreuzungspunkt zwischen Europa und Afrika, zwischen Orient und Okzident. Wie viele Völker sind dort schon durchgewandert! Die Phönizier, die Karthago gründeten. Die Römer, die es zerstörten. Die Vandalen, die es neu errichteten. Dann kamen die Araber und machten aus dem kleinen Vorort Tunis ein Zentrum der Wissenschaft und des Handels. Die andalusischen Künstler und Gelehrten führten es zur kulturellen Blüte, dann eroberten es die Türken, und schließlich die Franzosen. Es gab Italiener, Malteser, Libyer, Marokkaner – und natürlich die Juden, die schon vor Christi Geburt gekommen waren, mit einem Stein aus dem zerstörten Tempel von Jerusalem, auf dem sie die Synagoge von Djerba bauten.«

»Wie viele Juden leben in Tunis?«

»Heute? Nicht mehr viele, leider. Aber als dein Großvater nach Tunis kam, waren es ungefähr fünfzehn Prozent. Und die Hälfte der Einwohner waren Europäer.«

Ich muss mein Koordinatensystem nachjustieren. Die Archäologin in mir hinterfragt, sortiert Halbwissen aus, verknüpft Zusammenhänge neu. Etwas anderes in mir entspannt sich in Joëlles Gegenwart, lässt los, lässt sich ein.

»Natürlich war es kein Idyll. Wir haben nicht Händchen gehalten, wir waren einfach Nachbarn. Haben gegenseitig auf die Kinder aufgepasst, zusammen Feste gefeiert, um idiotische Kleinigkeiten gestritten. Es gab Armut, es gab Krankheiten, aber niemand kam auf die Idee, am eigenen Unglück wären die Juden schuld oder die Muslime. Man respektierte die Religion der anderen, weil man Gott respektierte. Und das war noch ein anderer Gott als heute. Man respektierte das Geheimnis der letzten Dinge, voilà. Wer uns spaltete, das waren die Nazis.«

»Wo hat deine Mutter Moritz getroffen? Im Hotel?«

Mitten in der Frage klingelt mein Handy. Es ist Patrice. Erst jetzt wird mir bewusst, wie spät es schon ist. Joëlles Geschichte ist wie eine Ausgrabung: Ich vergesse die eine Zeit, während ich die andere bereise. Ich sage Patrice, dass ich noch in der Bar bin.

Und jemanden getroffen habe, den er kennenlernen sollte. Er reagiert alarmiert.

»Rede mit niemandem über unser Flugzeug. Hörst du? Mit niemandem!«

»Warum?«

»Geh zurück ins Hotel. Sofort. Ich treff dich dort!«

Verwirrt lege ich auf.

»Ich muss los. Tut mir leid. Ich hätte gern noch mehr über Moritz erfahren.«

Joëlle greift nach ihrer Handtasche.

»Ich begleite dich noch ein bisschen.«

11

MORITZ

Die wahre Entdeckungsreise besteht nicht darin,
neue Landschaften zu suchen, sondern neue Augen zu haben.

Marcel Proust

Wir gehen aus der Stadt hinaus in Richtung Hotel, wo sich Felder und kleine Häuser abwechseln, über wilde Strände, auf denen Plastikmüll herumliegt, ein verrostetes Autowrack und Treibholz. Das Meer glitzert silbern. Trügerische Schönheit. Als wüsste es nichts von dem Geheimnis, das es verbirgt.

Ich stelle mir vor: Moritz in einem der Flugzeuge, eingepfercht mit unbekannten Kameraden. Das Dröhnen der Motoren, Dunkelheit, Schweiß und Zigaretten, zerknitterte Briefe von zu Hause, zum letzten Mal aus der Tasche gezogen und gelesen. Der Blick aus dem kleinen Kabinenfenster, das blaue, unheimlich friedliche Mittelmeer, eigentlich könnte man baden, dann die braune Küste, verbrannte Erde. Afrika. Keiner seiner Kameraden war jemals so weit südlich gewesen. Junge Männer, die in fremde Länder flogen, um ihre besten Jahre zu opfern. Manche von ihnen hatten Russland überlebt, dort das Eis und hier die Wüste, woran würdest du lieber sterben?

Moritz kannte die Farben dieses Kontinents. Er hatte El Alamein gesehen. Er hatte das Höllenfeuer überlebt, ohne zu wissen, wie. Der mörderische Lärm der Artillerie, zerberstende Panzer und brennende Männer in der Nacht. Entfesselter Wahnsinn, mitten in einer Wüste, die fremder war als der Tod, den man immer an der Seite hatte; jederzeit konnte es einen erwischen. Er war nicht tapferer gewesen als die armen Hunde, die sie dort nicht mehr begraben konnten, sondern hatte einfach Glück gehabt. Warum hatte er überlebt statt des namenlosen Kameraden, der nur wenige Meter neben ihm gefallen war? Die Kugel hätte auch ihn treffen können. Der englische Schütze hatte nur zufällig auf den anderen gezielt, oder vielleicht sogar auf ihn, und die Kugel hatte ihr Ziel verfehlt – ein leichtes Zittern in der Hand, ein Windstoß, der über Leben und Tod entschied. Welchen Sinn hatte eine Existenz, wenn sie so wenig wert war? Unter ihm die Häuser von Tunis, weiße Würfel am Strand, dazwischen Minarette, Straßen, man konnte Menschen erkennen. Eine von ihnen würde, ohne dass er es ahnte, die Mutter seiner Tochter werden.

Der Flugplatz bei Sonnenuntergang, Wind vom Meer, ein verrückter Tanz der Palmen, Staubwirbel über der Piste. Die Männer hielten ihre Mützen fest. Ein paar Baracken und blecherne Hangars, sie sprangen ohne Leiter aus der Maschine, der Geruch der fremden Erde und die vertrauten Befehle. Jeder sein Gepäck, antreten, Abmarsch. Moritz' Sorge um seine Kameras, Objektive und Filme, er prüfte alle Holzkisten persönlich, kein Meter Zelluloid durfte vergeudet werden, eine Rolle Agfachrom war hier wertvoller als hundert Kanister Wasser. Keiner kannte den Auftrag, alles, was sie hatten, waren Gerüchte. Wo war Rommel, wo stand Montgomery? Einer sprach von den Römern und Carthago, der zerstörten Stadt unter ihren Füßen, genau hier, wo jetzt das Flugfeld lag. Die Ju52 wendete und startete gleich wieder nach Trapani, um die nächsten Kameraden zu holen.

Zehntausende Deutsche und Italiener strömten in ein Land,

das nicht auf sie vorbereitet war. Weder um sie als Gäste zu empfangen, noch um sie zu bekämpfen. Die Franzosen ließen ihre Waffen schweigen und öffneten die Stadt. Die Tunesier, längst nicht mehr Herr im eigenen Land, sahen zu, wie ihre Heimat den Fremden dargeboten wurde. Die Braut fiel den Eroberern leicht in die Hand.

Aber auch Moritz traf unvorbereitet in Tunis ein. Aus der libyschen Wüste kannte er das scharfkantige Licht, aber nicht die großen Boulevards, die weißen Jugendstilfassaden und hellblauen Fensterläden. Seine Verwirrung, nach Afrika geflogen, aber in einer französischen Stadt gelandet zu sein, ohne die Sprache zu verstehen, die Sitten, das undurchsichtige Gemisch der Bevölkerungsgruppen. Man hatte ihnen beigebracht, wie man einen Gegner tötet, aber nicht, warum. Für Deutschland, ja sicher, aber was Deutschland hier zu suchen hatte, wusste keiner.

Die erste Szene, die Moritz filmte, war das bewährte Bild des Triumphes: Deutsche Panzer rollen siegreich in die Stadt. Man kannte die Bilder aus dem Osten, die aufrechte Pose des Panzerkommandanten im Turm, nur die Umgebung war neu. Eine von Palmen gesäumte Straße, vielleicht die Avenue de Paris, hinter den Panzern marschiert die Infanterie an einem Café vorbei, die stummen Blicke der Passanten. Immer von links nach rechts durchs Bild, schärfte Moritz seinem Assistenten ein, dem Grünschnabel aus Potsdam, immer siegreich voran, in Schreibrichtung! Panzer, die falsch herum fahren, werden von der UFA aussortiert. Im Hintergrund eine Apotheke, zwei Schriftzüge über dem Schaufenster, ein französischer und ein arabischer – ob Moritz wusste, dass in den Augen der Araber, die von rechts nach links schreiben, die Panzer rückwärts fuhren?

Gegenschuss auf die einheimische Bevölkerung. Wir brauchen Jubel und Begeisterung, am besten Kinder und Frauen, die

Deutschen als Befreier! Tatsächlich fanden sie perfekte Schnitt-
bilder, aber nicht in Centre Ville, wo vor allem Franzosen wohnten, sondern am Hafen, wo sie Italiener antrafen, verbündete
Faschisten, und Araber, denen die Deutschen weniger aus ideo-
logischen Gründen willkommen waren, sondern in der Hoffnung, sie würden das Land von der französischen Herrschaft
befreien.

Moritz' schreibende Kollegen leisteten exzellente Arbeit – die
Propagandakompanie hatte nicht nur die eigene, sondern auch
die lokale Bevölkerung zum Ziel. Dreisprachige Flugblätter fluteten die Straßen. *Tunesier! Wir sind keine Kolonialisten! Wir kommen als Befreier! Euer Feind ist unser Feind!* Und bei aller Skepsis
gegen die Invasoren freuten sich viele, offen oder heimlich, über
die Niederlage der Franzosen: Die uns dominierten, werden
jetzt selbst dominiert! Und wer noch immer die Mentalität des
Untertans hatte, folgte instinktiv dem Stärkeren – dem Herrenvolk, der überlegenen Rasse, den Blitzkriegern.

Noch wusste niemand, dass Tunis der letzte Sieg der Deutschen sein würde, ein Scheinsieg ohne Gegenwehr, und dass
nach diesem Winter immer öfter ein neues Wort in der Wochenschau zu hören sein würde: *Rückzug.* Oder: *Frontbegradi-
gung.* Aber niemals: *Niederlage.*

Moritz bekam alle Bilder, die er brauchte; Schuss und Gegenschuss würden sie in Berlin montieren. Wirklichkeit war etwas,
das man nicht fand, sondern erfinden musste.

»Woher weißt du das alles?«, frage ich Joëlle.

»Von meiner Mutter. Er hat es niemandem erzählt außer ihr.«

Ich frage mich, wie verlässlich das ist. Mündliche Quellen. Als
Archäologin verlasse ich mich nur auf Dinge, die man anfassen
kann. Der alte Streit zwischen uns und den Historikern. Sie
sprechen mit Menschen. Wir befragen Steine. Die lügen nicht.

Fest steht: Das Grand Hotel Majestic, im Besitz einer jüdischen Familie, wurde von der Wehrmacht beschlagnahmt und zur Kommandantur gemacht. Über Nacht wurden alle Gäste hinauskomplementiert. In den Seitenflügel des zweiten Stocks zog die Propagandastaffel Afrika ein, zusammengewürfelte Reste aus Libyen und Verstärkung aus Frankreich: 16 Mann Wort Bild und Film, 3 Motorräder, 5 PKW, 8 Schreibmaschinen Olympia, Olivetti und Torpedo, 2 mobile Druckerpressen für Flugblätter, 8 Sucherkameras Leica IIIc mit Objektiv 50mm ELMAR, 2 16mm-Filmkameras Arriflex mit Zeiss-Objektiven, Holzstative, 32 Rollen 16mm-Schwarzweißfilm Agfachrom, 5 Rollen 16mm-Farbfilm Agfacolor, mobiles Fotolabor, kleine und mittlere Lautsprecher 20 und 70 Watt, Reichweite maximal 1500 Meter.

Die Zimmermädchen bezogen die Betten, putzten die Toiletten und brachten ihre Uniformen zur Wäscherei. *Bonjour, Monsieur, excusez-moi, Monsieur, au revoir, Monsieur –,* keiner fragte die Mädchen nach ihrem Namen oder ihrer Religion. Sie hatten gelernt, sich unsichtbar zu machen, passten sich dem Zeitplan der Deutschen an, wussten, wann die Zimmer leer waren, und bewegten sich wie Schatten durchs Hotel. Yasmina fiel Moritz nicht auf. Sie blieb ein fremdes Gesicht unter vielen, mal kreuzten sich ihre Blicke im Vorbeigehen, aber nie wechselten sie ein Wort mehr als nötig. Ihre Uniformen wiesen sie als Herren und Diener aus. Später fragte er sich, wie er so oft an der Frau seines Lebens vorbeigehen konnte. Und wie viele Menschen ihr Leben lang aneinander vorbeigehen, ohne sich wirklich zu sehen. Aber Victor, wie hätte er Victor übersehen können? Schon am ersten Abend bemerkte er ihn, als er in die Bar ging, um mit seiner Truppe Wein zu trinken. Victor am Klavier. Victor, der singende Italiener. Victor, der wusste, wo man sich am besten versteckt: dort, wo niemand sucht. Im Rampenlicht.

C'est presque au bout du monde
Ma barque vagabonde
Errant au gré de l'onde
M'y conduisit un jour.
L'île est toute petite
Mais la fée qui l'habite
Gentiment nous invite
A en faire le tour.

Er spielte »Youkali«, den langsamen Tango mit schwerem Schritt und leichter Melodie, von dem keiner der Deutschen wusste, dass er die heimliche Hymne der Résistance war. Von Kurt Weill im Pariser Exil komponiert. Das war Victor. Immer nah an der Grenze, und immer mit Charme. Was er aber selbst nicht wusste, war, dass dieses Lied, das von der Sehnsucht nach einem verlorenen Paradies handelte, bald auch die Ballade seines eigenen Exils werden sollte.

Youkali,
C'est le pays de nos désirs
Youkali,
C'est le bonheur, c'est le plaisir
Youkali,
C'est la terre où l'on quitte tous les soucis
C'est dans notre nuit
Comme une éclaircie
L'étoile qu'on suit
C'est Youkali.

»Kennst du nichts Deutsches?«, riefen die Soldaten. Und Moritz, der während seiner Zeit in Libyen die Sprache seiner italienischen Kameraden gelernt hatte, übersetzte.

»Lili Marleen!«, brüllte einer vom Tresen herüber. Natürlich kannte Victor das. Die englischen Gäste hatten es geliebt, die Franzosen und die Italiener ebenso. Victor staunte, dass die Nazis immer noch Lale Andersen hören wollten, obwohl Goebbels das Lied im April 1942 verboten hatte. Wegen ihrer Freundschaft zu Juden. Tatsächlich aber war es das Lied, auf das alle Männer, die ohne ihre Liebste an der Front standen, sich einigen konnten. Das Lied, bei dem die Briten aus ihren Schützengräben in der Wüste »Louder, please!« zu den Deutschen herüberbrüllten, bis auch die britische Generalität das Lied verbot. Und die Männer pfiffen es einfach weiter.

Also spielte Victor Lili Marleen. Fünfzig deutsche Offiziere und Soldaten sangen lauthals mit. Einer von ihnen hatte Tränen in den Augen, und ein anderer brachte Victor, dem Italiener, ein Glas Wein ans Klavier, *grazie,* Victor, *bello,* Victor, Viva Mussolini, Heil Hitler, Scheißkrieg, verfluchte Tommys, morgen zeigen wir's ihnen, aber heute trinken wir mit dir, Arm in Arm, *so wollen wir uns wiedersehn, bei der Laterne wollen wir stehen, wie einst Lili Marleen.*

»Du hast mit den Deutschen gesungen?«, fragte Yasmina.

»Psst, nicht so laut.« Victor drehte sich um, man wusste nie, wer mit im Waggon saß. Der schwach erleuchtete Zug nach Piccola Sicilia war fast leer; wer die beiden zu dieser späten Stunde zusammen sah, hielt sie für ein Paar.

Unsre beiden Schatten sahen wie einer aus;
Dass wir so lieb uns hatten,
Das sah man gleich daraus.
Und alle Leute sollen es sehen,
Wenn wir bei der Laterne stehen

Yasmina senkte ihre Stimme. »Wie konntest du nur? Sie hassen die Juden.«

»Sie lieben die Italiener. Man muss sich nur ein bisschen dumm stellen. Das mögen sie, dann fühlen sie sich groß. Einer hat die ganze Zeit meine Aussprache korrigiert!«

Da sagten wir auf Wiedersehn,
Wie gerne würd' ich mit dir gehn,
Mit dir, Lili Marleen,
Mit dir, Lili Marleen.

»Victor, das ist zu gefährlich«, flüsterte Yasmina. »Du darfst mit denen keine Freundschaft schließen! Wenn sie rausfinden, wer du bist ...«

Victor grinste. »Du solltest sie mal singen hören. Die wurden ganz sentimental. Das Herrenvolk hat die Hosen gestrichen voll, sag ich dir. Die wissen genau, dass die Amerikaner in ein paar Tagen hier sind. Mach dir keine Sorgen, das wird alles nicht so schlimm werden, wie die Leute denken. Wir haben ihnen doch nichts getan.«

Und sollte mir eine Leids geschehn,
Wer wird bei der Laterne stehn,
Mit dir,
Lili Marleen,
Mit dir,
Lili Marleen.

»Wir müssen uns verstecken, Victor. Wir gehen morgen einfach nicht mehr zur Arbeit.«

»Dann suchen sie uns, verstehst du nicht? Du musst jetzt mutig sein, *farfalla*, nur ein paar Tage, bis die Amerikaner kommen. Weißt du noch, als Großmutter ihre Brille verloren hatte? Sie suchte im ganzen Haus und rief die halbe Verwandtschaft an. Und am Ende, wo hatte sie das gute Stück? An einem Band um den Hals!« Er lächelte und fasste Yasminas Hand. »Wenn sie jemanden suchen, dann nicht im eigenen Haus, vor der eigenen Nase.«

Sie mochte die Wärme seiner Hand, seinen entschlossenen Griff. In Victors Welt gab es immer Grund zur Hoffnung; wenn man sich ihm anschloss, und sei es nur in Gedanken, wurde die Welt heller und leichter, nichts war verloren. Er wusste genauso wenig, wo die Amerikaner standen und ob sie die Deutschen besiegen konnten – jeder Radiosender, jedes Gerücht behauptete etwas anderes –, aber er glaubte daran wie an ein Chanson, das er so überzeugend sang, dass es all seinen Zuhörern als seine eigene, wahre Geschichte erschien.

Victor gehörte zu den glücklichen Menschen, deren Welt sich ihrer Überzeugung anpasste, nicht andersherum, so wie bei den meisten. Tatsächlich fand er immer einen Weg, egal, was die Eltern sagten, die Gesellschaft oder falsche Freunde. Alles Schwere machte er leicht. In Victors Gegenwart wurde Yasmina mit einem einzigen Wimpernschlag zum Schmetterling.

Dann begann der Wettlauf. Victor gegen die Wirklichkeit. Vor der Stadt kam der alliierte Vormarsch zum Erliegen. Der mutige Gegenangriff, Deutsche und Italiener vereint, Panzer und Sturzkampfbomber, der einsetzende Herbstregen, überschwemmte Straßen, trockene Flussbetten, die in Minutenschnelle zu tödlichen Fallen anschwollen. Die Alliierten blieben im Schlamm stecken. Und in Tunis verrichteten die neuen Herren ihr Werk mit beängstigender Geschwindigkeit.

Als es morgens um sieben heftig an die Tür klopfte, schreckte Yasmina aus ihrem Traum. Zuerst dachte sie, es seien die Deutschen. Aber sie machten es geschickter. Schneller. Gründlicher. Statt mühsam alle Juden der Stadt ausfindig zu machen – das war jeder sechste Einwohner –, ließen sie die schmutzige Arbeit von den Juden selbst machen. Es war ein alter Freund von Albert aus der Jüdischen Gemeinde, der vor der Tür stand. Augen voller Scham, von seinen Glaubensbrüdern Unmögliches zu verlangen. Verzeiht mir, aber wir müssen es tun, sagte er. Eine Geste des guten Willens. Moïsé Borgel, der Präsident der Gemeinde, verhandelt gerade mit den Deutschen. Der Bey protestiert, er sagt: Die Juden sind meine Kinder. Aber er kann uns nicht mehr schützen. Wir müssen kooperieren.

Anfangs verlangten sie noch keine Menschen. Nur Matratzen. Bettgestelle. Bettzeug. Bald standen Dutzende von Bettgestellen vor den Häusern, Betten auf der Straße, ein absurder Anblick, die Kinder hüpften darauf herum, bis ein Lastwagen sie abholte. Und bereits an diesem Tag schlich das Gift der Spaltung ins Viertel: Nur die Juden mussten ihre Betten abgeben, die anderen Familien blieben verschont. Noch hörte man kaum ein Wort des Neides oder der Häme, im Gegenteil, die Muslime und Christen bekundeten ihre Solidarität, doch je lauter sie es taten, desto mehr fragten sich die Juden insgeheim, ob es dabei bleiben würde. Nachts, als Yasmina auf dem Boden schlief, stellte sie sich vor, wer heute in ihrem Bett schlafen würde. Ob er blaue Augen hatte oder braune. Ob er daran dachte, wem das Bett gehört hatte. Ob Deutsche ein schlechtes Gewissen haben. Vielleicht war er genauso alt wie sie. Vielleicht hatte er schon getötet. Vielleicht würde er bald sterben. *Inshallah.* Mit einem geflüsterten Fluch auf den Lippen schlief sie ein.

Dann verlangten sie Radios. Alle Juden mussten ihre Geräte auf dem Hauptpostamt abgeben. Familiennamen mit ABCDEF am Samstag von 12 bis 20 Uhr, GHIJKLM am Sonntag von 8 bis 12 Uhr, und so weiter. Hunderte, Tausende Röhrenempfänger stapelten sich dort in der Halle. Jeder Besitzer bekam einen Beleg; nach dem Krieg würde ihm sein Apparat wieder ausgehändigt werden. Alles war in strengster bürokratischer Ordnung organisiert, so dass tatsächlich viele glaubten, sie würden ihr Eigentum wiedersehen. Andere versteckten ihr Gerät, vor allem die Bewohner der Medina mit ihren alten Häusern, die aus tausend Treppen und Winkeln gebaut waren, in verwunschenen Gassen, durch die kein Auto kam. Bei diesen Familien kamen die Nachbarn zusammen, um heimlich Charles de Gaulle auf BBC zu hören. *Wer sich den Anordnungen der Wehrmacht widersetzt, wird aufs Härteste bestraft.* So stand es auf allen Plakaten, auf Französisch, Italienisch und Deutsch. Aber was war die Strafe? Geld? Gefängnis? Erschießung? Je weniger man wusste, desto mehr fühlte man sich der Willkür ausgeliefert. In jeder Familie gab es die Ängstlichen und die Trotzigen, und dann gab es noch diejenigen, die sich zwei, drei Sous dazuverdienten, indem sie ihre Nachbarn denunzierten.

Dann verlangten sie Fotoapparate und Schreibmaschinen. Was niemand dokumentieren konnte, war nie geschehen. Nur die Bilder der Sieger sollten gelten, allen anderen sollte nichts bleiben als mündliche Geschichten, Gerüchte, Hörensagen. In den Augen der Nazis galt ein gesprochenes Wort weniger als ein gedrucktes, und ein gedrucktes Wort weniger als ein gedrucktes Bild. Sie ahnten nicht, dass die Araber nicht den Bildern, sondern den Worten vertrauten, dass ihre Geschichten sich seit jeher von Mund zu Mund übertrugen und dass sie das Lesen zwischen den Zeilen, die Kunst der doppelten Böden und der versteckten Schätze beherrschten wie kein anderes Volk.

Die größte Dummheit der Nazis aber war, dass sie ihre Aufrufe an die Bevölkerung, die an allen Wänden hingen wie Drachenspuren, nie auf Arabisch verfassten. Die Araber jedoch wussten längst, dass lateinische Buchstaben Botschaften von Besatzern waren, und gingen an den Plakaten mit derselben Gleichgültigkeit vorbei, mit der sie gelernt hatten, die Plakate der Franzosen zu ignorieren. *Mektoub* – was geschrieben steht –

galt nur in ihrer Sprache, der Sprache des Heiligen Buches, nur dieser Klang erreichte ihre Seele.

Als sich die Deutschen dessen bewusst wurden, änderten sie ihre Taktik. Für jedes feindliche Gerücht, das ihre Handlanger aufschnappten, streuten sie ein Gegengerücht. Ein Strom aus Flüstern flutete die Straßen. Nachrichten kursierten wie Falschgeld, ein Schwarzmarkt der Lügen. Man lernte, dem allzu Offensichtlichen zu misstrauen und die Wahrheit im Verborgenen zu suchen. Doch bald war auch das Geflüsterte vergiftet. Und die Deutschen profitierten davon – Moritz muss es gewusst haben: Noch zersetzender als schlechte Nachrichten waren unklare und widersprüchliche Nachrichten. Wenn Angst und Hoffnung binnen Minuten wechseln. Die Unsicherheit fraß sich in die Seelen und vergiftete die Familien.

Dann verlangten sie Menschen.

Um acht Uhr morgens begann die Jagd. Es war ein kühler Dezembermorgen. Nebel lag über der Stadt. Vom Vorortszug kommend, ging Yasmina über die Avenue de Paris im Strom der Angestellten auf ihrem Weg zur Arbeit. Zum Glück war Victor noch zu Hause.

Gerade als Yasmina an der Synagoge vorbeikam, bremsten Mannschaftswagen auf dem Gehweg. Bewaffnete Soldaten sprangen heraus und rannten zum Eingang. Das Stakkato der Befehle, die Stiefel auf dem nassen Pflaster. Die Passanten duckten sich, hielten ihre Aktentaschen über den Kopf oder rannten weg. Binnen Sekunden brach Chaos aus. Yasmina floh mit anderen in eine Seitenstraße, doch ihnen kam eine Staffel Soldaten entgegen. Sie liefen zurück auf die Avenue, doch auch dort machten die Soldaten Jagd auf die Menschen. Von jedem verlangten sie die Papiere. Wen sie als Juden erkannten, packten sie am Kragen und führten ihn ab.

Einige versuchten zu fliehen; es fielen Schüsse. Die Soldaten trieben die Juden auf den Platz vor der Synagoge, hielten sie mit Gewehren in Schach, als wären sie feindliche Soldaten und keine wehrlosen Angestellten, Kinder und Greise. Wer zu fliehen versuchte, bekam einen Gewehrkolben zwischen die Rippen. Einer lag auf dem Boden, der Regen vermischte sich mit seinem Blut. Yasmina zitterte am ganzen Körper, als sie ihren Ausweis vorzeigte. Der Soldat blaffte etwas und schickte sie weiter. Da begriff sie, dass sie nur die Männer wollten. Sie rannte weg, so schnell ihre Beine sie trugen.

Latif stand schon vor dem Hotel und führte sie schnell hinein. Es waren kaum Deutsche zu sehen, offenbar waren sie alle draußen im Einsatz. Aus der Conciergerie rief Yasmina ihren Vater an.

»Papà, du darfst jetzt nicht in die Stadt kommen! Und Victor muss auch zu Hause bleiben!«

»Warum, was ist passiert?«

»Sie machen eine Razzia. Sie verhaften jüdische Männer.«

»Wo?«

»Vor der Synagoge.«

»Hast du den Rabbi gesehen?«

»Nein.«

»Gibt es Verletzte?«

»Ja.«

Im selben Moment bereute sie, die Wahrheit gesagt zu haben.

»Yasmina, bleib, wo du bist!«

»Papà, nein, nicht kommen, hörst du?«

Er hatte schon aufgelegt. Yasmina verfluchte ihre Zunge. Latif sah sie besorgt an. Sie war kreidebleich.

Als Albert mit seinem Doktorkoffer vor der Synagoge angelaufen kam, kauerten dort Dutzende Männer im Regen. Einige von ihnen hielten sich ein blutgetränktes Stück Stoff an die Stirn oder den Arm. Zwei SS-Leute versperrten ihm den Weg. Brüllten etwas auf Deutsch, das er nicht verstand.

»*Docteur! Medico!*«

Albert zeigte seinen Arztausweis vor, als könnte er damit ihren Gewehren Paroli bieten, als hätte sein nobles Metier den Hauch einer Chance gegen ihre Brutalität. Sie stießen ihn zurück. Albert warf einen Blick auf die Verletzten.

»Geh weg, versteck dich!«, zischte ihm einer von ihnen zu. Er erkannte seinen Patienten, den Goldhändler Serge Cohen.

»Jude? *Juif?*«, blaffte der Deutsche ihn an.

Albert tat so, als verstünde er nicht.

»Ausweis! Papiere!«

Albert deutete auf seinen Arztausweis. Einen anderen habe er nicht. Darauf war weder Religion noch Nationalität vermerkt. Die Soldaten reichten den Ausweis untereinander herum. Plötzlich drangen Schüsse aus der Synagoge. Soldaten stießen einen Mann nach draußen. Albert erkannte Haim Bellaïche, den neunzigjährigen Rabbi von Tunis. Ihm folgte ein SS-Offizier im schwarzen Ledermantel und ein Tunesier in Anzug und Krawatte, der empört auf ihn einredete. Es war Paul Ghez, Anwalt und Ratsmitglied der Jüdischen Gemeinde. Ein großer Mann mit runder Brille und hoher Stirn, immer nachdenklich und seine Worte klug abwägend, selbst jetzt in seiner Hilflosigkeit.

Die SS-Leute befahlen dem Rabbi, sich zu den anderen Männern zu setzen, die auf dem nassen Boden kauerten, ohne zu wissen, was mit ihnen geschehen würde. In diesem Moment hätte es Albert tatsächlich noch geschafft, in sein Auto zu steigen und wegzufahren. Aber das wäre nicht er gewesen. In solchen Momenten vergaß Dottor Sarfati immer, an Albert Sarfati zu denken. Tatsächlich waren alle Weichenstellungen seines Lebens spontane Entscheidungen für andere gewesen. Vielleicht war es eine Schwäche, vielleicht war es dieser Charakterzug, der ihn am Ende die eigene Gesundheit kosten würde. Aber er konnte nicht anders. Statt zurück zu seinem Auto lief er zum Rabbi. Bellaïche war nicht einmal sein Patient, aber Albert wusste, dass er an Diabetes litt.

Paul Ghez kam ihm entgegen, um ihn abzufangen, bevor der Offizier ihn auch verhaften würde.

»Albert!«

»Paul, was ...«

»Misch dich nicht ein, es ist sinnlos.«

»Was machen die mit den Menschen?«

»Sie wollten Männer. Zweitausend haben sie gefordert. In vierundzwanzig Stunden. Unmöglich, haben wir gesagt. Wir sind ein wohltätiger Verein, wir führen kein Melderegister!«

Paul blickte zu dem SS-Offizier im Ledermantel, der auf dem Platz herumschrie. Sein bleiches Gesicht im Kontrast zu dem schwarzen Ledermantel. Ein gieriges, brüllendes Gespenst.

»Walter Rauff«, flüsterte Paul. »Man erzählt, er sei mit Lastwagen durch Osteuropa gezogen, in denen sie Menschen mit Gas ersticken. Der Tod auf Rädern. *Wenn ihr sie uns nicht gebt, dann holen wir sie uns,* hat er gesagt. Ich habe mit Monsieur Bellaïche diskutiert und mit Moïsé Borgel: Sollen wir unsere eigenen Männer ausliefern? Erst war ich dagegen, aber Borgel und der Rabbi haben mit den Familien gesprochen ... und heute Morgen kamen die ersten Freiwilligen. Mutige junge Männer. Für jeden von ihnen brach es mir das Herz.«

»Wie viele?«

»Hundert. Als Rauff den kleinen Haufen sah, bekam er einen Wutanfall. Er drohte, alle zu erschießen. Dann ließ er die Synagoge stürmen. Sie zerrten die Menschen raus, wahllos. Schau sie dir an, die armen Vögel. Und das ist erst der Anfang.«

Junge und Alte, Gesunde und Gebrechliche kauerten eng aneinander im Regen. Keiner wagte aufzubegehren.

»Wo bringen sie die Männer hin?«

»An die Front. Zum Flughafen. Ins Arbeitslager. Schützengräben ausheben, Stellungen und Pisten bauen.«

»Unmöglich«, sagte Albert. »Wir müssen ...«

»Warte ...«

Albert ging kurz entschlossen zu den armen Gestalten. Das
Gespenst im Ledermantel blaffte ihn auf Deutsch an. Albert
blieb höflich und bat ihn auf Italienisch darum, die Verletzten
behandeln zu dürfen.

Rauff ignorierte ihn, brüllte Befehle über den Platz, und
seine Männer trieben die Juden an aufzustehen. Albert hätte
jetzt immer noch zurück zu seinem Auto gehen können. Stattdessen hörte er sich zu Rauff sagen: »Colonel. Wie viele Männer
brauchen Sie?«

»Was?«

»Wir können das organisieren. Aber wir brauchen Zeit.«

Wer weiß, wie ein so langsamer Mensch wie Albert sich in
so kurzer Zeit entscheiden konnte. Denn es war ein unlösbares
Dilemma: Entweder sie lieferten ihnen die besten eigenen Leute
aus, oder sie mussten hilflos zusehen, wie sie wahllos jeden von
der Straße holten. Alte, Kranke und Kinder.

»Wir erstellen eine Liste der jungen Männer«, fuhr Albert
fort. »Wir untersuchen sie medizinisch und wählen die arbeits-
fähigen aus.«

Paul sah ihn erstaunt, aber dankbar an. Keiner von beiden
wusste in diesem Moment, wie sie das hinbekommen sollten,
aber sie vertrauten einander ohne Worte und teilten die Überzeugung, dass alles besser war, wenn es in ihren eigenen Händen lag.

»Dottor Sarfati ist Mitglied der *Alliance Israélite*, ein Ehren-
mann mit besten Verbindungen«, fügte Paul hinzu. »Und übrigens italienischer Staatsbürger.«

Rauff dachte nach. Es war kein Mitleid, das ihn erweichte,
sondern Kalkül.

»Wer garantiert mir das?«

»Sie haben unser Wort.«

»Zweitausend. Bis morgen früh um acht.«

Albert wusste nicht, wie sie es anstellen sollten. Er kratzte sich bedächtig am Kopf und dachte nach.

»Tausend morgen. Und tausend übermorgen.«

Rauff sah ihn kalt an. Dann lächelte er.

»Und am nächsten Morgen noch mal tausend.«

»Dreitausend?«, stieß Paul aus. »Das ist ...–«.

»Und wenn sie nicht erscheinen, erschieße ich die Geiseln.«

»Welche Geiseln?«, fragte Albert.

Rauff bellte einen Befehl über den Platz, und seine Soldaten begannen, die vom Regen durchnässten Männer abzuführen, die Kinder, die Verletzten und den alten Rabbi Bellaïche.

Albert hatte keine Gelegenheit bekommen, einen einzigen Verwundeten zu versorgen, aber auf einmal lag das Leben von hundert Menschen in seinen Händen. Bis zum nächsten Morgen würde er keine Sekunde Schlaf bekommen. Sie liefen los. Paul, Albert und zwei andere Freunde, die sich ihnen anschlossen, der Anwalt Georges Krief und der Arzt Lucien Moatti. Eine Zufallsgemeinschaft, denen plötzlich eine Herkulesaufgabe zugefallen war, von der sie nicht wussten, wie sie sie meistern sollten. Aber dass sie es versuchen mussten, darin waren sie sich einig.

War es ein Verrat an der eigenen Gemeinschaft? Waren sie wie Vieh, das aus eigenem Entschluss zur Schlachtbank ging? Im Angesicht der Brutalität dieses Gegners war ihr Handeln die einzige Möglichkeit, die Kontrolle nicht völlig zu verlieren. Um das Unrecht mit einem Minimum an Gerechtigkeit, das Unmenschliche mit einem Minimum an Menschlichkeit auszuführen.

In der *Alliance Israélite* fanden sie das gleiche Bild wie in der Synagoge vor: verwüstete Räume und geraubte Menschen. Die Schreibmaschinen, die sie dort suchten, waren verschwunden. Sie mussten Listen anfertigen, denn nirgends gab es ein zentrales Verzeichnis der Juden. Also schrieben sie die Namen mit der Hand, aus der Erinnerung, einen nach dem anderen. Freunde und Bekannte, ihre Söhne und Brüder, jeder Name ein Verrat, ein Stich ins Herz. Nur die Jungen, sagten sie sich, nur die Männer zwischen achtzehn und siebendundzwanzig. Die noch keine Kinder hatten.

Am Nachmittag kamen sie mit Hunderten von Plakaten aus der Druckerei, die sie in den Straßen aufhängten. Sie appellierten an das Gewissen ihrer Gemeinschaft: Die Starken müssten ein Opfer für die Schwachen bringen. Dann zogen sie von Haus zu Haus, persönlich, denn nur so würden sie die Familien dazu bewegen, ihnen das Wertvollste auszuhändigen, was sie besaßen. Ihre Söhne. Manche versuchten, sich frei zu kaufen. Nehmt unseren Schmuck, aber nicht unsere Kinder! Manche versteckten sich. Manche baten Albert um ein medizinisches Attest. Wenn er das verweigerte, würden sie zu einem anderen Arzt gehen, der weniger Skrupel hatte, um ihrem Sohn eine Verletzung zu kaufen, eine geistige Beschränkung, oder, wovor die Deutschen am meisten Angst hatten, eine ansteckende Typhuserkrankung. Albert sah angesehene Bürger, die keine Scheu vor der rettenden Lüge hatten, und arme Arbeitersöhne, die bereitwillig ihr Schicksal auf sich nahmen, um der Gemeinschaft ihren Dienst zu erweisen.

Am Abend hatten sie erst einige Hundert zusammen. Erschöpft und verzweifelt saß Albert zu Hause vor seinem eigenen Sohn, um ihm zu erklären, was nun seine Pflicht sei.

»Ich soll mich freiwillig ausliefern?« Victor lachte spöttisch. Niemand lachte mit.

»Es ist nur vernünftig. Die Deutschen haben das Melde-register. Früher oder später finden sie dich. Und wer sich nicht freiwillig meldet, wird bestraft.«

»Wie denn? Gefängnis? Erschießen?«

»Das sagen sie nicht. Sie halten sich alles offen.«

»Lieber bringe ich mich selbst um. Dann bin ich wenigstens mein eigener Herr.«

»Sie werden uns nicht töten. Sie brauchen uns. Für die Schützengräben, die Flugplätze. Sie haben zu wenig Männer. Das ist nur logisch.«

»Und warum nur wir Juden?«, rief Mama aufgeregt. »Hast du nicht gehört, was sie in Europa machen? Die Lager? Was passiert dort? Keiner kam je von dort zurück!«

»Hier ist es anders«, versuchte Albert sie zu beruhigen. »Sie hassen uns nicht. Sie verachten uns nur.«

»Was ist der Unterschied, wenn sie Victor eine Kugel in den Kopf schießen?«

Yasmina umarmte Victor. Sie würde ihn nicht gehen lassen.

»Unser Schicksal liegt in Gottes Händen«, sagte Mamma.

»Nein, Mimi. Unser Schicksal liegt in ihren Händen«, sagte Papà ernst und wandte sich an Victor: »Gilles Boccara hat sich gemeldet. René Nataf. Armand Ben Attar. Simon Samama. André Djerbi. Giuseppe Pariente. Salomon Finzi. Wie kannst du ihren Eltern ins Gesicht sehen, wenn du dich entziehst?«

Victor hasste seinen Vater.

»Victor, bleib hier«, sagte Yasmina.

Drei gegen einen. Albert nahm seinen Hut vom Tisch und stand auf.

»Es ist deine Entscheidung.«

Er sagte nicht: Ich liebe dich. Oder: Ich bin auf deiner Seite, egal, was du tust. Nein, selbst wenn es ihm in der Seele wehtat, Albert stellte immer seine Prinzipien über die Person. Yasmina sah ihn vom Balkon aus zu, wie er mit gebeugtem Rücken zu seinem Citroën ging und in die Nacht fuhr, zu den nächsten Familien, um ihnen ihre Söhne zu rauben. Sie wusste nicht, ob sie ihn für seinen Einsatz bewundern oder verachten sollte.

Niemand schlief in dieser Nacht, nicht Albert, nicht Yasmina und Victor, und keine jüdische Mutter tat ein Auge zu.

Am nächsten Morgen standen tausendzweihundert Männer vor der *Alliance*. Sie trugen Stiefel, ein Baguette unterm Arm und eine Schaufel auf der Schulter. Rauff, der überzeugt gewesen war, dass sie es nicht schaffen würden, ließ abzählen und stutzte. Fast schien er sich über den Erfolg zu ärgern. Er würde heute niemanden erschießen dürfen. Albert und seine Freunde steckten jedem der Männer einen Hundert-Franc-Schein in die Tasche und wünschten ihnen Glück. Dann zog der Tross los, durch die regennassen Straßen unter tiefhängenden Wolken, in Richtung Bahnhof. Bestimmung unbekannt.

Die Frauen an den Fenstern und auf den Balkonen sahen ihnen schweigend zu. Die Muslime, die Christen. Eine Frau steckte einem eine Konservenbüchse zu. Ein alter Mann murmelte: »Möge Allah euch beschützen.« Andere gafften mit versteinerten Gesichtern, und niemand wusste, was sie dachten. War es Häme? Oder sogar Hass? Wahrscheinlich war es eher Gleichgültigkeit. In Kriegszeiten war sich jeder selbst der Nächste.

Das Seltsamste an diesem Defilée war die Stille. Wenn in Tunesien eine Gruppe von Menschen zusammenkam, war es immer laut. Aber hier trotteten über tausend Männer mit ihren Schaufeln stumm durch die Rue Malta, man hörte nur die Schritte auf dem Asphalt. Wenn sie vorbeikamen, verebbten die Gespräche, eine beschämende Kälte legte sich auf die Herzen, die Zuschauer schwiegen. Erst als die Juden und ihre deutschen Bewacher außer Sicht waren, lebten die Stimmen wieder auf.

Als sie in die Rue de Rome einbogen, begann einer der Männer ein Lied zu singen, und die anderen stimmten mit ein. Tausend Stimmen, die im Angesicht des Ungewissen ein fröhliches Lied sangen. Albert sah ihnen nach, mit bitterem Stolz und der Sorge um seinen Sohn, der nicht unter ihnen war.

Er hätte jetzt nach Hause gehen können. Er hatte dreißig Stunden nicht geschlafen. »Ruh dich aus, Albert«, sagten seine Freunde, »wir machen weiter.«

»Noch einmal tausend bis morgen ...« Albert nahm seine Brille ab und rieb sich die geröteten Augen.

»Wir schaffen das. Schlaf ein paar Stunden, sag deiner Frau, dass es dir gutgeht.«

Albert stieg in seinen schwarzen Citroën. Seine Hand zitterte, als er den Motor anließ. Er betrachtete sie ohne Sorge, eher mit Interesse daran, was Schlaflosigkeit mit dem menschlichen Körper macht. Warum brauchten Menschen überhaupt Schlaf? Wie viel Lebenszeit ging dabei verloren? Er dachte an seine Frau, die auf ihn wartete, und er dachte an Madame Bellaïche, die ebenfalls auf ihren Mann wartete. Er überprüfte die Medikamente in seiner Ledertasche. Dann fuhr er nicht nach Hause, sondern zum Hotel Majestic. Vor dem Eingang bat er höflich darum, Colonel Rauff zu sprechen. Die Wache ließ ihn warten.

Rauff saß am Tisch seiner geräumigen Suite, ohne Albert einen Platz anzubieten. Albert nahm seine beschlagene Brille ab und trug seine Bitte vor.

»Einige der Geiseln benötigen ärztliche Behandlung. Ich möchte Sie ersuchen, sie freizulassen.«

Rauff sah ihn an, als hätte er den Führer persönlich beleidigt.

»Was sie benötigen oder nicht, darüber haben nicht Sie zu entscheiden!«

Albert blieb gefasst und unbeeindruckt.

»Erlauben Sie mir zumindest, die Geiseln zu besuchen. Wir haben Ihnen immerhin tausend ...«

»Das ist nur der Anfang. Wir stehen vor einer gewaltigen Aufgabe. Wie viele Männer haben Sie zur Stunde?«

»Die genaue Zahl kenne ich nicht. Aber ... Ich bitte Sie ...«

»Um 18 Uhr erwarte ich einen Zwischenbericht. Sie können gehen.«

»Colonel. Die Behandlung von Kriegsgefangenen sieht vor ...«

»Die sind doch nicht krank, nur ein paar Kratzer, und jetzt verschonen Sie mich mit Ihrer Wehleidigkeit! Abtreten!«

Albert blieb stehen. Er wog seine Worte ab, bevor er antwortete.

»Monsieur Bellaïche leidet an einer chronischen Krankheit. Er benötigt Medikamente. Es wäre für die Moral der zu rekrutierenden Freiwilligen von katastrophaler Auswirkung, wenn ihm etwas geschähe. Es geht um Vertrauen.«

Rauff lachte. Und widmete sich wieder einer Liste, die er unterzeichnete. Albert wurde wütend. Er hätte nicht wütend werden dürfen.

»Lassen Sie den alten Mann frei!«

Rauff sprang auf.

»Was erlauben Sie sich, in diesem Ton mit mir zu sprechen! Noch ein Wort, und ich erschieße Ihren Rabbi höchstpersönlich!«

Albert hatte keine Angst. Stattdessen bemerkte er, wie ihn Hass überkam. Ein Gefühl, das er lange nicht mehr gespürt hatte. Ein hässliches Gefühl. Aber es machte stark. Er fühlte sich unverletzbar, als er sich sagen hörte: »Ich biete mich im Austausch für ihn an.«

Er konnte noch nicht die Konsequenzen überblicken. Es war mehr eine Art moralische Überlegenheit, mit der er Rauff treffen wollte. Etwas Soldatisches. Etwas zwischen Männern. Über Rauffs Gesicht huschte ein zynisches Lächeln.

»Sein verfluchter Gerechtigkeitssinn!« Mamma warf vor Wut einen Teller auf den Boden. Yasmina beugte sich nieder, um die Scherben vom Küchenboden aufzuheben. Paul Ghez hatte gerade angerufen, um den Dank und den Segen des Rabbis zu überbringen, der im Austausch freigelassen wurde. Pauls belegte Stimme. Victor hatte nichts gesagt und dann aufgelegt. Er starrte aus dem Fenster in die Nacht.

»Er hat es gemacht, um mich zu bestrafen!«

»Nein, Victor, du hast nichts damit zu tun«, sagte Yasmina.

»Er wollte mir eine Lektion erteilen. Aber das ist nicht gerecht, das ist nur selbstgerecht! Wie dumm muss einer sein, dass er sich den Deutschen ausliefert, nur um seinen eigenen Sohn zu beschämen?«

»Hör auf, deinen Vater zu beleidigen!«, rief Mamma.

»Jetzt gib du mir nicht auch noch die Schuld! Er ist selber schuld! Weil er den Helden spielen will, bringt er uns alle in Schwierigkeiten!«

Yasmina schloss die Fenster, damit die Nachbarn den Streit nicht hörten. Dabei sah sie die deutsche Patrouille auf der Straße. Schnell zog sie den Kopf zurück.

»Seid still! Da sind Deutsche!«

Victor und Mamma verstummten. Dann hörten sie es unten laut gegen die Tür klopfen. Victor griff nach einem Küchenmesser.

»Versteck dich!«, flüsterte Yasmina.

Victor mit einem Messer. Unmöglich. Er würde niemanden verletzen können, hatte Yasmina immer gedacht. Wie sie sich täuschen konnte.

»Aufs Dach, *vai!*«, sagte Mamma.

Victor nahm Yasminas Hand. »Kommt mit. Beide.«

»Nein«, sagte Mamma entschlossen und schob die beiden zu der kleinen Treppe aufs Dach.

»Und du, Mamma?«

»Los, und seid still!«

Wenn es darauf ankam, war sie eine Löwin. Wenn Papà nicht da war. Die Deutschen hämmerten gegen die Tür.

»Aufmachen!« Ihre Sprache. Diese Härte. Das Militärische.

Auf dem Dach war es kühl und still. Fast friedlich. Man konnte die Sterne sehen. Die Lichter der Vorstadt. Das Meer atmete dunkel. Ein Hund bellte. Yasmina und Victor kauerten sich auf das flache Dach und horchten. Mammas entschlossene Stimme, lauter als die der Deutschen.

»Was machen wir, wenn sie hochkommen?«, flüsterte Yasmina.

Victor legte den Arm um sie. Das musste genügen. Einen anderen Plan hatte er nicht. Nur das Messer in der Hand.

»Könntest du wirklich jemanden töten?«

»Einen Nazi, ja.«

Yasmina fröstelte. Victors Körper war warm. Es war immer schon Victor gewesen, nicht Papà, bei dem sie sich beschützt gefühlt hatte. Sie betete.

Nach einer halben Ewigkeit hörten sie die deutschen Stimmen von der Straße vor dem Haus. Die Tür fiel ins Schloss. Sie warteten, bis Mamma zu ihnen kam. Sie umarmten sich.

»Danke, Mamma«, sagte Yasmina.

»Was hast du ihnen gesagt?«, fragte Victor.

Mamma sah die beiden ohne Erleichterung an.

»Sie kamen nicht deinetwegen.«

»Warum dann? Ist etwas mit Papà?«

Mamma schüttelte den Kopf.

»Was wollten sie?«

»Das Haus.«

Ihnen blieben zwölf Stunden, um das Wichtigste in ein paar Koffer zu packen. Geld, Schmuck, eine Decke, Kleider, Fotos.

Victor verließ im Schutz der Nacht das Haus. Die Deutschen hatten ihn nicht einmal erwähnt. Offenbar überließen sie das Abarbeiten der Einwohnerlisten noch den Juden. Noch. Dass sie das Haus konfiszierten, war Rauffs Rache für Papàs heroisches Auftreten. Was brauchte er ein Haus, wenn er lieber in einer Gefängniszelle schlief? Hätte er doch den Mund gehalten! Er wäre jetzt hier, sie würden gemeinsam essen, statt die Silberlöffel einzupacken, während die SS-Offiziere schon ihre Kisten hereinschleppten.

Wohin sollten sie gehen? Yasminas Großeltern waren schon verstorben, Alberts Geschwister lebten im besetzten Frankreich, und mit Mimis einziger Schwester Emily, die in Bizerte lebte, hatten sie sich zerstritten. Als Mimi Albert heiraten wollte, den mittellosen, eigenbrötlerischen Medizinstudenten, hatte Emily gegen ihn intrigiert. Auf keinen Fall würde Mimi ihre Schwester jetzt um Hilfe bitten.

Am nächsten Morgen um acht Uhr standen Yasmina und ihre Mutter mit drei alten Koffern auf der Straße. Innerhalb von zwei Tagen hatten Alberts Entscheidungen seine Familie auseinandergerissen und obdachlos gemacht. Yasmina verfluchte sich dafür, dass sie ihn an jenem Morgen angerufen hatte.

»Sag das nicht«, fuhr Mamma ihr über den Mund. »Papà hat das Richtige getan. Gott wird es ihm lohnen. Du hättest an seiner Stelle dasselbe getan.«

Yasmina war sich nicht so sicher. Sie war nicht zur Heldin geboren. Und was war denn heldenhaft daran, den einen zu retten und die anderen dafür preiszugeben? Überhaupt, der Rabbi, wo war er, wenn sie ihn brauchten? Saß er jetzt bei seiner Familie im Warmen? Warum kam er nicht und nahm sie bei sich auf? Wo war die Gerechtigkeit, die er in der Synagoge predigte? Wo war sein Gott? Es begann zu regnen.

»In guten Zeiten«, sagte Mamma, »vergisst man zu beten.«

12

MARSALA

»Alles, was wir hören, ist eine Meinung, keine Tatsache.
Alles, was wir sehen, ist eine Perspektive, nicht die Wahrheit.«

Marc Aurel

»Und Moritz? Was hat er gemacht während der Razzia?«, frage ich Joëlle. Wir stehen mitten auf dem menschenleeren Strand. Graue Wolken ziehen herauf. Ich bin verwirrt und aufgewühlt. Nicht hier und halb dort.

»Ich weiß es nicht. Darüber hat er nie gesprochen.«

»War er ein Nazi? Oder ein Mitläufer?«

»Er war ein Soldat. Er bekam Befehle und führte sie aus.«

»Ja, aber ... woran war er beteiligt?«

Die Frage, die ich auch meiner Großmutter gestellt hatte. Die wahrscheinlich jeder Deutsche meiner Generation irgendwann in der Familie gestellt hat.

»Wenn du ein Verbrechen fotografierst, bist du dann schuldig?«

»Du bist Mitwisser. Was wusste er von den Verbrechen?«

»Die Frage ist, was *wollte* er wissen?«

Die Kamera als Linse und Filter, vergrößernd und verfälschend zugleich, die Kamera als Waffe und als Balken vor dem Auge.

Ich stelle mir vor: Ein deutscher Soldat in Tunis, der nichts von alledem erfährt. Der tadellose Ruf der deutschen Wehrmacht.

Gesetze werden nicht gebrochen, sondern eingehalten. Die Juden verlassen freiwillig ihre Häuser, gehen freiwillig ins Arbeitslager. *Jeder leistet seinen patriotischen Beitrag. Mit vereinten Kräften verteidigen wir die Heimat gegen die Aggressoren. Man muss die Leute hart anfassen, eine andere Sprache verstehen sie nicht. Respekt vor der Autorität ist zur Aufrechterhaltung der Ordnung unbedingt notwendig. Widerspruch ist Subversion, Befehl ist Befehl, abweichende Gedanken sind Privatmeinung. Ja, man sieht unschöne Dinge im Einsatz, aber was soll ich schon tun, als kleines Rädchen im Getriebe?* Gehorsam rechtfertigt alles.

Was hätten wir denn tun sollen, hat meine Großmutter immer gesagt, du kannst dir das nicht vorstellen, das Leben unter einer Diktatur. Schon für ein falsches Wort kamst du ins KZ. Also hast du besser den Mund gehalten. Wie viele Menschen müssen aufhören, den Mund zu halten, damit es zu viele werden, um sie wegzusperren? Die kritische Masse der Revolution. Doch der Deutsche rebelliert nicht. Der Deutsche gehorcht. Wäre Hitler auch in Frankreich an die Macht gekommen? Wären ihm auch die Italiener gefolgt? Sie hatten Mussolini, sicher, sie waren begeisterte Faschisten, und tatsächlich, erzählt Joëlle, gab es nicht wenige Italiener und Franzosen, die dem täglichen Defilée der jüdischen Arbeiter zum Bahnhof mit hämischem Grinsen zusahen. Manche spuckten auf den Boden, manche spuckten auf die armen Kerle. Aber die meisten Italiener waren nicht fanatisch bis zum Tod. Sie hatten mehr Deserteure, und in den italienischen Arbeitslagern, sagt Joëlle, sei es lässiger zugegangen. Die Wachen waren bestechlicher, schmuggelten Essen für die Gefangenen herein und ließen die Kranken nach Hause gehen. Kleine Gesten der Menschlichkeit, heimliche Akte des Ungehorsams. Weswegen die Deutschen ihren Verbündeten nie wirklich trauten.

»Er war kein Nazi«, sagt Joëlle. »Moritz war ein guter Mensch.«

Sie betont seinen Namen auf der letzten Silbe, wie »Maurice«. Ein französischer Klang mit deutscher Endung. Es irritiert mich.

»Wie kann man zugleich Teil dieser Maschine und ein guter Mensch sein?«

»Er hielt sich nicht für einen Teil der Maschine. Er war sein Leben lang nie wirklich Teil von etwas. Du hattest immer das Gefühl, er sei nur ein Besucher. Auch als Vater. Er war da, er war liebevoll, er sorgte sich um alle. Aber zugleich hatte ich immer das Gefühl, ein Teil von ihm sei abwesend.«

Ich erinnere mich an ein Foto, das meine Mutter mir mal gezeigt hat. Sie hatte es in einer Kiste alter Fotos gefunden, die Großmutter nicht ins Album geklebt hatte: Mein Großvater als Dreizehnjähriger neben seinen Klassenkameraden. Er steht abseits, wirkt jünger als die anderen und zugleich ernster. Die Ausgelassenheit der anderen, ihr selbstsicherer Auftritt, und dagegen er: angespannt, als müsse er sich verteidigen.

»Weißt du, dass er nie auf einer Fotoschule war?«, fragt Joëlle. »Er hat sich sein Handwerk selbst beigebracht. Wenn du mich fragst, war es weder ein Hobby noch ein Handwerk für ihn, sondern ein Mittel, um zu überleben. Seine Jahre im Internat, das war die Zeit, in der er lernte, unsichtbar zu werden.«

Moritz war ein Junge vom Land, der die ungeschriebenen Regeln der Bürgerkinder nicht kannte. Die pubertären Rituale, die Hackordnung, die Kriege auf dem Schulhof. Erst machten sie sich über seine Lederhose lustig. Dann über seine Schüchternheit. Und als er bei einer Französischklausur die beste Note schrieb, bekam er ordentlich eins auf die Mütze. Irgendwann beschloss er, der immer allein gegen mehrere war, sich auf andere Weise als mit Fäusten zu wehren: indem er einfach aus der Wahrnehmung der anderen verschwand.

Er zeigte keine Schwäche, denn die witterten sie wie Hunde. Aber er ging jedem Kampf aus dem Weg und sah den Mitschülern dabei zu, wie sie sich prügelten. Er lernte, dass man sich nur am oberen oder unteren Ende der Rangordnung schlagen musste – oben ging es darum, der Erste zu sein, und unten wurden die Schwächsten einfach deshalb getreten, weil sie die Schwächsten waren. Den sichersten Ort entdeckte Moritz in der Mitte. Wo man nicht auffiel. Wo es um nichts ging, wo man kein Ziel von Neid oder Hass war.

Er achtete darauf, weder zu gute noch zu schlechte Noten zu schreiben, selbst in den Sprachfächern, für die er ein besonderes Talent hatte. Auch wenn er alles wusste, baute er in die Schularbeiten Fehler ein, die ihn vor der Bestnote bewahrten. Er perfektionierte die Kunst, weder als Streber noch als Verlierer zu gelten, und empfand eine heimliche Genugtuung im Wissen, ein anderer zu sein als der, für den sie ihn hielten. Im Unterricht redete er nur, wenn er aufgerufen wurde, um niemanden zu übertrumpfen, denn die Stärksten auf dem Schulhof, das lernte er bald, waren meistens nicht die Hellsten im Klassenzimmer, und die Schläge, die sie von den Lehrern bekamen, gaben sie an die Streber weiter.

Moritz lernte, sich weder im allzu Hellen noch im allzu Dunklen zu bewegen. Sein Reich war das Grau. Und dann lernte er, dass einer, der sich zurückzuhalten wusste und nie in den Vordergrund spielte, zum besten Freund von allen wurde: Die Lauten mochten, dass er zuhörte, wenn sie was zu erzählen hatten, und die Stillen sahen in ihm keine Gefahr. Bald wurde er zum Vertrauten seiner früheren Feinde. So fand er seinen Platz im Dickicht der Welt: Auge, nicht Faust. Ohr, nicht Mund.

Das Fotografieren ergab sich fast zwangsläufig daraus. Denn während er nach außen still und unscheinbar wirkte, war er ein außergewöhnlich guter Beobachter. Immer auf der Hut vor

Gefahr, schnell, präzise und instinktsicher. Äußerlich konform, machte er sich im Inneren sein eigenes Bild der Dinge. Nur seine Fotos zeugten davon, und die bekam er allein zu Gesicht, in der Abgeschiedenheit der Dunkelkammer, wenn sie sich im roten Licht aus dem Wasserbad schälten wie Gedanken aus dem Nichts, die sich langsam verfestigten.

Seine Bilder waren der einzige Ort, an dem die Welt sich seiner Vorstellung von ihr annäherte. Er zeigte sie niemandem. Einmal machte er den Fehler, einem Mädchen, in das er sich verliebt hatte, die Fotos zu zeigen, die er von ihr gemacht hatte. Etwas daran gefiel ihr nicht, obwohl Moritz sie für seine gelungensten Aufnahmen hielt. Eine schroffe Bemerkung von ihr genügte, dass Moritz sich schwor, ab jetzt seine Bilder nur noch für sich zu behalten.

Nach dem Krieg hat er in jedem Fotoladen nach einer gebrauchten Kamera gesucht, die wie seine erste war. Eine Agfa, so eine kleine, aufklappbare, mit Faltbalg.

»Der Pfarrer hatte sie ihm zum Abschied geschenkt, weißt du?«

Die Kamera, die ich gestern in der Hand hielt. Das erklärt, warum es keine Wehrmachtskamera ist. Moritz drehte Filme und hatte seine private Kamera dabei. Für Fotos, die an der Zensur vorbeigingen. Mir läuft ein kalter Schauer über die Haut. Ihr Vater, mein Großvater. Maurice, Moritz. Joëlles Erzählung füllt die Leerstellen zwischen unseren Familienfotos.

»Wohnst du hier?«, fragt sie und zeigt auf das *Lido del Sole*.

»Ja. Und Sie?«

»In einem schrecklichen Loch am Hafen. Eigentlich wollte ich auch hierher, aber sie sagten mir, es sei ausgebucht .«

»Unsinn. Es ist halb leer. Wenn Sie wollen, frag ich noch mal.«

»Das wäre sehr nett. Ich hab kein gutes Karma mit Hotels.«

Sie grinst ironisch. Ich nehme sie mit an die Rezeption. Natürlich gibt es Zimmer. *Entschuldigen Sie, Signora. Ich wusste nicht, dass Sie zu der deutschen Gruppe gehören.*

»Du kannst mich ruhig duzen«, sagt Joëlle, als sie ihren Schlüssel in der Hand hält. »Immerhin bin ich so was wie deine Tante. Klingt komisch, was? Ich wollte nie eine Tante sein. Tanten sind alt und riechen nach Apfelkuchen. Also sag nie Tante zu mir. Nenn mich einfach Joëlle.«

»Geht klar, Joëlle.«

»Ich hol meinen Koffer. Erhol dich gut, Schätzchen.«

Wir umarmen uns, etwas unbeholfen, aber herzlich. Ihr Körper fühlt sich weiblich an, warm und lebendig. Aber nicht verwandt. Die Fröhlichkeit, die sie ausstrahlt, das Leichte, das nicht aus einem leichten Leben zu kommen scheint, sondern aus ihrer ganz persönlichen Haltung, dem Schweren zu begegnen.

Als ich vor dem Abendessen Patrice von ihr erzähle, flippt er aus.

»Was hast du ihr gesagt?«

»Was hast du gegen sie?«

»Die schnüffelt rum! Gestern schon. Die war mir gleich suspekt. Hat sie irgendeinen Beweis, dass ihr verwandt seid?«

»Nein, sie hat nur erzählt ...«

»Nina, du bist so naiv! Wenn du mich fragst, die will dich aushorchen!«

»Ich hab ihr kaum was von mir erzählt!«

»Hör zu, es gibt zu viele Schatzjäger und Verrückte, die auf das Nazi-Zeug scharf sind. Wo kommt sie her?«

»Sie lebt in Paris und Haifa.«

»Ist sie Jüdin?«

»Ja, warum?«

»*Putain!* Du darfst kein Wort mehr zu ihr sagen, hörst du!«

»Was ist denn los mit dir? Bist du paranoid geworden?«

Er fasst mich fest am Arm und fragt leise: »Kannst du ein Geheimnis behalten?«

»Ja.«

Er führt mich nach draußen. Es ist schon dunkel. Man hört die Brandung, den Wind, das Rauschen der Palme. Er blickt sich um, ob jemand uns sieht.

»Du darfst es den Angehörigen nicht sagen. Und auch keinen Fremden, die hier rumschnüffeln. Niemandem.«

Ich wusste, dass er etwas zu verbergen hat.

»Versprochen.« Wir gehen zum Strand hinunter.

»*Écoute*. Vor einigen Jahren hab ich auf Korsika einen Schatz gesucht. Sie sagten, er sei verflucht, aber das war idiotisch. Es gibt keinen Fluch. Es gibt nur Leute, die scharf auf schnelle Kohle sind. Und es gibt Regierungen. Geheimdienste. Zwei Taucher sind draufgegangen, und es war kein natürlicher Tod.«

Ich frage mich, ob Patrice tatsächlich verrückt geworden ist.

»Du glaubst doch nicht, daß diese nette ältere Dame ...«

»Alles ist möglich. Ich weiß nur, daß es hier um viel Geld geht. Mehr als du dir je vorstellen kannst.«

Er senkt seine Stimme.

»Dieser Schatz, den wir vor Korsika vermutet hatten, ist eins der letzten Rätsel des Kriegs. Ein Schatz, den noch keiner gefunden hat. 1943. Rommels Armee in Nordafrika. Es heißt immer, das war der saubere Krieg, der ritterliche. Aber die SS hat in ganz Tunesien Gold und Silber geplündert. Von jüdischen Familien. *Rückt euren Schmuck raus, oder wir erschießen euch.* Sie haben Millionen zusammengerafft. In Munitionskisten verschweißt und ausgeflogen.«

Ich beginne zu ahnen, wovon er spricht.

»Nur: Das Gold und Silber kam nie in Deutschland an. Bisher glaubte man, sie hätten sechs verschweißte Kisten in einem Kloster auf Korsika versteckt und dann, als die Alliierten kamen, im Meer versenkt. Alle suchen danach, die Deutschen, die Franzosen, die korsische Mafia. Und wer weiß, wer sonst noch. Es gab mysteriöse Tote. Aber keiner hat die verdammten Kisten gefunden. Ich hab dort Jahre verbracht. Und vielleicht war Korsika die falsche Fährte. Oder sie haben die Beute auf mehrere Transporte verteilt. Fest steht nur: Die Schweine haben Unmengen von Schmuck geraubt, und er ist nie wieder aufgetaucht.«

Ich habe davon gehört, natürlich. Aber ich hatte es nie mit meinem Großvater in Verbindung gebracht. Kameraleute plündern nicht.

»Als wir nicht weiter kamen auf Korsika, habe ich Augenzeugen gesucht. Wehrmachtssoldaten aus dem Afrika-Korps. Du kannst dir vorstellen, was das für eine Arbeit war, jahrelang, Archive von Kriegsgefangenenlagern, Telefonanrufe, Hausbesuche, zweifelhafte Typen, alte Männer, die plötzlich weinten ... Ich fand zwei, die dabei waren, als Tunis fiel, am 7. Mai 1943. Auf dem Flugplatz. Beide erzählten unabhängig voneinander, dass sie gesehen haben, wie SS-Offiziere sechs verschweißte Kisten in eine der letzten Maschinen luden. Riesige Kisten, die zwei Mann tragen mussten. Am letzten Tag, verstehst du? Da mussten sie ihre Leute retten. Da lassen die sonst alles stehen. Aber statt Passagieren laden sie sechs schwere Kisten ein. In eine Ju 52. Ich hab die Flugberichte und Funksprüche durchsucht. Die Archive in Rom, Berlin und London. Keine einzige Ju 52 ist an diesem Tag nach Korsika geflogen. Viel zu weit. Sie flogen alle nach Trapani. Und eine davon kam nie an.«

Der Gedanke jagt mir einen Schauer über den Rücken.

»Also war mein Großvater nur ein Vorwand für dich. Und was dich wirklich interessiert ... –«

»... bist du.« Patrice grinst.

Ich habe jetzt keinen Nerv für seinen Charme. Was mich interessiert, ist: Hat mein Großvater etwas mit der Sache zu tun?

»Joëlle sagt, er war nicht in dem Flugzeug.«

»Woher will sie das wissen?«

»Sie sagt, er lebt.«

»Vielleicht will sie dich damit ködern. Eine schöne Geschichte. Kleines Psychospiel mit deiner Hoffnung. Wenn du mich fragst«, sagt er, »hat sie einen Auftraggeber. Vielleicht der Mossad, vielleicht ein geheimer Sponsor, wer weiß. Sie ist nicht wegen deinem Großvater hier. Sondern wegen dem Schatz.«

Ich komme ins Zweifeln.

»Könnten die Insassen überlebt haben?«

»Was wir bis jetzt haben, deutet nicht auf eine geglückte Notwasserung hin. Sonst wäre das Flugzeug intakt geblieben.«

Patrice zieht eine Seekarte aus der Tasche und faltet sie auf.

»Leuchte mal mit deinem Handy.«

Ich mache Licht. Das Meer vor Marsala, fein aufgeteilt in Planquadrate.

»Hier haben wir das Leitwerk gefunden. Da die Kamera, die Bleche, das Sitzgestell. Vielleicht ein Abschuss, vielleicht eine missglückte Notwasserung. Auf jeden Fall keine sanfte Landung. Wenn es abgeschossen wurde, sind die Teile weit verstreut. Die Antwort haben wir, wenn wir den Rumpf finden ... mit der Ladung.«

Seine Augen glühen. Sechs Kisten voller Gold. Ich dagegen denke an einen jungen deutschen Soldaten, der gerade den Alliierten entkommen ist, die Küste schon sehen kann, aber kurz davor ins Meer stürzt. Bereits aus zwanzig Metern Höhe ist Wasser hart wie ein Brett.

Patrice' Finger wandern über die Seekarte.

»Hier ist die Einflugschneise, zwischen Trapani und der Insel Favignana. Diese Zone haben wir bereits gescannt. Diese Quadrate fehlen noch.«

Er wird Glück brauchen, um vor dem Winter noch fündig zu werden. Oder sehr gutes Wetter. Auf einmal wünsche ich mir, dass sie ihn nicht finden. Aus Angst davor, zu wissen, was er getan hat.

»Vertrau mir«, sagt er. »Und sprich nicht mehr mit dieser Frau.«

Ich liege wach im Bett. Das Rauschen des Meeres vor dem Fenster, südliche Herbstnacht. Ich öffne die Balkontür, spüre die kühle Luft auf der Haut. Hat Joëlle mir die Wahrheit erzählt? Oder nicht die ganze Wahrheit? Sucht sie ihren Vater oder das Erbe ihrer Verwandten? Es ist fast unmöglich, ihr nicht zu glauben. Möglich, dass Yasminas Geschichte gar nicht mit der von Moritz zusammenhängt. Am Ende war er ja nur einer von Hunderttausenden, die anonym in ein Land kamen, in dem sie nichts zu suchen hatten. Vielleicht meinen wir verschiedene Personen. Moritz. Maurice. Ist es nur mein *Wunsch*, ihr zu glauben, der ihre Geschichte wahr erscheinen lässt?

Ein Schwarzweißbild von jüdischen Arbeitern, die mit Schaufeln auf den Schultern durch Tunis ziehen. Ich google es auf meinem Smartphone, als ich nicht einschlafen kann. Wer hat dieses Foto aufgenommen? War es Moritz? Existiert vielleicht noch ein Film? Was hat er sich beim Blick durch die Linse gedacht? Empfand er Mitgefühl, oder achtete er nur auf die richtige Blende? Sah er Menschen oder Untermenschen? Und wer war *er* in dem Moment, als der Auslöser klickte? Man kann unsichtbar werden als Beobachter, sich so sehr auf das Objekt seiner Wahrnehmung konzentrieren, dass man als Subjekt verschwindet. Unbeteiligt, ungerührt, unschuldig.

Ich stelle mir vor: Moritz, der mit seinen Leuten durch Yasminas Viertel zieht, die Filmkamera in der Hand. Vielleicht gehen sie in ein Café an der Uferpromenade, um etwas zu trinken. Und nebenan zerren die SS-Soldaten einen Mann aus dem Haus. Er will es nicht räumen. Oder er will, wie Victor, dem

Arbeitsdienst entkommen. Sie schlagen seinen Kopf gegen die Wand, werfen ihn auf den Boden, treten ihn mit ihren Stiefeln, beschimpfen ihn als Drecksjuden.

Moritz hinter der Scheibe. Moritz, der an seinem Glas nippt. Moritz, der seine Kamera nicht in die Hand nimmt. Moritz, der zuschaut, diesmal ohne schützende Linse zwischen seinem Auge und dem Unrecht. Moritz, der sich seinen Teil denkt, den er niemandem sagt. Die SS-Männer werfen den blutenden Mann in ihr Auto und fahren weg. Moritz geht nach draußen und filmt Palmen.

Was ist Wahrheit? Die Palmen existierten. Eine historische Tatsache, unzweifelhaft auf Film gebannt. Während im Off ein Verbrechen geschieht. Propaganda ist nur für diejenigen erkennbar, die das ganze Bild kennen. Die anderen glauben, was sie sehen. Was sie sehen wollen.

Wann bekam Moritz' Weltbild einen Riss? Man hatte ihm eine Geschichte erzählt, die ihm seinen Platz im System zuwies und seinem Aufenthalt in Afrika einen Sinn gab. Mehr noch: Er strickte diese Geschichte selbst mit. Glaubte er sie, oder wusste er besser als seine Zuschauer, wie sehr die Wirklichkeit, die er zeigte, eine Konstruktion war?

Während er die Kamera auf ein Geschehen richtete und seine Einstellung wählte, blickte er da nur durch den Sucher, oder sah er das ganze Bild? Nicht nur die Palme, sondern den blutenden Mann. Nicht nur die unermüdliche Krankenschwester, sondern die nächtlichen Schreie ihrer Patienten. Nicht nur den arabischen Jungen, der jubelnd auf die Befreier zuläuft, sondern auch die zwei vorbeihuschenden Frauen, die den Besatzern die Pest an den Hals wünschen.

Traf er bereits eine Auswahl oder filmte er alles und überließ die Entscheidung den Beamten im Reichspropagandaministerium? Ich vermute, Moritz war bewusst, dass die Wahrheit aus vielen Geschichten besteht und dass die Wochenschau nur eine von ihnen erzählte. Seine Aufgabe war es, sie lauter zu machen als die anderen, strahlender, überzeugender, so dass die Geschichten der Gegner als Fälschung erschienen und die eigene Geschichte als gültige Wahrheit, obwohl sie tatsächlich doch alle dasselbe waren: Propaganda.

Es war auch keine Lüge, wenn Gianni mir erzählte, dass er abends noch zu einem Arbeitsessen mit dem Chef musste. Das Arbeitsessen fand statt. Nur eben nicht bis Mitternacht. Es war keine Lüge, wenn er mir sagte, dass er mich liebte. Nein, er liebte mich, während er zugleich eine andere liebte. Die schlechte Lüge ist dreist. Durchschaubar. Allzu offensichtlich. Die gute, die alltägliche, die unauffällige Lüge besteht nicht aus dem, was sie sagt, sondern aus dem, was sie auslässt. Die Wahrheit liegt immer im Off. Die Kunst der Täuschung besteht darin, das Sichtbare so attraktiv zu gestalten, dass der Belogene gar nicht auf den Gedanken kommt, nach dem Rest des Bildes zu fragen. Wie ein Zauberer, der mit der einen Hand Kunststücke aufführt, während die andere unbemerkt die Münze verschwinden lässt. Wir lieben die Ablenkung. Wir lieben Geschichten. Wir lieben es, bestätigt zu werden. Ich habe Gianni geglaubt, weil ich ihm glauben wollte.

13

Tiefes Blau. Unser Schiff scheint zu schweben. Unter dem Kiel, in der Straße von Sizilien, schlafen Flugzeuge. Dutzende, sagt Patrice, Hunderte. Er berichtet von der Nachschubroute, den deutschen und italienischen Transportgeschwadern, den alliierten Jägern. Es ist ein heiterer Tag, die Luft ist mild, wir gleiten über Verschollene. Wir stören ihre Ruhe, unsere Augen in der Tiefe. Das Schiff zieht den Side Scan hinter sich her, ein Sonartorpedo, der uns Bilder vom Meeresgrund auf den Monitor schickt, schwarzweiße Formen, gezackt, verpixelt; je länger man auf sie starrt, desto weniger erkennt man.

Patrice' zusammengekniffene Augen suchen nach einem Flugzeugrumpf, Tragflächen oder Kisten, verdächtige Hügel unterm Sediment, menschengemachte Formen, keine Natur, sondern gerade Linien, Kuben und Balken. Wir stehen auf der engen Brücke, ich drinnen, einige vor der offenen Tür, wir schweigen. Nur der Diesel arbeitet, aus dem Funkgerät dringen Fetzen. Mir wird übel vom Starren auf den Bildschirm; ich gehe nach draußen an die Reling und fixiere den Horizont, um meinen gestörten Gleichgewichtssinn zu beruhigen.

Plötzlich geht ein Ruck durchs Schiff. Patrice gibt Rückwärtsschub, um die Fahrt zu stoppen. Alles schüttelt sich und rebelliert. Dann nur noch Schaukeln, wie betrunken, auf der Stelle, bis das Boot sich beruhigt. Er hat etwas entdeckt. Eine Form, mehr ist es noch nicht, ein kleines Rechteck auf dem Grund; es gibt keine natürlichen Rechtecke im Meer. Zwei Taucher machen sich bereit. Patrice bleibt am Ruder. Jeder darf pro Tag nur einen Tauchgang machen, zwanzig Minuten bei fünfzig Metern Tiefe. Wir stehen an der Reling, als sie ins Wasser steigen, langsam, konzentriert und koordiniert. Der Tauchkorb am Kran. Handzeichen und Befehle über Funk. Dann verschwinden sie in der Tiefe. Stufe um Stufe gewöhnen sich ihre Körper an den Druck, warten, gehen tiefer.

Ich mache mich in solchen Momenten am liebsten unsichtbar und überlasse die Bühne den Profis. Ich weiß, wie sehr es mich stört, wenn mir andere in die Arbeit reinreden. Auf Wasser oder an Land, Ausgrabungen brauchen Ruhe und Langsamkeit. Doch während uns auf dem Land ein ganzer Tag bleibt und nur die Sonne unser Feind ist, tickt bei den Tauchern die Uhr. Das Langsame muss in maximaler Geschwindigkeit durchgeführt werden. Als sie nach zwanzig Minuten wieder aufsteigen, haben sie: nichts. Was auf dem Monitor wie eine Schatzkiste ausgesehen hatte, war nur ein alter Kühlschrank. Wer zum Teufel wirft hier draußen einen Kühlschrank ins Meer? Keiner der Taucher wundert sich darüber. Was sie nicht schon alles gefunden haben. Einen Container. Ein Bettgestell. Einen Fiat 500.

Wir fahren weiter. Eine Stunde später das gleiche Spiel, aber hier erkennen sie schon am Monitor, dass es ein gesunkenes Fischerboot ist. Wir kreuzen weiter. Planquadrat für Planquadrat. Unterwasserarchäologie ist nichts für Ungeduldige. Wie Fischen in der Zeit. Wir werfen unsere Sonde aus und befragen das Gedächtnis des Meeres. Eigentlich hat Patrice nicht das richtige Temperament dafür, denke ich. Als wir schon fast wieder umkehren wollen, stoppt er die Maschine.

»Seht ihr das?«

Niemand sieht etwas. Mit viel Phantasie erahnt man eine gerade zwischen ungeraden Formen. Alle drängen sich vor den Monitor. Nüchternheit überwiegt; in diesem Geduldsspiel darf man weder zu viel noch zu wenig hoffen. Patrice und Benoît machen den zweiten Tauchgang. Es dauert unendlich lange, bis wir auf dem Monitor Formen erkennen. Ein winziger Lichtkegel vor Patrice' Helmkamera lässt kurz etwas aus dem Dunkel aufscheinen und wieder im Dunkeln verschwinden. Felsen und Sand, Algen und aufgestörte Fische, seine Hand im Sediment. Und plötzlich leuchtet etwas auf, silbern, flach und kantig. Eine kleine Kiste, die im Meeresboden steckt, durchrostet, aber weitgehend intakt.

Wir sind elektrisiert. Ich denke an das, was Patrice mir anvertraut hat. Ich glaube solche Dinge immer erst, wenn ich sie mit den Händen greifen kann. Aber ich wünsche ihm, dass es sein Schatz ist. Wir bleiben ruhig und lassen den Korb hinunter. Wir warten. Dann ziehen wir unseren Fang aus dem Meer. Algen und Muscheln hängen an der tropfenden Kiste, als wir sie an Deck hieven. Wir untersuchen sie, noch bevor Patrice und Benoît ihren langsamen Aufstieg beendet haben. Man muss aufpassen beim Entfernen der Verkrustungen, um keine Embleme zu beschädigen. Aber dieses ins Metall geprägte Emblem hat die Zeit erstaunlich widerstandsfähig überstanden. Ein Reichsadler, ein Hakenkreuz, und dann reibe ich die eingestanzte Schrift frei. *Reichspropagandaministerium.*

Eine unwillkommene Mischung aus Faszination und Widerwillen überkommt mich. Die anderen jubeln begeistert, ich bleibe stumm. Als die Taucher ihre Dekompression abgeschlossen haben, machen wir uns daran, die Kiste zu öffnen. Sie ist luftdicht versiegelt, was ungewöhnlich ist. Der Metallkörper ist rostig, aber es sind keine Durchrostungen zu erkennen. Sie lag im Sediment, und die Verkrustungen haben eine organische Schutzschicht gebildet. Mit einer kleinen Flex löst Patrice behutsam den Deckel ab.

Ein übler Geruch strömt heraus. Wir treten alle einen Schritt zurück und stutzen verwundert. Kein Silberschmuck, kein Gold. Stattdessen: Filmdosen aus Aluminium, tellergroß, das Etikett bis zur Unkenntlichkeit zersetzt. Vorsichtig heben wir eine heraus und lösen den Deckel ab. Ein beißender Gestank erfüllt die Luft. Das ist kein Moder, sondern Gift. Im Inneren der Dose: eine bernsteinfarbene, verklebte, stinkende Masse ohne Form, zäh zerlaufen, aber hart.

»Was ist das?«

»Geschmolzene Scheiße.«

Nein, es ist Zelluloid. Ein brauner Klumpen Film. Die ganze Kiste ist voller solcher Dosen. Ich versuche, die Etiketten zu erkennen, aber entweder fehlen sie, oder sie sind völlig aufgeweicht. Eine luftdicht versiegelte Giftküche unterm Meer, die sich nicht durch Kontakt mit Meerwasser, sondern aus sich selbst heraus zerstört hat. Nur ein paar Nummern sind auf den Etikettfetzen übrig geblieben: *122-4. 2600. PK HA W 347.* Aber kein Name, keine Initialen. Nichts, was auf den Kameramann hindeutet.

»HA, das ist die Heeresgruppe Afrika. PK, die Propaganda-Kompanie.«

Es könnten die Filme meines Großvaters sein. Genauso gut aber die von jedem anderen Kameramann. Wie viele Kameraleute waren in Tunis? Und befand sich Moritz mit seinen Filmen an Bord, oder war es nur ein Kurierflug?

»Die Maschine ist am letzten Tag gestartet. Da ging es um Menschen, nicht mehr um Material.«

»Außer, es war etwas besonders Wertvolles auf den Filmen.«

Wir werden es nie erfahren. All das belichtete Zelluloid auf seinem Weg ins Entwicklungslabor, all die historischen Aufnahmen – zu braunen Klumpen zerschmolzen. Vielleicht ist es besser so. Es sind nicht nur Zeitdokumente, sondern vergiftete Bilder. Wenn ich die Augen schließe, sehe ich sie vor mir. Die Riefenstahl-Ästhetik, die Triumphmusik, das Schweiß-und-Blut-Geplärre. Aber allzu gerne hätte ich einmal das ungeschnittene Material gesehen, die unnützen und aussortierten Bilder: Straßenszenen, Menschen, das scheinbar Nebensächliche. Seine Welt und wie er sie sah.

Patrice schläft auf dem Schiff. Ich sitze unschlüssig auf dem Hotelbett und starre in die Nacht. Dann, innerhalb von einer Sekunde, treffe ich die Entscheidung, seinen Wunsch zu ignorieren. Ich, die immer loyal ist. Ich, die sehr nachtragend ist, wenn jemand anderer illoyal ist. Aber ich muss herausfinden, wer von den beiden die Wahrheit sagt. Ich ziehe mir einen Pulli über und schleiche auf den Gang. Alle anderen schlafen. Wenn man stehen bleibt und ganz leise ist, hört man das Meer.

Was mich an Joëlle anzieht, ist mehr als nur Neugier. Selbst wenn ihr Maurice ein anderer sein sollte als mein Moritz, bringt die Geschichte ihrer Mutter eine verborgene Saite in mir zum Schwingen. Nicht allein, *was* sie erzählt, sondern *wie* sie es tut: eine Art, über Familie zu sprechen, die mir fehlt. Nicht friedlich, aber leicht. Sie ist aufbrausend, aber ohne einen Misston der Bösartigkeit. Sie ist fröhlich und melancholisch zur gleichen Zeit. Aber diese Melancholie unterscheidet sich von der traurigen Hintergrundmelodie meiner Familie, sie ist nicht von Schuld und Vorwurf belastet, sondern durchdrungen von Liebe zwischen den Generationen.

Unter der Tür von Joëlles Zimmer scheint Licht hindurch. Ich klopfe und schlüpfe hinein. Sie sitzt entspannt auf ihrem Bett und liest ein Buch, fast als hätte sie mich erwartet.

»Wenn du nicht glaubst«, frage ich, »dass er dort im Meer liegt, warum bist du hergekommen?«

»Als ich in der Zeitung von deinem Freund gelesen habe, und dass er die Angehörigen anschreibt, dachte ich: Das könnte eine Chance sein, deine Mutter zu treffen. Vielleicht die letzte. Und vielleicht weiß sie, wo unser Vater ist.«

Ich schweige.

»Also weißt du auch nicht, wo er lebt?«, frage ich nach einer Weile.

»Wir waren mal unzertrennlich. Aber dann haben wir uns ...

sagen wir mal so, aus den Augen verloren. Ich dachte, vielleicht ist er in sein altes Leben zurückgekehrt.«

Sein altes Leben. Was er mit seiner jungen Freundin Fanny hatte, war ja noch kein Leben, denke ich. Nur ein Vorspiel, der Wunsch nach einem Leben.

»Wann hast du deinen Vater zum letzten Mal gesehen?«

Ich wähle bewusst eine Formulierung, die offenlässt, ob wir denselben Mann meinen.

»Das war 1967.«

»Vor fünfzig Jahren!«

»Keine Adresse, keine Telefonnummer, nichts.«

»Was ist passiert?«

»Das ist eine lange Geschichte. Und sie ist nicht nur schön, das sag ich dir.«

»Woher willst du dann wissen, ob er noch lebt?«

»Ich weiß es.«

Sie ist verrückt, denke ich.

Es muss schön sein, verrückt zu sein.

»Ich verrate dir ein Geheimnis.« Joëlle beugt sich zu mir. »An meinem Geburtstag kommt jedes Jahr ein Bote mit einem Strauß Rosen. Weißt du, so ein Blumenversand, Absender anonym. Kein Kärtchen, kein Name, *niente*. Und wenn du da anrufst, verraten sie dir nichts. Ich hab Himmel und Hölle in Bewegung gesetzt, um herauszufinden, wer dahintersteckt: Ein Nummernkonto in der Schweiz. Weiter kam ich nicht. Wer denkt sich so etwas aus?«

»Vielleicht hast du einen hartnäckigen Verehrer?«

»Ein Verehrer zeigt sich irgendwann. Dieser Mann versteckt sich.«

»Wie lange geht das schon so?«

»Fünfzig Jahre. Und es sind immer dieselben Farben: weiß, rot und violett. Jasmin, Granatapfelblüte und Bougainvillea: die Farben von Tunis.«

Ich kann es nicht glauben. Die Geschichte ist zu schön, um wahr zu sein. Väter schicken keine Blumen. Väter vergessen Geburtstage.

Jetzt begreife ich, in welchem Punkt Joëlle meiner Mutter ähnelt: Beide sind besessen von einem Verschwundenen. Beide leiden an einem Phantomschmerz. Mama hatte bis zuletzt die Phantasie, dass ihr Vater den Krieg überlebt haben könnte. Immer wenn sie in der Zeitung eine Geschichte von einem Soldaten fand, der nach Jahren wiederaufgetaucht war, las sie mir den Artikel begeistert vor. *Irre Story, was?* Ohne Moritz zu erwähnen. Aber ich wusste, woran sie tief im Inneren dachte.

Als könnte Joëlle meine Gedanken erraten, fragt sie: »Warum ist deine Mutter nicht mitgekommen?«

»Sie lebt nicht mehr.«

Ich versuche, nicht an sie zu denken, um nicht von der Erinnerung an ihre letzten Monate überwältigt zu werden. Um das seltsame Gefühl zu verdrängen, das ich seitdem mit mir herumtrage: dass ich als Letzte unserer Familie übrig geblieben bin, mit all den ungelösten Fragen. Joëlles Gesichtszüge entgleiten. Als hätten sie sich gekannt. Als wäre ihr Tod ein Affront.

»Nein. Seit wann?«

»Zwei Jahre.«

Eine heftige Traurigkeit, auf die ich nicht vorbereitet war, erfasst sie. Dann nimmt sie meine Hand. Warm und mitfühlend.

»Das tut mir leid. Ich habe mir immer vorgestellt, ihr eines Tages zu begegnen. Wenn ich mit Lufthansa geflogen bin, habe ich die Stewardessen beobachtet und mit dem Gedanken gespielt, ob es eine von ihnen sein könnte. Hast du ein Foto von ihr?«

»Nein.«

Natürlich habe ich eins, in meinem Handy. Aber das sind Bilder, in denen sie schon abgemagert ist, erloschen, ein Schatten ihrer selbst; ich möchte sie in diesem Zustand nicht herzeigen. Nicht, solange ich nicht sicher weiß, dass Joëlle ihre Halbschwester ist.

»Sie hätte sich gefreut, dich kennenzulernen.«

»Erzähl mir von euch! Habt ihr euch mal gefragt, ob er andere Kinder hat?«

Etwas in mir sperrt sich.

»Ich fürchte, ich hab keine so aufregende Geschichte zu bieten wie du. Moritz, bei uns, das war eine große Leerstelle. Ich hab nichts von ihm mitbekommen.«

Was ich ihr nicht sage: meine Versuche, diese Leere auszufüllen. Meine vorsichtigen Fragen. Die Momente, wenn meine Mutter mal da war und in ihren alten Fotos kramte. Wie ich mit meiner Neugier nicht auf Granit stieß, nein, es war eher ein Nebel. Herumstochern in etwas Unausgesprochenem. Niemand sprach schlecht von ihm. Man ahnte nur, dass sich dahinter etwas Dunkles verbarg.

»Dann erzähl mir von dir. Du bist so still heute.«

Ich könnte schwören, sie riecht den Braten mit Patrice. Aber sie erwähnt ihn einfach nicht.

»Hast du einen Mann? Oder einen Freund?«

Ich schweige.

»Oder eine Freundin?«

»Nein. Ich bin hetero, wenn du das meinst. Nur frisch geschieden.«

»Herzlichen Glückwunsch.« Jetzt lacht sie. »Wie lange warst du verheiratet?«

»Siebzehn Jahre.«

»Hast du Kinder?«

Ich muss das Gespräch von mir ablenken.

»Nein. Erzähl mir lieber, was damals passiert ist, in Tunis.«

»Gut. Aber morgen erzählst du mir von dir. Nicht von deiner Mutter, sondern von dir. Einverstanden?«

Von mir möchte ich noch weniger zeigen als von meiner Familie. Die eine ist eine Geschichte des Schweigens. Meine ist eine Geschichte des Scheiterns. Aber wenn Erzählungen unsere Währung sind, ist das wohl der Preis.

»Einverstanden.«

Wir gehen nach unten in den leeren Frühstücksraum, öffnen die Tür zu der kleinen Küche, schalten das Licht an und machen uns einen Kaffee. Schwarz, mit Zucker. Es ist weit nach Mitternacht. Joëlle zündet sich eine Zigarette an und beginnt zu erzählen.

14

LATIF

Der Gast ist ein Geschenk Allahs.
Arabisches Sprichwort

Die Medina von Tunis war ein Labyrinth, ein Versteck, ein Hinterhalt oder ein Zufluchtsort. Sie verwirrte, verzauberte und wandelte ihr Gesicht, je nachdem wer sie durch die alten Tore betrat. Den einen empfing sie großzügig als Gast, dem anderen verwehrte sie den Blick wie eine verschleierte Frau im Vorbeigehen. Den Fremden machte sie Angst, ein dunkler Schlund der Echos und Gerüche, ihre Kinder umfing sie wie eine zärtliche Mutter.

In ihren Gassen wohnten Geister. Wer die Medina ohne Respekt betrat, den verfluchten sie; wer die Ahnen ehrte, dem gewährten sie ihren Schutz. Als die Franzosen kamen, wussten sie, dass sie hier fremd bleiben würden; also schütteten sie die Lagune vor den Stadttoren mit Sand auf, um darauf eine zweite Stadt zu bauen, nach ihrem Maß, hell und gerade, mit blauen Fensterläden und Straßennamen, die sie an ihre Heimat auf der anderen Seite des Meeres erinnerten. Rue de Marseille. Avenue de Paris. Die weiß getünchte Illusion, Europa mitnehmen zu können, wohin auch immer sie gingen, eine Festung der eigenen Kultur, von deren überlegener Strahlkraft sie überzeugt waren.

Die Tunesier sahen von den Dächern ihrer alten Häuser zu, wie die Fremden ihre neue Stadt errichteten, während der Ruf des Muezzin über die Mauer wehte, vom Minarett der Großen

Moschee, das seit über tausend Jahren in den Himmel ragte, in den Farben des Sandes und des Sonnenuntergangs, erhabene Erinnerung an die Zeit, als die Araber Al-Andalus eroberten.

In der Medina gab es das jüdische Viertel La Hara, in dem am Shabbat Stille herrschte, während ein paar Gassen weiter die muslimischen Händler ihre Waren ausriefen. Kräuter gegen Rheuma, Schildkröten, die Glück ins Haus brachten, und einen Zauberspruch gegen untreue Männer. Es gab Cafés mit Geschichtenerzählern, Sängern und Tänzerinnen, Theater mit sizilianischen Marionetten und Ställe, die zu Kinos umgebaut waren, in denen amerikanische Western liefen. Es gab Tausende von Katzen, Milchwagen mit singenden Verkäufern und eine rothaarige Wahrsagerin, die von Tür zu Tür ging und jedem aus der Hand las, der sie nicht schnell genug wegzog.

Die Straßennamen waren verborgene Geschichten: Straße des Feuers, Straße des Rauchs, Gasse der Verrückten. Es gab das *quartier close*, in dem außer an Freitagen und im Ramadan Damen mit falschem Namen Männer empfingen, deren Religion ihnen so egal war wie ihr Name; ebenso wie die Männer nicht danach fragten, gegen welchen Gott die Huren sich versündigten. Es gab die Große Moschee mit ihrem weiten Innenhof, die Tag und Nacht allen offenstand, die dort beteten oder schliefen. Eine Oase im Lärm der Märkte. Und es gab das Haus, in dem die Familie Sarfati Zuflucht fand.

Es lag im Souk El Attarine, dem Markt der Düfte, dem innersten aller Märkte zwischen den Stadtmauern: Ganz außen hatten die groben Gewerke ihre Läden, die Metzger, Viehhändler und Gerber. Weiter drinnen folgten die Schmiede, die Schuster und Garküchen. Dann kamen die italienischen Tuchhändler und arabischen Hutmacher – ein roter Fes für die Muslime, ein schwarzer für die Juden – und die Goldschmiede. Der innerste

Kreis war schließlich den feinsten Sinnen vorbehalten, dort fand man Gewürzläden, Buchhändler und Parfümeure.

Hier öffnete sich hinter den halbdunklen überdachten Gassen plötzlich ein heller Platz unter freiem Himmel, und man stand vor den alten Mauern der *Zeituna*, der Großen Moschee mit ihrer Universität. Das Zentrum der Medina. Und gleich daneben, in einer unscheinbaren Seitengasse, lag das Haus mit der blauen Holztür. Nichts deutete von außen auf die Großzügigkeit im Inneren hin, nichts sollte den Neid der Nachbarn und den Bösen Blick anziehen. Als Yasmina zum ersten Mal vor dieser Tür stand, war es dunkel und klamm, nur Splitter von Mondlicht tauchten die Gassen in ein kühles Blau. Trotz Ausgangssperre hatten sie den Schutz der Nacht gesucht, damit kein Nachbar sie sehen und verraten konnte. Victor hatte sie durch das Labyrinth geführt, Yasmina und Mamma, beladen mit Koffern und Bettdecken, die sie aus ihrem beschlagnahmten Haus gerettet hatten. Er klopfte dreimal leise an die Tür. Eine Hand der Fatma als eiserner Klopfer zwischen den geschmiedeten Symbolen auf dem Holz, die nur Eingeweihte verstanden: ein auf den Kopf gestelltes Kreuz, ein Fisch, Broschen und Pfeile. Eine kleine Tür in der großen öffnete sich, und Yasmina sah Latifs gütiges Gesicht. *Ahlan wa sahlan.* Willkommen zu Hause.

Man musste den Kopf neigen, um einzutreten. Ein verwinkelter Eingang, der das Innere vor verborgenen Blicken schützte. Dahinter lagen Türen und Treppen, Zimmer, in denen Latifs Frau und Kinder wohnten, Zimmer, in denen Latifs Mutter wohnte und Zimmer, in denen Geister wohnten. Dunkle Winkel und die überraschende Weite des Innenhofes, Bögen und Säulen im Mondlicht, zersprungene Fliesen, Mosaike und Ornamente. Am Boden lagen weiße Tücher, auf denen Couscous zum Trocknen ausgebreitet war. Jasmin rankte über die blau vergitterten Fenster.

Dahinter der Salon mit schweren Teppichen auf alten Fliesen, Louis-XVI-Sesseln, Bücherregalen und einem Lüster an der Decke. Eine goldene Uhr in der Glaskuppel, silbernes Teegeschirr und ein blinder Spiegel. Familienfotos und Gemälde, die Lebenden und die Verstorbenen, die hier zu Hause waren, die rußgeschwärzte Kuppel der Küche, ein schmiedeeiserner Kohleofen und uralte Mauern, die vor der Winterkälte schützten.

Auf der Galerie zum Innenhof entdeckte Yasmina ein Schwalbennest. Eine alte Frau löste sich aus dem Schatten. Latifs Mutter. Nackte Füße und lederne Hände, die unablässig Perlen an einer Gebetskette abzählten, während ihre Lippen sich stumm bewegten. Man dürfe Vögel nicht in einen Käfig sperren, sagte sie, sonst käme Unglück über das Haus. Wer aber ihr Nest beherberge, den schütze Allah vor allem Bösen.

Latifs Frau Khadija räumte ihnen zwei Zimmer im unbenutzten Teil des Hauses frei, dort, wo das Holzgeländer überm Hof zerbrochen war, wo Eidechsen wohnten und Kupfertöpfe standen, die den Regen auffingen, der durch die morsche Decke tropfte. Es roch nach Moder, Holzkohle und Weihrauch; jemand hatte Räuchergefäße aufgestellt, die im Dunkeln glimmten, um die Dschinn zu verscheuchen.

»Unser Haus ist euer Haus«, sagte Latif.

Mimi legte ihre rechte Hand aufs Herz, wie es die Muslime tun, und Victor zog eine silberne Halskette aus ihrer Tasche, die er Latif zum Dank überreichte. Latif sah gekränkt weg und wies mit einer knappen Geste das Geschenk zurück, das seine Gastfreundschaft beschämte. Khadija brachte heißen Tee mit Mandeln.

»Habt ihr gegessen?«

»Ja«, log Mamma und sah Yasmina, die hungrig war wie ein Wolf, einschüchternd in die Augen. Yasmina verstand und schwieg. Sie würden ihren Gastgebern nicht zur Last fallen, sondern beim Kochen und Putzen helfen, das hatte Mamma ihr auf dem Hinweg eingeschärft.

Später sah Yasmina, wie ihre Mutter Latif den Familienschmuck aushändigte, den sie aus ihrem Haus gerettet hatte. Latif legte ihn in ein Tuch und band es mit einer Schnur zu. »Nach dem Krieg gebe ich es euch unversehrt zurück. Bei Allah, ich schwöre es auf den heiligen Koran.« Mamma wünschte ihm den Segen Gottes. Dann trug er das Tuch in die Vorratskammer.

Das Silber der Sarfati zwischen Korn und Oliven. Es gibt kein besseres Versteck als ein arabisches Haus, sagte Latif. Im Gegensatz zum europäischen Haus trägt es sein Gesicht nach innen. Die Fassaden mit ihren Kacheln und Ornamenten zeigen zum Hof, während von der Straße nur unscheinbare Mauern zu sehen sind. Nach einem Hadith des Propheten soll jeder seinem Nachbarn mit Respekt begegnen; keiner darf etwas tun, das den Nachbarn stört. Deshalb sind alle Fenster so gebaut, dass niemand seine Nachbarn belästigt und alle ihre Intimsphäre wahren können. Ein Nichtangriffspakt der Blicke.

Yasmina konnte in der ersten Nacht nicht schlafen. Sie hörte den Wind an den Fenstern rütteln, den Lauf der Eidechsen im Gebälk und das Flüstern der Geister. Victor nebenan zu wissen beruhigte sie und war zugleich unerträglich. Wie würde sie ihm in dem fremden Haus, unter den Augen der Gastgeber, nahe sein können?

Unruhig stand sie auf, schlich an ihrer schlafenden Mutter vorbei aus dem Zimmer, tastete sich über die Galerie, die nackten Füße auf den kalten Fliesen, um ihn zu suchen. Sie fand die Tür seines Zimmers, öffnete sie und ging zu seinem Bett. Es war leer, aber noch warm. Sie setzte sich auf die Kante und sog seinen Duft vom Kopfkissen auf. Auf einmal hörte sie eine Melodie, die gleichsam fremd und vertraut war, ein Gesang zwischen Traum und Erwachen, überirdisch fern und doch unglaublich nah. Sie stand auf und fand eine Tür und eine Treppe, dann noch eine Tür und eine letzte, bevor sie auf dem Dach angekommen war.

Fledermäuse flatterten auf, blaues Licht floss über die Terrassen. Zwischen weißen Kuppeln hingen die Handtücher des benachbartem Hammam in der leichten Brise. Gegenüber, fast mit den Händen zu greifen, ragte das viereckige Minarett der Großen Moschee aus dem Häusermeer. Die Silhouette des Muezzins gegen den Morgenhimmel. *La illaha illallah.* Es gibt nur einen Gott. Von den anderen Minaretten, die aus dem Häusergeflecht herausragten, sangen andere Stimmen denselben Gesang, aber zeitversetzt, keine Uhr ging gleich, der eine stieg ein, als der andere fast fertig war; ein vielstimmiger Kanon ohne Plan, der aus dem Dunkel stieg und sich zu einem berauschenden Klangteppich verwob, feierlich und voller Geheimnis.

Yasmina stand verzaubert auf dem Dach, barfuß und allein, während die Gebete sie umhüllten wie ein Mantel aus Klang. In Piccola Sicilia hatte es eine Kirche gegeben, vierzehn Synagogen und nur eine Moschee, weit von ihrem Haus entfernt. Yasmina, Kind des Meeres und der Ferne, war im Herzen der nach innen gerichteten Medina angekommen. Ihr Versteck, ihr Kokon, ihr Walfischbauch. Auf einmal sah sie Victor. Er stand hinter einer Kuppel, am äußersten Rand des Daches, als wäre er bereit zum Sprung. Er lauschte. Sie ging zu ihm. Er hörte ihre Schritte, ohne sich umzudrehen, und war nicht überrascht, als sie ihm vorsichtig die Hand auf die Schulter legte. Er drehte sich zu ihr, lächelte sie an und legte den Finger auf seine Lippen. Ihn nicht zu umarmen war unerträglich, aber sie spürte die tausend Augen, die ringsherum erwachten.

»Geht nicht auf die Straße«, sagte Latif, als sie gemeinsam im Innenhof frühstückten. »Hier ist für euch gesorgt. Man weiß nie, welches Gesindel euch für ein paar Sous an die *boches* verrät.« Khadija verteilte Fladenbrot, frisch aus dem Ofen, Ricotta und Oliven. Latif schärfte seinen beiden Töchtern ein, niemandem in der Schule von den Gästen zu erzählen.

»Die Juden sind unsere Cousins. Wir sind eine Familie. Wir müssen zusammenhalten.«

»Warum hassen die Deutschen die Juden?«, fragte eines der Mädchen. »Weil sie Christen sind?«

»Nein, die Christen sind auch unsere Cousins. Ihre Bibel ist im Heiligen Koran enthalten. Ihr Jesus ist unser Prophet 'Aisa. Es gibt nur einen Gott.«

»Aber warum hat dann jeder andere Gebete, andere Gebetshäuser und andere Feiertage?«

»Lies den Koran«, sagte die Großmutter und zitierte auswendig eine Sure: *Für jeden von euch haben Wir eine Richtung und einen Weg festgelegt. Hätte Gott gewollt, Er hätte euch zu einer einzigen Gemeinde gemacht. Doch will Er euch in dem prüfen, was Er euch gab. Wetteifert darum um das Gute! Euer aller Rückkehr ist zu Gott; dann wird Er euch aufklären, worüber ihr uneins wart.«

Yasmina betrachtete ihre lederne, von tiefen Falten durchzogene Haut und stellte sich vor, wie sie als Kind ausgesehen hatte, als sie in der Koranschule ihr Heiliges Buch auswendig lernte, so wie Yasminas Freundinnen, die nachmittags auf die Yeshiva gingen. Auch wenn Papà immer gesagt hatte, die modernen Sprachen seien viel wichtiger, und auch wenn sie lieber am Strand herumrannte, als die Thora auswendig zu lernen, blieb in ihr dennoch eine Faszination für den Klang der alten Sprache und ein stiller Neid auf die spirituelle Heimat, die sie denen bot, die sich in sie einhüllten wie in einen Mantel, der alle Zeiten und selbst den Tod überdauerte.

Latifs Töchter, die ihrer Großmutter neugierig zuhörten, erinnerten Yasmina an das Mädchen, das sie einmal gewesen war.

Die schwarzen Locken, die riesigen Augen, der trotzige Stolz. Yasmina stellte sich vor, wie es wäre, in dieses Haus geboren zu werden, in den Schoß einer Familie, die schon immer hier war. Niemand konnte sie vertreiben, das Haus hatte Latifs Vater gehört, seinem Großvater und Urgroßvater, eine ungebrochene Kette, die Latif und seinen Kindern ein beneidenswertes Selbstbewusstsein gab. Sie wussten nicht, wie es war, nie sicher sein zu können, ob man willkommen war oder nicht.

Denk dran, das Einzige, was niemand dir wegnehmen kann, ist das, was du in deinem Kopf hast! Papàs Worte. Im Gegensatz zu Mimi, die das Haushaltsgeld verwaltete, glaubte er nicht an Besitz. Während sie schöne Kleider, Möbel und Schmuck liebte, versuchte er den Kindern zu vermitteln, dass wenig von dem, was sie besaßen, notwenig war. Seine Großeltern waren aus Livorno gekommen, deren Vorfahren aus Andalusien, der Türkei und Palästina. Vielleicht, dachte Yasmina, hatte Victor sich deshalb der Musik verschrieben: Scheinbar war es eine Rebellion gegen Papàs Welt der Wissenschaft, aber in Wahrheit war seine Stimme etwas, das er überallhin mitnehmen konnte.

»Aber natürlich gehe ich aus dem Haus!«, widersprach Victor. »Ich geb ihnen nicht die Genugtuung, mich einzusperren!«

»Du bleibst hier!«, befahl Mamma. »Sie haben mir den Mann genommen, sie werden mir nicht auch meinen Sohn nehmen!«

Latif sprang ihr bei. »Melde dich im Hotel krank. Die Patrouillen sind überall. Selbst die französischen Polizisten verhaften Juden, die sich nicht zum Arbeitsdienst melden!«

Victor ließ sich nicht überreden. Er zog sich einen Burnus über den Kopf, der ihn aussehen ließ wie ein Araber. Mamma weinte, aber ihre Tränen hielten ihn nicht zurück.

»Mach dir keine Sorgen, *farfalla*«, sagte er im Gehen. »Wenn wir uns fürchten, haben sie gewonnen!«

»Wo willst du hin?«

Er lächelte nur, gab ihr einen Kuss auf die Stirn, öffnete die Tür und verschwand.

Später ging Yasmina mit ihrer Mutter aus dem Haus, um Papà zu finden. Auf dem Polizeirevier in Centre Ville ließen die Beamten sie stundenlang in der Kälte warten. *Non, Madame, wir wissen nicht, wo sich die Geiseln aufhalten. Désolé, Madame, das fällt nicht in unsere Zuständigkeit.* Schließlich waren es Alberts Freunde, die ihnen halfen.

In der Rue d'Alger hatte Paul Ghez ein Büro für die Rekrutierung der jüdischen Zwangsarbeiter eingerichtet. Man konnte es hören, noch bevor man es sah: Wütende Mütter standen vor der Tür, schrien herum und verwünschten die Männer, die sich doch nur bemühten, die Demütigung ihrer Gemeinschaft mit einem Mindestmaß an Selbstachtung zu organisieren. Täglich verlangten die Deutschen mehr Männer, ansonsten würden sie die Geiseln erschießen. Gefälschte Atteste machten die Runde. Die Reichen brachten Geld und die Armen Flüche. Aber Paul und seine Mitstreiter blieben unbestechlich. Pauls Frau, eine Freundin von Mamma, lag im Sterben, und dennoch arbeitete er bis an den Rand der Erschöpfung. Zwangsläufig hatte er ständigen Kontakt zur SS, und so fand er heraus, wo die Geiseln gefangen gehalten wurden: im Militärgefängnis. Paul gelang es, eine Besuchserlaubnis für Yasmina und ihre Mutter zu erhalten – aber nur unter einer Bedingung: Sie mussten Essen mitbringen. Täglich. Die Nazis hatten keine Lust, ihre Geiseln selbst zu versorgen.

Yasmina kaufte auf dem Markt in Halfaouine, was sie mit ihren Lebensmittelkarten bekommen konnte. Den Rest besorgte sie in den Seitengassen bei den Schwarzmarkthändlern, die aus der Misere der anderen Profit schlugen. Am Abend kochten sie *madfouna* für Albert und die anderen Geiseln. Das traditionelle Festessen zum Trotz gegen die Nazis. Spinat, Hühnerschenkel,

Kalbsschwanz und Bohnen. Am nächsten Mittag gingen sie mit Töpfen auf dem Kopf durch die Medina ins Regierungsviertel.

Vor dem Militärgefängnis trafen sie andere Jüdinnen mit Töpfen, Obstkörben und Brot. Die Deutschen ließen sie stundenlang draußen warten. Erst als es schon fast dunkel wurde, ließen sie die Besucherinnen herein. Wo vor kurzem noch Gesindel hauste, waren jetzt die ehrwürdigsten Bürger der Stadt eingesperrt. Wie Diebe hinter Gittern, während ihre Wächter doch die wirklichen Diebe waren. Verkehrte Welt.

Yasmina erschrak, als sie ihren Vater sah. Soldaten führten sie in einem kahlen Raum, wo die Geiseln nebeneinander aufgereiht auf rostigen Stühlen saßen; würdevolle ältere Herren in schäbiger Gefängniskleidung. Albert hatte wirres Haar und blaue Flecken im Gesicht. Yasmina riss sich zusammen und hielt die Tränen zurück, um ihrem Vater keinen Spiegel vorzuhalten. Denn Albert tat, als wäre nichts geschehen, zeigte keinerlei Zeichen von Schwäche, sondern sprach mit seinen Liebsten, als wären sie an einem sicheren Ort. Ernst und bedacht wie immer, aber nicht besorgt. Als hätte er einen festen Punkt jenseits dieses Albtraums im Kopf, an dem er seine Gedanken ausrichtete. Er wollte ihnen zeigen, dass sie stärker waren als die Nazis.

»Wenn die Bösen über die Guten herrschen«, sagte Papà, »müssen wir das Gute in unseren Herzen beschützen. Sie sind die Stärkeren, aber sie haben uns nicht besiegt. Sie können uns die Würde nehmen, aber nicht die Selbstachtung.«

Yasmina kämpfte gegen die Bilder in ihrem Kopf. Während sie ihm zuhörte, stellte sie sich vor, was sie mit ihm gemacht hatten. Wie können Menschen anderen Menschen so etwas antun? Was haben wir den Deutschen getan? Wir kennen sie doch gar nicht!

»Das ist die Hölle!«, hörte sie den Mann neben Albert zu seiner Frau sagen.

Yasmina erinnerte sich daran, wie Papà ihr als Kind erklärt hatte, dass es im Judentum keine Hölle gab. Sie hatte neben ihm am gedeckten Tisch gesessen, während Mama die Shabbat-kerzen anzündete, und war unglaublich erleichtert, die schreck-lichen Bilder hinter sich lassen zu können, welche die Mönche in ihren Kopf gesetzt hatten: der Teufel, das Feuer, die ewige Strafe. Hier bei Papà war das alles fern. Die Hölle war für die anderen.

Als sie jetzt diesen Satz hörte – »Das ist die Hölle!« – dach-te Yasmina, nein, das ist nicht die Hölle. Das ist der Mensch. Im diesem Gefängnis sah sie keinen Teufel mit Hörnern und Schwanz, nur junge Männer mit heller Haut und hellen Augen. Kein wilder Exzess herrschte hier, keine Schreie hallten zwi-schen den Wänden, nur das leise, kalte Ticken eines perfekten Uhrwerks. Wenn die Nazis ihren Vater töteten, stellte Yasmina sich vor, würden sie es nicht aus Wut tun, nicht einmal aus Ver-achtung, sondern ruhig und präzise, ohne Lust oder Skrupel, einfach nur, um ihre Tagesliste abzuarbeiten: 6.30 Uhr An-treten zum Appell, 7 Uhr Frühstück, 7.30 Uhr Erschießung der Herren M. und S., 8 Uhr Reinigung der Latrinen.

Dann fragte Papà nach Victor. Erst jetzt zeigte seine Selbst-beherrschung Risse.

»Victor muss sich melden. Sagt ihm das!«

»Wir haben es ihm schon gesagt.«

»Ihr beschützt ihn. Aber das ist falsch. Er muss seinen Teil beitragen!«

Albert schämte sich. Sein eigener Sohn stand vor seinen Freunden als Drückeberger da. Alle brachten Opfer, nur Victor sang für die Deutschen. Es war Verrat.

»Wir reden mit ihm, Papa. Mach dir keine Sorgen.«

»Der Krieg wird eines Tages vorbei sein. Es sieht nicht gut aus für uns, aber wir müssen die Zähne zusammenbeißen und warten. Wenn der Schrecken vorbei ist, werden wir uns alle in die Augen sehen und fragen, wer seinen Beitrag geleistet hat und wer nicht.«

Er dachte nicht daran, dass die Nazis den Krieg gewinnen würden. Dass er sterben könnte, seine ganze Familie und die ganze Gemeinschaft. Nicht, weil er es sich nicht vorstellen *wollte*, sondern weil er es sich nicht vorstellen *konnte*. Papà war zu gut für diese Welt. Ein aus der Zeit Gefallener. Manche sagten über ihn, er sei ein Mann aus dem letzten Jahrhundert. Aber Yasmina glaubte, er sei eher einer, der aus der Zukunft kam, aus einer besseren Welt, und sich aus Versehen in unsere Zeit verirrt hatte.

»Ruhe jetzt! Raus! *Finito!*« Der Wachmann, kaum älter als Victor, scheuchte die protestierenden Besucherinnen viel zu früh aus dem Raum. Für eine Umarmung blieb keine Zeit mehr.

Victor schwieg aus Scham, als sie ihm beim Abendessen von Papà erzählten. Die Scham seines Vaters war eine Last, die er nicht tragen wollte. Er zog sich vom Essen zurück, und erst am nächsten Tag, als sie durch die Medina zum Hotel gingen, sagte er leise zu Yasmina:

»Ich werde etwas tun.«

»Was?«

»Wirst du schon sehen. Vor diesen Schweinen gehe ich nicht auf die Knie.«

»Wir können Papà erzählen, dass du dich freiwillig gemeldet hast. Es wird ihm guttun. Er braucht jetzt etwas für seine Moral.«

»Nein. Papà und seine Freunde, die ihnen unsere besten Männer auf dem Silbertablett servieren, das sind Kollaborateure. Wir dürfen nicht mit ihnen arbeiten, sondern gegen sie.«

»Was willst du denn machen? Wir haben Küchenmesser, sie haben Panzer und Flugzeuge.«

»Ich könnte eine Bombe legen. Im Majestic.«

»Bist du wahnsinnig?«

»Warum? Die ganze Führung der Wehrmacht, auf einen Schlag ausgelöscht!«

»Und wir auch! Victor, du solltest …«

»Hör auf, mir zu sagen, was ich tun sollte!«

Seine Wut galt nicht ihr, sondern in Wirklichkeit Papà. Yasmina wusste das.

»Victor, du bist kein Kämpfer. Du bist ein Künstler.«

Es war als Kompliment gemeint, aber er fasste es als Beleidigung auf.

Die deutschen Wachposten am Eingang des Hotels grüßten sie fast schon freundlich.

»Morgen, Caruso!« Wenn die Deutschen einen Italiener ansprachen, schwang immer ein Unterton von Überheblichkeit und gleichzeitiger Sympathie mit. Der lustige italienische Sänger. Das kleine hübsche Zimmermädchen. So klang das. Italiener waren Verbündete, aber nicht auf Augenhöhe. Sie genossen keine Verachtung wie die Franzosen und keinen Respekt wie die Briten. Die Deutschen, sagte man, liebten die Italiener, aber schätzten sie nicht. Die Italiener dagegen schätzten die Deutschen, aber liebten sie nicht. Victor spielte das Spiel mit und grüßte fröhlich zurück.

»*Buongiorno*, Heinz! Wie geht's?«

Dann schlenderte er in die Bar, setzte sich an den Flügel und lächelte den Offizieren zu, während Yasmina ihre Betten machte. Sie holten ihm Champagner aus dem Keller, stellten sich an sein Klavier und brachten ihm ihre Lieder bei.

»Spiel was Deutsches, Caruso! Canzone tedesco! Zarah Leander, kennste die? Nee? Lizzi Waldmüller? Willi Forst? Lass mich mal ran an die Tasten. So. C-Dur. Kiekste jut, lernste wat Neues. Eins, zwei, drei, vier … *Du hast Glück bei den Frau'n, Bel ami! So viel Glück bei den Frau'n, Bel ami …*«

15

»Wann ist Yasmina deinem Vater zum ersten Mal begegnet?«, frage ich.

Joëlle lächelt. »Habe ich dir schon von den Bomben erzählt?«

»Nein.«

»Soll ich dir von den Bomben erzählen?«

»Erzähl mir von den Bomben.«

Sie ist ein komischer Vogel. Als ginge es um einen spannenden Film, den sie gesehen hat.

»Heute sehen wir das immer aus der Perspektive der Bombe. Also, des Piloten«, sagt sie. »Im letzten Gaza-Krieg, weißt du noch, hattet ihr das auch im Fernsehen?«

Sie wartet nicht auf eine Antwort, sondern erzählt weiter. »Da siehst du das Zielkreuz, ein Computerbild, schwarzweiß, wie ein Spiel. Unten das Ziel, ein Haus, ein Auto, Menschen. Und auf einmal eine geräuschlose Explosion, eine Rauchwolke, ein Krater. Du hörst niemanden schreien. Sauber und effizient. Heute können sie eine Straßenkatze aus dem Weltall erschießen. Aber damals, da warfen sie die Dinger einfach aus dem Flugzeug, aus großer Höhe, wegen der deutschen Flak. Sie wollten den Hafen treffen, den Flugplatz, die Deutschen, aber das Zeug regnete über der ganzen Stadt runter, auf Juden, Christen und Muslime gleichermaßen. Die Alliierten wussten genau, wo die Kommandantur war. Aber im ganzen Krieg hat keine einzige Bombe das Majestic getroffen, stell dir vor! Hätten sie besser gezielt, wäre ich nie auf die Welt gekommen!«

Sie grinste. Die Tochter einer Überlebenden. Dem Tod ein Schnippchen geschlagen.

»Wenn die Sirenen heulten – und das taten sie jede Nacht –,

wenn die Bomber über die Bucht kamen, in einer großen Kurve über die Stadt, wie stählerne Raubvögel, wenn dieses tiefe Brummen immer näher kam, dann rannten alle Menschen aus den Häusern. Aber Bunker gab es keine, also versteckten sie sich in den Gewölben der Karawansereien und den Magazinen der Händler, zwischen Teppichen, Pferdemist und Ratten. Manche liefen in die Synagogen und Moscheen oder in die Mausoleen der Heiligen, Sidi Mahrez, Saida Manouba, wo sie, still an die Wände gelehnt, auf Gottes Gnade hofften. Wenn der Tod sie erwischen sollte, dann wenigstens mit einem Gebet auf den Lippen. Kein Feuerwehrauto kam durch die engen Gassen, so dass es in der Medina mehr Tote gab als in Centre Ville. Die Tunesier starben, ohne etwas mit dem Krieg der Europäer zu tun zu haben. Ihr Tod hatte nichts Ehrenhaftes, es war kein Opfer für die Heimat, sondern einfach nur sinnlos. In Centre Ville hängten die Deutschen gestohlene Teppiche vor die Fenster der Cafés, damit die Scheiben nicht zerbarsten. Und im Majestic rannten sie aus dem Hintereingang, alle zusammen, die Angestellten und die Gäste, über die Straße, auf den Friedhof. Der jüdische Friedhof lag gleich auf der anderen Straßenseite. Heute ist es ein Park, keiner erinnert sich an die Toten. Zwischen den Grabsteinen hatten die Zwangsarbeiter Gräben ausgehoben. Und dort warfen sie sich hinein. Die Lebenden lagen zwischen den Toten in der kalten Erde und beteten. Und da sind sie sich zum ersten Mal begegnet.«

»Deine Eltern?«

»Ja. Sehr romantisch, was?«

Sie lacht, offen und ein bisschen verrückt.

»Yasmina kauerte auf dem nassen, schlammigen Boden und hielt sich einen Topf über den Kopf. Die Soldaten trugen Helme, weißt du, aber die Angestellten hatten nichts als die Töpfe aus der Hotelküche. Es war gerade dunkel geworden, der Mond ging auf, sie bombardierten gerne bei Vollmond, und Victor war nicht da. Sie hatte ihn gesucht, als sie mit den anderen Mädchen durch die Gänge rannte, durchs Treppenhaus, auf die Straße. Sie hatte nach ihm gerufen. Vielleicht, hatte sie gedacht, war er schon draußen. Aber der Friedhof war groß, und als sie die Gräben erreichten, explodierten schon die ersten Bomben. Viel näher als sonst. Die verdunkelten Straßen leuchteten auf einmal taghell. Und dann sprang er neben ihr in den Graben.«

»Moritz?«

»Ja. Moritz. Sie wusste nicht, woher er kam, und erst, als er ihr zunickte, der Deutsche in Uniform, sie im Kleid der Zimmermädchen, begriff sie, dass er einer ihrer ›Gäste‹ war, der jetzt Schutz suchte, genau wie sie. Ein Eindringling auf dem jüdischen Feld der Ewigkeit, was für eine Blasphemie! Er sagte seinen Namen nicht und fragte nicht nach dem ihren. Er wusste nicht, dass sie Jüdin war. Das Einzige, was jetzt zählte, war dieser Graben, der ihnen Zuflucht gab, die Detonationen ringsherum, die schrecklichen Geräusche der einstürzenden Häuser, die ihre Bewohner lebendig begruben, und die Dankbarkeit für den freien Himmel über ihren Köpfen, den Himmel, aus dem die Bomben fielen. Wahrscheinlich hielt er sie für eine Araberin, ein Gesicht unter vielen. Ohne ein Wort zu wechseln kauerten sie nebeneinander. So nah, dass sie die Wärme seines Körpers spüren konnte. Zwischen den Einschlägen sahen sie sich kurz an, bevor sie wieder die Augen schlossen. Sein Blick, der ohne Urteil und ohne Ungeduld war, gab ihr, mitten in diesem Inferno, ein unerwartetes Gefühl der Ruhe.«

Yasmina erlebte alles immer unmittelbar, wie ein Kind. Zwischen ihr und dem Außen gab es keine Schutzschicht. Sie war eins mit der Welt. Wenn sie einen Vogel singen hörte, sang ihr Herz mit, und wenn sie einen Menschen leiden sah, litt sie mit. Am Strand war sie glücklich, und wenn ringsherum die Welt unterging, brach auch ihr Inneres zusammen. Doch in der

Gegenwart dieses fremden Soldaten fühlte sie sich auf einmal sicher. Ruhig und konzentriert beobachtete er die Explosionen. Er wartete ab, als hätte das alles nichts mit ihm zu tun – was ja im Grunde auch so war. Die Bomberpiloten meinten es nicht persönlich. Fremde ließen den Tod auf Fremde herabregnen. Ein Unwetter aus Stahl und Feuer, ohne persönlichen Absender und Adressaten. Es konnte jeden treffen. Kein Grund, Gefühle zu zeigen.

Während Yasmina vor Angst zitterte, schien Moritz unbeteiligt abzuwarten, dass das Gewitter vorbeizog. Jedes Mal, wenn eine Bombe explodierte, horchte er, ob die nächste Bombe weiter entfernt einschlug; als Zeichen, dass die Flugzeuge weiterzogen. Yasmina erlebte die Nächte ihrer Kindheit wieder, als sie mit Victor im Bett gelegen hatte, während vor dem Fenster das Gewitter tobte und sie die Sekunden zählten, die Blitz und Donner trennten. Fast schien es wie damals, nur mit dem Unterschied, dass Victor das Gewitter geliebt hatte, bei jedem Blitz *Ah!* und *Oh là là!* rief, während diesen deutschen Soldaten nichts erschüttern konnte. Er schien die Welt wahrzunehmen, ohne ein Teil von ihr zu sein. Ohne dass er etwas tat, fühlte sie neben ihm eine erstaunliche Gelassenheit, die nicht aus ihr selbst kam, sondern durch ihn. Sie fühlte sich beschützt. Von einem Deutschen! Das durfte sie niemandem erzählen.

Als die Einschläge sich entfernten, warfen sie sich ein stummes Kopfnicken zu. Dann, völlig unerwartet, schlug eine Bombe mitten auf dem Friedhof ein. Erde und Steine prasselten in den Graben. Wahrscheinlich sind auch Knochen dabei, dachte Yasmina. Instinktiv rückte sie ein Stück näher an Moritz heran. Ein kleines Stück nur, das genügte, etwas in ihm auszulösen, das sie nicht überraschte, obwohl es unerhört war: Er fasste ihre Hand. Einfach so. Eine plötzliche Wärme, ein fester Händedruck, der eine tiefe Ruhe in ihr auslöste. Erst Sekunden später der Gedanke, dass es nicht sein durfte. Die Hand eines

Deutschen, das war die Hand, die ein Gewehr trug. Die Hand, die über Leben und Tod entschied. Und doch fühlte sie sich gut an. Wenn sie ihn dabei nicht ansah, war es nicht die Hand eines Deutschen, sondern die Hand eines Menschen neben ihr im Dreck und in der Dunkelheit, zwischen den Schreien der Verwundeten. Und es war die Hand eines auf merkwürdige Weise vertrauten Mannes.

Als die Sanitäter kamen, um die Toten und Verletzten zu bergen, kletterten sie aus dem Graben, benommen, überrascht, am Leben zu sein, und gingen wieder ihrer Wege; er zu den Seinen und sie zu den Ihren. Sie hatten kein Wort miteinander gesprochen, und vielleicht würde er sie bei Tageslicht nicht wiedererkennen. Yasmina spürte ein Stück Marmor in ihrer Hand. Es war neben ihr in den Graben gefallen, abgesplittert von einem der Grabsteine, und sie hatte es aufgehoben, bevor sie hinauskletterte. Im Mondlicht las sie die Inschrift:

Macht euch keine Sorgen um uns. Dort wo wir sind, ist es schön.

Yasmina legte den Stein auf eines der Gräber. Sie wusste nicht, ob es besser gewesen wäre, jetzt nicht zurück zu den Lebenden gehen zu müssen.

Erst im Hotel sah sie Victor wieder. Er kam aus der Küche im Souterrain, als Einziger mit sauberen Kleidern. Ein Lächeln huschte über seine Lippen. Yasmina kannte diesen Ausdruck. Es war der eines Jungen, der seine Eltern unschuldig angrinst, obwohl er genau weiß, was er angestellt hat. Er strich sich über die zerzausten Haare. An seinem Hals sah Yasmina Lippenstift. Fast eine Bisswunde.

»Geht's dir gut?«, fragte er.

Hinter ihm sah Yasmina ihre arabische Kollegin Selima aus dem Souterrain huschen. Niemand nahm sie in dem Chaos wahr. Französische Sanitäter stritten sich laut mit deutschen Soldaten.

»Du bist unmöglich.«

»Warum? Draußen kann ich genauso sterben wie drinnen.«

»Du weißt nicht, was du tust! Das ist eine von uns!«

Victor tat so, als wüsste er nicht, wovon sie sprach. Er nahm sie an der Hand und führte sie durch die Halle nach draußen.

»Komm, wir gehen nach Hause.«

Auf der Avenue de Paris rasten Krankenwagen vorbei. Victor ging schnell, um ein Gespräch zu vermeiden, aber dieses Mal wollte Yasmina ihn nicht davonkommen lassen.

»Die Französinnen sind eine andere Sache, aber Selima, das darfst du nicht tun!«

»Weil sie Muslima ist?«

»Verstehst du nicht? Sie wird sich in dich verlieben, wer tut das nicht, und wenn du sie dann fallenlässt, wird sie sich rächen!«

»*Farfalla,* das sind Dinge, von denen du nichts verstehst. Glaubst du, ich mache das zum ersten Mal? Kümmere dich um deine Angelegenheiten, und lass mir die meinen.«

Yasmina fasste ihn am Arm und fuhr ihn wütend an.

»Sie wird dich an die Deutschen verraten! Und mich auch!«

Victor packte ihre Handgelenke und schob sie in einen Hauseingang. Sie konnte seinen Atem auf ihrem Gesicht spüren.

»Yasmina. Du sagst, du liebst mich. Aber das ist nicht Liebe. Du willst mich besitzen! Du willst mich nur für dich! Ist es das?«

Sie war zu erregt, um etwas zu erwidern. Sie wollte nicht, dass er es aussprach. Ihr Geheimnis. Sie wünschte sich nur, dass er sie umarmte. Dass er sie küsste. Wenigstens einmal, damit sie spürte, wie es sich anfühlte, seine Lippen auf ihren. Stattdessen ließ er sie los.

»Hör auf, Yasmina. Hör endlich auf!«

Er stieß sie zurück auf die Straße. Wie benommen ging sie neben ihm weiter. Er schwieg, kalt und im Herzen weit entfernt von ihr. In der Luft lag beißender Rauch. Yasmina fühlte sich schrecklich. Beschämt und ausgestoßen.

16

MARSALA

Jeder Mensch ist immer das Opfer seiner Wahrheiten.

Albert Camus

Ich schließe meine Augen. Mein Körper wird eins mit dem sanften Schaukeln des Schiffs. Unter mir die blaue Tiefe, unsere Sonde schleicht durch die Dunkelheit. Ich stelle mir vor, sie wäre ein Delphin, und ich hielte mich an ihm fest wie ein sorgloses Kind. Wir hören Berge und Wälder auf dem Meeresboden, wir hören Ecken und Kanten, können Hartes von Weichem unterscheiden, Stein von Metall. Alles Menschengemachte ist hart und gerade, alles Meergeborene weich und zeitlos. Metallenes, das aus der Welt der Menschen nach unten sinkt, hat ein Datum, oder zwei: eines, an dem seine Vergessenheit beginnt, und eines, an dem sie endet: der Moment, wenn die Schallwelle unseres Sonars auf das schlafende Flugzeug trifft. Es ist Zeit, sagt sie, du darfst die Augen wieder öffnen und zu den Lebenden zurückkehren, auch wenn du nicht mehr zu ihnen gehörst; aber sie rufen dich, du bist zu früh gegangen, du hast ihnen noch etwas zu sagen, noch etwas zurückzugeben, du hast dein Versprechen gebrochen, du hättest sie und ihre Fracht sicher nach Hause bringen sollen. Dieses eine Mal schuldest du ihnen noch; deine Zeit in der Traumwelt ist abgelaufen, du musst wieder ans Licht, um eine letzte Frage zu beantworten. Du darfst dich nicht mehr in Schweigen hüllen.

»Ça va?«

Ich öffne die Augen. Patrice steht im Gegenlicht vor der Sonne und fragt, ob ich seekrank bin.

»Alles in Ordnung, ich hab nur kaum geschlafen letzte Nacht.«

Er reicht mir eine Tasse Kaffee und setzt sich zu mir. Eine Weile schauen wir schweigend aufs Meer. Ich mag es, wenn ein Mann mich in Ruhe lassen kann. Und trotzdem bei mir ist. Dann unterbricht er die Stille.

»Hast du diese Frau wiedergesehen?«

»Nein.«

Ich hasse Lügen. Und trotzdem lüge ich. Warum kann man nicht einfach nur ehrlich sein? Es beginnt mit einem Dritten. Zu zweit ist alles einfach. Aber es gibt immer einen Dritten. Und damit fangen alle Probleme an. Ich ertappe mich bei dem Gedanken, mit Patrice auf einer einsamen Insel zu leben. Dann muss er zurück auf die Brücke, auf dem Bildschirm ist etwas erschienen; wir fahren einen Kreis, dann noch einen, aber es war nur ein Schiffswrack. Den Rest des Tages geschieht nichts. Langsam beginne ich anzukommen.

»Du kannst heute auf dem Schiff schlafen, wenn du willst.«

Er sagt es ganz beiläufig. Und ich versuche, ebenso beiläufig zu antworten.

»Vielleicht ein anderes Mal.«

»Du hast dich verändert, Nina. Früher warst du fröhlicher, offener.«

»Tja, das kommt wohl durch die Scheidung.«

»Nein. Durch die Ehe.«

Er grinst ironisch, steht auf und lässt mich alleine.

Als ich vor dem Restaurant ankomme, steht Joëlle im falschen Pelz vor der Tür und raucht. Hinter den Altstadtmauern ist Marsala hübsch herausgeputzt. Weiße Pflastersteine und renovierte Palazzi. Schicke Läden und Weinbars, junge Familien mit ihren Kindern, ausgelassen, unbeschwert. Ich hier, die anderen dort. Ich bin eine Schlafwandlerin, gefangen in meinem eigenen Traum.

»Heute bist du dran«, sagt Joëlle.

»Deine Geschichte ist viel spannender. Meine ist so banal.«

Sie lächelt. Ihr spöttischer Mund, ihre mitfühlenden Augen. Sie will mich kennenlernen, aushorchen vielleicht, aber auch für mich da sein. Ihre Gegenwart tut gut, aber macht mir auch Angst. Joëlle betritt den Raum wie eine Bühne, füllt ihn aus, selbst wenn sie nicht spricht. Ich dagegen: eine Frau auf den zweiten Blick. Aus der zweiten Reihe. Ein Leben aus zweiter Hand. Alles über den Bau der Pyramiden wissen, aber nichts über den eigenen Mann.

Als wir uns an den Tisch setzen, entscheide ich mich, ihr alles zu erzählen. Mein ganzes verfluchtes letztes Jahr. Sie hört aufmerksam zu, beobachtet mich liebevoll, manchmal ironisch, aber nie verurteilend, und mit einer Gelassenheit, als hätte sie das alles schon erlebt. Von beiden Seiten. Als ich fertig bin, sagt sie erst nichts. Und dann bloß:

»Du lässt dich scheiden, weil er eine andere hatte?«

Als wäre Fremdgehen das Normalste auf der Welt. Was es ja, statistisch gesehen, tatsächlich ist. Dumm nur, wenn es einen selber trifft.

»Natürlich, was hättest du getan?«

Sie zuckt die Schultern. »Ihn auch betrogen.«

Mit wem denn, denke ich. Um fremdzugehen, muss man Lust darauf haben. Ich bin dafür nicht geschaffen. Hoffnungslos romantisch.

»Wie hast du's rausgefunden?«

»Der Klassiker. Er hat ihr eine Nachricht geschickt, und sie landete bei mir.«

»Also hast du sein Handy ausspioniert?« Sie lächelt maliziös.

»Nein, er hat sie tatsächlich aus Versehen an die falsche Nummer geschickt. Frauen verwechselt.«

»Wollte er, dass du's herausfindest?«

Ich deute nicht gern im Unbewussten herum. Wir haben es versucht. Paartherapie. Ein quälender Schwanengesang.

»Warum sollte er das?«

»Um eine Entscheidung herbeizuführen.«

»Nein, er wollte sich nicht entscheiden. Es war ihm ganz recht so. Er hatte uns beide.«

»Wie hast du reagiert?«

»Ehrlich gesagt, erleichtert. Endlich waren die Zweifel weg, die Selbstzweifel, der nagende Verdacht, die Versuche, an sein Handy ranzukommen, sein E-Mail-Passwort zu knacken. Misstrauen ist Gift. Wenn es sich einmal in die Beziehung geschlichen hat, wird alles, was mal leicht war, schwer. Und jetzt war ich ... befreit. Ich hatte von Anfang an den richtigen Riecher gehabt. Er betrog mich, er belog mich, er hatte hinter meinem Rücken eine ganze Welt von Kosenamen, Obsessionen und Erinnerungen, in der er sich ganz selbstverständlich bewegte.«

»Warst du nicht wütend? Hast du keine Teller zerschmissen?«

»Ich stand unter Schock. Ich hatte keinen Zugang zu meinen Gefühlen. Ich war nicht fähig dazu, ihn zu konfrontieren. Ich hab so getan, als hätte ich die Nachricht nicht gelesen.«

»Du hast *nichts* gesagt?«

»Damit hätte ich alles zerstört. Nichts sagen hieß, dass alles bleiben würde wie immer. Die gleichen Rituale, alles würde seinen gewohnten Gang gehen. Wenn ich die Wahrheit gesagt hätte, wäre ich diejenige gewesen, die das Haus zum Einstürzen gebracht hätte. Das hätte ich mir nicht verziehen.«

»Und dann? Hat *er* es getan?«

»Nein. Ich hatte eine schlaflose Nacht, und irgendwann kam die erste Welle der Wut. Noch ganz klein, eher so ein Hilfeschrei aus dem Off, wo gerade jemand ertrank.«

Die Erinnerung erstickt mich. Ich erinnere mich an den Morgen danach, als ich in der Küche stand und die Kaffeetasse fallen ließ. Gianni, der aus dem Bad kam: *Was ist los?* Ich, die ihn sprachlos anstarrte. Und sein Blick. Ich erinnere mich an jedes Detail. Seine nassen Haare, die Zahnbürste in seiner Hand, und dann sein Ausatmen, wie eine Resignation. In diesem Moment muss er gewusst haben, dass ich es wusste. Wir spürten beide zugleich, dass etwas zwischen uns zerriss. Sonst hätte er wie immer einen Scherz gemacht, mich geküsst oder einfach mit den Schultern gezuckt. Sein Taschenspielertrick, die Zauberhand. Aber er sah mich unverwandt an, und während ich nicht wegblickte – was mich Überwindung kostete, doch ich wollte, dass er mir bis in die Seele schauen konnte, um die Verwüstung zu sehen, die er dort angerichtet hatte –, sah ich in seinen Augen, für den Bruchteil einer Sekunde, bevor er zu Boden blickte, seine Scham.

Ich stehe auf und gehe vor die Tür. Die kühle Nachtluft füllt meine Lungen, und ich spüre: Es tut nicht mehr so weh. So oft schon erzählt, die Geschichte. Irgendwann zitiert man sich selbst. Erst schmückt man aus, macht es ein bisschen schlimmer, als es war, dann wird die ausgeschmückte Version zur Standardfassung. Sie ist einfach besser, sie hat alles, was eine gute Geschichte braucht, damit sich alle auf deine Seite stellen. Und das brauchst du in dem Moment mehr als alles andere. Es ist keine richtige Lüge; du machst dich selbst nur ein wenig besser, als du tatsächlich warst, und du machst den anderen nur ein bisschen mehr zum Arschloch, als er es war – vielleicht ist das deine Art von Rache: Wenn du ihm selbst nicht mehr schaden kannst, kannst du immerhin sein Bild in den Köpfen der Freunde beschädigen. Du machst seine Lüge zum Betrug, seinen Betrug zum Verrat, seinen Verrat zum Hinterhalt. Dein Mann, ein Monster. Gefährlich wird es erst, wenn du deine Geschichte selbst zu glauben beginnst. Um loszukommen von ihm. Du musst deine Liebe töten, um den Verlust zu verkraften. Eine Liebe, die sich jetzt, wenn du einsam in dein Kissen heulst, als Abhängigkeit herausstellt. Irgendwann beginnst du, nicht mehr ihn, sondern dich selbst zu hassen.

Joëlle kommt zu mir und umarmt mich. Der Trost von Fremden tut gut. Mit Freunden hast du nie dieses Gefühl. Sie kennen dich zu gut. Sie wissen, dass du immer dasselbe Stück aufführst, nur auf einer anderen Bühne, mit anderen Darstellern. Bei Joëlle fühle ich mich aufgehoben. Verstanden und nicht verurteilt. Ihr könnte ich eine neue Geschichte erzählen. Eine andere Version von mir selbst. Eine bessere, mit glücklichem Ende. Wenn ich daran nur glauben könnte.

Der Kellner bringt zwei Hummer an den Tisch. Und eine Flasche Wein. Jetzt spüre ich erst, wie hungrig ich war. Wir beginnen, die Tiere zu zerlegen.

»Wusstest du, wie diese Dinger so groß werden?«, fragt Joëlle.

»Na, sie wachsen eben.«

»Muskeln wachsen, aber so ein Panzer nicht. Dass ist sein Problem. Bei allen anderen Tieren wächst die Haut mit, aber dem Hummer wird der Panzer irgendwann zu klein. Was macht er? Verkriecht sich am Meeresboden unter einem Stein und streift seinen alten Panzer ab. Aber jetzt muss er verdammt aufpassen, denn er ist völlig schutzlos. Ringsherum schwimmen seine Feinde. Also bleibt er in seinem dunklen Versteck sitzen, bis ihm langsam ein neuer, größerer Panzer wächst. Damit kommt er dann wieder raus und schwimmt weiter. Schlaues Tierchen.«

Sie lächelt und zerteilt ihren Hummer. Ich verstehe, was sie mir sagen will. Du musst dich häuten, um zu wachsen. Du brauchst einen Stein, unter den du schlüpfen kannst. Meine Zeit mit Joëlle ist mein Versteck am Meeresgrund. Es gibt Bücher, in die ich mich gerne verkrieche, in denen ich völlig verschwinde, an einem verregneten Sonntag im Bett. Diese Tage in Marsala sind wie ein Buch. Ich lese in meiner Familie. Und wer meine Familie ist, diese Grenzen von »wir« und »die anderen« lösen sich auf; ich fühle mich Fremden näher und Verwandten fremd. Gegenwart und Vergangenheit verweben sich zu einem Teppich aus Geschichten, erzählte, erlebte und vielleicht erfundene.

Ich erinnere mich an ein Abendessen in Berlin, kurz bevor alles aufflog. Gianni und ich in unserer Küche. Wir waren gerade eingezogen in unserer neuen Wohnung, das Traumpaar, während sich Jenny, meine beste Freundin, gerade von ihrem Mann trennte. Ihr quälendes Hin und Her. Sie kam nicht los von ihm, und er nicht von seiner Geliebten. Unser Gespräch darüber, das auf einmal eine absurde Richtung nahm. Mein überraschender Ärger, als Gianni sagte, es sei ein Zeichen von Mut, nicht länger in einer unguten Beziehung zu verharren. Ich hielt dagegen: Es sei viel mutiger, nicht wegzulaufen und stattdessen an der Beziehung zu arbeiten. Die Unversöhnlichkeit unserer Standpunkte, die plötzlich kippende Stimmung. Auf einmal stritten wir uns über die Gefühle von anderen.

Vielleicht hatten wir in Wahrheit beide die gleiche Angst, den anderen zu verlieren, nur unterschiedliche Strategien, den Schmerz zu vermeiden. Er, indem er mehrere Frauen hatte. Immer eine in Reserve. Ich, indem ich Schutzmauern um unsere Beziehung errichtete. Es konnte nur schiefgehen.

»Es gibt Eingeborene in Südamerika, die feiern und tanzen, wenn einer von ihnen stirbt«, sagt Joëlle.

»Ja, und?«

»Dein Mann hat dich beschissen. Jetzt bist du ihn los. Sei dankbar.«

»Danke, lieber Gott, dass ich ein Arschloch geheiratet habe?«
Joëlle lacht.

»Von mir aus war er ein Arschloch. Du hast das Recht, auf ihn sauer zu sein. Du bist so lange sauer, bis sich der Groll in deine Eingeweide frisst. Aber was hilft dir das jetzt?«

Ich muss an meine Großmutter denken. Bis zuletzt trug sie einen Panzer aus Groll um ihr Herz. Warum kehrte mein Großvater nicht zu ihr zurück? Wollte er nicht oder konnte er nicht? Ich kenne meine Großmutter nur als verbitterte, vor ihrer Zeit gealterte Frau. Liebevoll zu mir, sicher, aber einsam und verhärmt. Müsste ich ihr eine Farbe geben, wäre es grau. Sie war mehr als eine Witwe: eine Betrogene. Und doch war sie einmal glücklich gewesen. Warum konnte sie daran nicht anknüpfen, warum machte sie ihr Unglück so sehr an *einem* Mann fest, warum konnte sie nicht einfach neu anfangen? Sie hatte sich in ihrem Unglück eingerichtet, regelrecht verschanzt. Wenn sie seine Liebe nicht haben konnte, dann wenigstens das Mitgefühl der anderen. Das stand ihr zu, das hatte sie sich verdient, durch ihre Entbehrungen. Sie nahm die Rolle an, die er ihr zuwies, und spielte sie mit leidenschaftlicher Überzeugung bis zum Schluss. In einem Land der Täter war sie das Opfer.

Wäre meine Mutter eine andere Frau geworden, wenn sie mit beiden Eltern aufgewachsen wäre? Hätte sie mehr Glück mit den Männern gehabt? Und ich, wo stünde ich jetzt?

17

NOËL

Zwei Dinge erfüllen das Gemüt mit immer neuer und zunehmender Bewunderung und Ehrfurcht: der bestirnte Himmel über mir und das moralische Gesetz in mir.

Immanuel Kant

Moritz stand am Kai, als sie bei strömendem Regen den Lastwagen ausluden. Kameras und Schreibmaschinen genügten nicht mehr, jetzt bekamen sie schweres Gerät für die Propaganda. Moritz fotografierte den sandfarbenen Magirus-Deutz, als er schwerelos am Kran schwebte. Sie hatten Glück, dass die Schiffsladung durchgekommen war. Fast die Hälfte des Nachschubs wurde inzwischen von den Briten versenkt. Panzer, Flugzeuge und junge Männer auf dem Grund des Mittelmeers. Noch am Hafen montierten Moritz und seine Männer den riesigen Lautsprecher auf das Dach des Lastwagens und fuhren über die zerbombten Straßen in die Stadt.

Das Oberkommando hatte die Ausweitung ihrer Einsätze befohlen. Es reichte nicht mehr, Bilder für die Heimat zu produzieren, auch die Herzen und Köpfe vor Ort mussten erobert werden. Am nächsten Morgen rollten sie mit dem Lautsprecherwagen durch Centre Ville und sendeten Radio Tunis Allemande. »*Die Juden sind schuld am Krieg! Die Alliierten bombardieren euch! Sie sind die Freunde der Juden, aber wir sind die Freunde der Muslime! Vive le Bey!*«, brüllte der Lautsprecher über ihren Köpfen, abwechselnd auf Arabisch und Französisch. Niemand von ihnen hatte den Bey je gesehen, der entmachtet in seiner Residenz saß. Niemand von ihnen hatte muslimische Freunde. Aber es ging darum, den Eindruck zu erwecken, als würden die Deutschen den kolonisierten Arabern ihre Freiheit und Würde zurückgeben.

Wenn eine Übertragung auf Arabisch lief, konnte Moritz nur erraten, was den Kameraden im Studio eingefallen war. Da kamen Frauen aus dem Volk zu Wort, die erzählten: »Die Deutschen haben Bonbons an unsere Kinder verteilt!« Oder: »Die Deutschen haben unsere Kinder auf ihren Panzern spielen lassen!« Fünfhundert Francs bekamen sie dafür – hundert Laib Brot. Die Deutschen hatten bei der französischen Notenbank tonnenweise Geldscheine drucken lassen, mit denen sie das Land fluteten. Moritz und seine Kameraden schleppten Dutzende von Lautsprechern auf die Häuserdächer und verkabelten sie mit Radioempfängern. Strategische Punkte in Centre Ville und in der Medina, wo kein Lastwagen hinkam. Zur Gebetszeit lieferten sie sich einen Wettstreit mit den Muezzinen, einer lauter als der andere.

Dann gingen sie zu den Kinobesitzern, meist Juden, mit Filmrollen im Koffer, und zwangen sie, die deutschen Wochenschauen zu zeigen. In einer Sprache, die niemand verstand, doch mehr als Worte zählten die Bilder, die sie in die Köpfe der Menschen setzten. Bei den Briten hatte man abstürzende Messerschmitts gesehen, die Deutschen zeigten abstürzende Spitfires.

Moritz überließ diesen Teil der Arbeit gerne den anderen. Nicht weil er es ablehnte; er hatte einfach kein Interesse daran, Menschen zu überzeugen, etwas anderes zu denken. Er gehörte nicht zu den Leuten, die Gefallen daran fanden, das Gegenüber in einem Streitgespräch niederzuringen. Moritz war ein Beobachter. Er benutzte die Worte nicht, er las sie. Er konnte Botschaften dechiffrieren, die Propaganda gleichsam rückwärts übersetzen, um die Intention herauszulesen und daraus Rückschlüsse auf die Wahrheit zu ziehen. Wenn er ein Foto sah, dachte er über die Abbildung ebenso nach wie das Abgebildete, über das Scharfe ebenso wie das im Unscharfen Gelassene, über das Offensichtliche ebenso wie das Verborgene. Bilder, fand er, konnten genauso lügen wie Worte, aber nicht so laut. Man sah es ihnen nicht gleich an, man verwechselte sie allzu leicht mit der Wirklichkeit. Wenn er eines seiner Bilder sah, staunte er oft selbst, wie sehr sich das Gefühl, das es transportierte, von seiner Stimmung am Ort der Aufnahme unterschied.

In einem Zimmer voller Menschen war Moritz meist der Leiseste. Er sah zu, während andere um die Redehoheit rangen. Wer schweigt, beobachtet besser. Er konnte sich auch Tage danach an jedes Detail im Zimmer erinnern. Der Brieföffner auf dem Tisch, der Sprung in der Wand, der Fleck auf der Hand. Ein Auge, *das* war er. Kein Mund. Er stand im Schatten und sah die im Lichte.

Die Kameraden der Propaganda-Kompanie, die im Lautsprecherwagen durch Tunis fuhren, waren wirklich überzeugt davon, dass am deutschen Wesen die Welt genesen würde. Sie hielten die Araber für minderwertig, ungebildet und unkultiviert. Sie wussten nichts von ihrer Geschichte, und sie kannten ihre Geschichten nicht. Moritz war von Natur aus anders. Er sah sie weder als Freunde noch als Feinde, weder als bessere noch als schlechtere Menschen, sondern begegnete ihnen mit stiller Neugier. Wer wirklich neugierig war, konnte sich nicht über den anderen stellen. Die Besserwisser dieser Welt, die Rechthaber und Wahrheitsverkäufer waren nie neugierig. Sie brauchten dem anderen nicht zu begegnen, sie wussten ja schon alles über ihn. Ein guter Fotograf aber, ebenso wie ein guter Journalist, ging mit offenen Augen durch die Welt. Sein Bild von ihr war nie vollendet, seine Fotos waren ebenso Frage wie Antwort.

Moritz widersetzte sich keinem Befehl, er rebellierte nie. Er hielt einfach instinktiv Abstand zu denen, die alles besser wussten. Während die Lautsprecher ihre Triumphbotschaften durch die Straßen schickten, war Moritz der Einzige, der die Gesichter der Menschen studierte und in ihrer Gleichgültigkeit sich selbst wiederfand. Die gesunde Skepsis derjenigen, die nicht an Versprechungen glaubten, sondern nur an das, was sie sahen.

Moritz war dabei gewesen, als Rommel in Tripolis eintraf. Er hatte seinen Triumphzug durch die Prachtstraße gefilmt. Und gesehen, wie die Panzer an der nächsten Ecke ums Carré fuhren, um noch einmal an der Tribüne vorbeizudefilieren und eine weit größere Armee vorzutäuschen. Rommels Siege beruhten nie auf überlegenen Waffen, sondern auf der Kunst der Täuschung. Die Panzerattrappen in der Wüste, die Volkswagen, die er mit Propeller ausstattete, um den Staub einer imaginären Armada aufzuwirbeln. Der trickreiche Wüstenfuchs. Meistgefilmter General des Deutschen Reichs.

Einmal hatte Moritz ihn in einem seltenen Moment der Verzweiflung fotografiert, als wieder einmal der von Berlin versprochene Nachschub nicht ankam. Als Moritz das Foto nachts in seinem Zelt entwickelte, erkannte er auf Rommels Gesicht, dass er bereits wusste, was er niemandem sagte: Ohne ausreichend Wasser und Benzin würde das Afrika-Korps den Wüstenkrieg gegen die zahlenmäßig überlegenen Engländer nicht gewinnen. Wie sollte ihm jetzt, nach Kriegseintritt der Amerikaner, die Verteidigung Tunesiens gelingen?

Tatsächlich war die Lage in diesem Dezember alles andere als hoffnungsvoll. Es fehlte an Lebensmitteln, Waffen und Treibstoff. Die Bombardements zermürbten die Stadt, niemand schlief nachts durch, weder die Fremden noch die Einheimischen. Es gab Nächte, in denen Moritz zu ersticken glaubte: Wenn er sich die Landkarte rund um das Luxushotel ausmalte, sah er nicht, wie er diesen Krieg überleben sollte. Vom Osten,

Süden und Westen rollten die Feinde auf die Hauptstadt zu; es blieb nur noch der Norden zum Rückzug, aber im Norden war das Meer. Und das Meer, das waren die Briten. Sie saßen in der Falle. Und dennoch glaubten sie ihrer eigenen Propaganda. Einer unbehaglichen Wirklichkeit zogen sie eine imaginäre Welt vor, die sich ihren Vorstellungen unterwarf. Die Kunst der Täuschung wurde zur Falle der Selbsttäuschung.

Kurz vor Weihnachten, am 22. Dezember, hängten die Männer der Propaganda-Kompanie Plakate in den Straßen auf und verkündeten über die Lautsprecher eine Botschaft, die die Menschen aufhorchen ließ. Es ging um Geld. Viel Geld. Der Krieg sei vom internationalen Judentum geplant worden, und die französische, italienische und muslimische Bevölkerung sei das Opfer der alliierten Aggression. Deshalb müsse die jüdische Gemeinschaft unverzüglich zwanzig Millionen Francs als Entschädigung zahlen. Jeder, der durch die kriminellen Bombardements einen Schaden erlitten habe, könne diesen beim Comité du Sécours Immédiat geltend machen. Palais des Sociétés Françaises, Avenue de Paris.

Beim Geld hörte die Freundschaft auf, und in der Not verbündete man sich mit dem Teufel, das wussten die Besatzer nur allzu gut. *Teile und herrsche.* Auf der Avenue de Paris standen die Ausgebombten Schlange, mit den Fotos ihrer zerstörten Häuser in der Hand und Flüchen gegen die Juden auf den Lippen. Endlich hatten sie einen Sündenbock gefunden. In der Kommandantur brachte eine verzweifelte Delegation der Jüdischen Gemeinde einen großen Koffer voller Geldscheine vorbei. Die französischen Banken hatten es ihnen geliehen und als Sicherheit jüdische Immobilen verlangt. Zum Schnäppchenpreis. Es waren die reichen Juden, sonst so argwöhnisch beäugt, die in der Not für ihre Gemeinschaft einstanden.

Weihnachten 1942 war das eigenartigste Fest in der Geschichte des Hotel Majestic. Es gab einen Christbaum – die Deutschen hatten ihn extra einfliegen lassen –, aber kein Wasser. Der letzte Bombenangriff hatte die Leitungen in der Avenue de Paris zerstört, und die Reparaturen zogen sich hin. Die Wehrmacht holte das Wasser in 20-Liter-Kanistern aus den Zisternen der Medina. In der Hotelküche kochten sie es ab, aus Angst vor Keimen. Die meisten Ausfälle hatte das Afrika-Korps nicht durch feindlichen Beschuss, sondern durch Cholera, Typhus und Dünnschiss. Ein halber Liter Wasser pro Mann und Tag, mehr war nicht drin.

Niemand wusch sich, und unter Protest des Schweizer Hoteldirektors plünderten die Offiziere den Weinkeller. Moritz zog sich auf sein Zimmer zurück, um Fanny zu schreiben. Ihre Briefe waren voller Fragen gewesen, ihre Vorstellung von Afrika eine romantische Mädchenphantasie. Sie glaubte, dass die Eingeborenen – so schrieb sie – »Neger« seien, und sah ihren Liebsten in einer Wüstenlandschaft zwischen Löwen und Giraffen. Wie sollte er ihr erklären, dass sie in einer kolonialen Version des Hotel Adlon residierten und er bei Hagenbeck mehr exotische Tiere gesehen hatte als in Tunesien? Er wollte ihr ehrlich antworten, ertappte sich aber dabei, dass er die gleichen Formulierungen benutzte wie in der Wochenschau. *Abriegelung nach Süden. Rücksichtsloser Kampf. Dem Engländer eine Lektion erteilen.* Seine eigene Sprache wurde ihm fremd. Wer da schrieb, war nicht er. Aber wer war er wirklich? Er fand keine angemessene Sprache für das, was in ihm vorging.

Moritz betrachtete sich im Spiegel und kam sich fremd vor. Draußen im Flur grölten Kameraden. Einer riss die Zimmertür auf, setzte sich mit einer Flasche Bordeaux auf sein Bett und erzählte von seiner Frau.

»Die Schlampe. Ist dein Mädel dir treu?«

»Ich glaube, ja.«

»Glückspilz.«

Er war nicht in Ausgehlaune. Es war seine Einsamkeit, die ihn dazu brachte, sich den anderen anzuschließen. Sie füllten den Wein in ihre Feldflaschen und schwärmten aus in die Stadt. Nichts sah nach Weihnachten aus; die Straßen waren verdunkelt und verlassen. Moritz fand sich in einem Haufen von Kameraden, die er nur flüchtig kannte, Verstärkung aus Korsika, gesellige, etwas *zu* gesellige Burschen. Wo das Bordell war, wollten sie wissen.

»In der Medina.«

»Na los, zeig's uns!«

Moritz zögerte.

»Was ist? Haste Schiss, dir'n Tripper zu holen?«

Bordelle waren eine Art Mutprobe in Nordafrika. Die Wehrmacht verteilte Kondome, deutsche Markenprodukte, aber oft waren die Gummis spröde und rissen. Die Angst vor Tropenkrankheiten war größer als die Angst vor den Bomben.

»Nein.«

»Was dann? Bist 'n Verklemmter, was?«

Moritz hatte keine Angst, sich anzustecken. Nein, er hatte ein Versprechen gegeben. Auch wenn die anderen sich über ihn lustig machten, zweitausend Kilometer Entfernung machten seine Verlobung nicht ungültig. War sein Treueversprechen ein letzter Rest von Anstand in unanständigen Zeiten?

Als Moritz und seine Kameraden vor dem *quartier close* ankamen, hatten sich ihnen auch italienische Soldaten angeschlossen. Einer von ihnen war schon dort gewesen und schwärmte von den orientalischen Frauen. »Die Fatmas« nannte er sie. Ohne zu wissen, dass viele von ihnen Jüdinnen waren. Das Bordell lag nur zwei Gassen entfernt von La Hara, dem jüdischen Viertel der Medina. Dort wohnten nicht die europäischen Juden, die Händler, Bankiers und Ärzte, sondern die einheimischen Juden, die Handwerker, Arbeiter und Tagelöhner, in deren großen Familien immer ein Maul zu viel zu stopfen war.

Ein rotes Tor aus rostigem Eisen versperrte den Eingang der Gasse. »*Bienvenu*« stand darauf, und darüber hatte jemand »*Willkomen*« gepinselt. Es stank nach verrottetem Abfall und Pisse. Vor der Tür stapelte sich der Müll, den muslimische Nachbarn dort aus Verachtung hingeworfen hatten. Dürre Katzen huschten vorbei. Die Häuser waren heruntergekommen; feuchte Wände und zerbrochene Fenster. Hier lebten Diebe, Gesindel und Drogenabhängige. Schattengestalten mit schlechten Zähnen und hungrigen Augen, die der SS für ein paar *sous* als Spitzel dienten. Der Italiener klopfte an das Tor, und eine alte Araberin öffnete ihnen. Sie sah ihnen nicht ins Gesicht. Ihre misstrauischen Augen suchten die dunkle Gasse hinter ihnen ab.

»*Solo quattro*«, sagte sie.

Der Italiener übersetzte es den Deutschen. Nur vier. Sie diskutierten, zählten ab, und der Italiener nahm drei von ihnen mit nach drinnen. Moritz und zwei andere mussten vor dem Tor warten, bis sie dran waren, die Stiefel im Dreck, die Hände griffbereit an ihren Pistolen.

Vielleicht war es Moritz ganz recht. Vielleicht musste man ihm glauben, wenn er später sagen würde, er sei nur wegen der anderen mitgegangen. Er habe nur am Rande gestanden. Alle Soldaten gingen in den Puff, wohin sonst; nur dass die meisten nie davon erzählten und sich deshalb nie rechtfertigen mussten. Sie kehrten nach dem Krieg einfach zurück zu ihren Frauen und wurden gute Väter.

»Scheißweihnachten«, fluchte einer der drei Soldaten und trat nach einer Katze, die im Müll wühlte.

Victor hatte von Anfang an nicht in diese Gegend gewollt. Werfen wir das Ding einfach ins Meer, hatte er gesagt. Aber seine Freunde wollten den Lautsprecher zu Geld machen. Gute deutsche Wertarbeit. Einer der beiden, Serge, war Händler in La Hara. So einer wirft einen Lautsprecher nicht einfach weg. Auch wenn es heiße Ware ist. Es gibt immer einen Käufer. Zu dritt trugen sie das verfluchte Ding durch die Gassen. Sie hatten ihn vom Dach der Schule in La Hara, auf das die Deutschen ihn gestellt hatten, abmontiert. Trotz Ausgangssperre. Weihnachten lenkte ab, keine Patrouille kam ins Viertel. Es wäre ein Leichtes für Victor gewesen, unerkannt zurück zu Latifs Haus zu gelangen. Wenn Serge nicht gewesen wäre. Der war mutig, aber völlig unerfahren im Widerstand. Wie alle.

Serge, Haim und Victor kannten sich von den jüdischen Pfadfindern; sie konnten mit Messern und Seilen umgehen, sie waren kräftiger als die Jungs, die nur in der Yeshiva saßen und die Thora auswendig lernten. Aber keiner von ihnen war beim Militär gewesen, weder bei den Franzosen noch den Italienern. Haim wegen seiner tunesischen Nationalität, Victor, weil er sich ein Attest besorgt hatte, und Serge, weil er wusste, wen man bestechen musste. Nur fünf Minuten, sagte er, ich kenne da einen, der interessiert sich für solche Sachen, er wohnt nicht weit, und wir teilen das Geld durch drei. Das lassen wir uns doch nicht durch die Lappen gehen, oder?

Der Schwarzhändler wohnte am Rande des *quartier close,* in den engen Gassen der Gauner, wo es keine Laternen gab und keine Gendarmen. Sie rutschten mehrmals im Dreck aus, fluchten, rissen einen Witz und schleppten ihre Beute weiter. Serge klopfte an die Tür des Hehlers, und sie trugen den Lautsprecher ins Haus. Victor und Haim gingen zurück vor die Tür und warteten. Es war beängstigend still. Zwischen den dunklen Mauern ging ein leichter Nieselregen herunter. Dann kam Serge heraus.

Er grinste und verteilte die zerknitterten Geldscheine an seine Freunde. Das feiern wir jetzt, sagte Haim. Ich weiß, wo, sagte Serge.

Als sich die Soldaten aus dem Schatten vor dem roten Tor lösten, war es schon zu spät. Victor und seine Freunde hatten sie in der Dunkelheit nicht gesehen.

»Halt, stehenbleiben!«

Einer entsicherte die Waffe. Die drei erstarrten. Wenn sie jetzt wegliefen, hätten sie eine Kugel im Rücken. Die Deutschen kamen auf sie zu. Ebenfalls drei an der Zahl, ihre Gesichter im Dunkeln nicht zu erkennen.

»Hände hoch! An die Wand!« Einer der Soldaten stieß sie brutal gegen die Hausmauer. Ein anderer durchsuchte ihre Taschen.

»Was macht ihr hier? Es ist Ausgangssperre!«

Sie verstanden kein Deutsch.

»*Italiani!*«, rief Victor, in der Hoffnung, so zu entkommen. Wenn sie als Juden aufflogen, waren sie Deserteure, die sich der Zwangsarbeit entzogen. Darauf stand die Todesstrafe.

Einer der drei Soldaten sprach Italienisch.

»*Carte d'identità!*«

Sie schüttelten den Kopf.

»*Nome?*«

Das war die Gretchenfrage. Die Namen verrieten die Juden.

»Vittorio.«

»Luigi Fantozzi.«

»Antonio Cristiano.«

Dann fand einer der Soldaten die verfluchte Karte in Haims Hosentasche. Die Jahreskarte des Cinéma Colisée. Haim liebte Filme, und eine Jahreskarte sparte Geld. Seinen Ausweis hatte er bewusst nicht mitgenommen. Aber die Kinokarte hatte er schlicht vergessen.

»Haim Lellouche?«

»*Italiano.*«

»Haim?« Die Deutschen lachten.

»Willst du uns verarschen?«

Niemand sagte ein Wort.

»Was heißt Jude auf Italienisch?«

»*Ebreo*«, sagte Moritz.

»*Tu sei ebreo?*«

Haim schüttelte den Kopf, aber er wusste, dass er keine Chance hatte. Der Soldat brüllte ihm etwas ins Ohr. Warum zum Teufel er nicht beim Arbeitsdienst war. Der andere Soldat stieß ihm das Knie in den Bauch. Haim ging zu Boden. Moritz stand daneben, ohne einzugreifen. Dann knöpften sie sich Victor und Serge vor.

»Warte mal«, sagte Moritz. »Ich kenn dich doch.«

»Nein.«

»Du bist doch Vittorio. Der Sänger.«

Victor suchte fieberhaft nach einer Ausrede.

»Lili Marleen, weißt du noch?«

Victor starrte ihn wie gelähmt an.

»Kennst du den?«

»Der ist Italiener.«

»Name?«

»Vittorio.«

»Nachname? *Nome di famiglia!*«

Victor schwieg.

»Bist du Jude? *Ebreo?*«

Dass war der Moment, wo Victors Sicherung durchbrannte. Er stieß den Soldaten, der ihn gegen die Mauer presste, von sich und rannte weg. Ein Schuss fiel. Victor hörte die Kugel an seinem Ohr vorbeipfeifen und in die Mauer einschlagen. Er lief um die Ecke. Die Deutschen hinterher. Victor glitt auf dem schmierigen Pflaster aus, stolperte, stürzte, stand wieder auf und rannte. Nicht aus der Medina heraus, wo die Straßen breiter wurden und Laternen brannten, sondern tiefer hinein ins Labyrinth, Dort kannte er die Wege, sie nicht. Ihr Gebrüll hallte durch die Gasse. Sie schossen. Wenn sie ihn erwischten, würden sie kurzen Prozess machen. Victor floh in eine dunkle Seitengasse und presste sich in den Eingang eines Magazins. Er hörte seinen Herzschlag in den Ohren pumpen, und dann: die Stiefel der Soldaten auf dem Pflaster. Sie kamen schnell näher ... und rannten vorbei. Victor löste sich aus dem Schatten, kletterte auf das Blechdach über der Gasse und fand, von Dach zu Dach springend, den Weg zu Latifs Haus.

Mimi war so wütend, dass sie die Fassung verlor. Er habe es doch nur für Papà gemacht, verteidigte sich Victor. Um ihn zu rächen. Mimi schrie, es würde Papà nicht aus dem Gefängnis befreien, wenn ihr Sohn tot in der Gasse läge! Hätte Yasmina sie nicht zurückgehalten, hätte sie Victor geschlagen.

Später saß Yasmina mit Victor vor dem kalten Ofen in der Küche, in Decken gehüllt. Latif kam herein. Man sah ihm sofort seine ernste Miene an.

»Du kannst nicht mehr zurück ins Majestic«, sagte er.

»Ich weiß.«

»Und du auch nicht, Yasmina.«

Erst jetzt begriff sie, dass sie mit drinhing.

»Morgen werden sie alles über Victor wissen wollen. Und ich kann es nicht verhindern. Sie haben Listen. Sie kontrollieren das Bevölkerungsregister. Und wenn die Deutschen etwas tun, dann tun sie es gründlich.«

»Aber sie schicken keine Frauen ins Arbeitslager«, sagte Yasmina.

»Bei Allah, niemand weiß, was sie mit dir machen würden, um deinen Bruder zu finden. Nein, du bleibst ab jetzt hier.«

»Er hat recht«, sagte Victor niedergeschlagen. Weder er noch

Yasmina sprachen aus, was sie beide dachten: Wer sollte jetzt die Familie ernähren?

»Ihr seid meine Gäste, solange ihr wollt«, versicherte Latif.

»Danke«, sagte Victor. »Aber wenn sie mich jetzt suchen ... wer weiß, wer unser Versteck verrät. Ich möchte nicht, dass dir etwas geschieht. Sie haben uns zusammen gesehen. Sie wissen, dass wir Freunde sind.«

Yasmina hatte Victor noch nie so verzweifelt gesehen. Er hatte sich nie Sorgen um sich selbst gemacht. Aber er schämte sich dafür, die anderen mit hineingezogen zu haben.

»Morgen gehen wir«, sagte er.

»Und wo wollt ihr schlafen? Auf der Straße? Nein, macht euch keine Sorgen, ich finde eine Lösung.«

»Latif, ich danke dir, aber ...«

»Das sind Barbaren. Sie werden uns nicht besiegen. Sie haben Waffen, aber wir sind stärker. Wir brauchen nur Geduld. Früher oder später hauen sie wieder ab, *inshallah*. Gott ist barmherzig.«

Woher Latif sein Vertrauen nahm, wusste Yasmina nicht. Sie bewunderte ihn dafür. Am Ende der Nacht sah sie ihn im Innenhof sein Gebet verrichten. Vielleicht war es das, was ihm Halt gab, dachte Yasmina. Jeder brauchte irgendetwas, das größer war als er selbst, um jetzt nicht den Mut zu verlieren. Irgendetwas, das diese Zeit überdauerte. Für Papà war es der Glaube an die Vernunft, die Wissenschaft, den Fortschritt. Für Latif war es Allah. Was war es für sie? Gerne hätte sie die Fähigkeit gehabt, sich so vertrauensvoll auf ihren Gott zu verlassen. Aber wenn sie ehrlich zu sich selbst war, konnte sie das nicht. Es war nicht ihr Kopf, sondern ihr Herz, dem der sichere Boden fehlte. Seit sie Papà mitgenommen hatten, fühlte sie sich wieder wie das Waisenkind in der Mission Française. Die Mönche hatten ihren Gott, aber was hilft ein Gott, wenn du keine Eltern hast?

Am nächsten Tag, als Yasmina das Mittagessen ins Gefängnis brachte, erzählte sie Papà von Victor. Insgeheim hoffte sie, es würde ihn versöhnen oder zumindest mit etwas Stolz erfüllen. Aber Albert schwieg. Er nahm den Blechtopf und sagte zum Abschied leise: »Er tut der Gemeinschaft keinen Gefallen. Je mehr wir sie reizen, desto brutaler behandeln sie uns. Die Kugel, die ihn verfehlt hat, wird einen anderen treffen.«

Beim Abendessen berichtete Latif bedrückt, dass die SS das gesamte Personal des Majestic verhört hatte. Die zwei Jüdinnen, die inkognito in der Wäscherei gearbeitet hatten, waren entlassen und die Häuser ihrer Familien durchsucht worden. Latifs Augenbraue war aufgeplatzt und blutverkrustet. Sie hatten ihn geschlagen. Aber er hatte dichtgehalten.

Victor kochte vor Wut. Doch darunter lag noch ein tieferes Gefühl: die Schuld an der Demütigung, die Latif seinetwegen hatte erleiden müssen. Mimi weinte und bat Latif um Verzeihung. Yasmina suchte in den Augen von Khadija, die schwieg, nach Anzeichen dafür, dass sie ihrem Mann die Freundlichkeit gegenüber den Fremden verübelte. Ihre Gastgeber würden es nie offen sagen, doch schon eine kleine nicht geschenkte Geste, ein kleines nicht gesagtes Wort könnte bedeuten, dass sie hier nicht mehr wohl gelitten waren. Nicht mehr sicher.

Yasmina musste daran denken, was Papà ihr einmal gesagt hatte, als sie mit ihm zum ersten Mal in die Synagoge gegangen war und er ihr die große Schriftrolle mit den handgeschriebenen hebräischen Lettern gezeigt hatte: Vor fast fünfhundert Jahren haben unsere Vorfahren sie aus Andalusien hierhergebracht, als die Christen Spanien zurückeroberten. Bei der Reconquista gingen die Juden lieber mit den Muslimen nach Nordafrika, weil sie sich unter ihnen sicherer fühlten. In Europa wussten sie nie, ob sie von heute auf morgen vertrieben wurden; unter den Arabern waren sie sicher, solange sie ihre Schutzsteuer zahlten. Außerdem waren die Kulturen sich näher. Hebräisch und Arabisch waren beide semitische Sprachen. Koscher war die Schwester von halal. Wenn ein Jude keine Jüdin heiratete – und natürlich gab es das; sieh dir an, wie verschieden wir aussehen! –, wählte er lieber eine Muslima als eine Christin, denn sie kochte wie die eigene Mutter. Doch erst vor hundert Jahren hatte der Bey die Juden allen anderen Gemeinschaften rechtlich gleichgestellt. Und so wie die Schwarzen in ihrer Seele noch die unsichtbaren Ketten der Sklaverei trugen, sagte Papà, sei es uns in Fleisch und Blut übergegangen, die ewigen Fremden zu sein. Geduldet, geschätzt, vielleicht sogar geliebt, doch nie so fest verwurzelt wie die anderen. Unsere Wurzeln reichten nicht in den Boden, sondern in den Himmel.

Mimi stand auf. »Danke für die Gastfreundschaft. Gott segne euch, aber für uns wird es jetzt Zeit zu gehen.«

»Setzen Sie sich, Madame Sarfati«, sagte Latif. »Ich habe mein Wort gegeben, euch zu schützen.«

»Dein Wort in allen Ehren«, sagte Victor. »Aber was wir jetzt brauchen, sind nicht Worte, sondern Waffen.«

»Sie werden jedes Haus durchsuchen«, sagte Khadija. Yasmina fragte sich, ob sie wollte, dass sie verschwanden. Victor stand auf.

»Wohin wollt ihr denn gehen? Sie sind überall.«

Latif stand auf, um Mimi am Gehen zu hindern. Setzen Sie sich, Madame, bitte.«

»Madame Sarfati«, sagte Khadija. »Ihr Mann braucht Sie hier.«

Dann heulten die Sirenen. Die Bomber kamen zurück.

Sie verbrachten die Nacht im Innenhof, unter freiem Himmel. Wenn das Haus einstürzte, würden sie nicht unter den Mauern begraben werden. In Decken gehüllt, tranken sie Kaffee mit Kardamom, wärmten sich gegenseitig und blickten in das kleine Stück Himmel über ihren Köpfen. Die kalten Sterne und das Brummen der Motoren. Unsichtbare Hornissen in der Nacht. Zu hoch für die kreuzenden Flakscheinwerfer. Wohin die Bomben fielen, war ein Spiel des Zufalls. Heute kamen die Detonationen aus der Richtung des Hafens. Piccola Sicilia. Yasmina dachte an die Deutschen, die in ihren Betten schliefen, und wünschte sich, eine Bombe möge ihr Haus treffen.

18

Von nun an schliefen sie immer in ihren Kleidern, um sofort übers Dach fliehen zu können, falls die Deutschen kamen. Die Medina, in deren Schoß sie Zuflucht gefunden hatten, fühlte sich jetzt an wie eine Falle. Nachts, wenn sie im Salon um das Radio herumsaßen, konnten selbst de Gaulles patriotische Appelle auf der BBC nichts gegen die schlechten Nachrichten ausrichten: Die amerikanischen Panzer versanken im Schlamm, die Briten waren noch nicht einmal in Tripolis, und überall im Land bauten die Deutschen und Italiener ihre Stellungen aus. Alle Küstenstädte, Hammamet, Sousse und Sfax, waren fest in ihrer Hand. Rommels Mythos überstrahlte alles. Die Menschen glaubten, dass die Achsenmächte gewinnen würden.

Mimi zählte das Geld. Wie lange würde es noch reichen? Wie lange würden sie Papà im Gefängnis behalten? Was würde mit den Juden passieren, wenn die Deutschen siegten? Was geschah in den deutschen Lagern, aus denen noch nie jemand zurückgekommen war? Der Tod zog durch die Gassen und klopfte an die Türen. Misstrauen schlich sich in die Herzen, Winterkälte kroch ins Haus. Die Hoffnung verschwand wie eine kranke Katze, die sich zum Sterben in eine Ecke zurückzog. Man wusste nicht mehr, ob der Gruß auf der Straße, *salamu aleikum, barrakallahu fik*, echt gemeint war oder ob sich dahinter das Gift verbarg, das sich immer mehr ausbreitete. Nicht überall war der Hass schamlos, noch rief Yasmina niemand auf der Straße ein böses Wort hinterher. Aber schlimmer als böse Worte noch war das Schweigen der anderen, die Unsicherheit, was sie wirklich über dich dachten. Und ob sie dich, wenn die Deutschen in unsere Häuser kämen, verraten oder schützen würden.

Offenen Protest wagte niemand, nicht einmal die Juden selbst. Es wäre das Todesurteil gewesen. Solange die älteren Männer in Geiselhaft waren, würden die Jungen nicht ihr eigenes Leben aufs Spiel setzen, sondern das ihrer Eltern. Und Eltern waren heilig.

Was unglaublich guttat, waren kleine Gesten der Nachbarn – nicht der Juden, sondern der Muslime und Christen: ein freundliches Wort, ein Lächeln, eine Extraschaufel Mandeln vom Händler auf dem Markt. Ein heimliches Zeichen, das sagte: *Ihr seid nicht allein.* Wenn jemand in Friedenszeiten freundlich zu dir war, bedeutete das in Wahrheit nichts. Was wirklich zählte, war die Solidarität von Fremden in Zeiten des Krieges. Wenn Gott tatsächlich der letzte Richter war, würde er nicht darauf schauen, was du getan hast, als es dich nichts kostete, sondern wie stark deine Menschlichkeit im Angesicht des Unmenschlichen war.

Natürlich hatte jeder eine Meinung zur Politik. Aber nur wenige hatten eine Haltung. Eine Meinung zu haben war einfach; man konnte auf dem Markt darüber schimpfen wie über das Wetter, so wie der Gemüsehändler, der, je nachdem, wer gerade bei ihm einkaufte, die Franzosen »Hunde« oder »meine geliebten Freunde« nannte. Eine Haltung zu zeigen erforderte jedoch Freiheit – ein Luxus, den die Armen sich nicht leisten konnten. Die Deutschen wussten genau, wen sie mit ein paar Francs ködern konnten, ihnen durch das Dickicht der alten Viertel den Weg zu den jüdischen Häusern zu zeigen und ihre Nachbarn zu verraten. Meist waren es *voyous*, Diebe und Gesindel, von denen nie Gutes gekommen war. Manchmal aber waren es auch gutsituierte Bürger oder Nachbarn, die immer freundlich gegrüßt hatten, und jetzt die Allianzen wechselten. Von ihnen war nicht zu erwarten, dass sie den Ertrinkenden ein rettendes Seil zuwarfen. Sie hatten nicht einmal etwas gegen Juden, nein, sie hatten es einfach satt, von den Franzosen beherrscht zu werden, und glaubten der deutschen Propaganda, die ihnen versprach, sie von den verhassten Kolonialherren zu befreien.

Wenn der letzte Vorrat an Hoffnung schwindet, bleibt nur noch die Erinnerung als Nahrung für die Seele. Manchmal saßen Yasmina und Victor im Schutz der Nacht auf dem Dach, fast wie früher, in Decken gehüllt, und erzählten sich die Geschichten aus ihrer Kindheit in Piccola Sicilia. Wie Yasmina damals schon am liebsten auf die Hochzeiten der arabischen Nachbarn ging, weil man dort am ausgelassensten tanzen konnte. Nicht wie auf den Hochzeiten der Europäer, zu denen Papà und Mamma sich zählten, wo die Damen meist etwas steif auftraten, in der Kunst der Konversation wetteiferten und in der Hitze reihenweise in Ohnmacht fielen. Yasmina fühlte sich immer unterlegen, wenn sie über die neuesten Romane und Filme aus Frankreich parlierten. Bei den Araberinnen in ihren weiten Kleidern, die sich in der Alltagssprache unterhielten, über ihre Kinder, den Milchpreis oder einen Zauber, um untreue Männer zu verhexen, konnte Yasmina sich entspannen. Hier wurde sie nicht beurteilt.

Immer wartete sie auf den Moment, wenn die Frauen, die beim Essen noch träge herumgesessen hatten, sich auf erstaunliche Weise verwandelten, sobald ein Sänger auf die Bühne trat, zusammen mit einem Trommler und einem Oud-Spieler. Wenn diese Männer mit Pomade im Haar und Yasminblüte hinterm Ohr ihre Schmachtfetzen zum Besten gaben, sprangen alle von ihren Tischen auf, Mädchen, Mütter und Großmütter, und tanzten, als wären sie zu nichts anderem geboren, bis spät in die Sommernacht.

Yasmina liebte die arabische Musik, die man anders als die

europäischen Chansons nicht hören konnte, ohne instinktiv die Hüften zu bewegen. Sie lernte von den Araberinnen, dass es beim Tanz nicht um die Schritte ging, sondern um den Rhythmus im ganzen Körper, der von innen heraus entstand und die Schritte von allein nach sich zog. Sie lernte, den Takt der Trommel erst in den Hüften aufzunehmen, dann in die Schultern und schließlich aus den Händen fließen zu lassen. Sie lernte, ihre Arme weit auszubreiten und wie Schlangen zu bewegen, den Raum einzunehmen, sich zu zeigen und es zu genießen, gesehen zu werden.

Yasmina liebte das Tanzen so sehr, dass sie sich selbst auf Hochzeiten einschlich, zu denen sie nicht eingeladen war; immer unter Victors Deckung, damit die Eltern nichts davon mitbekamen. Und dann gab es die Hochzeit, auf der Victor zum ersten Mal als Sänger auftrat und Yasmina dazu tanzte. Sie hatte nicht vergessen, wie sich dabei ihre Blicke kreuzten, wie seine Augen auf einmal ihren ganzen Körper erfassten, wie sie zuerst ein Gefühl der Scham empfand, aber sich dann, von der Musik getragen, weiterbewegte und auf erregende Weise genoss, sich ihm zu zeigen. An der Art, wie sein Blick sich veränderte und auf ihren Bewegungen ruhen blieb, konnte sie erkennen, dass es ihm genauso sehr gefiel wie ihr.

»Weißt du das noch, Victor?«

»Ja.«

»Und wie Mamma auf einmal reinplatzte und mich an den Ohren wegzog?«

Victor musste schmunzeln. »Du warst höchstens zehn Jahre alt.«

»Ich vermisse es. Wenn der Krieg aus ist, gehen wir auf eine arabische Hochzeit, du und ich, irgendeine; wir schmuggeln uns rein, wie früher.«

»Ja, *farfalla*. Es ist spät, du musst jetzt schlafen.«

Victor stand auf.

Als Yasmina im Bett lag, hörte sie, wie er nebenan sein Zimmer verließ, durch den Hof ging und nach draußen verschwand. Sie stand leise auf und roch den Rest seines Dufts, der im Hof zurückgeblieben war. Den Trost, den sie in ihren Erinnerungen fand, suchte er bei seinen Frauen.

Wenn die Erinnerungen ausgingen, blieben Yasmina nur noch die Träume. Eigenartigerweise hatte sie keine Albträume in diesen Winternächten. Der Albtraum, das waren die Tage. Erst wenn Yasmina nachts die Augen schließen konnte, war sie sicher. Das Einschlafen fiel ihr schwer, aber das Aufwachen war der schönste Moment des Tages: Die zeitlosen Sekunden zwischen Traum und Wirklichkeit, kurz bevor sie Yasmina war, wenn noch keine Gedanken die Stille störten. Der Geist als reiner See, unschuldig wie in der Kindheit, ein süßes Nichts, unendlich frei, bevor die dissonante Erinnerung an das kam, was gestern war und heute auf sie wartete ... und mit dem ersten Gedanken sich wieder die Angst einnistete. Ein kurzer Kampf dagegen, um in der Stille und Schönheit zu verweilen, den sie immer wieder verlor. Nach wenigen Sekunden umfing sie die Wucht der Wirklichkeit, und mit den Gedanken strömten die schrecklichen Gefühle durch ihren Körper, war sie wieder eine Gefangene der Realität.

Yasmina zehrte von ihren Träumen wie andere von Fleisch und Brot. Sie hungerte nach der Weite ihrer Seele. Eine umgestülpte Welt; das Innere war außen und das Äußere innen. Die Schrecken des Tages waren verborgen und die Süße der Kindheit war mit Händen zu greifen. Sie träumte vom Jasminbusch im Kloster, von den Bougainvilleen und dem Oleander, sie lief über weite Felder auf ihren Vater zu, und er breitete seine Arme aus, um sie aufzufangen. Hier war er unversehrt und kräftig, hier schlug sein Herz frei, hier war ein anderes Land, ohne Regen und ohne

Soldaten, in dem sie bis zum Meer laufen und niemand sie aufhalten konnte.

Yasmina ging immer früher ins Bett, um sich in der anderen Welt zu verlieren. Sie sehnte sich nach ihr, so wie andere sich nach einem Stück Schokolade sehnen. Sie wurde süchtig danach. Im Traum lud sich ihre Seele mit der Schönheit der Innenwelt auf, um die Hässlichkeit der Außenwelt zu ertragen. Und dann begann sie damit, morgens die süßen Sekunden zwischen Traum und Wirklichkeit auszudehnen, jedes Mal ein wenig mehr; das Bett wie ein Kokon, die Fensterläden geschlossen, die Stimmen auf der Straße weit weg. Es gelang ihr, die Augen geschlossen zu halten, und obwohl sie wusste, dass sie wach war, die Bilder des Traumes festzuhalten, sie in die Wirklichkeit hineinzuretten und mit dieser Wegzehrung in den Tag zu gehen.

Mimi fand ihren Trost im Gebet. Jeden Tag, nachdem sie Albert das Essen ins Gefängnis gebracht hatte, ging sie in die Synagoge und sprach ein *Schma Jisrael*. Aber welcher Gott, fragte Yasmina, konnte all das zulassen? Es war Unrecht, nichts als himmelschreiendes Unrecht. Was hatten sie getan, um in Ungnade zu fallen? Sie stellte sich vor, wie Papà in seiner Zelle saß, wie die Männer auch dort ihre Gebete flüsterten, wie die Gefängniswärter das Licht löschten, wie Papà im Dunkeln wach lag, ohne seine Bücher lesen zu können, während neben ihm einer im Schlaf schrie. Aber niemand kam, um sie zu befreien.

Latif und Khadija lebten von den Geschichten, die in der Medina kursierten. Während die Mägen knurrten, gaben sie dem Herzen Nahrung. Was uns von den Tieren unterscheidet, sagte Latif, ist, dass sie zwar ihre Sprache haben, aber keine Geschichten. Und was uns von den Nazis unterscheidet, ist, dass ihre Geschichten keinen Humor haben.

Eines Abends erzählte Latif, was im Palast des Bey geschehen war: Rauff und seine Offiziere wollten Listen vom Bey. Die Namen aller Juden in der Verwaltung. Der Bey nickte, stand auf und sagte: »Ich muss meinen Vater fragen.« Er ging ins Nebenzimmer, wo zufällig sein Freund und Fotograf saß, der alte Victor Sebag. Weder kannten ihn die Nazis, noch wussten sie, dass er Jude war. Der Bey schloss die Tür, redete mit seinem Freund über das Wetter, dann kam er zurück zu den wartenden Deutschen und sagte freundlich: »Mein Vater möchte das nicht.« Rauff bekam einen Wutanfall, musste aber unverrichteter Dinge wieder abziehen.

Die Deutschen verbannten den Bey aus der Stadt, und er antwortete darauf, indem er zwei neue Leibärzte ernannte: Roger Nataf und Ben Moussa. Beide waren Juden. Es waren kleine Zeichen, sie retteten kein Menschenleben, aber es waren Gesten der Würde, stille Botschaften des entmachteten Königs an sein Volk.

Yasmina hielt sich an Victors Optimismus fest, da ihr eigener aufgebraucht war. Doch je öfter sie seine Nähe suchte, desto mehr mied Victor sie. Manchmal schlief er nicht einmal im Haus. Yasmina starb fast vor Sorge um ihn und blieb wach, bis er morgens, als die Ausgangssperre aufgehoben wurde, wieder nach Hause kam. Niemand, nicht einmal Mamma, konnte ihn daran hindern, sich der Gefahr auszusetzen, gefasst und deportiert zu werden. Er sagte, dass er Arbeit suche, in den italienischen Theatern und Musikcafés. Aber Yasmina wusste zu gut, dass er seine Nächte in den Armen seiner Frauen verbrachte. Sie hatten nicht aufgehört, ihn zu lieben, vielleicht würden sie ihn auch verstecken, doch in diesen Tagen konnte selbst Victor sich nicht sicher sein, ob ein eifersüchtiger Ehemann ihn nicht verraten würde. Mag sein, dachte Yasmina im Stillen, dass es die Liebe der vielen Frauen war, die ihn immun gegen die Angst machte. Aber war das wirklich Liebe? Die schiere Anzahl seiner Liebhaberinnen wiegte Victor in Sicherheit, aber Yasmina hielt gerade das für seine Achillesferse. Keine einzige dieser Frauen würde ihr Leben für ihn geben. Die gefährlichsten Lügen sind die, die man sich selbst erzählt.

Den Verräter bekam Yasmina nie zu Gesicht. Nur die Verräterin des Verräters. Der Muezzin rief gerade zum Abendgebet, es war kurz vor Beginn der Ausgangssperre. Die Frauen waren in der Küche zusammengekommen, um das Abendessen zu kochen, als es an der Tür klopfte. Es war Latifs Schwägerin, in einen weiten Schleier gehüllt.

»Schnell, ihr müsst fliehen!«, flüsterte sie. »Jemand hat euch verraten.«

»Wer?«

»Frag nicht. Macht schnell, die Deutschen sind gleich hier!«

»Wo ist Victor?«, fragte Mimi.

Er war noch nicht zurückgekehrt. Von wo auch immer. Zeit, ihre Sachen zu verstecken, blieb nicht mehr. Hastig warfen Mimi und Yasmina sich zwei Schleier um, die Khadija ihnen brachte, und liefen mit Latifs Schwägerin aus dem Haus. Erst draußen bemerkte Yasmina, dass sie nicht einmal Schuhe trug. Das Pflaster war kalt und feucht. Mimi nahm sie an der Hand, und in ihrem unerbittlichen Griff spürte Yasmina die Angst. Nicht um sich selbst, sondern um die Tochter. Sie suchten sich immer die jungen Frauen heraus. Die Geschichten wurden in der ganzen Stadt erzählt, natürlich nur unter vorgehaltener Hand. Die Familien der Opfer sprachen nicht darüber, denn die Schande, keine Jungfrau mehr zu sein und keinen Mann mehr zu finden, wog schwerer als das Erlittene. Kein Vergewaltiger wurde je gefasst.

Yasmina und ihre Mutter wussten nicht einmal den Namen von Latifs Schwägerin. Sie vertrauten ihr Leben einer Unbekannten an.

»Schnell, hier rein!«

Die Frau führte sie durch eine alte, grün-rot umrahmte Holztür. Das Hammam des Viertels. Feuchte Wärme und der Geruch von Seife empfing sie. Türkis getünchte Wände und gedämpfte Frauenstimmen. Dieses Hammam hatte keine getrennten Becken für Muslime und Juden; es war nur ein kleines Bad, in dem die Muslime ihre Waschungen für die gegenüberliegende Moschee verrichteten. Gerade war die Stunde der Frauen. Sie zogen sich aus, die Nacktheit als Schutz, und gingen ins Innere. Der Wasserdampf umfing sie wie ein warmer Mantel. Sie setzten sich auf die heiße Marmorbank; eine Alte mit schiefen Zähnen reichte ihnen Tücher und Eimer, niemand fragte nach ihrem Namen. Nackt sind wir doch alle gleich, dachte Yasmina.

»Wo ist Victor?«, flüsterte Mimi.

»Ich weiß es nicht.«

Yasmina hoffte, er würde heute nicht nach Hause kommen und den Deutschen in die Arme laufen.

»Ich habe Angst um ihn, Mamma.«

Latifs Schwägerin setzte sich zu ihnen. »Es tut mir leid. Es gibt schreckliche Menschen.«

Mehr sagte sie nicht.

»Gott segne dich«, antwortete Mimi.

Als die Frauen zum Nachtgebet das Hammam verließen, blieben Yasmina und ihre Mutter dort. Während die Räume langsam abkühlten, rollte die alte Besitzerin ihnen zwei Strohmatten aus. Sie sagte nicht viel und fragte nichts. Je weniger sie wusste, desto besser für sie. Latifs Schwägerin versprach, sie morgen abzuholen. Dann hörten sie, wie die Besitzerin die schwere Tür verschloss. Yasmina brauchte lang, um einzuschlafen. Sie dachte an Victor. Ringsherum fielen Tropfen von der Kuppeldecke, von draußen drang kein Geräusch herein, Dunkelheit umfing sie. Ein Kokon aus schwindender Wärme. Als sie morgens aufwachten, zitterten sie in ihren klammen Kleidern.

Latifs Haus war schrecklich verwüstet. Die Deutschen hatten alles auf den Kopf gestellt und, wütend darüber, nur die zurückgelassenen Kleider der Juden gefunden zu haben, die Einrichtung zertrümmert. Zerbrochenes Porzellan und Familienfotos auf dem Boden. Überall Glasscherben. Es tat Yasmina in der Seele weh, Latifs Mutter zu sehen, die schweigend die Fotos ihrer Liebsten aufsammelte.

»Albert wird euch alles ersetzen, wenn er wieder frei ist«, sagte Mimi.

»*Inshallah*«, sagte Latif, ohne sie anzusehen. Er wusste, dass Albert dazu nicht in der Lage sein würde, denn die Soldaten hatten auch das Magazin geplündert. Auf der Suche nach Lebensmitteln, die immer rar waren, hatten sie Mimis versteckten Schmuck gefunden und mitgenommen. Latif wollte sich ihnen noch in den Weg stellen, aber einer der Soldaten hatte ihn mit einem Gewehrkolben niedergeschlagen. Als er es Mimi gestand, schwieg sie. Latif war untröstlich und entschuldigte sich bei ihr, sein Versprechen nicht eingehalten zu haben. Yasmina stand daneben und hatte Angst, dass ihre Mutter zusammenbrechen würde. Der Schmuck bedeutete ihr alles. Er war ihre Mitgift, ihre Lebensversicherung. Doch dann sagte sie etwas, das Yasmina überraschte.

»Ich hab ihn eh nie getragen.«

Und damit war die Angelegenheit für sie beendet. Sie half Khadija und der Großmutter, das Haus aufzuräumen.

»Werden sie dich weiter im Majestic arbeiten lassen?«, fragte Yasmina Latif.

»Wer soll mich ersetzen? Mach dir keine Sorgen um mich. Aber sie werden wiederkommen. Sie sind wie Wölfe, die Blut geleckt haben.«

In diesem Moment klopfte es an die Tür. Dreimal, das Zeichen der Familie. Es war Victor. Die ungekämmten Haare fielen ihm in die Stirn.

»*Porca puttana*«, zischte er, als er die Verwüstung sah.

Mimi ging unvermittelt auf ihn zu, wischte sich die Hände an ihrem Kleid ab und gab ihm eine schallende Ohrfeige. Alle zuckten zusammen.

»Du lässt uns nie wieder allein!«

Victor starrte sie überrumpelt an. Sie hatte ihn nicht mehr geschlagen, seit er fünf war. Sie verpasste ihm noch eine Ohrfeige. Und noch eine, und noch eine.

»Hörst du? Du bist der Mann im Haus! Du hast auf deine Familie aufzupassen!«

»Mamma, hör auf!«

Sie packte ihn am Ohr wie ein kleines Kind und zerrte ihn zu Yasmina. »Du hast die Verantwortung für deine Schwester! Weißt du, was ihr gestern fast passiert wäre? Versprich ihr, dass du sie nie mehr allein lässt!«

»Mamma, lass los!«

»Versprich es ihr!«

Yasmina war starr vor Schreck. Alle anderen hielten den Atem an.

»Los! Sieh sie an und sag es ihr!«

Victor wagte kaum, Yasmina anzuschauen. Zum ersten Mal sah Yasmina so etwas wie Scham in seinen Augen.

»Ich verspreche es«, stammelte er.

»Beim Leben deines Vaters!«

»Beim Leben meines Vaters. Ich lass dich nie mehr allein.«

Yasminas Herz schlug bis zum Hals. Sie wagte nicht, die Gefühle zu zeigen, die seine Worte in ihr auslösten, so sehr hatte sie Angst um ihn. Mimi war derart außer sich, dass sie fähig gewesen wäre, ihn zu töten. Erst jetzt ließ sie ihn los.

»Und jetzt hilf uns beim Aufräumen!«

Still kehrten sie die Scherben zusammen. Allen war klar, dass sie hier nicht mehr bleiben konnten. Zu ihrer eigenen Sicherheit und der ihrer Gastgeber.

19

MARSALA

Ich empfinde eine eigenartige Scham, ohne genau zu verstehen, warum. Damals hieß es immer: »die Deutschen«. Nicht: »die Nazis«. Als wäre das untrennbar verwoben. Ich habe nichts damit zu tun. Aber ich muss damit zu tun haben. Sonst säße ich jetzt nicht hier. An den anderen Tischen feiern sie ausgelassen das Leben. Dazwischen Joëlle und ich, wie aus einer anderen Welt gefallen.

Ich erinnere mich an einen Sommerabend mit Freunden in Berlin; wir tranken und lachten, während am Nebentisch ein jüngeres Paar wie versteinert voreinandersaß. Er hielt ihre Hand, und sie starrte auf den Tisch; wer weiß, warum. Wir blickten verlegen weg, als wäre ihre Traurigkeit eine ansteckende Krankheit, etwas Obszönes, etwas, womit wir nichts zu tun hatten.

Jetzt bin ich die Frau am Nebentisch. In betroffenes Schweigen gehüllt, während Joëlle, die eigentlich Betroffene, beim Erzählen lacht. Aber es ist kein unbeschwertes Lachen, sondern ein sarkastisches, trotziges, triumphierendes.

»Es ist nie vorbei, Schätzchen«, sagt sie. »Der Mensch lernt nicht aus der Geschichte; alles geschieht in Kreisen, alles kommt wieder. Aber du brauchst mich nicht mit Samthandschuhen anzufassen. Wir sind Verwandte, nicht wahr, wenigstens Freundinnen, oder nicht? Ich brauche keine Betroffenheit, nein, leiste mir einfach ein wenig Gesellschaft, lass mich nicht allein. Keine Sorge, wir geben euch keine Schuld. Aber wir trauern. Um unsere Verwandten und Freunde, die wir verloren haben. Wenn ein Volk einen Körper hat, der über die ganze Erde verteilt und verbunden ist, dann ist unser Körper verletzt. Wenn wir heute etwas hören, das für andere harmlos ist oder vielleicht sogar lustig, schwingt für uns immer das Echo dieser Wunde mit. Und ihr versteht es nicht. Wie könnt ihr auch.«

Es ist ein Privileg, ein Problem nicht sehen zu müssen, weil es das Problem der anderen ist. Heute sprechen wir nicht mehr von »Rasse«, sondern von »Religion« oder »Kultur«; aber worum es letztlich geht, ist, ein Merkmal zu finden, um uns abzugrenzen. Wir brauchen die anderen, um ein »Wir« zu bauen, das uns Sicherheit verspricht. Wir brandmarken sie, ohne sie wirklich zu kennen, und zugleich nehmen wir den eigenen Verwandten in Schutz, der sich unmöglich benimmt. Sein Benehmen führen wir nicht auf seine Hautfarbe, Kultur oder Religion zurück, denn dann würde es auf uns selbst zurückfallen. *So ist er halt, der Herbert, man darf es nicht zu ernst nehmen.* In Gruppenhaft nehmen wir nur die anderen. *So sind sie, so waren sie schon immer, es ist ihre Kultur.* Wer sagt denn, dass jemand nicht zu »uns« gehört, nur weil er eine andere Hautfarbe hat oder einen anderen Gott kennt? Und wer sind »wir«? Was ist aus der so einleuchtend einfachen Idee geworden, jeden Menschen als Menschen zu sehen und nur nach seinen Taten zu beurteilen? Wir erschaffen den Fremden. Wir berauben ihn seiner Menschlichkeit. Denn würden wir ihm in die Augen sehen, wäre er einfach nur: ein Mensch.

Joëlle und ich verlassen das Lokal als letzte Gäste, gehen durch die leergefegten Straßen – heute ist es windiger als gestern, die Laternen schwanken –, wir sind als Einzige unterwegs, angetrunken, auf eigenartige Weise leicht, trotz der schweren Geschichte, die sie erzählt hat.

»Habt ihr den Familienschmuck jemals wiederbekommen?«
»Nein.«

»Glaubst du, dass der Schmuck in dem Flugzeug war?«

»Ja.«

Es scheint sie nicht zu interessieren.

»Würdest du ihn haben wollen, wenn sie ihn finden?«

»Auf keinen Fall.«

»Warum?«

»Er gehörte Mimi.«

In ihrer Stimme schwingt etwas Hartes mit, eine Ablehnung, die ich nicht verstehe.

»*Porta sfortuna*«, fügt sie hinzu. »Er bringt Unglück.«

»Wie war dein Verhältnis zu deiner Großmutter?«

»Es gab keins«, sagt sie knapp. Etwas muss geschehen sein. Etwas, das sie getrennt hat. Ich frage sie danach, aber sie schweigt. Zum ersten Mal spüre ich es auch bei ihr: dieses unversöhnte Schweigen, das es nur in zerbrochenen Familien gibt.

Wir gehen am Hafen entlang, suchen ein Taxi, gehen vorbei an verfallenen Lagerhäusern, aber es kommt kein Taxi, nur manchmal rast ein Irrer vorbei. Es beginnt zu regnen. Ein böiger Wind wirbelt Papier herum. Joëlle hält den Daumen raus. Einer bremst tatsächlich und nimmt uns mit. Sie hat keine Angst, und ich habe keine Angst an ihrer Seite. Statt den Fahrer zu bitten, das Radio leiser zu drehen, singt sie mit.

»Wusstest du nicht, dass ich singe? Nein, ich geb keine Konzerte mehr. Ich kümmere mich um meine Mädels. Ich habe inzwischen mehr Spaß daran, etwas weiterzugeben. Hast du mal gesungen? Nein? Solltest du. Deine Stimme sagt alles über dich. Was eng und was weit in dir ist, wie du auf der Erde stehst, was du versteckst und wer du wirklich bist. Deshalb musste Victor singen. Es ging ihm nicht um die Frauen. Nein, wenn er sang, war er ganz er selbst, da fühlte er sich lebendig! Das ist etwas anderes, als nur am Leben zu sein. Alle existieren, aber die wenigsten sind wirklich lebendig.«

Mitten in der Nacht wache ich auf, ohne zu wissen, wo ich bin. Regen trommelt ans Fenster, aber im Zimmer ist es stickig. Plötzlich ist der Schrecken wieder da, als wäre es gerade erst passiert: die einsamen Sommernächte in Berlin. Der Versuch, es auszuhalten, dass Gianni nicht zurückrief und nicht auf meine Nachrichten antwortete. Das unruhige Umhertigern in der Wohnung, die Suche nach Schlaftabletten, der Blick aufs Handy, die nicht nachlassende Schwüle der Stadt. Der innere Kampf gegen den Gedanken, wo er jetzt gerade war und mit wem. Der Versuch, mich selbst zu überreden, dass die Stimme, die mir sagte, dass er gerade mit einer anderen Frau schlief, nur eine Einbildung war, der ich nicht glauben durfte. Dann der Gedanke, dass ich, selbst wenn es wahr wäre, kein Recht und keine Macht hatte, es ihm zu verbieten. *Du musst ihn loslassen. Wenn er dich liebt, wird er von allein zurückkommen.* Und meine Gewissheit, dass es sinnlos war. Denn natürlich liebte er mich, und zugleich liebte er eine andere; für ihn war das kein Widerspruch. Also lag es an mir, es aushalten zu können oder nicht. Die Selbstanklage, dass ich zu schwach sei, um das zu schaffen. Nur Heilige können das, Heilige und Huren. Luftschnappen auf dem Balkon, Schweiß auf der Haut, brennender Körper. Mein Körper war auch *sein* Körper, wir waren eins, so empfand ich es, auch wenn es naiv klingen mag, aber das war *meine Wahrheit*. Wie konnte er die intimsten Zärtlichkeiten, die uns verbanden, mit einer anderen teilen? Die gleichen Worte, die gleichen Gesten, die gleiche Lust. Was einzigartig schien, ist plötzlich austauschbar. Wie konnte ich weiter dazu schweigen, nur um ihn nicht ganz zu verlieren?

Ich spüre ihn nicht mehr. Er ist körperlos geworden. Sein Geruch ist verflogen. Aber der Gedanke an ihn ist präsent wie eine Mücke im Raum, die einen nicht einschlafen lässt. Ich denke an den letzten Herbst in Berlin – die Zeit, in der alles aufflog, wir uns trennten und wieder zusammenrauften und schließlich an uns selbst scheiterten. Die Zeit der endlosen Diskussionen, der neuen Hoffnungen und herben Enttäuschungen – und sehe eine graue Kraterlandschaft, ein Schlachtfeld nach der Schlacht, verwüstete Äcker, schwarze Baumgerippe, Stacheldraht und verlassene Schützengräben. Ich denke an unsere Wohnung und sehe alles mit grauer Asche bedeckt – das Bett, das Nachtkästchen mit den Büchern, seine auf Italienisch, meine auf Deutsch, die Lampe vom Flohmarkt in Palermo, der Küchentisch und das Geschirr, das seine Eltern uns zur Hochzeit geschenkt hatten, der Fressnapf der Katze. Irgendwo eine Spur durch die Asche auf dem Boden, nackte Füße, meine Füße, die Spur führt zur Tür, irgendwann war der Schmerz zu groß, und ich musste gehen.

Heute bin ich frei von der Angst vor der Trennung, die viel lähmender ist als die Trennung selbst. Aber bin ich auch frei zu lieben? Die Mauer, die ich damals um unsere Beziehung errichtet hatte, umschließt jetzt mein Herz. Das Problem ist: Du verlässt einen Mann, aber den Schmerz nimmst du mit. Du bist gefangen in deinen Gefühlen, den ungesagten Worten, der nächtlichen Gedankenmühle. Wann endet eine Beziehung?

Wenn du verziehen hast.

Das sagt sich so leicht. *Schick ihm Licht und Liebe.* Schwachsinn. Er hatte die Wahl und hat Mist gebaut. Er wusste, dass er mich verletzt, und hat es dennoch getan. Er war die Liebe und das Vertrauen nicht wert, das ich in ihn gesetzt hatte. Er hat es nicht verdient, dass ich ihm verzeihe.

Um halb drei schicke ich eine Nachricht an Joëlle. Sie schreibt sofort zurück. Zwei schlaflose Seelen, die sich in der Küche treffen, mit Pullover über dem Pyjama, und Kaffee kochen. Es ist ein wenig wie früher, als ich nicht einschlafen konnte und meine Mutter bat, weiterzulesen. *Noch ein Märchen! Und noch eins!* Nur dass diese Geschichte kein gutes Ende nehmen kann. Joëlle öffnet das Fenster zum Meer und raucht. Es tropft von den Palmen, der Regen lässt nach. Nur das Licht in der Küche brennt, die Stühle im Frühstücksraum liegen im Halbdunkel, wie stumme Zuhörer. Das leere Hotel: mein Stein, unter dem ich mich verstecke. Joëlles Erzählung: mein Buch, in dem ich mich verliere. Die Geschichten der anderen sind die Tür, durch die ich meinen kreisenden Gedanken entkomme, und der Spiegel für mein verlorenes Selbst.

20

KHAMSA

Du bist zeitlebens für das verantwortlich,
was du dir vertraut gemacht hast.

Antoine de Saint-Exupéry

Olivenbäume im Wind. Rote Erde, Weinreben und weite Hügel, über die Wolkenschatten zogen. Dazwischen das Aufleuchten der Wintersonne. Hier auf dem Land kam es Yasmina vor, als wäre der Krieg nur ein ferner, böser Traum.

»Du kannst den Schleier ablegen«, sagte Latif und stieg aus dem klapprigen Lieferwagen. Er öffnete die hintere Tür. Victor stieg aus und rieb sich die geschundenen Knochen. Sie hatten es geschafft. Durch die Polizeikontrolle am Stadtrand und über die Landstraße nach Norden, ohne von den Deutschen aufgehalten zu werden.

»Du siehst hübsch aus, Madame Latif«, witzelte Victor. »*Mystérieuse!*«

Yasmina zog den weißen Schleier aus und faltete ihn sorgfältig zusammen. Sie wusste noch nicht, ob sie hier bleiben wollte.

Latif stellte ihnen Jacques vor, der in schweren Bauernstiefeln aus seinem Haus kam. Ein Franzose mit kräftigem Körper, geröteter Haut und kleinen hellen Augen. Er war hier aufgewachsen, auf dem Weingut seiner Eltern; ein *pied noir*, der sein Land liebte und die Deutschen verachtete.

»Ich hasse sie nicht«, sagte er, »das wäre zu viel der Ehre. *Entrez, mes amis!*«

Konnten sie ihm trauen? Victor war gleich per du mit ihm, Yasmina war vorsichtiger.

»*Mon vin*«, sagte er, als er den Gästen Rotwein einschenkte, so wie andere »mein Kind« sagten. Jacques lebte allein, was auch für einen Franzosen ungewöhnlich war. Er belieferte das Majestic. Wein, Olivenöl und Zitronen. Seine Farm – einstöckige weiße Häuser mit blauen Fensterläden und rotem Ziegeldach – lag zwei Stunden von Tunis entfernt, im Hinterland von Bizerte, dem Militärhafen. Am Horizont leuchtete das Meer.

Mimi war in Latifs Haus geblieben; jemand musste Papà versorgen. Zum Abschied hatte sie Victor eingeschärft, sein Versprechen zu halten. Wenn Yasmina etwas geschähe, würde sie ihm nie verzeihen. Die ganze Fahrt über hatte Victor geschwiegen.

Jacques schenkte nach.

»*Vive de Gaulle*«, rief Victor und stieß mit ihm an. Jacques war Offizier im Ersten Weltkrieg gewesen. Er hatte Verdun überlebt und ein Gewehr im Schrank. Dass seine Regierung mit den *boches* kollaborierte, empfand er als nationale Schande. Latif versprach, wiederzukommen und Mimis Briefe aus der Stadt zu schmuggeln. Es wurde früh dunkel; vor der Ausgangssperre musste er zurück in Tunis sein. Bevor er ins Auto stieg, die Schuhe voller Schlamm, zog er ein kleines Päckchen aus seiner Manteltasche. Er wickelte das Zeitungspapier aus.

»Das ist für dich«, sagte Latif und reichte Victor einen silbernen Dolch. Der alte Griff war mit feinen Ornamenten geschmückt. »Mein Vater hat ihn mir zur Beschneidung geschenkt. Ich habe ihn nie benutzt. Aber du wirst ihn vielleicht brauchen.«

Victor nahm ihn und wog ihn in seiner Hand.

»Danke.«

Dann zog Latif etwas Kleines aus dem Zeitungspapier, das er Yasmina überreichte. Es war eine Kette mit einem silbernen Anhänger: eine fein geschmiedete Khamsa, die Hand der Fatma, Tochter des Propheten.

»Sie wird dich beschützen.«

Er reichte sie Yasmina. Erst als sie den Anhänger vorsichtig in die Finger nahm, sah sie, dass in der Handfläche der Khamsa ein Davidstern eingearbeitet war.

»Sie ist von meiner Großmutter. Ein jüdischer Silberschmied, ein guter Freund der Familie, hat sie ihr zur Hochzeit geschenkt. Sie trug sie immer bei sich, und sie hatte ein langes, glückliches Leben. Zeige sie niemandem, aber behalte sie nah an deinem Körper. Möge sie dir Glück bringen!«

Yasmina war gerührt. Sie hatte viele Khamsas gesehen, aber diese hier war schöner als alle anderen. Sie hatte, was die Muslime *Nafas* und die Juden *Nafesch* nennen: Jemand hatte ihr Leben eingehaucht.

»Danke, Latif.«

»Allah sei mit euch.«

Er stieg in seinen Lieferwagen und verschwand in der Dämmerung. Victor und Yasmina standen im Wind und sahen ihm nach. Yasmina öffnete die Kette und legte Victor die Khamsa um den Nacken. Er protestierte, aber sie legte ihre Hand auf seine Brust über die Khamsa.

»Ich bin nur eine Frau. Mich werden sie nicht töten. Du brauchst den Schutz mehr als ich.«

Die erste Nacht in dem alten Stall war unheimlich. Das Stroh war nass. Ums Haus pfiff ein kalter Wind. Es gab Ratten und Fledermäuse. Yasmina und Victor schliefen in ihren klammen Kleidern. Als sie anfing zu zittern, schob sie vorsichtig ihre Hand in seine Nähe, wie eine verbotene Frage. Sie wartete. Sein vertrauter Geruch, sein Atem, um ihre Körper nur Dunkelheit. Wie die Gewitternacht ihrer Kindheit, nur ohne die Blitze, ohne die Schwüle und das Meer, ohne die Eltern im Haus. In der

Fremde sein hieß, unbeobachtet zu sein. Hier dürfte sie sein, wie sie war, nicht wie sie musste. Sie wünschte, sie hätte Victor nicht so bedrängt, in der Nacht des Bombardements, so dass er jetzt, wie früher, einfach ihre Hand nehmen könnte. Victor tat, als schliefe er. Yasmina wartete bis zum Morgen, sie fror bis auf die Knochen, aber ihre ausgestreckte Hand blieb unberührt.

Victor und Jacques sangen die Marseillaise, als könnten sie damit die Nazis besiegen. Yasmina stand unter den Bäumen und fing die Zitronen auf, die die Männer ihr von oben zuwarfen. Später würden sie aus den Zitronen den Saft für die Limonade pressen, die auf der Terrasse des Majestic den Deutschen serviert wurde. Erst in der Mittagspause, als Jacques den Schäferhund fütterte, saß sie allein mit Victor unter einem Baum. Sie teilten sich ein Brot, Oliven und eine Zitrone, die Victor aufschnitt. Er träufelte sich den Saft direkt in den Mund.

»Was ist?«, fragte er mürrisch. »Bist du nicht zufrieden hier?«

»Doch. Und du?«

Er riss sich ein Stück Brot ab und aß es hungrig.

»Wird ja nicht für immer sein.«

»Hör zu, Victor, was du Mamma versprochen hast ... Ich kann schon auf mich allein aufpassen.«

»Ich weiß.«

»Es war ihre Art zu sagen, dass sie nicht mag, was du tust.«

Victor nickte verschlossen.

»Weißt du, dass sie eine Braut für dich sucht?«

Victor musste lachen.

»Es ist wegen Papà. Sie möchte, dass er dich wieder respektiert. Dass du wenigstens ...–«

»Glaubst du, das mit Papà lässt mich kalt? Ich könnte sie umbringen, die *boches!*«

»Warum tust du's nicht?«

Victor schwieg. Er hatte ein schlechtes Gewissen. Nicht wegen der gebrochenen Liebesschwüre und gehörnten Ehemänner, sondern weil er seinem Land etwas schuldete. Yasmina beobachtete seine Hände, die das Brot teilten.

»Findest du bei den anderen Frauen die Liebe, die du suchst?«

Er sah sie widerwillig an.

»Ich suche Ablenkung. Keine Liebe.«

»Du flüchtest.«

»Ja, vielleicht. Na und? Haben wir nicht alle ein Recht dazu? Du flüchtest auch, in deine Träume.«

»Ja, das ist wahr.«

Victor spuckte die Olivenkerne aus. Yasmina betrachtete sein schönes Gesicht. Die Wintersonne spiegelte sich in seinen klaren Augen.

»Was reizt dich daran, mit verheirateten Frauen zu schlafen?«

Zu ihrer Überraschung reagierte er nicht gereizt. Als hätte er sich die Frage zuletzt selbst gestellt.

»Ich weiß nicht. Das Spiel. Die Gefahr.«

Es klang nicht überzeugend.

»Nein«, sagte Yasmina. »Es gibt dir das Gefühl, der Beste zu sein. Von einer unverheirateten Frau begehrt zu werden ist einfach. Aber eine, die schon einen Mann hat, die alles aufs Spiel setzt – das ist ein größerer Liebesbeweis, nicht wahr?«

Victor sah sie verdutzt an, wie ein Kind, das etwas unerwartet Kluges gesagt hatte. Er widersprach nicht.

»Dabei hättest du das gar nicht nötig. Du bist gut genug, so wie du bist.«

Victor stand auf und ging ein paar Schritte, ohne zu wissen wohin. Yasmina spürte, dass sie ihn getroffen hatte. Ihre Worte aus Papàs Mund; das wäre es, was er gebraucht hätte. Erst jetzt wurde ihr bewusst, dass ihr großer Bruder alles andere als unverletzlich war. Während sie immer geglaubt hatte, sich die Anerkennung der Eltern erst verdienen zu müssen, war es in seinen Augen andersherum. Papàs liebevolle Zuneigung, die ihr einfach durch ihr Wesen zugefallen war, musste Victor sich immer erst durch Taten erkämpfen. Aber seinen hohen Ansprüchen konnte er nie genügen. Mädchen werden für das geliebt, was sie sind. Jungs für das, was sie tun. Yasmina begriff, dass selbst der größte Applaus und alle Liebhaberinnen der Welt ihn nicht vor dem Gefühl schützen konnten, nicht gut genug zu sein.

»Ich bin ein Nichtsnutz, Yasmina. Papà hat recht. Ich denke nur an mich. Für das Gute, das er tut, wird er von Gott belohnt werden. Ich nicht, also muss ich mir die schönen Dinge selbst holen. Und zwar jetzt! Es kann schnell vorbei sein, weißt du?«

Er sah sie an, als hätte er eine Vorahnung.

»Sag das nicht. Du darfst so etwas nicht glauben, das bringt Pech. Du bist ein Glückskind, Victor. Du wirst noch lange leben.«

»Wozu? Es ist nicht notwendig. Ob ich ein bisschen mehr oder weniger singe, macht diese Welt nicht besser. Wer wirklich den Applaus verdient hat, das sind die Soldaten, Ärzte und Krankenschwestern. Ich könnte morgen tot sein, und nichts würde sich ändern!«

Yasmina stand auf und ging zu ihm.

»Doch. Was glaubst du, wie viele Menschen dich vermissen würden!«

»Von all den Frauen würde keine an meinem Grab stehen. Die einen hätten mich längst vergessen, die anderen hätten Angst vor ihren Ehemännern.«

»Wir würden dort stehen. Deine Familie liebt dich immer.«

»Was ist, Gott behüte, wenn Papà nicht mehr aus dem Gefängnis zurückkommt? Sein Leben liegt in der Hand von Verbrechern. Wir denken nicht gern daran, Yasmina, aber eines Tages wird er nicht mehr da sein. Und auch Mamma nicht.«

»Aber ich werde für dich da sein. Immer.«

Victor sah sie an. Dann nahm er ihre Hand.

»Und ich für dich.«

Sie wollte es zu gern glauben.

»Denk an mich wie an die Sonne«, sagte er. »Selbst wenn der Himmel voller Wolken ist und du sie nicht sehen kannst – sie ist nie ganz verschwunden.«

Jetzt war es wieder da, sein unbesiegbares Lächeln. Dann kam Jacques mit seinem Hund über das Feld.

»Allez, les enfants!«

Was im Land geschah, erfuhren sie nur durch Mammas Briefe und die Erzählungen von Latif, der jede Woche mit dem Lieferwagen kam. Die Besatzer wurden immer gieriger. Sie saugten das Land und seine Menschen aus, zogen von Stadt zu Stadt, Djerba, Sousse und Sfax, drangen am Shabbat in die Synagogen ein und verlangten Menschen. Doch was sie wirklich wollten, war etwas, das in ihren Augen noch wertvoller war: der Schmuck der Menschen. Die kostbaren Diademe, Halsreifen, Ketten und Broschen der jüdischen Gold- und Silberschmiede. Die Offiziere der SS gaben den jüdischen Gemeinden die Wahl, die Männer gegen Silber und Gold freizukaufen. Eine Frist von zwei Stunden. Die Rabbis zogen verzweifelt von Familie zu Familie und sammelten den Schmuck ein. Alle gaben ihre Wertsachen, um ihr Wertvollstes zu retten: das Leben ihrer Kinder. Kistenweise transportierten die Nazis den jüdischen Schmuck nach Tunis; ein Millionenschatz, aufbewahrt in einem streng bewachten Zimmer im Majestic. Später einmal, wenn er außer Landes geschafft und zum Mythos werden sollte, würde man ihn Rommel-Schatz nennen. Auf den jüdischen Friedhöfen im Land fanden immer mehr Beerdigungen statt – nicht nur wegen der Bombenopfer. Längst verstorbene Tote wurden noch einmal beerdigt; nur dass diesmal nicht der Leichnam des Verstorbenen im Sarg lag, sondern der Familienschmuck. So auch auf dem Friedhof gegenüber dem Majestic. Die Deutschen, erzählte Latif schmunzelnd, sahen nichtsahnend aus den Fenstern zu. Wenn du etwas verstecken willst, tu es dort, wo es jeder sehen kann und darum nicht sucht.

Papà lebte. Das war das Wichtigste. Victor suchte Ablenkung in der harten Arbeit auf dem Feld, und Yasmina fand Trost in ihren Träumen. Sie begann ihre Träume morgens im Dämmerzustand, bevor die Farm erwachte, in ein altes Schulheft zu schreiben, das sie in Jacques' Haus gefunden hatte. Sie drehte es um, so dass hinten vorn und oben unten war. Die Mathematik, mit der es begonnen hatte, lag nun weit am Ende, und in ihrer kleinen Handschrift schrieb sie jeden Tag einen neuen Traum auf. Das Heft füllte sich mit einem Leben, das ebenso umgekehrt war wie das Heft, einem verborgenen Leben, das anderen Gesetzen folgte als die Mathematik: Hier verwandelte sie sich von einem Moment auf den nächsten in einen anderen Menschen, sie begann als Frau und wurde zum Kind, sie konnte sogar in die Haut eines Mannes schlüpfen, und jede dieser Personen war sie selbst. Manchmal war sie auch eine Katze oder ein Wolf. Es war nicht immer schön, oft musste sie vor Verfolgern fliehen, einmal lag sie blutend am Boden, aber selbst in ausweglosen Situationen geschah immer etwas Unvorhergesehenes. Einmal hob sie ein großer Adler mit seiner Schwinge auf, und sie flog in den Himmel, wo sie sich unfassbar frei fühlte. Es war tröstend, dass es eine andere Welt gab, in der die schrecklichen Dinge keinen Bestand hatten, in der nicht alles Konsequenzen hatte, sondern sich von einem Moment in den anderen hinein auflösen konnte – wie Flüssigkeiten, die sich zu immer neuen Farben vermischten.

Jeden Abend beim Einschlafen streckte Yasmina im Dunkeln ihre Hand aus. Und eines Nachts schließlich antwortete Victor. Erst nahm er ihre Hand, dann legte er seinen Arm um sie. Sie verbarg sich in der Wärme seines Körpers, vorsichtig, um den kostbaren Augenblick nicht zu verlieren. Zum ersten Mal seit Wochen schlief sie tief und ruhig wie ein Kind. Und auch in Victor schien sich etwas zu ändern. Hier auf dem Land, wo ihn keine Ablenkungen erwarteten, kam etwas in ihm zur Ruhe. Er suchte nicht mehr, er floh nicht mehr, sondern stellte sich.

»Wen hat Mamma im Auge?«, fragte er eines Nachts, als sie nebeneinander im Stroh lagen.

»Esther Hammami. Sie ist alt genug, um dir sofort Kinder zu schenken. Sie sagt, Kinder würden dich zur Ruhe bringen. Wenn man Kinder hat, weiß man, für wen man da ist.«

»Esther aus der Apotheke? Ich kenne sie kaum!«

»Du wirst sie kennenlernen. So ist das in der Ehe.«

»Ich weiß nicht, ob ich für die Ehe geschaffen bin. Wahrscheinlich würde ich sie betrügen. Und wer will den Menschen, den er liebt, schon verletzen?«

»Warum reicht dir eine Frau nicht?«

»Wir Männer sind anders als ihr, weißt du, *farfalla?*«

»Wir träumen auch von vielen Männern. Sonst hättest du nicht so viele Liebhaberinnen. Uns ist einer auch nie genug.«

»Ich wäre gerne nur mit einer Frau. Eine kleine Familie, ein kleines Haus, Kinder ...«

»Warum tust du es dann nicht?«

Er dachte nach und sagte dann ehrlich: »Ich weiß es nicht, *farfalla.* Ich weiß es nicht.«

21

MARSALA

Ich bin Yasmina. Ihre ausgestreckte Hand in der Nacht ist meine Hand, ihr Victor ist mein Gianni.

»Hat Victor Yasmina geliebt?«, frage ich Joëlle.

»Ja. Mehr als all die anderen.«

»Als Schwester.«

»Nein, auch als Frau. Du musst wissen, meine Mutter war hübsch. Außergewöhnlich hübsch. Seine Liebhaberinnen waren oft sehr gewöhnlich.«

»Aber warum ...«

»Warum ihm eine Frau nicht genügt hat?« Joëlles Lächeln, ironisch und traurig zugleich. »Weil er sich selbst nicht genügt hat. Hätte er die Anerkennung seines Vaters bekommen, hätte er es nicht nötig gehabt, bei den Frauen nach Bestätigung zu suchen. Und je mehr er sich mit seinen Frauen vergnügte, statt etwas Sinnvolles zu tun, desto weniger achtete ihn sein Vater. Er spürte das. Halb aus Rebellion, halb aus Suche nach Trost machte er immer weiter. Ein Teufelskreis.«

»Aber Yasmina hielt an ihm fest, weil sie wusste, dass er im Innersten gut war, oder? Weil sie dachte, wenn er sich endlich geliebt fühlt von ihr, dann käme er zur Ruhe.«

»Du kannst niemanden ändern. Wenn einer sich selbst nicht liebt, ist auch deine Liebe nie genug. Es ist, als würdest du Wasser in einen Eimer gießen, der ein Loch im Boden hat. Was du oben reingibst, läuft unten raus.«

Ich weiß. Es ist wie mit Gianni. Wir wissen es alle und machen trotzdem immer wieder den gleichen Fehler.

»Aber die eigentliche Frage«, sagt Joëlle, »ist, warum wir das so lange mitmachen.«

Gute Frage. Ich habe keine Antwort.

»Yasmina dachte immer, es läge an ihr. Sie kam einfach nicht los von ihm. Weißt du, Schätzchen, manchen Menschen ist vertrautes Unglück einfach lieber als unbekanntes Glück. Sie konnte sich nicht vorstellen, einfach so geliebt zu werden. Bedingungslos.«

»Dann hatten die beiden im Grunde eine ähnliche Wunde?«

»Auf gewisse Weise, ja. Aber sie wussten es nicht. Und sie versuchten auf unterschiedliche Art, es nicht zu spüren. Yasmina klammerte sich an ihn, Victor lief vor ihr weg.«

Wenn Joëlle von ihrer Mutter erzählt, spüre ich Yasmina durch die Grenzen der Zeit und der Kulturen hindurch, als wären wir Zwillinge. Es sind nicht die sichtbaren Dinge, die uns verbinden – die Hautfarbe, Sprache oder Religion –, sondern die unsichtbaren. Das Gift der Ablehnung, das Yasmina schon als kleines Kind ins Blut übergegangen war, ist mir nicht fremd. Es fließt auch in meinen Adern. Wir zeigen es niemandem, werden so geschickt darin, es zu verbergen, erwachsen zu wirken, unabhängig und stark, dass wir nicht mehr bemerken, wie sehr es unser Leben bestimmt. Alles, was wir tun, geschieht aus dem Versuch, seinen bitteren Geschmack unter der Zunge zu betäuben. Aber weil das Gift längst in uns ist, entkommt ihm niemand.

Meine Kindheit war eine andere als die von Yasmina; es gab kein Waisenhaus und keinen Stiefbruder, und mein Vater ging zwar früh, verschwand aber nie ganz aus meinem Leben. Nach der Trennung von meiner Mutter wohnte er in Los Angeles, wir telefonierten zu Weihnachten und an Geburtstagen. Fast scheint es mir, als sei mir das Gift nicht von ihm verabreicht worden, sondern viel intimer und perfider, von Frau zu Frau, von Mutter zu Tochter. Selbst meine Mutter konnte nicht ahnen, dass es nicht ihr eigenes Gift war, sondern eine Botschaft, die von Generation zu Generation weitergereicht wurde, aufgesogen mit der Muttermilch: dass die Männer nicht blieben. Dass kein Verlass auf sie war. Dass wir Frauen uns allein durchschlagen mussten.

Der Regen hat aufgehört. Ein feiner Lichtstreif erscheint über dem Meer. Joëlle steht am Fenster und raucht.

»Moritz hat Briefe nach Berlin geschickt«, sagt sie. »Aber die Feldpost dauerte Wochen, manchmal Monate. Und viele Flugzeuge wurden abgeschossen. Hat deine Großmutter dir mal einen Brief gezeigt?«

Ich erinnere mich nur an Feldpostkarten. In altdeutscher Schrift ein paar Zeilen über Kamele, die tagelang ohne Wasser auskommen können.

»Hat er irgendetwas von Yasmina geschrieben?«

»Nein. Nichts.«

Wann kreuzten sich ihre Wege wieder? Joëlle behauptet, sie sei Ende 1943 geboren worden. Neun Monate. Ich rechne zurück.

»Wenn er nicht in diesem Flugzeug war, warum ist Moritz nicht zu meiner Großmutter nach Deutschland zurückgekehrt?«

»Wegen Yasmina.« Joëlle lächelt hintergründig. Sie genießt es, mich auf die Folter zu spannen. Ich kann mir nicht vorstellen, wie dieses jüdische Mädchen, das nur Augen für Victor hatte, etwas mit einem Deutschen anfangen sollte.

»Natürlich, sie hätte nicht im Traum daran gedacht«, sagt Joëlle. »Jedenfalls nicht am Anfang. In ihrem Herzen gab es nur Victor. Und ausgerechnet ihm hat dein Großvater das Leben gerettet.«

Ich glaube, mich verhört zu haben. Joëlle drückt nachdenklich ihre Zigarette aus und blickt auf die Uhr.

»Es ist spät, Schätzchen. Lass uns schlafen gehen.«

»Warte! Er hat Victors Leben gerettet?«

»Ja. Die Geschichte ist unglaublich. Aber wahr. Hast du Geduld bis morgen?«

»Nein.«

22

FARFALLA

»Wenn wir die Lüge als Wahrheit akzeptiert haben,
sind wir dann nicht schon tot?«

Boualem Sansal

Der Krieg war die Zeit, wo man dem Feind ins Auge sah und den Liebsten nur Briefe schrieb. An Hass und Angst war kein Mangel, aber Liebe war ein fast vergessenes, oft verpöntes Gefühl, das jeder für sich behielt. Außer an dem Tag, wenn die Feldpost mit dem Flugzeug kam – das war wie ein Fenster, das sich zu einer fast verlorenen, unschuldigeren Welt öffnete. Sie nannten sie nicht Deutschland, sondern einfach: die Heimat. Noch standen die Städte der Kindheit, noch glaubte niemand, dass die Bombennächte von Tunis bald auch die Bombennächte von Lübeck, Köln und Dresden sein würden.

Fannys Briefe waren frei von Zynismus, ja sogar frei von Angst; sie glaubte den Propagandafilmen, denn die Wochenschau, das war Moritz. Ihr Moritz. Man brauchte kein Nazi zu sein, um an den Sieg des deutschen Volkes zu glauben. Man musste nur regelmäßig ins Kino gehen. Fanny und ihre Freundinnen verbrachten jeden Samstagabend im Gloriapalast auf dem Ku'damm, ohne zu ahnen, dass er noch im selben Jahr in Schutt und Asche gebombt werden sollte. Fannys Fenster zur anderen Welt, das waren Heinz Rühmann, Willy Fritsch und Marika Rökk. Die Träume von Babelsberg. Während deutsche Soldaten fremde Länder eroberten, besetzte die Filmindustrie das deutsche Unterbewusstsein. Die Grenze zwischen Fiktion und Dokumentation verwischte immer mehr; Hauptfilm und Wochenschau verschmolzen zu einer verheißungsvollen Parallelwelt, die sich der bitteren Wirklichkeit entgegenstellte wie Soldaten einem überlegenen Feind. Ein Kampf der produzierten Träume gegen die tatsächlichen Träume der Menschen, die allzu oft Albträume waren. Die Meister der Täuschung wussten, dass es etwas gab, was die Menschen noch mehr liebten als Tatsachen: eine Botschaft. Tatsachen sind schmutzig, verstörend und voller Widersprüche. Sie halten uns einen Spiegel vor. Botschaften aber versprechen ein besseres Ich in der Zukunft, strahlend und unverletzbar. Je mehr jemand sich selbst nicht mag, desto mehr liebt er Botschaften.

Moritz sah, was Fanny nicht sehen durfte. Die letzten Bilder, die er nach Potsdam geschickt hatte, zeigten verstümmelte Körper, die von der Front zurückgeschickt wurden, überfüllte Lazarette und die leeren Augen eines Überlebenden. Der Winterregen, der Rommels Glück gewesen war, ließ nach. Die Amerikaner drangen vom Westen heran, die Briten aus dem Süden. Was niemand wusste: Rommel, von Krankheit gezeichnet, hatte dem Führer vorgeschlagen, das Afrika-Korps aus Tunesien zurückzuziehen, um ein zweites Stalingrad zu vermeiden. Er hatte Tausende Flugzeuge verloren und besaß kaum mehr hundert fahrtüchtige Panzer. Den Italienern ging es noch schlechter. Zugleich standen über dreihunderttausend Deutsche und Italiener auf tunesischem Boden. Rommel wollte sie retten. Doch das Wort Rückzug existierte in Hitlers Welt nicht. Er befahl, Tunesien »bis zur letzten Patrone« zu halten. Kurz nach diesem Befehl ließ Rommel sich heimlich nach Deutschland ausfliegen. Kein Wort darüber durfte in die Öffentlichkeit dringen. Er sollte nie wieder afrikanischen Boden betreten.

Widersprüchliche Gerüchte machten die Runde. Ohne den Wüstenfuchs, dem alle blind vertraut hatten, breitete sich unter den Männern ein Gefühl der Schutzlosigkeit aus. Und Gier. Maßlose Gier. Es fehlte an allem – Benzin für die Autos, Konserven für die Männer und Flickzeug für die Uniformen. Dem Nachschubmangel an der Front folgten die Raubzüge durchs Hinterland. Anfangs hatten sie die Bauern noch bezahlt, mit frisch gedruckten Francs und akribischer Buchhaltung, doch jetzt zogen die Soldaten von Hof zu Hof, um alles mitzunehmen, was sie konnten. Wein, Gemüse und Hühner. Sogar lebendige Kühe zerrten sie in ihre Lastwagen.

Moritz begleitete die Versorgungstrupps mit seiner Kamera. Eine willkommene Gelegenheit, um dem Lärm der Lautsprecherwagen zu entkommen, um schweigen zu können, um endlich wieder nur Auge zu sein. Er spürte, dass sie auf verlorenem Boden kämpften, und richtete seine Aufmerksamkeit auf andere Dinge. Er filmte Kinder in Lumpen, Bauern auf Eselskarren, biblische Landschaften. Und etwas änderte sich auf seinen Bildern: Sie entstanden nicht mehr aus dem neugierigen, staunenden Blick aufs Exotische; es gab keine Kamele, Palmen und verschleierten Frauen von hinten. Er sah den Menschen jetzt direkt in die Augen, ihr Blick in die Kamera traf seinen Blick, und in allen Gesichtern – Besatzer und Besetzte, Europäer und Araber – fand er das gleiche Gefühl: Angst vor dem Ungewissen.

Es war ein windstiller Abend Ende März, als Moritz auf Jacques' Farm eintraf. Sie kamen aus dem Süden; zwei Kübelwagen, beladen mit Fleisch, Gemüse und Obst. Ein Wagen der Wehrmacht – zwei Feldjäger und Moritz von der PK – sowie ein Wagen der Waffen-SS mit einem Versorgungsoffizier und seiner Ordonnanz. Sie wollten Wein, denn sie wussten, dass Jacques das Majestic belieferte. Und sie brauchten ein Dach überm Kopf. Auf dem Schotterweg zur Farm war Moritz über einen Stein gefahren, der die Ölwanne aufgeschlitzt hatte. Eine schwarze Spur auf den hellen Steinen; als sie es bemerkten, war der Motor schon trocken gelaufen.

Es war unmöglich, eine Farm zu plündern, wenn man den Bauern um Obdach für die Nacht bitten musste. Zumindest bis zum nächsten Morgen mussten sie so tun, als würden sie den Wein bezahlen. Und für Jacques war es unmöglich, bewaffneten Soldaten die Hilfe zu verweigern. Zumindest bis zum nächsten Morgen musste er so tun, als stünde er auf ihrer Seite.

In der Scheune lauschten Victor und Yasmina. Das Knattern der Kübelwagen. Die deutschen Stimmen. Victor löschte die Petroleumlampe und zog Yasmina vom Fenster weg. In Dunkelheit gehüllt, hörten sie, wie Jacques mit einem der Deutschen redete. Sie zählten die Stimmen. Sie wussten, dass Jacques keine Wahl hatte. Sie warteten, bis er sie in sein Haus gebeten hatte, dann ging Victor zum Scheunentor und verriegelte es leise von innen. Später hörten sie Lachen aus der Stube, Hammerschläge und die Stimmen der Männer, die das Auto reparierten.

»Keine Sorge, *farfalla,* Jacques hat das im Griff.«

Tatsächlich tat Jacques sein Bestes, um die Deutschen so betrunken zu machen, dass sie gleich schlafen und sich nicht auf dem Hof umsehen würden. Nachdem Moritz den Wagen repariert hatte, kam er mit ölverschmiertem Gesicht in die Stube, wo die Kameraden am Tisch saßen und Jacques ihnen Wein im Überfluss einschenkte.

»Wo kann ich mich waschen?«, fragte Moritz. Jacques stand auf.

»Der Brunnen ist draußen. Ich begleite sie.«

Jacques sah sich um, als Moritz den Eimer aus der Tiefe zog. Das frische Wasser, die kühle Nacht, der Sternenhimmel. Es war völlig still. Jacques reichte Moritz sein Stück Seife und hielt ihn ins Gespräch verwickelt.

»*Olio d'oliva.* Selbstgemacht.«

»Danke.«

»Wo kommen Sie her?«

»Berlin.«

»Ah, schöne Stadt! Ich war mal dort. 1929.«

Victor und Yasmina hörten ihre Stimmen. Sie schlichen zum Fenster. Zwei Männer im Mondlicht. Eine Spinne krabbelte über die verstaubte Fensterscheibe.

»Haben Sie Familie in Berlin?«

»Eine Verlobte.«

»Haben Sie ein Foto?«

»Ja.«

Moritz zog ein zerknittertes Foto aus der Tasche. Der Steg am Wannsee. Fanny im Badeanzug.

»Sie ist schön. Wie heißt sie?«

»Fanny.«

»Kommen Sie rein, trinken Sie, das hilft gegen das Heimweh.«

Jacques legte den Arm um Moritz und führte ihn zum Haus, weg von der Scheune. Yasmina und Victor hörten mit angehaltenem Atem, wie die Schritte sich entfernten und die Haustür ins Schloss fiel. Dann klirrten Gläser, und die Männer begannen zu singen.

Victor summte leise mit. Er lächelte.

»Die Herrenmenschen. Jacques trinkt sie unter den Tisch.«

Dann setzte der Regen ein. Erst leise, dann immer stärker zog er vom Meer herauf und prasselte auf die Ziegeldächer. Die schweren Tropfen tanzten im Hof, es rauschte und gurgelte in den Rinnen. Ein schützender Vorhang aus Wasser.

»Wie unser Gewitter damals«, sagte Yasmina. Sie schmiegte sich an Victors warmen Körper neben ihr im Stroh. Das Trommeln auf dem Dach beruhigte sie. Aber Victor war nervös.

»Wir müssen weg«, sagte er und stand auf.

»Aber ... wohin?«

»Hier sind wir nicht sicher.«

»Sie kommen hier nicht rein. Kein Mensch geht bei dem Regen raus.«

Es begann zu blitzen. Der Donner war noch fern.

»Wenn du bleiben willst, bleib. Ich gehe.«

Victor griff nach seinem Mantel.

»Victor, lass mich nicht allein!«

Sie nahm seine Hand.

»Dann komm mit«, sagte er und legte ihr seinen Mantel um.

Sie liefen in die Nacht, durch den strömenden Regen, weg vom Haus, durch die Felder, zur Straße. Innerhalb weniger Minuten waren sie bis auf die Haut durchnässt. Yasminas Strümpfe zerrissen im Gestrüpp. Sie erreichten die Landstraße nach Tunis.

»Wohin willst du?«, schrie Yasmina durch den Regen.

Er wusste es nicht. Er sah sich um, blieb stehen, suchte nach einem schützenden Dach, aber sie waren den Elementen ausgeliefert. Völlige Dunkelheit, durchbrochen von Blitzen, Momentaufnahmen einer aufgewühlten Landschaft. Krachend schlug ein Blitz in einen Baum ein.

»Nach Bizerte! Vielleicht finden wir dort was zum Unterstellen.«

»In Bizerte ist die Polizei!«

»Willst du hier erfrieren? *Vai, avanti!*«

Auf einmal ein Donner, der kein Donner war, und ein Blitz, der kein Blitz war. Das war Artilleriefeuer. Die Front. Sie liefen weiter und fanden die Landstraße nach Bizerte. Sie konnten in der Ferne schon die Lichter der Stadt erkennen, da hörten sie die Panzer. Gerade noch, bevor sie um die Kurve bogen, warfen sie sich in den Straßengraben. Weicher Schlamm und Steine. Schlangen, vielleicht. Dann erhellten die Scheinwerfer die Büsche neben der Straße, und die Erde bebte unter den Ketten. Das Dröhnen der Motoren war ohrenbetäubend. Dutzende Panzer ratterten an ihnen vorbei, stählerne Ungetüme in der Nacht. Das schwarze Kreuz der Wehrmacht leuchtete im Scheinwerferlicht auf; eine Palme überm Hakenkreuz, das Symbol des Afrika-Korps. Rommels Panzerarmee auf dem Weg nach Tunis. Ein hastiger Rückzug durch die Nacht. Plötzlich blieb die Kolonne stehen. Die letzten Panzer standen direkt über Victors und Yasminas Köpfen.

»Warum halten sie?«, flüsterte sie.

»Ich weiß nicht.«

Sie warteten. Die Erde zitterte unter den laufenden Motoren, deutsche Stimmen brüllten durch den Regen. Yasmina begann am ganzen Körper zu schlottern. Victor legte den Arm um sie.

»Da vorn ist die Brücke. Sie ist eingestürzt.« Die trockenen Wadis wurden bei Regen in kürzester Zeit zu reißenden Flüssen. Unter dem Gewicht der Panzer war die Brücke weggebrochen. Der Weg nach Bizerte war versperrt. Victor fluchte.

»Wir müssen zurück. Hier draußen erfrieren wir.«

Stück für Stück robbten sie durch den Schlamm zurück bis hinter die Kolonne, in die schützende Dunkelheit. Dann kletterten sie aus dem Graben und rannten in die Felder. Durchnässt bis auf die Knochen, erreichten sie schließlich die Farm. Jacques' Haus war schon dunkel und still. Sie schlichen zurück in ihre Scheune und verriegelten das Tor. Völlig erschöpft fielen sie ins trockene Stroh. Sie schlotterten vor Kälte, aber ihren Armen fehlte die Kraft, die nassen Kleider auszuziehen. Langsam gelang es ihnen, einen Knopf nach dem anderen zu öffnen. Sie halfen sich gegenseitig, klamm und ungelenk, bis sie nackt voreinander standen. Es lag kein Begehren in ihren Gesten; sie waren nichts als Überlebende, Bruder und Schwester.

Victor holte trockene Kleider und eine Decke, die nach Pferden roch. Sie konnten kein Feuer machen, um nicht entdeckt zu werden. Sie hatten nur ihre Körper, um im Dunkeln etwas Wärme zu finden. Umarmt lagen sie im Stroh, bis das Zittern langsam aufhörte. Yasmina konnte seinen Herzschlag spüren. Victor strich ihr die nassen Haare aus dem Gesicht.

»Wenn sie uns finden, *farfalla* ... Sie haben Pistolen und ich nur diesen alten Dolch. Ich werde dich vielleicht nicht beschützen können. Du musst stark sein.«

»Sie werden uns nicht finden.«

»Du musst immer daran denken, dass ich dich geliebt habe. Mehr als jeden anderen Menschen.«

Sie hatte ihren Bruder noch nie so verletzlich erlebt. Statt sich aber schutzlos neben ihm zu fühlen, spürte sie eine eigenartige innere Ruhe. Sie wusste nicht, woher das kam; sie wusste nur, dass es jetzt an ihr läge, ihn zu beschützen.

»Ich liebe dich auch, Victor. Sehr.«

»Das habe ich nicht verdient. Ich war zu wenig für dich da. Ich hab immer nur an mich gedacht.«

»Wenigstens hast du dein Leben gelebt. Du hast nichts verpasst.«

»Doch. Ich hab alles verpasst. Wenn es jetzt aus ist, was bleibt von meinem Leben? Wenn sie mir eine Kugel durch den Kopf jagen, werde ich nicht an die Frauen denken, deren Namen ich schon vergessen habe. Ich werde an Mamma denken, an Papà. Und an dich.«

»Du wirst nicht sterben, Victor.«

»Nein, natürlich nicht.«

Seine Stimme klang unsicherer, als er wollte.

Eine Weile schwiegen sie. Es war ein gutes Schweigen, ein volles und geteiltes, ohne jede Unsicherheit, so wie es nicht einmal zwischen Liebhabern möglich ist, nur zwischen alten Freunden.

»Du hast recht«, sagte er in die Stille hinein. »Vielleicht bin ich nur vor dir weggelaufen. Weil es so offensichtlich war. Seit wir klein waren. Niemand kennt mich besser als du.«

Yasmina lächelte. Er konnte es im Dunkeln kaum sehen.

»Vielleicht war es tatsächlich Bestimmung.«

»Ich weiß nicht, Victor. Du warst schon immer für die Welt bestimmt. Die große. Mit vielen Menschen. Mir genügt von der Welt ein kleines Stückchen.«

»Was, wenn meine große Welt hier endet?«

»Nein, Victor. Weißt du noch«, sagte sie, »was Signora Cucinotta dir vorausgesagt hat?«

Signora Cucinotta war die Mutter der sizilianischen Schneiderin in der Rue Scipion, eine Christin mit schiefem Gebiss und stechenden Augen, zu der alle Frauen im Viertel gingen. Mamma hatte einmal, ohne Papà etwas zu sagen, die Kinder mitgenommen, als sie ein geflicktes Kleid abholte. Victor und Yasmina standen in dem dunklen Lädchen und verstanden nicht, warum die Signora ihre Espressotasse auf den Nähtisch ihrer hübschen Tochter stellte und Victor bat, sie auf der Untertasse umzudrehen. Victor gehorchte. Die Signora hob die Tasse hoch und betrachtete das schwarze Muster des Kaffeesatzes auf dem weißen Porzellan. *Er wird ins Ausland gehen,* sagte sie. *Er wird die Welt kennenlernen. Er wird Großes vollbringen.* Yasmina erinnerte sich noch an Mammas Strahlen. Und wie stolz sie auf ihren großen Bruder war. Nach Yasminas Schicksal fragte Mamma nicht. Der Weg der Frauen war allzu bekannt. Auf dem Rückweg schärfte Mamma den Kindern ein, Papà kein Wort darüber zu sagen. Es würde Unglück bringen.

»Die Cucinotta, das war eine große Betrügerin«, sagte Victor und musste lachen. »Sie sagte, dass ich mal Soldat werde und für mein Land kämpfe. Als kleiner Junge fand ich das toll. Aber da lag sie wohl daneben, die Signora.«

»Und dass du eine *bella figlia* bekommst. Erinnerst du dich?«

»Eine Tochter? Das weiß ich nicht mehr.«

»Doch, doch.«

»Hat sie auch die Nazis vorausgesehen?«, fragte er spöttisch.

»Vielleicht werde ich nicht einmal den Sonnenaufgang erleben.«

»Sag so was nicht! *Porta sfortuna!* Das bringt Unglück!«

Victor ging zur Tür und prüfte den Riegel. Draußen rauschte der Regen. Er kam zurück, tastend durchs Halbdunkel. Sie hörte seine Schritte und spürte die Wärme seiner Hand, die ihre ergriff.

»*Farfalla*. Verzeih mir.«

»Du brauchst dich nicht zu entschuldigen, Victor.«

»Wenn der Krieg aus ist, wenn Papà aus dem Gefängnis kommt ...«

»Du musst nichts versprechen. Wir wissen nicht, was passieren wird. Es reicht, wenn du mich jetzt ein bisschen im Arm hältst.«

Weit nach Mitternacht trat Moritz in den Hof. Es war noch windig, die dunklen Wolken rissen auf und ließen den Vollmond durchbrechen. Der Regen hatte aufgehört; es tropfte schwer von den Dächern und Bäumen. Moritz ging zum Brunnen, ließ langsam den Eimer in die Tiefe, zog ihn wieder heraus und trank das frische Wasser.

Er konnte nicht schlafen. Die Hiobsbotschaften von der Front, das nahe Artilleriefeuer und die zunehmende Sinnlosigkeit seines Daseins in Afrika ließen ihn nicht zur Ruhe kommen. Ob er hier ein paar Bilder mehr oder weniger machte, würde nichts am Ausgang dieses Feldzugs ändern. Die Offiziere wussten, dass der Mythos ihres Afrika-Korps nur noch vom Ruhm vergangener Tage lebte – wie ein riesiger Baum, der, von außen nicht sichtbar, innen längst morsch war und beim nächsten Sturm umfallen würde.

Moritz wollte gerade zurück ins Haus gehen, als er ein Geräusch hörte. Erst klang es wie ein Tier. Ein dunkler Ruf aus der Tiefe, schwer und doch nicht von dieser Welt. Es war leise, plötzlich verschwunden zwischen den anderen Geräuschen der Nacht, den Eulen und Wölfen, und dann wieder mit ihnen verwoben. Jetzt erinnerte es ihn an etwas Menschliches. Etwas, das er fast vergessen hatte. Moritz blickte zum Stall. Was geht es mich an, dachte er. Aber dann zog es ihn hin. Es war die Neugier des Fotografen, aber noch mehr als das. Etwas Mächtiges, das sich seinem Zugriff entzog.

Das Stallfenster war dunkel. Die Stimme kam von dort, kaum hörbar. Er ging an das vergitterte, fast blinde Fenster und blickte hinein. Ein nasses Spinnennetz im Wind. Die kalte Steinmauer unter seinen Händen. Viel konnte er im Mondlicht nicht erkennen, aber dann sah er etwas Helles, das sich im Dunkeln bewegte. Nackte Haut, ein Rücken, eine Schulter, ein Mann oder eine Frau, nein, ein Mann *und* eine Frau, so eng umschlungen, dass sie wie ein einziger Körper erschienen. Die Frau stöhnte leise. Der Mann blieb stumm, während er sich auf ihr bewegte. Ihre Körper waren schön, der Akt wild und zugleich friedlich, ein absolutes Einverständnis.

Moritz war erregt. Fast ein halbes Jahr war es her, seit er sich von Fanny verabschiedet hatte. Er durfte nicht hier sein, er hatte kein Recht zuzusehen, aber dennoch konnte er den Blick nicht abwenden. Solange er nichts war als ein Beobachter, solange sein Blick nichts zerstörte, dürfe er bleiben, sagte er sich. Er wähnte sich unsichtbar.

Dann sah er ihre Augen. Erst nur das Weiße, aufflackernd in der Dunkelheit, dann ihre dunklen Pupillen im Weißen, als sie ihn bemerkte. Ihr Körper bewegte sich weiter, aber ihr Kopf hielt inne. Ihr Schreck lag nur in den geöffneten Augen, aber nicht in ihrem Körper, als bewegte dieser sich noch in einem Traum, zu dem ihr Bewusstsein keinen Zugang hatte.

Ihr Blick zu Moritz war ein Moment absoluter Stille, eine unausgesprochene Frage, die sich unmerklich zu einer Bitte wandelte, die aus ihren Augen zu kommen schien. Dass er nichts tat, schien sie zu beruhigen, denn sie stöhnte weiter, um ihren Geliebten nicht zu alarmieren, während ihre Augen fest auf den Mann im Fenster gerichtet blieben. Indem Moritz sich nicht bewegte, signalisierte er seine Komplizenschaft; und auch sie tat nichts, um die Situation eskalieren zu lassen. Er schämte sich, war aber unfähig, den Blick abzuwenden oder einzugreifen. Juden, vermutlich. Es war der erste Gedanke in diesen Zeiten. Dass sie das stumme Zimmermädchen aus dem Majestic war, das neben ihm im Bombengraben gekauert hatte, erkannte er nicht. Er sah nur das Glühen einer nackten Frau im Dunkeln, irgendwo in der Wildnis vor Bizerte. Jeder seiner Kameraden hätte die Situation entweder gemeldet oder schamlos ausgenutzt. Doch Moritz tat nichts. Seine Augen ruhten auf der Frau im Stroh, sie sah ihn an, über den nackten Rücken des Mannes hinweg, den sie liebte. Ein verstörendes Einverständnis verband die Fremden, zwei Augen im Dunkel und eine Silhouette im Mondlicht. Sie ließen es geschehen.

»Mann, mein Schädel ...« Eine Stimme wie ein Schuss, der die Nacht zerriss. Moritz fuhr herum. Der Strahl einer Taschenlampe irrlichterte durch die Dunkelheit. Eine Gestalt torkelte über den Hof und knöpfte sich im Gehen die Hose auf. Moritz starrte ihn an und brachte kein Wort heraus. Walter Rudel, der SS-Offizier, leuchtete ihm kurz mit der Lampe ins Gesicht, dann stellte er sich neben ihn und pinkelte an die Stallwand. »Von dem Wein lassen wir'n paar Kisten mitgehen, was?«

Moritz musste ihn ablenken. Den stummen Pakt zwischen ihm und der fremden Frau einhalten. Sie mussten Rudels Stimme gehört haben, denn im Stall war es jetzt ganz still. Moritz ging ein paar Schritte zurück zum Haus.

»Wann brechen wir auf?«, sagte er. »Ich möchte früh in Tunis sein.«

»Sieben Uhr ist Abmarsch ... Was war das?«

Ein leises Poltern aus dem Stall.

»Was?«

»Da drin. Hamse nicht gehört?«

»Nein.«

Rudel knöpfte seine Hose zu und ging zum Fenster.

»Hat der Kühe?«

»Der hat keine Kühe. Kommen Sie.«

Moritz spürte einen Kloß im Hals. Es war seine Schuld. Hätte er vorhin nicht am Fenster gestanden, wäre Rudel nicht zum Stall gekommen. Rudel richtete den Strahl seiner Lampe durchs Fenster. Moritz wusste nicht, was er sah, aber er konnte fühlen, wie Rudel sich auf einmal anspannte, wie ein Jagdhund, der Witterung aufgenommen hatte. Dann hörte er Schritte aus dem Stall.

Hastig entriegelte jemand das Tor; es schwang auf, und zwei Menschen liefen heraus. Splitternackt. Rudel brüllte Alarm und rannte ihnen nach. Moritz folgte ihm, quer durch den Olivenhain. Zweige schlugen ihm ins Gesicht. Er sah nur den wild umherspringenden Strahl der Taschenlampe im Dunkeln, hörte aber an den Schritten im Gestrüpp, wie die Flüchtenden sich in zwei Richtungen aufteilten. Ob Rudel den Mann oder die Frau verfolgte, konnte Moritz nicht erkennen. Doch er wusste, dass Rudel schneller war. Er trug Stiefel.

Als Moritz ihn atemlos einholte, hatte er den Fliehenden schon zu Boden geworfen. Der nackte Mann brüllte wie ein verletztes Tier. Rudel rang ihn nieder. Der Mann spuckte Rudel ins Gesicht. Wütend trat Rudel ihm in den Bauch, wieder und wieder, bis er sich vor Schmerzen krümmte.

»Aufhören! Er liegt doch schon am Boden!«

Moritz hörte in der Ferne Äste knacken. Die Frau würde entkommen. Rudel griff nach seiner Lampe und leuchtete dem Mann ins Gesicht. Blut lief über seine wilden Augen, die langen Haare und der Bart waren voller Erde. Moritz erkannte ihn nicht.

»Wer bist du? Warum rennst du weg? Los, antworte!«

Victor hielt seine Arme schützend übers Gesicht.

»Schaunse mal seinen Pimmel an!«, rief Rudel. »Ne Judensau.«

»Schon mal gehört, dass Moslems auch beschnitten sind?«

»Du! Bist du Jude? Übersetzen Sie das, los!«

»Lei è ebreo? Juif?«

Der Mann schwieg. Schmerz und Hass in seinen Augen.

»Was hast du zu verstecken?«

Rudel trat nach. Dann fiel ihm etwas auf, das an der Halskette des Mannes hing. Rudel griff danach und richtete den Strahl der Taschenlampe auf den Anhänger: eine silberne Hand mit einem Davidstern. Rudel grinste triumphierend.

Im Stall fanden sie seinen braunen Koffer, und unter den Kleidern einen französischen Fotoapparat der Marke Longchamp sowie ein ledernes Notizbuch mit Namen, Telefonnummern und Adressen. Muslimische, europäische und jüdische Namen. Und den silbernen Dolch. Ein Jude, der sich dem Arbeitsdienst entzog. Ein Jude, der seinen Fotoapparat nicht abgegeben hatte. Ein Jude, der sich bewaffnet an der Front aufhielt. Das waren keine Beweise, aber Rudel witterte einen großen Fang. Einen Saboteur, einen Spion, eine wertvolle Beute. Seinen persönlichen Triumph inmitten des allgemeinen Untergangs.

»Non, mon colonel, ich kenne den Monsieur nicht«, beteuerte Jacques. Rudel glaubte dem Franzosen kein Wort und drohte, ihn mitzunehmen. Moritz durchschaute das Spiel; er hatte es zu oft gesehen. Am Ende durfte Jacques sich loskaufen, seine Freiheit gegen zwölf Kisten Wein. Alles, was noch auf die Kübelwagen passte. Rudel forderte noch ein Hemd und eine Hose für den Gefangenen. Nicht, um dessen Würde zu wahren, sondern um auf der Straße kein Aufsehen zu erregen.

»Ein Foto! Los, Reincke, machen Sie ein Foto!«

Rudel präsentierte seinen Gefangenen wie ein Großwildjäger seine Beute. Der dunkle Bart, die ängstlichen Augen, die Hände vor dem Körper mit einem Strick gefesselt. Moritz, die Kamera in der Hand, zögerte. Hatte er das Recht, diesen Mann in seiner Demütigung zu fotografieren? Der Gefangene sah ihn an, als würde er ihn kennen, blickte aber sofort wieder weg, um selbst nicht erkannt zu werden. Moritz fragte sich, wo er ihn schon einmal gesehen hatte. Rudel zerrte seine Trophäe am Strick vor den Kübelwagen und setzte sein Siegerlächeln auf. Moritz hob die Kamera vors Auge und drückte schnell ab, um das unwürdige Spektakel zu beenden. In Potsdam würden sie das Bild eh nicht wollen. Er lud die Kameratasche in den Wagen und blickte zum Olivenhain in der aufgehenden Sonne. Irgendwo dort musste sie sich versteckt haben. Die Frau ohne Kleider.

Moritz lenkte den Kübelwagen. Rudel saß neben ihm; seine Ordonnanz und der gefesselte Mann saßen auf dem Rücksitz. Die Weinkisten reisten im anderen Wagen. Sie passierten eine Panzerkolonne, die zum Stehen gekommen war. Pioniere reparierten eine eingestürzte Brücke. Hiobsbotschaften von der Front. Die Lage in Tunis: ungewiss. Im Rückspiegel beobachtete Moritz die Augen des Gefangenen, die alles wachsam registrierten. Er schien zu verstehen, was sie redeten. Jede schlechte Nachricht für die Deutschen erhöhte seine Überlebenschancen. Immer wenn ihre Blicke sich im Rückspiegel trafen, sah er weg. Wie zum Trotz gegen die gedrückte Stimmung fing der SS-Mann auf dem Rücksitz an zu singen. *Heia Safari*. Als wäre Rommel noch unter ihnen. Nicht einmal Rudel sang mit. Moritz konterte mit *Rolling Home*. Als der SS-Mann auf dem Rücksitz protestierte, musste er ihm erklären, was der Unterschied zwischen einem Feindeslied und einem plattdeutschen Shanty ist. *Rolling Home to dear old Hamborg*. Sie verstanden weder Spaß noch Tradition, diese SS-Leute. Schließlich einigten sie sich auf ein Lied, das immer ging, für alle. *Lili Marleen*. Moritz dachte an Fanny in Berlin. Und plötzlich wusste er, wo er den Gefangenen schon einmal gesehen hatte. Er starrte in den Rückspiegel.

Victor musste es gespürt haben, denn diesmal sah er nicht weg. Er wusste, dass Moritz es wusste. Seine Augen flehten ihn an: *Bitte verrate mich nicht!* Vittorio. Der Jude, der die Dreistigkeit besessen hatte, sich mitten unter ihnen zu verstecken, am Klavier in der Bar. Den sie mit den Partisanen erwischt hatten. Wahrscheinlich hatte er sie tatsächlich ausspioniert! Vielleicht wollte er eine Bombe ins Majestic legen. Warum sonst hätte er sich unter sie gemischt? *Bitte verrate mich nicht!* Moritz starrte auf die Straße und dachte nach. Er hatte noch dreißig Kilometer lang Zeit, nachzudenken. Zeit, nichts zu sagen. Oder alles. Noch nie in seinem unbedeutenden Leben hatten seine Worte so viel Gewicht gehabt. Worte, die schnell ausgesprochen wären, aber Victors Leben mit einem Schlag beenden würden. Ohne Folgen für Moritz; man bekam keinen Orden dafür, das war einfach Pflicht. Wenn er aber schwieg, würde ihm niemand eine Pflichtverletzung unterstellen. Er hätte den Bärtigen einfach nicht erkannt. Eine Randnotiz in seinem Reisetagebuch; Leben oder Tod für einen anderen. *Bitte verrate mich nicht!*

Es war leicht, nichts zu sagen. Moritz dachte nicht darüber nach, ob es eine moralische Entscheidung war oder schlicht Feigheit. Es entsprach einfach seinem Naturell: sich nicht einzumischen. Er parkte vor dem Majestic und lud seine Film-Ausrüstung aus, während Rudel Victor abführte. Im Militärgefängnis waren alle Zellen voll von Plünderern, Dieben und Hehlern – das sollte sich als Victors Glück im Unglück herausstellen. Die Wachen erkannten ihn nicht, als Rudel ihn durch den Eingang führte – nicht die geschwungene Prachttreppe hinauf, sondern die kleine Treppe hinunter in den Keller. Rudel gab Moritz die kleine Kamera, die sie bei Victors Sachen gefunden hatten. Der eingelegte Film war zur Hälfte belichtet. Moritz sollte ihn entwickeln. Waren Fotos von der Front dabei, wäre es der Beweis für Spionage. Moritz nahm die Kamera und verabschiedete sich auf der Treppe. Ob Victor ihm einen letzten Blick der Dankbarkeit schicken wollte oder ein Flehen um Hilfe, sah Moritz nicht. Wollte er nicht sehen. Es wäre wie der ungewollte Kamerablick eines Menschen gewesen, den er filmte. Ein Erschrecken, ein Staunen, eine Anklage. Der Zwang, Stellung zu beziehen. Moritz ging hinauf in sein Zimmer und überließ Victor seinem Schicksal.

Moritz genoss den Luxus eines warmen Bades. Während er sich langsam vom Tier zum Menschen zurückverwandelte, blickte er immer wieder zu Victors Kamera aus schwarzem Bakelit, die auf dem Waschbecken stand. Er stieg aus der Wanne und zog ein frisches Hemd an. Dann ließ er die Jalousie herunter, schaltete im Bad das Rotlicht ein und nahm den Film aus dem Apparat. Behutsam zog er das Negativ auf die Entwicklerspule, legte es in den Entwicklertank, dann ins Fixierbad und hängte es schließlich zum Trocknen an die Wäscheleine.

Er legte den Kopf schräg, um die Aufnahmen zu erkennen. Es waren keine Panzer, keine Brücken oder Straßen. Es waren Porträts einer Frau. Moritz spannte das trockene Negativ in den Vergrößerer, suchte sich ein Motiv aus und belichtete ein Fotopapier. Während es in seinen Händen vom Entwickler über das Stoppbad bis zum Fixierer wanderte, erschienen langsam, wie von Zauberhand gezeichnet, die Konturen eines verführerisch schönen Gesichts. Schwarze Locken, dunkle, leuchtende Augen und ein entwaffnendes Lächeln. Sie war schön, ohne es zu wissen. Und darüber lag ein wilder Stolz, der bereit war, ihre Schönheit für sich zu behalten und aufzusparen für den einen, den sie selbst wählen würde. Moritz erkannte die Frau, die er im Mondlicht gesehen hatte. Mit der er den stummen Pakt geschlossen hatte. Die er ohne Absicht verraten hatte. Obwohl er allein im Dunkeln war, fühlte er sich jetzt noch mehr als in der Nacht zuvor wie ein Eindringling in eine verbotene Welt. Das Lächeln der Frau in die Kamera war so viel vertrauter als die Art, wie sie Moritz durch das Fenster angesehen hatte. Ein unverstelltes Strahlen, wie man es nur einem einzigen Menschen auf der Welt schenkt. Moritz empfand plötzlich ein verwirrendes Gefühl der Eifersucht auf den Mann, der sie fotografiert hatte. Er spannte das nächste Negativ ein, machte von jeder Aufnahme einen Abzug und hängte sie nebeneinander an die Wäscheleine. Auch wenn die Bilder Victor entlasteten, spürte er einen Widerwillen dagegen, sie Rudel zu zeigen. Er fragte sich, warum.

Abends ging er in die Hotelbar und bestellte ein Bier. Am Klavier stümperte ein Kamerad. Zwei Stockwerke tiefer saß Victor in der Zelle. Sie würden ihn jetzt foltern. Vielleicht würde er jemanden verraten, der gerade eine Bombe legte. Vielleicht würde so das Leben eines Kameraden gerettet werden. Vielleicht sein eigenes.

Gerade als Moritz sich in seinem Zimmer schlafen legen wollte, klopfte es an der Tür. Sie brauchten seine Hilfe bei der Gefangenenbefragung. Als Dolmetscher.

»Jetzt? Es ist gleich Mitternacht.«

»Jetzt. Befehl vom Obersturmbannführer.«

Als er den feuchten Lagerraum im Keller betrat, erkannte er Victor kaum wieder. Seine Augen waren verquollen, sein Gesicht blutüberströmt. Er kauerte am kalten Boden wie ein Embryo, gekrümmt und zitternd. Womit sie ihn geschlagen hatten, sah Moritz nicht, nur einen umgestürzten Stuhl, an dessen Lehne Blut klebte. Um seinen Hals baumelte immer noch die

Kette mit dem silbernen Anhänger. Der Davidstern in der Hand der Fatma.

»Er sagt immer: *Italiano, non capisco*«, raunzte Rudel und holte mit dem Fuß aus. Victor drehte schützend den Kopf weg. Rudel lachte und trat nicht zu. »Aber hamse schon mal 'n Katholen mit gestutztem Pimmel gesehen? So, du Drecksjude, jetzt *capisco molto bene,* der Herr dort wird unser freundliches Gespräch übersetzen, also noch mal von vorne. Name?«

Moritz gelang es fast nicht, ihn anzusehen. »*Nome?*«

»Vittorio di Dio.«

»Nationalität?«

»*Nazionalità?*«

»*Italiano.*«

»Das versteh ich auch, das brauchense nicht übersetzen«, blaffte Rudel. »Religion?«

»*Religione?*«

»*Cattolico.*«

Noch bevor Moritz übersetzen konnte, drosch Rudel mit blinder Wut auf Victor ein. Moritz hatte viel gesehen an der Front, aber noch nie jemanden, der so lustvoll die Qual eines anderen genoss. Schmerzen waren etwas, das man an der Front nicht zeigte. Dieser Mann berauschte sich daran. Moritz sah weg. Wieder eines dieser Bilder, die man besser nicht machte.

Er wusste, warum er sich nicht zur SS hatte melden wollen, als sie in seine Schule gekommen waren, um die Jungs zu rekrutieren. Freiwillige vor, hatte der Offizier gerufen. Jeder wusste, wie hoch die Lebenserwartung dieser Elitetruppe war. Ein paar Monate. Der Fanatismus, die unbedingte Opferbereitschaft, der Glaube, etwas Besonderes zu sein. Keiner seiner Schulkameraden war aufgestanden. Stattdessen hatte einer der Jungs begonnen zu brummen. Ganz leise, mit geschlossenem Mund, um nicht erkannt zu werden. Ein anderer brummte mit, und bald brummte die ganze Klasse. Das war ihr Protest. Blick geradeaus, Unschuldsmiene, und ein Zimmer voller Bienen. Bis der SS-Mann mit hochrotem Kopf das Klassenzimmer verließ. Nur die Streber gingen zur SS, die Schläger und die Dümmsten, die immer gehänselt wurden und jetzt ihre Chance ergriffen, blitzschnell auf die Seite der Mächtigen zu wechseln. So einer war Rudel. Vielleicht hatten sie ihn früher Fettklops genannt, Pickelgesicht oder Schwuchtel. Moritz hatte sich an Kameraden gewöhnt, die kaltblütig töteten. Die Empfindungslosigkeit beim Drücken des Abzugs, die Verrohung des Gemüts, die tierischen Instinkte. Aber keiner von ihnen hatte bisher Spaß dabei gezeigt.

»Sagen Sie ihm, wir wissen, wer er ist! Dass er eh keine Chance hat. Außer er liefert uns Namen. *Capisce?!* Ich will Namen! Adressen! Die ganze Bande will ich ausrotten!«

Moritz übersetzte.

Victor schwieg.

Irgendwann zwischen zwei und drei Uhr – Moritz konnte keinen Grund erkennen – brach Rudel die Befragung ab.

»Kommense mit, Reincke, wir rauchen eine.«

Als sie draußen vor der Tür standen und in die verdunkelte Avenue de Paris starrten, sagte Rudel in die Stille hinein: »Morgen lass ich ihn erschießen.«

»Warum?«

Rudel zuckte mit den Achseln. Er hatte einfach die Lust verloren.

»Würde es ja gleich erledigen, aber Dienstweg ist Dienstweg. Hier in der Kommandantur gibt's nur Scherereien mit der Wehrmachtsführung. Morgen bringe ich ihn zu Rauff in die Villa; der macht kurzen Prozess.«

Keine Exekution ohne Unterschrift des Vorgesetzten. Jeder Jude, tot oder lebendig, wurde akribisch archiviert. Auch wenn die Totenscheine oft gefälscht wurden, die Zahlen mussten stimmen. Es gab Vorgaben zu erfüllen. Es war, als müsste die Abwesenheit einer moralischen Instanz durch eine obsessive Bürokratie ausgeglichen werden. Recht oder Unrecht, am Ende zählte, was auf dem Papier stand.

»Ach ja, haben Sie den Film entwickelt?«

»Ja.«

»Und, was ist drauf?«

»Nichts.«

»Wie, gar nichts?«

»Nein, er hatte den Film gerade erst eingelegt. Noch kein Foto gemacht.«

Rudel zog an seiner Zigarette, warf den Stummel auf den Boden und trat ihn aus. Dann wünschte er eine angenehme Nachtruhe und ließ Moritz allein.

Moritz ging zurück ins Hotel. Die Stille der Flure. Die leere Bar. Er setzte sich ans Klavier. Er hatte sehr lange nicht mehr gespielt. Die Terzen der Mondscheinsonate. Er staunte, wie leicht sie ihm noch von der Hand gingen. Man verlernt das Menschsein nicht völlig. Zwei Stockwerke unter ihm lag Victor in seiner Zelle. Es war halb vier; in ein paar Stunden würden sie ihn holen. Moritz nahm die rechte Hand dazu und ließ die Töne aus seiner Erinnerung entstehen. Das Klavier war leicht verstimmt. Moritz sah seinen Händen beim Spielen zu und lauschte den Tönen nach, staunend, als wäre es nicht er, der spielte, sondern etwas, das durch ihn hindurchfloss. Der Hall im menschenleeren Raum. Sein Blick streifte über die Stühle und Tische, an denen er und seine Kameraden gesessen hatten, als Victor spielte. Welchen Unterschied gab es zwischen ihnen, so dass der eine jetzt frei sein konnte und der andere in seinem Blut lag? Womit hatte er das Privileg verdient? Er, der Fremde in Victors Land. Wenn in zwei Stunden die Sonne über dem

Meer aufging, würde Victor es nicht sehen können – den letzten Sonnenaufgang seines Lebens.

Als Moritz in den Keller ging, hatte er noch keine Entscheidung gefällt. Er wusste nicht, warum er statt des Aufzugs nach oben die Treppe nach unten nahm. Vielleicht, weil in seinem Zimmer niemand auf ihn wartete, unten im Keller aber ein Mensch. Vielleicht, weil er spürte, dass das Menschliche, das er verlernt hatte, nicht in den Bars und Offiziersetagen zu finden war, sondern in der Dunkelheit der Folterkeller.

Rudel hatte keine Wache abbestellt, da er keinen Zuständigkeitsstreit mit der Wehrmacht haben wollte. Moritz sperrte vorsichtig die Tür des Lagerraums auf. Victor lag auf dem Boden, getroffen vom fahlen Lichtschein, der durch den Türspalt hereinschien. Als Moritz den geschundenen Körper sah, schoss ihm plötzlich ein verstörendes Bild in den Kopf. Er erinnerte sich, wie er als Kind auf der harten Kirchenbank seiner Dorfkirche kniete, während der Pfarrer das Weihrauchgefäß schwenkte, und auf das von Kerzen beleuchtete Kreuz über dem Altar starrte: Jesus, den Kopf schmerzvoll zur Seite geneigt, blutüberströmt, eine Dornenkrone auf der Stirn. Damals hatte er sich vor diesem Anblick gegruselt und gefragt, warum die Erwachsenen angesichts dieses gemarterten Gottes so ruhig bleiben konnten. Wie man sich daran gewöhnen konnte. Und jetzt lag er vor ihm. Victor drehte langsam den Kopf und sah ihn an. Moritz war schockiert. Nicht von den hässlichen Wunden in Victors Gesicht, sondern dem, was dahinter aufschien. *Was du dem geringsten meiner Brüder angetan hast, hast du mir angetan.* Auf einmal waren diese Worte wieder da, die verschüttete Erinnerung aus einer verlorenen Welt.

Was er dann tat, folgte keinem Plan. Er tat es ohne Hast, mit selbstverständlicher, fast traumwandlerischer Sicherheit. Es war einer jener Momente, in denen das eigene Handeln keinem vorgefassten Gedanken folgt, sondern sich aus der Situation ergibt, in deren Mitte man sich findet – wie ein perfektes Foto, das einem mühelos zufällt, nur dass Moritz jetzt nicht mehr der Fotograf war, sondern das Bild selbst. Er schloss die Tür wieder ab, stieg die Personaltreppe nach oben bis in den dritten Stock, ging zu seinem Zimmer und holte seinen Rucksack aus dem Schrank. Er füllte ihn mit einer Feldflasche voll Trinkwasser, zwei Dosen Ölsardinen aus englischer Beute, einem Päckchen Zigaretten und einer Landkarte, auf der die Front eingezeichnet war. Den Fotoapparat des Gefangenen ließ er jedoch stehen. Und die Abzüge. Dann ging er, ebenso unbeobachtet, wieder über die Personaltreppe nach unten.

Er öffnete die Tür und trat in den dunklen Raum. Victor zuckte zusammen und rappelte sich auf, in Erwartung von Schlägen. Moritz legte den Finger auf die Lippen, sah ihm fest in die Augen und reichte ihm den Rucksack. Victor nahm ihn nicht. Er war verstört. Moritz bedeutete ihm, den Rucksack zu öffnen. Zögernd sah Victor hinein und stutzte. War das eine Falle?

»Wenn Sie sich beeilen, sind Sie vor Sonnenaufgang aus der Stadt. Die Briten stehen achtzig Kilometer westlich, kurz vor Bizerte. Es herrscht Chaos. Sie müssen nur aufpassen, die großen Straßen zu meiden.«

Victor starrte ihn an. Moritz wartete nicht auf eine Antwort. Er dachte nur daran, dass es schnell gehen musste.

»Vor dem Eingang steht die Wache. Ich rede mit denen und lenke sie ab. In fünf Minuten gehen Sie durch die Garage des Hoteldirektors nach draußen. Keinen Lärm, verstanden?«

Victor nickte. Instinktiv richtete er seinen Kragen, als wäre es unschicklich, in einem zerknitterten Hemd auf die Straße zu gehen.

»*Grazie.*«

»*Di niente.*«

Moritz trat beiseite. Victor ging zur Tür, dann wandte er sich noch einmal um und griff in den Rucksack.

»Haben Sie einen Stift?«

Moritz zog einen Bleistift aus seiner Hosentasche. Victor riss ein Stück der Landkarte ab und kritzelte eine Adresse darauf.

»Meine Eltern. Albert und Mimi Sarfati. Bitte sagen Sie ihnen, dass ich lebe.«

Er kritzelte noch einen Satz darunter:

»*È un amico.*« Er ist ein Freund.

»Zeigen Sie ihnen das. Sie werden meine Schrift erkennen. Und sagen Sie ihnen, dass Yasmina fliehen konnte.«

»Yasmina?«

Die nackte Frau im Olivenhain.

»Ihre Frau?«

Moritz bemerkte ein Flackern in Victors Augen, das ihn irritierte.

»Sagen Sie ihnen, sie dürfen sich keine Sorgen machen. Ich komme zurück.«

Moritz nahm das Stück Papier. »Warten Sie. Wie heißen Sie?«

»Victor.«

Moritz trat hinaus auf die Avenue de Paris, bat die Wachen um Feuer und gab ihnen zwei seiner Zigaretten. Sie redeten über das Bordell, lachten, und nur Moritz vernahm das leise Geräusch des Garagentors in der Dunkelheit. Schritte waren nicht zu hören, denn Victor trug keine Schuhe.

Moritz versteckte das abgerissene Stück Landkarte in einem Brief von Fanny, nahm die Porträts von der Wäscheleine, steckte sie in die Mappe mit seinen eigenen Fotos und ging ins Bett. Zum ersten Mal seit Monaten schlief er tief. Die Befragungen am nächsten Tag ließ er ruhig über sich ergehen. Rudel war außer sich, natürlich, aber was sollte er machen. Moritz hatte noch in der Nacht mit seinem Taschenmesser das Türschloss herausgeschraubt, damit es so aussah, als hätte der Gefangene sich selbst befreit. Am Abend war die Sache ausgestanden. Rudel zerriss das Protokoll, um seine Niederlage nicht auch noch aktenkundig zu machen. Den Gefangenen hatte es nie gegeben.

Moritz konnte kaum glauben, was passiert war. Er war aus dem Schatten getreten, hatte sich eingemischt und konnte dennoch unsichtbar bleiben. Ohne sein Eingreifen wäre die Welt eine andere geworden. Ein Mensch weniger. Warum hatte er es getan? Weil er ihn hatte singen und Klavier spielen hören? War es die Ähnlichkeit, die er empfand, die Liebe zur Musik, die verschiedenen Sprachen, die er beherrschte? *Liebe deinen nächsten wie dich selbst.* Wäre es irgendein Mann von der Straße gewesen, ungebildet und vielleicht sogar unsympathisch, hätte er ihn auch befreit? Nein, vermutlich nicht. Es gab Menschen, die Juden versteckten, einfach weil sie Juden waren. Aus Prinzip. *Der Feind meines Feindes ist mein Freund.* Diese Menschen waren bereit, für ihre Überzeugungen zu sterben. Er dagegen hatte nur aus Sympathie gehandelt. Er war kein Held. Was ihn angetrieben hatte, war nicht der Wunsch, etwas Besonderes zu tun, sondern etwas ganz schlichtes: Er mochte Victor.

Seine Entscheidung rettete aber nicht nur das Leben eines anderen, sondern auch sein eigenes. In der Nacht, als er Victor befreite, hatte er etwas Verlorenes wiederentdeckt: Seine Freiheit, nicht Befehlen zu folgen, sondern etwas anderem, das im Dickicht des Krieges abhandenkommt: dem inneren Kompass dafür, was Recht und Unrecht ist. Erst jetzt wurde ihm bewusst, dass er irgendwo auf dem Weg nach Afrika seine Seele verraten hatte. An den blinden Gehorsam. An den Glauben, zu den Besseren zu gehören. An die vermeintliche Überlegenheit hinter der Kamera. Auf einmal erinnerte er sich wieder daran, wer er wirklich war: nicht Kameramann, nicht Sonderführer der

Propagandakompanie, nicht Deutscher. Sondern einfach ein Mensch unter Menschen.

Moritz ging nicht zu Victors Eltern. Er wollte kein Risiko eingehen. Wie würden sie reagieren, wenn auf einmal der Feind vor der Tür stand? Er hatte keinen Beweis. Wem würde die Familie von seinem Besuch erzählen? Die Stadt war voller Spitzel. Moritz zog es vor zu schweigen. Worüber niemand sprach, hatte nie stattgefunden. Manchmal, nachts während der Bombardements, dachte er an Victor. Ob er es geschafft hatte, hinter die feindlichen Linien, über die algerische Grenze.

Und er dachte an die Frau auf den Fotos. Yasmina.

23

MARSALA

Ich bin sprachlos. Hätte jemand anders diese Geschichte erzählt, würde ich es nicht glauben. Aber welchen Grund hätte Joëlle zu lügen?

»Das heißt, mein Nazi-Großvater ...«

»Ich hab dir gesagt, er war kein Nazi. Wusstet ihr nichts von der Geschichte?«

»Nein. Nichts.«

»Er hat es nie an die große Glocke gehängt.«

Ich muss aufstehen, auf die Hotelterrasse gehen, tief durchatmen. Der Morgen riecht feucht und salzig. Rotes, milchiges Licht flutet den Strand. Joëlle folgt mir nach draußen.

»Und deine Mutter?«, frage ich. »Wie hat sie die Flucht überlebt?«

»Jacques hat sie gefunden, halb erfroren im Olivenhain. In einem Loch, das sie mit bloßen Händen gegraben hatte. Sie wurde krank. Zur selben Zeit erreichten Alberts Freunde in Tunis, dass die SS alle Geiseln entließ. Am Tag seiner Freilassung fuhr Albert sofort auf die Farm, um Yasmina zu holen.«

»Aber euer Haus war doch von Deutschen beschlagnahmt?«

»Ja. Sie wohnten weiter bei Latif in der Medina. Bis die Alliierten kamen. Ein, zwei Monate, dann standen die Panzer vor der Stadt. Tunis war die letzte Festung der Deutschen und Italiener. Hunderttausende, eingekesselt. Mehr als in Stalingrad kurz davor. Sie nannten es Tunisgrad.«

Joëlles Lachen bekommt einen bitteren, grimmigen Zug.

»Sie hatten kaum noch was zu beißen in der Stadt, kaum Benzin und kaum Hoffnung. Nur auf der Avenue de Paris, rund ums Majestic, saßen die Soldaten mit ihren Mademoiselles vor den Cafés und tranken Cognac in der Frühlingssonne. Die Bomber flogen jetzt Tag und Nacht, die Flak war praktisch ausgeschaltet. Eine bizarre Untergangsstimmung. Und dann kam die verrückteste Wendung der Geschichte. Ohne die säße ich heute nicht hier. Aber jetzt ist es genug, Schätzchen. Meine Zigaretten sind aus, und ich muss schlafen. Wir reden morgen wieder.«

Ich bin zu aufgekratzt, um zu schlafen. Ich möchte es in die Welt hinausschreien. Aber da ist niemand. Wem sollte ich es erzählen? Wer interessiert sich für meine Erleichterung, mein Staunen und meine Verwirrung? Joëlle geht auf ihr Zimmer, und ich bleibe allein auf der Terrasse stehen, während die Sonne aufgeht. Vielleicht ist Joëlle die einzige Verwandte, die mir bleibt. Ich will es wenigstens einer Freundin erzählen. Ich gehe hoch, um mein Handy zu holen ... und checke meine Mails. Eine unerwartete Nachricht ist angekommen – von der Wehrmachts-Auskunftsstelle aus Berlin. *Auf Ihre Anfrage überstellen wir Ihnen hiermit vereinbarungsgemäß das Dokument W-Gen. St.Abt.Nr.5837/78g.Kdes (IC) sowie die Namentliche Verlustmeldung Nr. 687420 Heeresgruppe Afrika vom 7.5.1943.*

Die Passagierliste.

Ich öffne das Dokument. Die Namen der Besatzung sind mir vertraut: *Bovenspiepen. V. Mitzlaff. Triebel.* Dann folgen die Passagiere, fein säuberlich mit Schreibmaschine abgetippt. Mein Finger fährt über ihre Namen ...

Reincke, Moritz, Sdf. PK (Hg. A.).

Es trifft mich wie ein unerwarteter Schlag von der Seite. Er war an Bord. Es ist offiziell. Die namentliche Verlustmeldung bestätigt es: Erkennungsnummer, Regimentsnummer, Geburtsdatum, Planquadrat der Absturzstelle. Anfang und Ende eines Lebens in präzisen Zahlen. Diese Liste ist seine Todesanzeige.

Als ich im Hafen ankomme, ist das rote Morgenlicht schon dem grellen Licht des Tages gewichen. Patrice' kleines Schiff dümpelt am Kai. Ein Fischerboot tuckert in den Hafen. Ich springe an Bord und rufe ihn. Doch statt Patrice klettert eine junge Italienerin mit verwuschelten Haaren aus der Kajüte. Sie trägt nichts als ein T-Shirt über den langen Beinen. Ich frage nach Patrice, und sie ruft ihn. Ob ich einen Kaffee möchte, fragt sie mich. *No, grazie.*

Er kommt mit einer Kaffeetasse in der Hand an Deck. Kurze Hose und offenes Hemd über seinem trainierten Oberkörper.

»Ich hab die Passagierliste.«

Patrice ist schlagartig wach. Ich zeige ihm die Liste auf meinem Handy.

»Die Werksnummer passt. Das ist unser Flugzeug!«

Er scrollt die Namen nach unten … und findet Moritz.

»Hab ich's doch gesagt. Warum vertraust du mir nicht?«

Er grinst mich an. Dann bemerkt er, dass ich seine Freude nicht teile, und fragt erstaunt: »Dachtest du wirklich, er lebt noch?«

Ich würde ihm gerne sagen, was ich jetzt über Moritz weiß. Dass er kein Nazi war. Dass er sein Leben für einen anderen riskiert hat. Aber ich schweige, weil ich nicht zugeben kann, von wem ich das weiß. Und weil ich nicht mehr sicher bin, wie weit ich Joëlle glauben kann. Denn dieses Dokument widerlegt ihre Behauptung, er sei nicht an Bord gewesen. Was wiegt schwerer: Zahlen oder Worte? Ein amtliches Schriftstück oder eine mündliche Erzählung aus zweiter Hand? Wenn er im Flugzeug war, was stimmt dann noch am Rest ihrer Geschichte? Mein Gefühl sagt, sie ist wahr, aber ich habe gelernt, gefühlten Wahrheiten zu misstrauen. Nicht nur im Beruf.

»Wer erstellt diese Listen?«

»Der Generalquartiermeister des Flugplatzes. Normalerweise wurden sie dann nach Berlin geschickt. In diesem Fall aber haben die Alliierten den Flugplatz erobert. Also hat das Internationale Rote Kreuz die Liste von den Alliierten bekommen. Sie haben die Verlustmeldungen auf allen Seiten gesammelt und später zusammengeführt. So ist die Liste wahrscheinlich nach dem Krieg in Berlin gelandet.«

»Was ich nicht verstehe, Patrice: Wenn er offiziell als tot gemeldet wurde, warum haben wir nie einen Brief bekommen?«

»Das ist leicht zu erklären: Das Rote Kreuz wird nur auf Anfrage aktiv. Du musst eine Vermisstensuche beantragen.«

»Aber meine Großmutter hat das getan.«

»Deine Großmutter hat beim Roten Kreuz einen Suchantrag gestellt?«

»Ja. Das hat meine Mutter mir erzählt. Als Kind wollte sie unbedingt wissen, was mit ihrem Vater passiert ist. Und das Ergebnis war: Er ist verschollen.«

»*C'est bizarre.*«

Mehr sagt er nicht dazu. Offensichtlich interessiert ihn etwas anderes. Er scrollt weiter ... und wird still.

»Was ist?«

»*Putain.* Keine SS. Siehst du? Alles Wehrmacht. Offiziere, hohe Dienstgrade, aber kein einziger SS-Mann war an Bord!«

»Du meinst, wegen dem geraubten Schmuck?«

Er gibt mir mit einem diskreten Blick zu verstehen, dass ich vor der Italienerin im T-Shirt nichts davon sagen soll.

»Hattest du nicht zwei Zeugen, die gesehen haben ...?«

»Vielleicht war das eine andere Maschine.«

»Könnten die Kisten nicht auch von der Wehrmacht außer Landes gebracht worden sein?«

»Unwahrscheinlich. Aber vielleicht hat dein Nazi-Großvater doch mit der Sache zu tun.«

»Er war kein Nazi!«, rutscht es mir heraus. Heftiger als beabsichtigt. Er staunt.

»Woher weißt du das? Du hast doch immer gesagt ...«

Ich schweige. Und er ahnt es. Seine Augen verengen sich.

»Du hast mit dieser Frau geredet?«

»Ja.«

Er sieht enttäuscht weg. Ich fühle mich schuldig. Und zugleich verstehe ich nicht, was ich falsch gemacht haben soll.

»Und sie hat dir erzählt, dass dein Opa ein unschuldiger Engel war, um dir Honig um den Mund zu schmieren?«

»Ich hab ihr nichts von dir erzählt.«

»*Quelle merde,* Nina!«

Jetzt platzt mir der Kragen. »Was soll diese Geheimniskrämerei? Lern sie doch erst mal persönlich kennen!«

Die Italienerin im T-Shirt sieht uns mit großen Augen an. Patrice geht wortlos auf die Brücke. Sie folgt ihm. Ich sitze da wie bestellt und nicht abgeholt. Herr Bovensiepen kommt zum Schiff und wünscht mir einen guten Morgen. Die anderen machten heute einen Ausflug, sagt er, zu den Windmühlen. Patrice lässt den Diesel an. Das Schiff vibriert. Benoît und Lamine kommen an Deck. »Wir müssen das gute Wetter ausnutzen«, sagt Patrice, »wenn die Stürme kommen, ist es vorbei.«

Ich sehe die Italienerin auf der Brücke hinter Patrice stehen. Sie schmiegt ihre Arme um ihn. Er küsst sie. *Sie leben,* denke ich mir im Stillen, *ich nicht. Ich sitze noch unter meinem Stein. Also beklag dich nicht, Nina, du willst es so.* Ich stehe auf und gehe von Bord, ohne mich zu verabschieden. Als sie die Leinen einholen, bin ich schon auf der Straße.

Ich gehe am Strand entlang, in Richtung Hotel, todmüde und aufgekratzt. Ich möchte mit jemandem sprechen, um meine Verwirrung zu ordnen. Aber mit wem? Noch bevor ich mich entschieden habe, ihr die Liste zu zeigen, sehe ich Joëlle. Sie sitzt auf einem Liegestuhl auf der Veranda eines verlassenen Strandbads, in eine weite Stola gehüllt. Leere Umkleidekabinen, abblätternde weiße Farbe auf dem Holzsteg, eine zerzauste Palme. Joëlle schaut von ihrem Buch auf, lächelt und winkt mir zu. Ich zögere erst, dann setze ich mich auf den kaputten Liegestuhl neben ihr. Sie reicht mir eine Brioche aus der Papiertüte und erzählt mir von dem Buch, das sie liest. Ich sage nichts von der Passagierliste, sondern schaue aufs graue Meer. Statt schreiender Kinder, Eisverkäufer und Sonnenschirme nur Wind und Novemberwolken. Ein Sonnenstrahl bricht durch und lässt die Wellen silbern schimmern. Sie fragt mich, warum ich so schweigsam bin. Und dann erzähle ich ihr davon. Es überrascht sie nicht einmal.

»Ihr Deutschen liebt Listen«, sagt sie spöttisch. »Aber nur weil irgendwer irgendwo irgendwas aufgeschrieben hat, ist es noch nicht wahr.«

»War er vielleicht an Bord und hat den Absturz überlebt?«

»Er ist nie abgestürzt.«

Sie scheint sich ihrer Sache sehr sicher zu sein. Und dann erzählt sie mir, was passiert ist, an diesem 7. Mai 1943.

24

È UN AMICO

Wer Gastfreundschaft übt, bewirtet Gott selbst.

Jüdisches Sprichwort

Am Morgen des 7. Mai 1943 sah Yasmina den ersten Engländer ihres Lebens. Er stieg auf der Rue du Passage von seinem Motorrad, das Gesicht von weißem Staub bedeckt. Erst als er die Brille und Mütze abnahm, erkannte Yasmina am Rest seiner Haut, dass er kein Weißer war, sondern ein Inder in britischer Uniform. Er und seine Kameraden, die von ihren Jeeps sprangen, sahen sich auf der Straße um, verwundert, dass sie es bis hierher geschafft hatten. Yasmina war mit ihrem Vater hergelaufen, den Gerüchten folgend, um es mit eigenen Augen zu sehen. Die englischen Wortfetzen aus den Funkgeräten klangen wie Musik in ihren Ohren.

Verrückt vor Freude schüttelten die Juden den Befreiern die Hände und küssten sie, während an der nächsten Straßenecke Maschinengewehre feuerten. Überall in der Stadt spielten sich absurde Szenen ab, die in keinem Propagandafilm auftauchen dürften: Deutsche und Italiener, die auf der Avenue Jules Ferry beim Café Crème saßen, wunderten sich, warum eine Gruppe von Frauen triumphierend trällernd auf die Straße lief. Eine Hochzeit, ein Beschneidungsfest? Einer erkannte, dass es Jüdinnen waren. Erst als Explosionen und Schüsse zu hören waren, begriffen sie, dass der Feind schon in der Stadt war. Die einen sprangen auf und rannten zu ihren Einheiten. Die anderen blie-

ben sitzen, tranken ihren Café aus und ließen sich widerstands-
los gefangen nehmen. Für sie war der Krieg zu Ende.

Chaos breitete sich aus. Überall Gewehrfeuer, Scharmützel und
die Sirenen der Ambulanzen. Im Majestic herrschte eine Stimmung wie auf der Titanic: Haltung bewahren bis zum sicheren
Untergang. Dass der Afrikafeldzug verloren war, wussten längst
alle. Die einzige offene Frage war, ob er in einem Stalingrad
oder einem Dünkirchen enden würde – ob sie also im Kessel
festsaßen oder ob es ihnen noch gelingen würde, übers Meer
zu entkommen. Uniformierte rannten durch die Gänge, hastige
Befehle machten die Runde; aber alles folgte geschriebenen und
ungeschriebenen Regeln, die bis zuletzt mit soldatischer Disziplin eingehalten wurden. Moritz stopfte seine Fotoausrüs-
tung und Fannys Briefe in die Kameratasche. Die belichteten
und unbelichteten Filme, Stative und Filmkameras wurden, in
Kisten verstaut, in die Lobby gebracht. Auf seinem Weg nach
unten sah er, wie zwei SS-Offiziere aus dem Zimmer, das immer
streng bewacht gewesen war, schwere Munitionskisten trugen.
Eigenhändig. Das war ungewöhnlich. Moritz fragte nicht nach,
aber er vermutete, dass sie etwas anderes als Munition transportierten. Unten im Foyer verbrannte jemand die Listen der
beschlagnahmten Güter. *Nach dem Krieg bekommt ihr es zurück,*
hatten sie den Besitzern gesagt. Eure Möbel, euren Schmuck,
eure Bilder. Jetzt rafften die Offiziere alles in die Fahrzeuge.
Die einfachen Soldaten mussten sehen, wo sie blieben. *Bis zur
letzten Patrone,* daran glaubte keiner mehr. Aber keiner sprach
von Rückzug. *Wir verteidigen den Hafen,* hieß es. *Wir halten den
Flughafen.* Alle wollten nur raus hier, auf die letzten Schiffe, das
letzte Flugzeug.

Kurz darauf fand Moritz sich in einem gestohlenen Citroën
wieder, der durch die Stadt raste, vorbei an den leeren Cafés

und Menschen, die aufgeregt herumliefen. Im Parc du Belvédère verbrannten Soldaten ihre Ausrüstung. Moritz öffnete das Fenster, um ein letztes Foto zu schießen. Die warme Frühlingsluft schlug ihm ins Gesicht. Eine frische Brise vom Meer. Jasminduft und Rauch. Jetzt, wo alles vorbeiging, könnte er beginnen, dieses Land zu lieben.

Der Weg zum Meer war noch offen; doch das Artilleriefeuer aus dem Westen wurde stärker, und am Hafen stiegen Rauchwolken auf. Sie hatten keine andere Wahl, als mitten hineinzufahren. Auf den Kais herrschte unbeschreibliches Chaos. Tiefe Krater klafften im Asphalt, Kräne und Baracken brannten, Leichen und Verletzte lagen herum. Ein Frachter, dessen Deck grotesk aufgerissen war, lag auf der Seite wie ein gestrandeter Wal. *Das war unser Schiff.*

Sie rasten weiter nach Piccola Sicilia, zum Fischerhafen, der bislang von den Bomben verschont geblieben war. Am Kai standen bereits Kübelwagen und Transporter, daneben eine laut diskutierende Menschentraube. Zehntausende, Hunderttausende Francs wechselten schnell den Besitzer; minütlich stieg der Preis, den die Fischer für die Überfahrt nach Sizilien verlangten, auf alten Nussschalen, denen man sein Leben nicht anvertrauen mochte. *Die amerikanischen Flugzeuge, Monsieur! Die britischen Schiffe! Ich habe Frau und Kinder!* Deutsche und italienische Offiziere stritten sich um die letzten Plätze. Nur wer Geld gerafft hatte, viel Geld, kam an Bord. Die hohen Tiere. Die Skrupellosen. Moritz sah die überladenen Kutter auslaufen. Die Offiziere zogen ihre Uniformen aus, um von den Flugzeugen nicht erkannt zu werden. Wie viele waren es, die sich freikaufen konnten? Ein paar Dutzend, ein paar Hundert vielleicht. Hinter ihnen drängten über zweihunderttausend Männer an die Küste. Schlecht bewaffnet und ausgezehrt. Leichte Beute für die Spitfires. Sollten sie nach Italien schwimmen?

Die letzte Bastion war El Aouina. Das Rollfeld war von Bombenkratern übersät; ausgebrannte Flugzeugskelette standen vor dem zerstörten Funkturm. Aber noch starteten Maschinen. Bis zuletzt wurden die Plätze streng nach Dienstgrad vergeben. Der listenführende Stabsoffizier war unbestechlich. Moritz wartete zwei Stunden lang in der heißen Sonne und starrte den überladenen Ju 52 nach, die über das Feld rumpelten und nach Norden abhoben. Wie viele würden es schaffen, ohne den Spitfires und Thunderbolts zum Opfer zu fallen? *Sie schicken Begleitschutz,* hieß es. *In Sizilien steigt eine Jagdstaffel auf.* Dann wurde sein Name aufgerufen. Er konnte sein Glück kaum fassen. Seine Filmaufnahmen zählten mehr als sein Dienstgrad. Als Person wäre er entbehrlich gewesen, aber als Begleiter seiner belichteten Filme durfte er mit auf die letzte Maschine. *Womit habe ich das verdient?*

Unvergesslich: die Blicke der zurückbleibenden Kameraden, als er sich in der Flugzeugtür noch einmal umdrehte, seine Fototasche im Arm. In ihren jungen Gesichtern lag nicht einmal Neid, sondern einfach nur Verzweiflung. Er setzte sich, legte den Gurt an und sah aus dem Kabinenfenster. Die Männer standen auf dem zerstörten Rollfeld und starrten auf das letzte Flugzeug. Moritz spürte den Wunsch, dieses Foto zu machen, das alles ausdrückte, was er in den letzten Wochen empfunden hatte: die Gewissheit der Niederlage und die Verlorenheit unter der fremden Sonne. Aber er ließ seine Kamera in der Tasche stecken. Er wollte seine Kameraden nicht noch mehr beschämen, indem er sie in ihrer aussichtslosen Lage fotografierte. Das letzte Bild machte er nicht.

Die Motoren liefen schon, als der offene Mercedes quer übers Rollfeld heranschoss. Ein schneidiger SS-Offizier sprang heraus und winkte dem Piloten zu. Ein kurzer, aufgeregter Wortwechsel mit dem Stabsoffizier, dann befahl er einem Soldaten, sechs Munitionskisten aus dem Auto zu laden. Der Stabsoffizier machte dem Piloten ein Zeichen, und jemand riss die Tür wieder auf. Zwei Männer wuchteten die schweren Kisten herein. Der Pilot kam aus dem Cockpit nach hinten. *Sind Sie verrückt geworden? Wir sind schon zu schwer!* Der SS-Offizier kletterte an Bord und bestand auf Beförderung. *So kann ich nicht starten, wir sind voll,* protestierte der Pilot. Der SS-Offizier reichte ihm ein Schreiben und sagte nur: *Führerbefehl.* Gegen dieses Wort waren alle machtlos – der Pilot, der Stabsoffizier ... und die zwei Passagiere, die das Flugzeug wieder verlassen mussten. Einer für den SS-Mann, einer für sein Gepäck. Moritz' Filme durften an Bord bleiben. *Reichsministerium für Volksaufklärung und Propaganda, Adresse is alljemein bekannt, da machense sich mal keene Sorgen!*

Moritz stand sprachlos auf dem Rollfeld, als die Ju 52 vor seinen Augen zum Start rollte. Die Kameraden schwiegen versteinert. Jetzt war er ein Teil des Bildes, das er nicht gemacht hatte. Plötzlich löste sich einer der Soldaten aus der Reihe, warf seine Waffen weg und rannte dem Flugzeug hinterher. Verzweifelt klammerte er sich an das Fahrgestell, während die Maschine beschleunigte. Schwerfällig hob sie ab, touchierte wieder den Boden und stieg dann quälend langsam auf. Der Pilot wackelte mit den Flügeln, um den blinden Passagier abzuschütteln. Moritz und die anderen sahen zu, wie er mit rudernden Beinen unter der Maschine hing, die träge zum Meer hinauszog. Irgendwann, als der Körper gegen den Himmel kaum mehr vom Flugzeug zu unterscheiden war, löste er sich und stürzte in die Tiefe. Er schlug hart auf dem Boden auf und blieb reglos liegen. Keiner sagte ein Wort. Die Sanitäter liefen nicht hin.

Lieber zu den Engländern. Das ist näher an der Heimat. Die behandeln ihre Gefangenen fair. Solche Sätze wurden geflüstert. Moritz wollte sie nicht hören. Gefangenschaft war ihm zutiefst zuwider. *Ein deutscher Offizier ergibt sich nicht!* Vor allem aber dachte er an Fanny. Sie war sein einziger Fluchtpunkt. Die Demütigung der Gefangenschaft schreckte ihn weniger ab als die Aussicht, Fanny auf unbestimmte Zeit nicht mehr zu sehen. *Sandsäcke aufschichten, los!* Alle rannten irgendwo mit, Offiziere brüllten Befehle, und ein paar Verzweifelte richteten eine halb zerstörte Flak auf die Straße, von der die Panzer kommen würden. Ein sinnloser Kampf gegen das Unvermeidliche.

Dann kamen die Hurricanes im Tiefflug. Ihre Maschinengewehre mähten über das offene Feld. Schutzlos fielen die Männer und standen nicht mehr auf. Moritz rannte. Plötzlich spürte er einen brennenden Schmerz am Bein. Er rannte weiter, ignorierte die Schmerzen, lief durch die zerstörten Baracken und über eine Straße, ohne anzuhalten, während die Hurricanes zu einer neuen Runde herandonnerten. Bloß weg von dem verdammten Präsentierteller! Keuchend blieb er auf einer Straße stehen und sah an seinem Bein herunter. Die Hose war voller Blut. Ein Geschoss hatte ihn erwischt.

Er wollte gerade das Hosenbein hochkrempeln, da sah er eine gewaltige Staubwolke am Ende der Straße. Die Panzer! Er biss die Zähne zusammen und lief gegen seine Schmerzen an, in das Feld neben der Straße. Irgendwo zwischen Steinen und Gestrüpp stand ein ausgebranntes Autowrack. Moritz kletterte hinein. Es war schwarz von Ruß, es stank nach kaltem Rauch und Benzin. Von den verbrannten Sitzen waren nur noch die Metallgestelle übrig. Das Lenkrad war geschmolzen. Aber Türen und Dach waren noch intakt. Mit geducktem Kopf beobachtete er die Panzerkolonne, die auf den Flugplatz zurollte. Amerikanische Shermans. Der Boden vibrierte auf unheimliche Art, wie bei einem Erdbeben. Moritz dachte an die Kameraden hinter ihren Sandsäcken. Sie hatten keine Chance. Plötzlich drehte einer der Panzer in voller Fahrt seinen Turm, bis er direkt auf Moritz zeigte. Er duckte sich. Jeden Moment erwartete er den tödlichen Einschlag der Granate. Es würde schnell gehen. Aber nichts passierte. Die Panzer rollten vorbei. Dann donnerten Schüsse vom Flugplatz. Maschinengewehre gegen Panzerkanonen. Hinter den Panzern lief die amerikanische Infanterie. Moritz war nicht hinter die feindlichen Linien gelangt; die Front hatte ihn einfach überrollt. Er war abgeschnitten. Sobald er hier rauskam, würden sie ihn bemerken. Über seinem Kopf dröhnten die Hurricanes.

Er musste warten, bis es dunkel wurde. Seine Kehle brannte vor Durst. Der Rücken schmerzte von der geduckten Haltung, aus seinem Unterschenkel pumpte Blut. Er riss sich einen Ärmel vom Hemd und band ihn um den Oberschenkel, knapp über dem Knie. Er durchforstete seine Fototasche nach etwas Essbarem. Aber da waren nur: Kameragehäuse, Objektive, Staubtuch, Taschenmesser, Feuerzeug. Und die Briefe von Fanny. Er zog sie heraus und las sie leise flüsternd im Schatten der Schüsse, eine Sprache aus einer anderen Zeit, während rings um ihn die Welt unterging. Er las sie wie jemand, der das Beten verlernt hatte. Er war Jonas im Bauch des Wals. Als er den letzten Brief aus dem Kuvert zog, sah er im letzten Licht der Dämmerung das abgerissene Stück der Landkarte, die er Victor gegeben hatte. Die gekritzelte Adresse, die er nie aufgesucht hatte. Und der Satz: »*È un amico.*« Drei Worte, auf denen der letzte Rest seiner Hoffnung ruhte.

Er versuchte, nüchtern zu denken: Die Stadt war voller Feinde. Aber es herrschte Chaos. Und anders als die Alliierten kannte er sich in der Stadt aus. Seine Chance war klein, aber eine andere hatte er nicht. Er wartete, bis es völlig dunkel geworden war, dann zog er seine Uniformjacke aus und kletterte aus seinem Versteck. Von den großen Straßen hielt er sich fern, humpelte über Felder, durchquerte Gärten und Gassen, schlich sich an Hausmauern entlang, erspähte Panzer auf den Kreuzungen, hörte amerikanischen Jazz und plötzliche Schüsse. Eine gespenstische Atmosphäre. Die meisten Menschen verließen ihre Häuser nicht. Aber die Nacht war verstörend mild, und durch den Geruch von Rauch und Schießpulver drang der frühlingshafte Duft von Jasminblüten. Gegen Mitternacht erreichte er die Medina. In den alten Gassen zwischen den verrammelten Läden war es völlig still. Straßenkatzen huschten vorbei. Sein Bein schmerzte.

»*Allemand?* Deutsch?« Plötzlich trat ein Mann aus dem Schatten und hängte sich an seine Fersen. Heisere Stimme, vernarbtes Gesicht. Moritz kannte diese Art von schmierigen Gestalten. Sie hatten sie als Spitzel benutzt.

»*Cache cache? C'est dangereux, mon ami! Allemand?*«

Moritz begriff, dass ihm nur die Wahl blieb, entweder ausgeraubt zu werden oder sich den Mann zum Freund zu machen. Er nahm seine restliche Autorität zusammen, zog den Fetzen Landkarte heraus und las ihm die Adresse vor. Der Mann dachte nach. Dann nickte er stumm und ging voran. Mit schnellen Schritten, durch ein Gewirr von Gassen, das Moritz die Orientierung raubte. Vielleicht machte er es mit Absicht? Plötzlich blieb der Mann stehen und raunte mit bedrohlicher Stimme: »*Bakshish!*«

Moritz gab ihm sein letztes Geld.

»*C'est tout?*«

Moritz zuckte mit den Schultern. Mehr hatte er nicht. Der Mann deutete auf seinen Ehering. Moritz schüttelte resolut den Kopf. Der Mann wandte sich wortlos ab und ging weg.

»*Attendez!*«, rief Moritz. Der Mann blieb stehen. Moritz zog den Ring vom Finger. Er hasste den Kerl, und noch mehr hasste er sich dafür, ihm seinen Ring zu reichen. Er versuchte, dabei nicht an Fanny zu denken. Er würde einen neuen kaufen, sobald er hier rauskam, und ihr nichts davon erzählen. Der Mann steckte den Ring kommentarlos ein und deutete beiläufig auf eine Eingangstür. »Latif Abderrahmane.« Dann verschwand er ebenso schnell in der Dunkelheit, wie er aufgetaucht war.

Moritz sah an sich herunter. Sein schmutziges Hemd. Die zerrissene Uniformhose. Er würde sich selbst nicht glauben, dachte er. Dann nahm er all seinen Mut zusammen und klopfte. Leise, um keine Nachbarn zu wecken. Es dauerte eine Ewigkeit, bis er Schritte hörte. Und eine Frauenstimme.

»*Chkoun?*«

Er räusperte sich. Die Tür öffnete sich einen Spalt, und er sah eine Araberin mit Petroleumlampe in der Hand, die ihn misstrauisch musterte.

»*Bonsoir*«, sagte Moritz in seinem bruchstückhaften Französisch. »*Excusez-moi.*« Und dass er ein Freund von Monsieur Sarfati sei. Victor Sarfati. Die Frau schloss die Tür wieder. Leise, ohne Feindseligkeit. Dann rief sie etwas ins Haus hinein. Moritz wartete. Schließlich öffnete die Tür sich wieder. Moritz sah einen hageren Mann Mitte fünfzig, der sich, die Petroleumlampe in der einen Hand haltend, mit der anderen umständlich seine runde Brille aufsetzte und den Besucher musterte. Es war ein neugieriger, offener Blick; einer, dem man in diesen Tagen selten begegnete. Ein Mensch, der Menschen mochte, trotz allem. Er trug einen zerknitterten, hellen Anzug und löchrige Socken. Moritz holte das Stück Landkarte aus seiner Tasche und reichte es ihm.

È un amico.

Der hagere Mann las den Zettel zwei-, dreimal im Schein der Petroleumlampe und blickte an Moritz' zerrissener Kleidung herunter. Dann fragte er vorsichtig: »*Vous êtes allemand?*«

Es hatte keinen Sinn zu lügen.

»Oui.«

Auf einmal war das Deutsche nicht mehr der Ausweis von Macht, sondern ein Makel. Zum ersten Mal in seinem Leben sagte Moritz es nicht mehr im Brustton der Überzeugung, sondern kleinlaut. Es war ungewohnt. Der Mann in der Tür dachte nach.

»Ist Victor Ihr Sohn?«, fragte Moritz.

Albert nickte. Moritz versuchte zu erklären, was geschehen war. Auf der Farm, im Keller des Majestic. Erst in bruchstückhaftem Französisch, und dann, als er erkannte, dass der Mann Italienisch sprach, in der Sprache, die er besser beherrschte.

Albert hörte aufmerksam und bewegt zu. Dann öffnete er vorsichtig die Tür, nicht weit, nur so viel, dass Moritz hereinkommen konnte. Er stellte die Lampe auf den Boden und bat Moritz, auf dem Sofa Platz zu nehmen. Das erste Zimmer in den alten arabischen Häusern, gleich hinter der Tür, war immer das Besucherzimmer. Erst dahinter folgte der Flur, durch den man engere Freunde und Verwandte ins Innerste ließ.

»Mimi? Komm, wir haben Besuch!«, rief Albert und setzte sich gegenüber von Moritz. Dann kam seine Frau ins Zimmer. Sie trug ihre Haare offen und ein europäisches Kleid. Moritz stand auf, um ihr die Hand zu reichen.

»Das ist Signor ...«

»Reincke. Moritz Reincke.«

Als sie bemerkte, dass er Deutscher war, zog sie ihre Hand zurück.

»Setz dich, Mimi. Er hat Nachrichten von Victor.«

Mimis Miene verdüsterte sich. Sie erwartete das Schlimmste.

»Er sagt, dass Victor lebt. Er hat ihn gesehen.«

»Ja«, sagte Moritz leise. »Er wurde verhaftet, konnte aber fliehen.«

Albert und Mimi sahen ihn schweigend an. Die Petroleumlampe zischte und flackerte unruhig. Wie in einer Höhle saßen sie sich gegenüber, und etwas, das ihr Leben während der letzten sechs Monate bestimmt hatte, fehlte: die Rangordnung. Während draußen die Herren von gestern zu Gejagten wurden, wussten die drei noch nicht, mit ihren neuen Rollen umzugehen. Sie überbrückten es mit großer, angespannter Höflichkeit. Moritz empfand etwas gänzlich Unerwartetes. Das fremde Ehepaar strahlte etwas aus, das ihm aus der Heimat vertraut gewesen, aber an der Front in Vergessenheit geraten war: Anstand.

»Wo ist Victor jetzt?«, fragte Mimi zögernd. In ihr Misstrauen mischte sich ein Funken Hoffnung.

»Ich weiß es nicht. Er wollte über die algerische Grenze fliehen.«

»Warum kommen Sie zu uns?«

»Er hat mich darum gebeten, ihnen zu sagen, dass er in Sicherheit ist. Und auch ... Yasmina.«

Albert und Mimi sahen sich an. Moritz versuchte ihre Gedanken zu erraten. Sie ahnten jetzt, dass er die Sache nicht ganz erfunden haben könnte.

»Was haben Sie mit ihm gemacht?«, fragte Mimi.

»Nichts. Er sollte erschossen werden, aber ich habe ihm geholfen zu fliehen.«

Er sagte es ohne falschen Stolz, und vielleicht spürten Albert und Mimi deshalb, dass er nicht log.

»Warum haben Sie das getan?«

»Weil ...« Moritz wusste in diesem Moment selbst keine Antwort.

Mimi flüsterte Albert etwas zu.

»Nein«, sagte Albert leise zu ihr, »ich habe sie kennengelernt, die Deutschen. Es gibt auch Gute.«

Das Wörtchen »auch« traf Moritz. Die Guten der einen sind die Bösen der anderen. Hätten seine Kameraden ihn erwischt, wäre er anstelle von Victor als Verräter exekutiert worden. Und dennoch war es nicht austauschbar, das Gute. In ihrer Sprache, in ihrer Kultur bedeutete es dasselbe wie in seiner: Wenn einer einem anderen hilft.

Woher sollten sie wissen, ob er die Wahrheit sagte? Er erzählte ihnen von der Nacht, in der er Victor befreit hatte. Wie er aussah, wie seine Stimme klang. Er erzählte ihnen von seiner Verhaftung auf Jacques' Farm. Nur ein Detail ließ er weg: Wie er Victor und Yasmina im Stall beobachtet hatte. Was er aber erwähnte, war, dass Yasmina fliehen konnte.

»Ist sie in Sicherheit?«, fragte Moritz.

»Ja«, antwortete Albert, ohne zu sagen, wo sie jetzt war.

Mimi dachte nach. Dann traf sie eine Entscheidung. Sie rief nach Yasmina. Moritz spürte, dass Albert das nicht guthieß. Aber Mimi wollte sie offenbar als Zeugin, um herauszufinden, ob der Deutsche die Wahrheit sagte.

Als Yasmina das Zimmer betrat, erkannte Moritz sie nicht gleich wieder. Sie trug ihre langen Locken nach hinten gebunden. Sie war kräftiger geworden. Sie war sehr schön. Er stand auf, um sie zu begrüßen.

»Das ist Signor Maurice«, sagte Mimi. »Er hat Nachrichten von Victor.«

»Moritz«, korrigierte er höflich. An ihrem Blick erkannte er sie wieder. Augen, die suchten. Augen, die brannten. Augen, die verschlangen. Im selben Moment wusste sie, wer er war. Ihr Gesicht verfinsterte sich.

»Kennst du den Signore?«, fragte Albert.

»Nein.«

Warum log sie? Ihre Hände zitterten. »Wo ist Victor?«

»Ich weiß es nicht.«

Eine plötzliche Scham überkam Moritz. Unvermittelt ging Yasmina auf ihn los und schrie: »Was habt ihr mit ihm gemacht? Habt ihr ihn gefoltert? Habt ihr ihn getötet?«

Moritz war völlig unvorbereitet auf ihre entfesselte Wildheit.

Es war, als würde sie sich von ihm verraten fühlen. Weil er ihren heimlichen Pakt gebrochen hatte.

»Ich habe Sie nicht verraten«, verteidigte sich Moritz. »Sie müssen mir glauben.«

»Ihr seid keine Menschen! Ihr seid schlimmer als Tiere!«

Mimi hielt ihre Tochter am Arm zurück. »Yasmina! Was ist in dich gefahren?«

Moritz versuchte, sie zu beruhigen: »Ihr Mann ist in Sicherheit. Ich soll Ihnen einen lieben Gruß von ihm ausrichten.«

Albert stutzte. »Ihr Mann?«

»Victor.«

»Victor ist ihr Bruder«, erklärte Mimi.

Moritz verschlug es die Sprache.

»Wer ist das? Was will er hier?«, fragte Yasmina schroff in die Stille hinein.

»Er sagt, Victor sei geflohen. Er sagt, er habe ihm geholfen.«

Yasminas Augen flackerten, als sie Moritz ansah.

»Er hat ihn verraten.«

»Aber woher ... Hast du den Signore schon einmal gesehen, Yasmina?«

»Nein!«

Sie brach in unkontrollierte, wütende Tränen aus. Mimi nahm sie in den Arm. Albert wandte sich an Moritz.

»Bitte entschuldigen Sie. Sie liebt ihren Bruder sehr.«

»Er hat uns Victors Verhaftung so beschrieben wie du«, sagte Mimi zu ihrer Tochter. »Die Farm des Franzosen, der 25. März.«

»Ich war dabei«, sagte Moritz. »Aber ich habe ihn nicht verhaftet. Ich habe ...«

Yasminas Augen fixierten ihn. Sie war voller Angst, und zugleich drohte sie ihm. Er begriff, was sie ihm sagen wollte: dass er ihr Geheimnis nicht antasten durfte. Offensichtlich ahnten die Eltern nichts davon. Es war so ungeheuerlich, dass sie ihn auf der Stelle rausgeworfen hätten.

»Lies!«, sagte Albert zu ihr und reichte ihr den Fetzen der Landkarte. »Das ist Victors Schrift, nicht wahr?«

È un amico.

Yasmina erkannte seine Handschrift sofort.

»Und wenn er den Zettel von jemandem gestohlen hat? Victor hat keinen Namen darauf geschrieben.«

Albert und Mimi schwiegen. Moritz verstand, dass er hier nicht willkommen war. Er war schon zu weit in die Welt dieser Familie eingedrungen, die ihn nichts anging.

»Verzeihen Sie, wenn ich Sie gestört habe. Ich hoffe, Ihr Sohn und Bruder kommt bald zurück.«

Er ging zur Tür, entschlossen zu gehen, aber insgeheim hoffend, jemand würde ihn aufhalten. Niemand sagte ein Wort. Da sah Albert das frische Blut an seinem Hosenbein. »Sind Sie verletzt?«

»Nicht schlimm.«

»Warten Sie einen Moment. So können Sie nicht gehen. Setzen Sie sich.«

Moritz blieb stehen. Er konnte Yasminas stumme Wut körperlich spüren.

»Ich bin Arzt«, sagte Albert und führte ihn zum Sofa. »Yasmina, hol meinen Koffer.«

Wieder war es Dottor Sarfatis Pflichtgefühl, das den Dingen eine unerwartete Wendung gab. Vielleicht hätte er Moritz gehen lassen, wenn der Hurricane-Pilot ihn Stunden zuvor nicht erwischt hätte. Eine lose Kette von Zufällen und eigenwilligen Entscheidungen formte das, was sie später Schicksal nennen würden.

Moritz setzte sich vorsichtig. Unter Schmerzen rollte er sein Hosenbein auf. Albert öffnete den schmutzigen, von dunklem Blut durchtränkten Verband. Die Wunde sah schlimmer aus, als Moritz befürchtet hatte. Yasmina brachte widerwillig, aber gehorsam einen alten Arztkoffer. Albert reinigte die Wunde, desinfizierte sie mit Jod und legte einen neuen Verband an.

»Sind Sie gegen Tetanus geimpft?«

»Nein.«

»Sie müssen Ihr Bein ruhig halten«, sagte er. »Haben Sie einen Platz für die Nacht?« Albert wusste die Antwort natürlich schon. Moritz schüttelte den Kopf. Albert blickte zu Mimi.

»Es ist nicht unser Haus, müssen Sie wissen«, sagte Albert.

»Er soll gehen«, flüsterte Yasmina, unvermittelt ins Arabische wechselnd. So hatten sie das auch in ihrer Kindheit gemacht, um von Verwandten, die zu Besuch aus Italien kamen, nicht verstanden zu werden.

»Wenn es wahr ist, was er sagt«, antwortete Mimi auf Arabisch, »dürfen wir ihn nicht abweisen. Deutscher oder nicht, wir schulden es Victor.«

»Er sagt das nur, weil er in Not ist. Haben sie uns aufgenommen, als wir in Not waren? Sie haben uns aus unserem Haus geworfen!«

Moritz verstand Yasminas Worte nicht, aber ihr Tonfall sprach Bände.

»Beten wir, dass unser Haus unversehrt geblieben ist«, sagte Mimi.

Albert schnitt den Verband ab und reinigte seine Schere. »Was er erzählt, ist unwahrscheinlich. Aber nicht unmöglich. Wenn Victor zurückkommt und bestätigt, dass dieser Mann ihn gerettet hat, dann könnte ich mir nie verzeihen, ihn abgewiesen zu haben. Dort draußen wartet der Tod auf ihn.«

»Vielleicht hat er ihn verdient«, murmelte Yasmina.

»Allein Gott ist unser Richter«, sagte Mimi.

»Wir müssen Latif und Khadija fragen«, beschloss Albert. »Wir sind nur Gäste hier. Und morgen schauen wir nach unserem Haus. Es ist also nur für eine Nacht.«

»Darf er bleiben?«, fragte Albert Latif. Mondlicht fiel in den Innenhof, während Khadija in der Küche einen Minztee für den ungebetenen Gast kochte.

Latif dachte nach und wartete, bis Khadija mit der Teekanne auf einem Tablett aus der Küche kam. Er rief sie leise zu sich.

»Bürgt ihr für ihn?«, fragte Khadjia Albert.

»Nein. Wir kennen ihn nicht.«

Sie wechselten stumme, besorgte Blicke. Albert und Khadija warteten auf Latifs Entscheidung, als die Großmutter zu ihnen kam. Sie nahm Khadija ruhig, aber entschlossen das Tablett ab. In der Tür zum Empfangszimmer drehte sie sich noch einmal um und sagte: »Auch er hat eine Mutter.«

Yasmina konnte nicht einschlafen. Der Deutsche lag nebenan, in Victors Bett. Der Feind, der sie nackt gesehen hatte, im schönsten und zerbrechlichsten Moment ihres Lebens. Hatte er sie verraten oder nicht? Hatte Victor ihm die Adresse gegeben, oder hatte er sie gestohlen? Sie sehnte sich nach Victor. Nur er kannte die Wahrheit. Yasmina stand auf und legte das Ohr an die Wand. Erst hörte sie nichts, dann ein leises, schmerzvolles Stöhnen. Schlief er? Träumte er? Sie rückte den Stuhl vor die Tür und klemmte die Lehne unter die Klinke. Dann legte sie sich wieder hin, aber sie fand keinen Schlaf. Sie begann, mit Victor zu sprechen, so wie sie es in den letzten Wochen gelernt hatte, ohne die Lippen zu bewegen.

Victor, hörst du mich?

Ist es wahr, was der Deutsche sagt?

Warum antwortest du nicht, Victor? Lebst du noch?

Allein die Hoffnung, ihm im Traum zu begegnen, ließ sie im Morgengrauen einschlafen. Als sie kurz darauf von einer lauten Stimme geweckt wurde, konnte sie sich an nichts erinnern. Sie zog ihr schwarzes Kleid an – *wie eine Witwe*, dachte sie – und verließ ihr Zimmer. Der Duft von frischem Brot und arabischem Kaffee erfüllte das Haus. Zimt und Kardamom. Alle saßen im Salon um das Radio versammelt – alle außer dem Deutschen. Endlich hatten sie es wieder so laut aufgedreht wie früher. Radio Tunis, auf dessen Frequenz die Achsenmächte ihre Propaganda gesendet hatten, war wieder in französischer Hand. Mit großem Pathos verkündete der Sprecher den Sieg der Freiheit gegen die Tyrannei, der Demokratie gegen den Faschismus, der Hoffnung in der Dunkelheit. *Der Weg zur Befreiung des europäischen Mutterlandes ist noch lang, aber dieser ruhmreiche Sieg ist der Anfang vom Ende!* Es mutete bizarr an, im Augenblick des Triumphes einen Feind im Haus zu haben. Wie ein Stachel im Fleisch.

»Wo ist der Deutsche?«, frage Yasmina.

»Er schläft noch.«

Albert sah besorgt auf die Uhr. Er nahm seine Brille vom Tisch und ging zum Zimmer, in dem Moritz schlief. Er klopfte leise und trat ein. Yasmina und Mimi spähten zur Tür hinein. Ihr Gast lag bei geschlossenen Fensterläden auf dem Bett und atmete schwer. Albert legte ihm die Hand auf die Stirn. Moritz wachte aus seinem Fiebertraum auf, bemerkte Albert und versuchte, sich unter Schmerzen aufzurichten. Albert öffnete die Fensterläden. Der Deutsche sah bleich aus im Tageslicht. Er hatte Schweißperlen auf der Stirn.

»*Buongiorno*«, sagte er, als er die Frauen in der Tür bemerkte.

Selbst im Fieber war er um Korrektheit bemüht, etwas zu förmlich, was Yasminas Misstrauen erregte.

»Zeigen Sie mir Ihr Bein.« Albert setzte seine Brille auf und nahm den Verband ab. Die Wunde war geschwollen und dunkelrot. Sie hatte sich entzündet.

»Ich vermute, da steckt noch ein englisches Souvenir drin«, sagte Albert. »Eigentlich müssten Sie sofort ins Krankenhaus.«

Jeder wusste, was das für ihn bedeuten würde.

»Es gibt keinen Alkohol in diesem Haus, und Betäubungsmittel habe ich keine. Sie werden also die Zähne zusammenbeißen müssen.« Moritz nickte dankbar.

Albert wandte sich an die Frauen: »Mimi, bring mir eine Schale warmes Wasser, ein Handtuch und meinen Koffer.«

»Es ist Shabbat«, antwortete Mimi.

»Dann hoffen wir, dass Gott heute auch Pause macht und nichts mitbekommt. Yasmina, du assistierst mir.«

Yasmina rührte sich nicht. Albert ging zu ihr, nahm sie beiseite und flüsterte: »Ich brauche dich jetzt. Ich weiß, du schaffst das.«

»Wie kannst du Schlechtes mit Gutem vergelten?«

»Wenn wir ihn nicht wie einen Menschen behandeln, woher nehmen wir das Recht, uns besser zu fühlen als sie?«

Moritz hatte nichts als ein Handtuch, auf das er biss, während Alberts Skalpell in seine Wunde fuhr. Yasmina hielt mit zwei Zangen das Fleisch offen, während Albert mit einer Pinzette das schwarze, blutige Projektil herauszog. Moritz brüllte kein einziges Mal, aber schnaubte wie ein Tier. Yasmina sah in seine aufgerissenen Augen und gönnte ihm den Schmerz. Wer wusste, was sie Victor angetan hatten.

Später schlief der Deutsche erschöpft ein. Sie wuschen sich das Blut von den Händen, zogen ihre besten Kleider an und gingen los, um ihr Haus wiederzufinden. Um mit eigenen Augen zu sehen, dass der Albtraum zu Ende war.

Tunis atmete auf. Die Märkte waren voller Menschen und Musik. Eine Explosion der Freude nach dem langen Winter. Alle strömten aus ihren Häusern, um die neuen Herren zu begrüßen. Die Kinder kletterten begeistert auf ihre Panzer, so wie sie vorher auf die deutschen Panzer geklettert waren, und die alliierten Fotografen und Kameraleute standen dabei, um die gleichen Bilder einzufangen, die sechs Monate zuvor die Deutschen produziert hatten. Die Soldaten steckten den Kindern Schokolade und Kaugummi zu und nahmen sie auf die Schultern. Eine Gruppe Zwangsarbeiter in ihren braunen Anzügen kam singend vom Bahnhof. Jüdische Frauen liefen auf sie zu und tanzten mit ihnen. Die Franzosen schwenkten die Trikolore und waren auf einmal alle Gaullisten. Nur die Italiener ahnten, dass ihnen jetzt schwere Zeiten bevorstanden.

Die Araber gingen bedächtig ihrer Wege, begrüßten die Alliierten freundlich, aber ohne Überschwang. Sie sahen die einen Besatzer gehen und die anderen kommen, wieder um ein Versprechen betrogen. Während auf den ersten Blick alles nach einem großen Fest aussah, konnte jemand, der tiefer blickte, erkennen, dass das Gift der Spaltung, das die Faschisten gesät hatten, sich in den Herzen der Menschen festgesetzt hatte. Die Unschuld war verlorengegangen.

Während Mimi sich mitreißen ließ, mit Fremden zu tanzen, sagte Albert zu Yasmina: Pass auf, ab jetzt werden sie uns nicht mehr als Juden verdächtigen, sondern als Italiener. Wenn ein Soldat dich nach dem Ausweis fragt, sag ihm einfach, dass du Jüdin bist, verstanden? Vor den Cafés der Avenue Jules Ferry, in denen gestern noch die Deutschen gesessen hatten, bedienten die Kellner jetzt die neuen Gäste; statt »*Wie geht's?*« grüßten sie nun mit »*How are you?*«, als wären sie alte Freunde. All das, während ein paar Kilometer nördlich noch letzte Gefechte stattfanden. Erstaunlich, dachte Yasmina, wie kurz das Gedächtnis unseres Volkes ist. Vielleicht war es aber auch das Gegenteil: Die jahrtausendelange Erfahrung mit immer neuen Eroberern, die unsere Küsten erreichten, ließ uns die nächsten Fremden mit gleichmütiger Freundlichkeit begrüßen. Wie Hotelgäste, die kommen und gehen. Nur dass sie sich nicht wie Gäste benahmen, sondern glaubten, das Hotel gehöre ihnen.

Albert, Mimi und Yasmina nahmen den Vorortzug nach Piccola Sicilia. Mitten auf der Strecke, wo die zerbombten Bahngleise bizarr in die Höhe ragten, mussten sie in einen anderen Zug umsteigen, der vom Hafen entgegenkam. Yasminas Herz schlug bis zum Hals, als sie das Meer roch. Salz und Algen, der Geruch ihrer Kindheit, in den sich ein beißender Gestank von verbranntem Metall und Benzin mischte. Über El Aouina stieg Rauch auf. Der Flugplatz war ein Friedhof der Hakenkreuze. Grotesk verkeilte Leitwerke, verkohlte Stahlskelette, gestürzte Riesen. Auf dem zerbombten Feld standen Hunderte, Tausende, Zehntausende Deutsche und Italiener in ihren sandfarbenen Uniformen, mit Mützen oder bloßem Kopf unter der Sonne, bewacht von britischen und amerikanischen Soldaten, die Helm und Gewehr trugen. Sie zählten die Gefangenen ab. Am Ende würde die ungeheure Zahl von 230.000 stehen. Doppelt so viele wie in Stalingrad. Später würden die Geschichtsschreiber den Untergang des Afrika-Korps als Wendepunkt des Krieges bezeichnen. Die bisher größte Niederlage der Achsenmächte, der Auftakt für die Rückeroberung der Festung Europa. Doch jetzt dachte jeder nur daran, über den nächsten Tag zu kommen.

Als sie aus dem Zug stiegen, erkannte Yasmina die Straßen, auf denen sie als Kind gespielt hatte, nicht wieder. Eine surreale Kulisse der Verwüstung, ein sinnloser Albtraum, aus dem Yasmina nicht erwachen konnte. Es roch nach Asche und Verwesung. Überall Schutt, Müll und ausgebrannte Fahrzeuge, verstreut und umgeworfen wie Spielzeug, das ein Riese hinterlassen hatte, der wütend durch die Straßen getrampelt und weitergezogen war. Tiefe Krater klafften im Asphalt; dazwischen lagen Hundekadaver voller Fliegen. Die Häuser, deren eingestürzte Fassaden den Blick in die Zimmer freigaben, standen da wie groteske Puppenstuben. Durchs Dach sah man den freien Himmel. Das Haus der Scemla, die Villen der Calabrese und Ben Saidane ... nur noch Ruinen. Hier am Hafen hatten die Bomber noch mehr Zerstörung gesät als im Zentrum. Wen sollte Yasmina mehr hassen, die Engländer und Amerikaner oder die Deutschen und Italiener? Warum trugen sie ihren verfluchten Krieg im Paradies von Yasminas Kindheit aus? Den ganzen Weg vom Bahnhof zur Rue de la Poste dachten Albert, Mimi und Yasmina dasselbe, ohne es auszusprechen: *Hoffentlich steht unser Haus noch!*

Von vorne sah es fast aus wie immer. *Steine sind geduldig*, sagte Albert. *Gott sei Dank,* rief Mimi. Nur die Mesusa am Türstock fehlte; jemand hatte sie abgerissen, die Nägel steckten noch im Holz. Mimi öffnete vorsichtig die Tür. Mühelos schwang sie auf und fiel sogleich aus den Angeln. Was sie dahinter sahen, ließ ihnen das Herz bluten. Der Flur war übersät von herabgefallenen Steinen. Die Mauern und die Decke waren zur Hälfte eingestürzt. Ihr Haus stand nicht mehr, es lehnte. Hielt sich an sich selber fest, trotzig wie ein taumelnder Boxer, der nicht fallen wollte. Eine Bombe hatte das Dach und die Decken durchbrochen, bis sie in der Küche explodiert war. Die Wand zum Garten fehlte; das klaffende Loch wirkte wie eine Theaterbühne ohne Vorhang, nur dass man nicht wusste, ob man auf die Bühne schaute oder selbst auf der Bühne stand, angestarrt von gähnender Leere.

Die Teppiche fehlten. Der Esstisch, die Stühle, das Silberbesteck ... Nur Victors Klavier hatten sie stehen gelassen. Wie ein groteskes Relikt aus einer verlorenen Welt stand es inmitten der Verwüstung, zersplittertes Holz, von Staub bedeckt. Die Betten hatten sie verheizt, die Matratzen waren zerschlissen und verdreckt. Von der Toilette kam ein fürchterlicher Gestank. Als Mimi die Tür öffnete, stieß sie einen angeekelten Schrei aus. Die Soldaten hatten gehaust wie die Tiere.

»Hier können wir nicht bleiben«, sagte sie.

Albert brachte kein Wort heraus. Yasmina sah, dass er Tränen in den Augen hatte. Ihren Vater so hilflos zu erleben tat ihr in der Seele weh. Sie sah einen Mann, der sich dafür schämte, ihr kein Dach über dem Kopf mehr bieten zu können. Sie nahm seine Hand und sagte: »Papà, wir bauen es wieder auf.«

Er nickte, dankbar für ihre Geste, aber ohne Hoffnung. So entschlossen er für seine Patienten kämpfen konnte, so verloren und überfordert war er mit den Dingen des eigenen Lebens.

Später gingen sie zum Meer, um dem Gestank zu entkommen. Die träge Brandung schwemmte leblose Körper in Uniform an. Namenlose Deutsche, die versucht hatten, ins Wasser zu fliehen, nur um dort niedergemäht zu werden. Mimi hielt sich die Hand vor den Mund. Sie waren in Victors Alter. Ihre Eltern würden sie nie wiedersehen. Wer würde kommen, um sie zu beerdigen?

»Schaut mal!« Mimi hob etwas auf, das sie in einem Schutthaufen an der Uferstraße fand. Eine Mesusa. Nein, nicht *eine* Mesusa, sondern *ihre* Mesusa. Die Albert bei ihrem Einzug an die Haustür genagelt hatte. Verkratzt, schmutzig, aber noch intakt. Mimi wischte verblüfft den Staub ab, öffnete sie und zog die kleine Gebetsrolle heraus – das Pergament war unversehrt. Wie zum Teufel war sie hierhergekommen?

»Ein Engel hat sie uns gebracht.«

»Mimi«, knurrte Albert und untersuchte die Mesusa skeptisch.

»Die Deutschen haben sie vom Türstock abgerissen, und weggeworfen. Aber welcher Riese kann bis zum Strand werfen?«

»Vielleicht lag sie auf der Straße«, vermutete Yasmina, »und ein Hund hat sie herumgetragen?«

Es war und blieb ein Geheimnis. Mimi hielt Albert ihren Fund entgegen und sagte entschlossen:

»Albert! Das ist ein Zeichen Gottes. Wir bauen unser Haus wieder auf!«

Albert schwieg. Yasmina wusste, woran er dachte: ans fehlende Geld.

Auf der Rückfahrt im Zug schrieb Mimi eine Liste mit dem Notwendigsten, was zu kaufen war: Matratzen. Töpfe und Teller. Schaufeln, um den Schutt abzutragen, Zeltplanen für die fehlenden Mauern und Decken. Holzbalken, Mörtel und Ziegelsteine. Arbeiter würden sie nicht bezahlen können. Sie hatten nur ihre eigenen Hände.

»Ihr werdet die ersten Gäste in unserem Haus sein«, sagte Mimi zu Khadija.

»*Inshallah.*«

Für das letzte Abendessen hatte Khadija ein scharfes Couscous mit Kürbis und Lamm gekocht, dazu *Masfouf,* Gries mit Granatäpfeln und *Baklava* mit Mandeln. Die Stimmung am Tisch war erstaunlich gelöst, fast festlich. Nach dem Essen sah Yasmina, wie Albert etwas tat, das sie nur selten gesehen hatte: Er umarmte Latif so herzlich, dass ihm dabei die Tränen kamen. Als er Yasmina bemerkte, wischte er sich verlegen über die Wange.

Yasmina sprach aus, was alle anderen dachten: »Was machen wir mit dem Deutschen?«

Sie spähte durch die Zimmertür, als Albert zu Moritz ging, der im Dunkeln auf dem Bett lag. Albert maß sein Fieber und öffnete den Wundverband. Er redete leise mit Moritz, der zitterte und kaum etwas zu verstehen schien. Dann kam Albert wieder heraus.

»Er hat hohes Fieber. 39,8 Grad. Die Wunde hat sich trotz allem entzündet. Wer weiß, welche Keime er aufgeschnappt hat. Wir können ihn nicht allein lassen.«

»Aber wir können ihn nicht mitnehmen!«

»Ohne Behandlung wird er nicht überleben.«

»Und wenn du ihn ins Krankenhaus ...«

»Sie sind verpflichtet, ihn sofort den Alliierten zu übergeben. Hast du gesehen, wie die Gefangenen hausen? Zehntausende auf offenem Feld. Sie schaffen es nicht mal, sie zu ernähren. Er hat eine schwere Wundinfektion oder vielleicht sogar eine Blutvergiftung. Wenn sie ihn falsch behandeln, wird er das Bein verlieren oder sterben ...«

»Albert,« rief Mimi, »er ist nicht dein Patient! Er tut mir doch auch leid, der Arme, aber wir sind kein Krankenhaus!«

Albert sah sie ruhig an, nahm die Brille ab und dachte nach.

Yasmina spähte in das dunkle Zimmer, wo der Deutsche in seinem Fieber lag. In ihrem Kopf hallten die drei Worte auf dem Zettel nach:

È un amico.

»Mimi, vielleicht ist er mehr als nur mein Patient«, sagte Albert. »Aber erst wenn Victor zurückkommt, werden wir es wissen. Also nehmen wir ihn mit.«

Alberts Entschluss war nicht von Mitleid bestimmt. Moritz zu beherbergen war für ihn ein Gebot der Vernunft. Falls es sich herausstellte, dass er die Wahrheit sagte, wollte er ein reines Gewissen haben. Tatsächlich ging es ihm weniger um die Beziehung zu dem Deutschen als um das Verhältnis zu sich selbst.

Wenn du etwas verstecken willst, tu es nicht im Dunkeln, wo alle es vermuten, sondern im hellen Licht des Tages. Das hatten sie begriffen, dachte Moritz, kluge Leute. Fiebrig saß er auf der Rückbank des Citroëns, den Kopf an die Scheibe gelehnt. Er musste die Augen schließen, so stark gleißte die Sonne herunter. Kalter Schweiß lief ihm übers Gesicht. Albert hatte ihm Morphium gespritzt. Aber das Schlimmste war nicht der pochende Schmerz im Bein, sondern die Verwirrung der Sinne. Das Hupen und die Motoren, das Licht, die Stöße von der Straße, alles schien ihm lauter, greller und unerträglicher. Er fuhr sich mit der Hand durch die Haare und starrte auf seine Handfläche. Der Schweiß war schwarz. Sie hatten ihm die Haare gefärbt, zivile Kleider gegeben und seine Uniformhose im Ofen verbrannt.

Er erkannte die Avenue de Paris wieder, den Park, die Platanen, das Hotel Majestic. Vor dem Eingang standen amerikanische Soldaten und ein Sherman-Panzer. Moritz sah es vorbeiziehen wie einen Fiebertraum. Neben ihm saß Yasmina, in einem hübschen weißen Kleid mit Hut, vorne saß Mimi, die unentwegt redete, ohne dass er sie verstand, und Albert steuerte schweigend den Wagen. Der Mann, in dessen Hände er sein Leben gelegt hatte. Aufs Dach hatten sie Matratzen geschnürt, Koffer und Wasserkanister.

Zwei Panzer blockierten die Straße. Stacheldraht, eine amerikanische Flagge und Soldaten mit Maschinenpistolen, die jedes Auto kontrollierten. Albert rollte langsam in der Schlange nach vorne und kurbelte das Fenster herunter. Der Soldat tippte mit dem Finger an den Helm und schaute ins Auto. Ein breitschultriger Mann mit Sommersprossen.

»Where 'ya headin?«

Albert verstand ihn nicht.

»Destination«, sagte der Amerikaner.

Albert antwortete auf Französisch, dass er seine Familie nach Hause bringe. Nach Petite Sicile. Er sagte es bewusst nicht auf Italienisch. Der Blick des Amerikaners streifte Moritz nur kurz und blieb bei Yasmina hängen.

»Hi, Ma'm. How are you?«

»Bonjour, Monsieur.«

Wäre sie weniger schön gewesen, hätte er sie vielleicht durchgewunken.

»French?«

»Oui, Monsieur.«

»IDs please.«

»Pardon?«

»Passports.«

Albert reichte ihm vier Ausweise durchs Fenster. Der Soldat stutzte.

»Two French and two Italians?«

Albert versuchte ihm zu erklären, dass seine beiden Kinder mit der Geburt automatisch die französische Staatsbürgerschaft bekommen hatten, während er und seine Frau noch in Italien geboren waren. Dem Amerikaner war das zu kompliziert.

»Shut the engine. Moteur!«

Albert verstand und schaltete den Motor aus. Der Amerikaner ging mit den Pässen weg und verschwand hinter dem Panzer. Sie schwiegen angespannt. Die Sonne brannte auf das Dach. Sie hatten gehofft, ohne Passkontrolle durchzukommen. Wenn sie Victors Bild mit Moritz verglichen, wäre er verloren; und sie hingen mit drin. Der Amerikaner blieb lange verschwunden, dann kam er endlich zurück, in Begleitung eines älteren Offiziers. Ein hagerer, ernster Mann; einer von denen, die aus Überzeugung dienten. Er sah die vier im Auto mit prüfendem Blick an.

»Bonjour, Mister Sarfati. Sie sind Italiener?«

Sein Französisch hatte einen eigenartigen Akzent.

»Ja.«

»Haben Sie in der Armee gedient?«

»Im letzten Krieg, ja. Bersaglieri, drittes Infanterieregiment, als Sanitätsoffizier. In diesem Krieg nicht, ich bin ...«

»Steigen Sie aus.« Das war keine Bitte. Es war ein Befehl.

Albert nahm die Hände vom Lenkrad stieg aus.

»Alle.«

Mimi, Yasmina und Moritz stiegen aus. Moritz hielt sich

nur mit Mühe aufrecht. Der Offizier bemerkte seine fiebrigen Augen.

»Was ist mit dem?«

»Mein Sohn ist krank. Er muss schnell nach Hause ...«

»Ihr Sohn ist Franzose, und Sie sind Italiener?«

»Ja.«

Der Offizier ging misstrauisch auf Moritz zu. »Mister Sarfati, sind Sie in der französischen Armee?«

Moritz schüttelte den Kopf. Wenn er den Mund aufmachte, würden sie seinen Akzent erkennen. Der Offizier witterte, dass etwas nicht stimmte.

»Warum nicht?«

Moritz spürte, dass seine Hände zitterten.

»Weil wir Juden sind!«, platzte Mimi heraus.

Der Offizier stutzte.

»Juden?«

»*Yes*, Mister.«

Der Amerikaner blätterte durch die Pässe. Blickte zurück zu Moritz. Langsam hellte seine Miene sich auf. Moritz sah eine Regung in seinem Gesicht, die er bei einem Feind nicht erwartet hätte: Mitgefühl. Der Offizier gab Albert die Pässe zurück und sagte: »*Mazel tov.*«

Er befahl dem Soldaten, die Straße freizugeben. Der Soldat zog die Sperre weg. Da sah Moritz, wie der Offizier Albert die Hand schüttelte.

»*Shalom*, Mister Sarfati.«

»*Shalom*, Mister ...«

»Birnbaum. Paul Birnbaum.«

Jetzt fiel Moritz sein deutscher Akzent auf. Er vermied es, ihm in die Augen zu sehen, und stieg schnell wieder ein.

Als das Auto langsam durch die Sperre fuhr, lächelte Paul Birnbaum ihm aufmunternd zu und tippte zum Gruß an seine Mütze. Als wollte er ihm etwas auf den Weg mitgeben.

25

MARSALA

Gischt spritzt mir ins Gesicht. Die harten Schläge vom Bug erschüttern meinen Körper. Kurz vor der Insel Favignana erreicht das Schlauchboot Patrice' Schiff. Das Wassertaxi legt an, sie werfen mir eine Leiter herunter, und ich klettere an Bord. Ich muss es ihm erzählen, sofort. Alles macht auf einmal Sinn. Die Kisten, die Passagierliste, Moritz, der eingestiegen, aber nicht abgeflogen war. Ich möchte mein Glücksgefühl mit der ganzen Welt teilen. Benoît sagt, ich soll warten, aber ich will nicht warten, laufe zur Brücke, und als ich Patrice sehe, steht er dort gebannt über den Monitor gebeugt. Die Italienerin fehlt.

»Patrice, ich muss dir was erzählen!«

»Nicht jetzt.«

»Aber ...«

»Sieh dir das an!«

Er tritt beiseite, um mir das Monitorbild zu zeigen. Ich sehe graues Rauschen, dann ein schwarzes Kreuz, etwas schief auf dem Grund, und dann erkenne ich, dass das Kreuz kein Kreuz ist, sondern ein Flugzeug, dessen Heck abgerissen ist. Ein Rumpf mit Flügeln im Schlamm, auf 53,4 Metern Tiefe. Das Cockpit, die Motoren – man erkennt klar die Form der Ju 52.

»Wir haben sie gefunden!«

Sie gehen zu zweit runter, Patrice und Lamine. Die anderen beiden legen ihnen die Sauerstoffflaschen an. Herr Bovensiepen telefoniert mit seiner Frau in Heidelberg. Ich helfe Patrice, seinen Tauchergurt umzuschnallen. Zwei Marsmenschen in Schwarz,

Masken vorm Gesicht, Schläuche und Flossen. Dann gehen sie über Bord und tauchen auf die ersten drei Meter Tiefe ab.

Wir beugen uns über die Reling und beobachten ihre schwarzen Silhouetten durch das gekräuselte, klare Wasser. Wir sehen, wie ihre Körper leicht werden, die Bewegungen langsam, schwebend, fischartig, nur nicht stumm, denn wir hören ihre Stimmen über Funk, dumpf und verrauscht wie die verpixelten Bilder der Helmkamera, die sie aus der Tiefe schicken, grün und dunkel. Dann sinken sie ab; wir sehen sie nicht mehr und hören nur noch ihren Atem. Es scheint eine Ewigkeit zu dauern, doch irgendwann erscheinen Formen auf dem Bildschirm; Felsen, Sand und ein Schwarm kleiner Fische. Das Licht der Kamera reicht kaum ein paar Meter weit. Sie treiben durchs Dunkel. Plötzlich erscheint es aus dem Nichts – geriffeltes, silbriges Metall, erschreckend unversehrt; die Stimmen von Patrice und Lamine, als sie über den Flügel gleiten und sich dem Rumpf nähern. Er ist verformt, aber wir erkennen die Fenster. Als könnte jeden Moment ein Gesicht dahinter erscheinen, ein Passagier, der aus seinem Tiefschlaf erwacht und staunend nach draußen blickt: Was ist passiert, wer seid ihr, wo sind wir gelandet? Das Cockpit ohne Scheiben, vielleicht beim Absturz zerborsten, oder die Piloten haben versucht, sich zu befreien. Ich stelle mir vor, wie das Wasser überall eindringt und das Flugzeug in die Tiefe sinkt; die Schläge gegen das Fenster, der Druck von außen wird immer größer, sie brauchen eine Metallstange; endlich bricht das Glas, sie versuchen, sich aus ihrem Gefängnis zu befreien, aber da haben sie keine Luft mehr in den Lungen. Sie ertrinken, noch bevor sie das Licht erreichen.

Die Taucher gleiten langsam über den Rumpf; ein riesiger schlafender Fisch, dessen Schwanzflosse fehlt. Sie umkreisen die Wunde am Heck; das Metall ist geborsten, eingefallen, der Zugang verwehrt von Spanten und Drähten und verbogenem

Blech. Patrice drückt es langsam zur Seite und leuchtet ins Innere. Völliges Chaos. Wir sehen Sitzgestelle, Drähte und zwei Stiefel, die fein säuberlich nebeneinander liegen, als hätte ihr Träger sie gerade eben ausgezogen; aber das Fleisch hat sich aufgelöst, die Knochen, die Haare und die Kleider. Fische schwimmen durch die Kabine.

»Siehst du Erkennungsmarken?«

»Nein, der Boden ist mit Sand bedeckt. Aber intakt. Das ist gut.«

»Und was siehst du noch?«

Die Helmkamera dringt tiefer in den Rumpf ein. Sein Atem. Lamines Warnung vor den scharfen Kanten und Patrice' extrem verlangsamte Bewegungen. Seine Hand am Boden, Schlamm wirbelt auf, er greift nach etwas, zieht es heraus; es glitzert im Schein der Lampe.

»Eine Marke! Das ist eine Erkennungsmarke!«

»Komm raus. Die Zeit ist um.«

Auf einmal sehen wir nichts mehr auf dem Monitor; der Rumpf ist vernebelt von aufgewirbeltem Sediment.

»Patrice! Wir müssen auftauchen!«

»Warte. Eine Minute.«

Jetzt legt sich das Sediment langsam, und wir erkennen, dass er noch tiefer eingedrungen ist. Er ruft aufgeregt ins Mikro:

»Die Kiste! Ich sehe die Kiste!«

Seine Hand zeigt auf ein eckiges Objekt aus Metall, länglich, verkantet zwischen Blechen und Sitzgestellen.

»Sie ist verschweißt, ich kann die Naht sehen. Aber ich komm nicht hin. *Putain*!«

»Komm raus!«

Keine Antwort von Patrice. Nur sein Atem.

»Die Minute ist um!«

Lamines Stimme wird forsch.

»Patrice?«

Wir sehen nichts als aufgewühltes Sediment; vielleicht versucht er, sich umzudrehen, vielleicht schlägt er irgendwo dagegen. Mein Herz schlägt schneller.

»Patrice!«

»Ich hänge fest!«

»Wo?«

»Ich weiß nicht. Ich kann nichts sehen.«

Er steckt in der Falle. Je mehr er sich bewegt, desto mehr Schlamm wirbelt er auf, und desto weniger kann er sich orientieren. Er flucht. Steckt fest in dem eingefallenen Rumpf, tiefer als er hätte eindringen dürfen.

»Beweg dich nicht. Ich komm rein!«

»Nein! Bleib draußen!«

Wir sehen auf die Uhr. Sie müssten längst wieder auftauchen.

»Kannst du dich befreien?«

»Nein!«

»Ich hol dich raus!«

»Bleib, wo du bist!«

Wir hören den hastigen Atem der beiden, aber sehen nichts. Ich möchte mir nicht vorstellen, wie es für ihn ist, nichts mehr zu sehen, eingeklemmt in der engen Röhre.

»Wir kommen runter!«

Benoît und Philippe rennen zu ihrer Ausrüstung und ziehen sie an. Bis sie unten sind, könnte es schon zu spät sein. Wir helfen ihnen, eingespielte, schnelle Handgriffe, die vollen Flaschen, die doppelten Mundstücke, keiner spricht ein Wort. Alle wissen, wie ernst die Lage ist. Sie gehen zum Heck und springen ins Wasser.

Niemand hält mehr das Schiff auf Position; wir treiben. Zum Glück herrscht kaum Wind. Bovensiepen hat ebenso wenig Ahnung wie ich. Ich fühle mich wie ein verlassenes Kind, aber wie viel schrecklicher muss Patrice sich jetzt fühlen. Über Funk versichere ich ihm, dass Hilfe unterwegs ist, rechne aus, wie lange sie bis unten brauchen werden, zu lange, und sage nicht die Wahrheit. Patrice kämpft jetzt gegen das Metall, wir hören sein Stöhnen, die Flüche, wir hören Lamine, der ihn erreicht hat, seine ruhige Stimme, die klaren Anweisungen, die er gibt, und Patrice, der begreift, dass er ihm jetzt gehorchen muss.

Ich starre auf den Monitor, auf dem nichts zu erkennen ist außer der Digitaluhr am oberen Rand. Ich denke das Unaussprechliche. Die Stimmen verstummen. Atemzüge, immerhin atmen sie noch.

Plötzlich sehe ich etwas auf dem Monitor, endlich lichtet sich das Dunkel; ich erkenne wieder Bleche, Draht, die Bordwände. Rückwärts löst sich Patrice; es muss Lamine sein, der ihn an den Beinen zieht. Wir hören ihre Stimmen, extrem ruhig und konzentriert, ohne jede Panik, und dann, endlich, sehen wir die Kamera den Rumpf verlassen. Sie sind draußen.

»Sie kommen euch entgegen!«, rufe ich ins Mikro.

Patrice und Lamine steigen auf, viel schneller, als sie dürften. Als sie auf zwanzig Metern Tiefe ankommen, sehen sie die anderen beiden. Sie schwimmen sich entgegen. Wir hören Patrice nicht mehr. Kein Atemgeräusch. Falls der Sauerstoff zu Ende ist, verliert er jetzt das Bewusstsein. Wir wissen es nicht. Dann sehen wir eine Hand vor der Kamera, Luftblasen, ein Mundstück, das gereicht wird. Und nach einer scheinbar endlosen Stille hören wir wieder seinen Atem.

Ich steuere das Schlauchboot zu den Aufgetauchten. Vier schwarze Köpfe im Wasser. Ich ziehe Patrice an Bord, spüre kaum mehr Kraft in seinen Armen. Aber er atmet. Jetzt zählt jede Sekunde; sein Leben hängt an einem seidenen Faden. Der angesammelte Stickstoff in seinem Blut könnte ihn töten. Er drückt mir etwas in die Hand. Die Erkennungsmarke, die er der Dunkelheit entrissen hat.

Auf dem Schiff fluten wir ihre Lungen mit reinem Sauerstoff.

Patrice sitzt benommen auf dem Achterdeck; ich halte ihn im Arm, während Philippe das Mundstück hält. Mehr können wir nicht tun. Jetzt rächt sich, dass sein Geld nicht für eine Druckkammer gereicht hatte. Wir halten mit voller Kraft auf den Hafen zu, wo der Krankenwagen wartet.

Im Neonlicht des Flurs warten wir auf den Arzt. Krankenhäuser gleichen sich auf der ganzen Welt. Sie sind Orte des Wartens. Eine sizilianische Familie kommt mit in Alufolie verpackten Töpfen und Tellern herein, Wein und Weißbrot. Dann kommen das Ehepaar Triebel und Frau von Mitzlaff aus dem Hotel. Und mit ihnen Joëlle. Meine Verwunderung amüsiert sie.

»Nur weil er Angst vor mir hat«, sagt sie, »muss ich ihm nicht gleich den Tod wünschen, oder? Wie geht's den beiden?«

Ich kann nur wiederholen, was der Arzt gesagt hat. Lamine scheint okay zu sein. Patrice hat immer noch Atembeschwerden. Sie untersuchen jetzt seine Lunge. Wir können nur warten. Währenddessen vergleichen wir die Erkennungsmarke, die Patrice im Wrack gefunden hat, mit der Liste der Vermissten. 53642/819. Es ist keines der Besatzungsmitglieder. Und es ist nicht mein Großvater. 53642/819 ist ein Passagier namens Karl-Heinz Drevs, Leutnant des 4. Jagdbombergeschwaders 12, geboren am 4.10.1916 in Regensburg. Niemand kennt ihn, niemand weiß, ob er noch Verwandte hat, die ihn suchen. Einer von Millionen Vermissten. Aus dem Zimmer nebenan hört man die Familie lachen. Ich habe Hunger. Wir beschließen, Pizza zu holen, Joëlle und ich.

Draußen ist es schon dunkel. Ich bin froh, wieder raus zu sein. Ich mag keine Krankenhäuser. Ich habe lange auf Fluren gesessen und gewartet. Und sie konnten meine Mutter auch nicht heilen. Wir finden ein kleines Restaurant und bestellen Pizza zum Mitnehmen. Erst auf den zweiten Blick erkenne ich, dass der müde Besitzer und sein Pizzabäcker keine Italiener sind. Über der Kasse hängt das alte Schwarzweißfoto eines Paares, das vielleicht die Eltern des Besitzers sein mögen. Sechziger Jahre, Palmentapete als Hintergrund. Ein arabischer Schriftzug darunter, wahrscheinlich das Fotostudio. Im Fernseher der offenen Küche läuft tunesisches Fernsehen.

»Sie waren immer schon hier, und wir waren immer schon drüben«, sagt Joëlle. »Weißt du, was Marsala bedeutet?«

»Nein.«

»*Marsa Allah*. Der Hafen Gottes. Das war die erste islamische Stadt in Italien.«

»Wann war das?«

»Och, Schätzchen, was weiß ich. Vor meiner Zeit.«

Der Restaurantbesitzer stellt uns zwei Gläser Marsala hin. Geht aufs Haus. Ich muss zugeben, dass ich den berühmten Wein nur vom Hörensagen kenne. Der Tunesier schenkt sich ein drittes Glas ein, und wir stoßen mit ihm an. Er verliert seine Müdigkeit und klärt uns stolz darüber auf, dass das Wort Alkohol aus dem Arabischen kommt. *Al-kuhl*. Ausgerechnet.

26

AL ALMANI

Wie zerbrechlich sind wir unter dem schützenden Himmel.
Dahinter liegt ein weites dunkles Universum, und wir sind nur so klein.

Paul Bowles

Nachts hörte Moritz das Meer rauschen. Dazwischen Hunde-
bellen und arabische Musik bis weit nach Mitternacht. Dieses
Volk tanzte selbst in Ruinen. Draußen blühte das Leben auf,
alles lärmte und lachte, während er von der Welt abfiel, in einen
fiebrigen Halbschlaf.

Sie hatten ihm das einzige Zimmer ihres Hauses gegeben,
dessen Mauern noch unversehrt standen. Victors Zimmer. Er
lag und lauschte. Die Leere machte ihm Angst. Tage ohne Ta-
gesbefehl, Zeitverschwendung, Faulheit: eigentlich unmöglich.
Aber sein Körper versagte den Dienst. Der soldatische Rhythmus, der ihm in Fleisch und Blut übergegangen war, versank
in Wellen von Hitze und Frösteln, er zitterte und schwitzte,
während die Tage und Nächte ineinander verschwammen
wie Fiebertraum und Wirklichkeit. Scharfes Sonnenlicht, das
durch die Fensterläden drang, Klänge, die er nicht verstand, das
Radio, französisch, manchmal die BBC, dazu die Stimmen der
Familie auf Italienisch, und tagelang kein einziges deutsches
Wort. Fetzen von Arabisch oder Hebräisch, er konnte es schwer
unterscheiden, Gebetsgesang, Tanz oder Traum.

Erst verlor er das Gefühl für die Zeit, dann für den Ort, und
dann wusste er nicht mehr, wer er war. Ohne Uniform, ohne sei-

ne Sprache, ohne Kontrolle über seinen Körper – was blieb von ihm noch übrig? Als er sich dessen bewusst wurde, befiel ihn Panik. Als stürzte er durch ein Loch in seinem Inneren in die Dunkelheit. Er war nur noch ein einziges Fallen. Irgendwann wandelte es sich, ohne dass er wusste, warum – vielleicht war es eine Hand auf seiner Stirn, eine liebevolle Hand, doch er konnte nicht sagen, ob er sie sich einbildete oder ob sie echt war –, in einen Zustand des Schwebens. Auf einmal, von irgendwoher, die Empfindung: Alles ist gut so. Mit einem Gefühl tiefer Geborgenheit gab er sich dem Schlaf hin.

Jeden Morgen und jeden Abend – die einzige Regelmäßigkeit im zähen Zerfließen der Zeit – klopfte Dr. Sarfati leise an die Tür, morgens schon in Anzug und Krawatte, um das Fieber zu messen, den Verband zu wechseln und die Antibiotika zu geben. Tagsüber brachte Signora Sarfati Linsensuppe, Spaghetti und gegrillten Fisch; doch Moritz bekam kaum einen Bissen herunter. Die Signora redete wenig, aber die mitfühlende Art, mit der sie ihn ansah, weckte in ihm ein lang verschüttetes Gefühl des Behütetseins, das ihn verstörte und beschämte. Er hatte kein Recht auf ihre Freundlichkeit; sie waren immer noch Fremde, wenn nicht gar Feinde, und wer wusste schon, ob sie ihn nicht doch an die Alliierten verrieten.

Manchmal, wenn er vom Geräusch der Türklinke aus dem fiebrigen Schlaf hochschreckte, glaubte er, sie würden in Begleitung alliierter Soldaten hereinkommen – aber dann war es doch nur Signora Sarfati in ihrer Küchenschürze über dem geblümten Kleid, mit einem Tablett in der Hand.

»Das ist Shakshuka«, sagte sie lächelnd, »Victor liebt Shakshuka.«

Die Signora fragte ihn nie nach der Wehrmacht oder seiner Familie. Überhaupt erwähnte sie einfach nicht, dass er Deutscher war, ebensowenig wie sie Yasmina erwähnte. Sie erzählte nur von Victor. Dass auch er als kleiner Junge einmal schweres Fieber hatte. Dass er die Shakshuka scharf liebte, mit viel Harissa. Dass er den Krieg hasste. Als wäre Moritz sein enger Freund, obwohl er ihm doch nur kurz begegnet war.

Sie brachte ein Fotoalbum mit ans Bett. Victor als kleiner Junge am Strand, lachend mit Eis in der Hand. Victor mit seinen Klassenkameraden; alle in Schuluniform, alle feierlich ernst, er als Einziger mit verschmitztem Grinsen. Victor als Halbwüchsiger, der lässig vor dem Citroën seines Vaters steht, als gehörte er ihm. Die Welt kann mir nichts anhaben, sagte seine Haltung. Neben ihm Yasmina, etwas schüchtern, aber stolz auf ihren großen Bruder. »*È fortunato*«, sagte die Signora, er ist ein Glückskind. Moritz hatte keine Mutter erlebt, die ihren Sohn so sehr liebte, ja, vergötterte. Nicht einmal seine eigene. Und als Signora Sarfati ihn anlächelte, überkamen ihn plötzlich die Tränen; so viel zärtliche Güte war in ihren Augen. Er hatte ihre Liebe nicht verdient, dachte er, sie galt einem anderen.

Er fragte sich, wie es gewesen wäre, in dieser Familie aufzuwachsen, und spürte einen heimlichen Neid auf diesen Victor, der alle Wärme und Mutterliebe im Überfluss bekommen hatte, während sie Moritz viel zu früh entrissen wurde. Er hatte die Erinnerung an seine Mutter so tief in seiner Seele vergraben, dass er kaum noch sagen konnte, wie sie ausgesehen hatte. Aber das Gefühl, das sie verströmt hatte, war das gleiche Gefühl, das ihn jetzt überwältigte, wenn Signora Sarfati sich an sein Bett setzte und von Victor erzählte. Er war dann unfähig, etwas anderes zu sagen als einfach nur »*Grazie*«.

Doch mehr erwartete sie gar nicht, auch keinen Dank für das Essen, das sie ihm kochte. Im Gegenteil, sie schien dankbar dafür, ihm geben zu dürfen, was sie ihrem abwesenden Sohn nicht geben konnte. Aber sie nannte ihn nie bei seinem Namen. Einmal fragte sie ihn danach, doch es gelang ihr weder »Moritz« noch »Reincke« auszusprechen, also ließ sie es bleiben. »*Buon-*

giorno, come va?«, »*Buona notte, Signore*«, das musste genügen. Selbstverständlich siezten sie sich, und Moritz nannte sie »Signora Sarfati«. Wenn er durch die Türe hörte, wie die Familie über ihn redete, war sein Name nur »*Al Almani*«, der Deutsche.

Einmal, als die Signora das Zimmer verlassen hatte, stand Moritz langsam auf und sah sich um. Victor hatte kaum Bücher, aber umso mehr Schallplatten. Benny Goodman, Edith Piaf, Enrico Caruso, Habiba Msika. Auf dem Schreibtisch stand ein gerahmtes Foto der Familie vor dem Haus; Yasmina und Victor nebeneinander vor den Eltern, ihr Geheimnis unsichtbar. In der Schreibtischschublade lagen ein Füllfederhalter, Manschettenknöpfe, ein Flacon Rasierwasser und ein Packen Briefe, zusammengeschnürt, Absenderin aus Paris. Moritz rührte sie nicht an. Er zog etwas anderes heraus: Victors Reisepass. République Française, das Passbild mit gezacktem Rand, eine altmodische Aufnahme, aber sein übermütiger Blick sogar hier; Einreisestempel aus Italien und Frankreich. Er legte ihn zurück und schloss leise die Schublade. Auf einem Bügel an der Wand hing der weiße Anzug, den Victor im Majestic getragen hatte. Als wäre er nur kurz nach nebenan gegangen und käme jeden Moment zur Tür hereinspaziert.

Eines Nachts stand plötzlich ein Schatten neben seinem Bett. Moritz spürte ihn im Schlaf, noch bevor er die Augen öffnete und erschrocken hochfuhr. Im Dunkeln erkannte er Yasminas Locken. Ihre zarte Gestalt im Nachthemd. Sie richtete ihre flackernde Petroleumlampe auf ihn, um seine Augen zu sehen.

»Wenn Sie meinen Eltern davon erzählen, bringe ich Sie um.«

Ihre Stimme klang entschlossen. Nichts erinnerte an ihre anmutige Erscheinung am Tag. Im Schein der Lampe glühte ihr Gesicht wie das eines Todesengels. Er nickte.

»Versprechen Sie es!«

»Versprochen.«

»Schwören Sie es!«

»Ich schwöre.«

»Beim Leben Ihrer Mutter!«

»Sie lebt nicht mehr.«

Yasmina sah ihn durchdringend an.

»Und Ihr Vater? Bei Ihrem Vater! Lebt der noch?«

»Ich weiß es nicht.«

Seine Ehrlichkeit verstörte ihn. Nicht einmal seinen Kameraden hatte er von seinen Eltern erzählt. Diesen Teil seines Lebens verschloss er vor der Welt und vor sich selbst. An Yasminas Schweigen spürte er, dass etwas in ihr geschah. Er wusste nicht, was, aber ihr Zorn wich einem anderen, zarteren Gefühl, das sie aber für sich behielt. Sie drehte sich um und ging zur Tür. Dann kam sie noch einmal zu ihm zurück und sagte: »Ich kenne Sie. Sie haben meine Hand gehalten. Auf dem Friedhof. Wissen Sie das nicht mehr?«

Jetzt dämmerte es ihm. Die Nacht unter den Bomben. Das Zimmermädchen. Die Knochen. Der feste Griff ihrer Hand.

»Das waren Sie?«

Yasmina nickte. Er schämte sich, sie nicht wiedererkannt zu haben. Sie war für ihn nur eine von vielen gewesen. Und dennoch hatte er das Gefühl nicht vergessen; die unverhoffte Wärme ihrer Hand, das stumme Einverständnis unter Fremden. Nie hätte er gedacht, dass sie Jüdin war. Wie hatte sie ihm vertrauen können? Unwillkürlich griff er nach ihrer Hand. Yasmina bemerkte es, wandte sich ab und verschwand ebenso leise, wie sie gekommen war. In den Nächten, die folgten, hoffte Moritz, dass sie wiederkommen würde. Doch sie zeigte sich nie mehr, nicht einmal am Tag.

Jeden Abend, wenn Albert den Verband wechselte und die Tabletten brachte, berichtete er ihm von draußen. Die Stromleitungen waren nicht repariert, der Diesel für den Generator war unverschämt teuer, das Wasser holten sie immer noch aus der Zisterne. Aber auf den Straßen schütteten die Alliierten die Bombenkrater zu, damit ihre Jeeps freie Fahrt hatten. Der Hafen quoll über von Kriegsgefangenen. Eine Viertelmillion Deutsche und Italiener auf dem Weg nach England und Amerika.

Die Schiffe liefen keine fünfhundert Meter entfernt von Moritz' Versteck aus. Man konnte ihre schweren Schiffshörner hören. Moritz fragte sich, wer von seinen Kameraden an Bord war und wer, kurz vor dem Ende, noch einen sinnlosen Tod gestorben war. Wenn die Signale sich entfernten und immer leiser wurden, fühlte er sich wie ein Kind, das von seiner Familie zurückgelassen wird. Einmal überkam ihn der Gedanke, einfach zum Hafen zu laufen und sich zu ergeben. Damit wäre der Krieg für ihn zu Ende. Aber dann dachte er an Fanny. Um keinen Preis wollte er nach Amerika, den Atlantik zwischen ihm und seiner Heimat. Nein, er musste seinen eigenen Weg nach Hause finden. Ein Boot nach Italien, und dann mit dem Zug nach Norden. Seinen Wehrmachtsausweis hatte er noch bei sich. Er könnte erzählen, dass er aus der Gefangenschaft geflohen sei. Von der Sache mit dem Juden würde niemand erfahren. Nur gesund müsste er werden, ein wenig Geld würde er brauchen – und eine Mütze voll Glück.

Moritz' Gedanken wanderten weit, doch tatsächlich verengte sich seine Welt auf das kleine Haus der Sarfatis oder was davon übriggeblieben war. Die löchrigen Mauern, das halb eingestürzte Dach, die Stimmen der Familie. Kein Nachbar durfte erfahren, dass mitten unter ihnen ein Deutscher wohnte. Stundenlang starrte Moritz an die Zimmerdecke, verfolgte den Lauf des Sonnenlichts auf dem abgeblätterten Putz und verglich ihn mit den Schlägen der Kirchturmuhr. Bald wusste er, welcher Riss an der Decke mit welcher Tageszeit korrespondierte. Als seine Augen die Millimeter vermaßen, mit denen die Sonne jeden Tag ein Stück höher wanderte, fürchtete er, hier drinnen wahnsinnig zu werden. Und dennoch war das Haus der Sarfatis sein schützender Kokon.

Nachts, bei geöffnetem Fenster, hörte man die Stimmen der Soldaten, wenn sie grölend durch die Straßen des Hafenviertels zogen. Er lernte, das Englische vom Amerikanischen zu unterscheiden. Tagsüber hörte er die Kinder zwischen den Häusern Fußball spielen, das Gezeter der Nachbarinnen und den Robavecchia mit seinem Holzkarren, den Lumpensammler, den alle so nannten, weil er mit seiner heiseren Stimme »Roba vecchia!« rief, altes Zeug. Und Moritz hörte die zwei Frauen, die jeden Tag Steine schleppten, um das Haus von seinem Schutt zu befreien. Eines Abends hörte er auch die Stimmen von Signora und Signor Sarfati, die sich stritten. Nie sei er da, hier würde er gebraucht, Männerhände für die verfluchten Steine. Von welchem Geld sie das alles zahlen wolle, erwiderte Albert, die neuen Mauern, die Möbel, das Dach?

Er hatte sich im Krankenhaus zurückgemeldet und war sofort wieder in Dienst gestellt worden. Dieselben Vorgesetzten, die alle Juden entlassen hatten, nahmen sie jetzt mit offenen Armen wieder auf, als wäre alles nur ein dummes Missverständnis gewesen. Sie brauchten Ärzte, dringender als je zuvor. Albert zog seinen alten Kittel an, kümmerte sich um seine Patienten und schwieg zu dem, was gewesen war. Wenn einmal eine Zeit kommen würde, in der einer dieser Heuchler einen Gefallen von ihm bräuchte, würde er ihm zeigen, dass er nichts vergessen hatte. Und so blieb es an den Frauen hängen, das Haus wieder aufzubauen.

Moritz fühlte sich schuldig, nutzlos im Bett zu liegen, während unten die Frauen arbeiteten. Als das Fieber langsam abflaute, die Wunde abschwoll und er wieder klar denken konnte, stand er eines Morgens auf, kämmte sich vor dem kleinen Spiegel die Haare und stieg die kaputte Treppe hinunter. Er fühlte sich noch etwas schwindlig und hatte Schmerzen im Bein, aber er war froh, wieder ein normaler Mensch zu sein. Albert war gerade aus dem Haus gegangen. Es sah schon viel ordentlicher aus im Erdgeschoss; sie hatten Wege durch den Schutt gebahnt, durch die man gefahrlos und mit sauberen Füßen von einem Zimmer ins andere kam. Sie hatten Steine in den Garten getragen, wo sich ein großer Haufen türmte. Aber die Mauern waren immer noch zerstört.

»*Buongiorno Signora*. Darf ich Ihnen helfen?«

Mimi, die gerade einen Eimer Mörtel anmischte, stützte die Hände in die Hüften und sah ihn an wie einen Fremden. Erst war er irritiert, dann bemerkte er, dass ihr Unwohlsein nicht ihm galt. Sondern Alberts Pyjama, den er noch trug.

»Nicht so!« Mimi lachte, legte die Kelle in den Eimer, wischte ihre Hände an der Schürze ab und machte ihm ein Zeichen, mitzukommen.

»Sie haben die gleiche Größe«, sagte sie, als sie eine braune Hose und ein weißes Hemd aus Victors Kleiderschrank zog. »Probieren Sie's an.« Sie ging aus dem Zimmer, und als Moritz dann in Victors Sachen die Treppe herunterstieg, den Hosenbund mit den Händen haltend, so dass sie ihm nicht von den Hüften rutschte, lachte Mimi auf.

»Sie müssen mehr Shakshuka essen!«

Im selben Moment kam Yasmina zur Tür herein, mit Brot und Gemüse vom Markt. Verwundert sah sie die beiden an.

»Yasmina, *Al Almani* hilft uns. Mach ihm eine Bruschetta, er braucht Kraft!«

Yasminas stechender Blick traf ihn unvorbereitet. »Was willst du hier?«, fragten ihre funkelnden Augen. Doch es lag noch etwas anderes in ihnen, etwas Dunkles und Gieriges, das Moritz verwirrte. Eine unausgesprochene Erwartung, ein Vorwurf, ein ungesättigter Hunger. Er fühlte sich gleichzeitig zurückgewiesen und begehrt. Er wendete sich ab und ging in die Küche.

Moritz schleppte Steine, den ganzen Tag. Die großen Brocken, die den Frauen zu schwer waren. Alle raus aus dem Haus, auf den Schutthaufen im Garten. Er hörte auch mittags nicht auf, als ihm der Schweiß am Körper herunterlief.

»Ruhen Sie sich aus! Sie sind noch schwach«, rief Mimi. Er schüttelte den Kopf und trug den nächsten Brocken nach draußen. Stur und verbissen, als müsse er eine Schuld abtragen. Sicher, es waren keine Heinkel-Bomber gewesen, sondern Lancaster und B-25, die hier ihre tödliche Last auf unschuldige Menschen abgeworfen hatten. Aber hätte die Wehrmacht nie den Fuß auf afrikanischen Boden gesetzt, wäre Tunis nie zerstört worden.

Yasmina sah ihm mit einer Mischung aus Skepsis und Amüsement zu, so wie man einem exotischen Tier zusieht, vielleicht auch mit einem Funken Respekt. Als er sich am Ende des Tages in der Küche Hemd und Unterhemd auszog, um sich über dem Waschbecken zu waschen – das Bad war noch zerstört –, kam sie unbemerkt hinter ihm zur Tür herein und legte ein Handtuch auf die Stuhllehne. Sofort verschwand sie wieder. Dass sie hinter seinem nackten Rücken gestanden hatte, ohne etwas zu sagen, bemerkte er erst an dem Duft, den sie zurückließ.

Als Albert abends nach Hause kam, war er empört. In seinem Zustand dürfe er nicht arbeiten! Moritz versicherte ihm, dass er wieder gesund sei, dank der Antibiotika, die er auch selbstverständlich bezahlen würde.

»Er hat uns heute sehr geholfen«, warf Mimi ein.

Albert ignorierte sie. »Sie sind unser Gast! Sie arbeiten nicht für uns!«

»Wir können nicht alles allein schleppen«, fiel Mimi ihm ins Wort. »Wir brauchen einen Mann!«

»Dann holen wir Bauarbeiter!«

Sie stritten sich, ohne einzulenken. Moritz bestand darauf, seinen Beitrag zu leisten. Schließlich gab Albert nach, aber nur unter der Bedingung, dass er für seine Arbeit den gleichen Lohn bekommen würde wie die Arbeiter, die er morgen am Hafen suchen würde. Mit dem Lohn könne Moritz dann das Boot nach Sizilien bezahlen. Moritz lehnte ab. Sein Lohn sei Kost und Logis, mehr nicht.

»Gut«, sagte Albert, »dann sagen wir: Sie arbeiten für Kost und Logis, und wenn das Haus fertig ist, schenke ich Ihnen das Geld für die Überfahrt. Einverstanden?«

»Ich werde es Ihnen zurückzahlen, sobald ich zu Hause bin. Ehrenwort.«

Er reichte Albert die Hand. Albert verschränkte ablehnend die Arme, bis Mimi ihm einen Schubs gab. Schließlich nahm er Moritz' Hand und schüttelte sie.

»Warum tun Sie das?«, fragte Moritz, beschämt durch Alberts Großzügigkeit. »Für einen Deutschen.«

Albert rückte seine Brille zurecht, um den Überschwang an allzu vielen Gefühlen zu kontrollieren. »Sie kennen das Buch Mose? Das ist auch in Ihrer Bibel.«

Moritz wusste nicht, worauf er hinauswollte.

»Den Fremdling sollt ihr nicht bedrücken, denn auch ihr seid Fremde gewesen in Ägypten. So sprach Gott.«

Moritz schwieg, berührt.

»Aber ... Sie glauben doch nicht an Gott, oder?«

»Wissenschaftlich ist nicht erwiesen, dass unsere Vorväter jemals in Ägypten waren. Vielleicht ist das alles nur eine Legende.« Albert lächelte Moritz verschmitzt an. »Aber es ist eine gute Legende.«

Yasmina sah den beiden skeptisch zu und sagte kein Wort. Es hatte auch niemand nach ihrer Meinung gefragt.

Mimi tischte auf. *Brick à l'œuf*, gebackene Teigtaschen mit Ei, Kapern, Thunfisch und Petersilie. »Wussten Sie, dass der Mensch die einzige Spezies auf dem Planeten ist, die ihr Essen teilt?«, fragte Albert, jetzt wieder ganz aufgeräumt. »Haben Sie mal Katzen beobachtet oder Hunde, wie die sich um ein Stück Fleisch streiten? Selbst die Affen – die uns ja am nächsten sind, auch wenn manche das nicht wahrhaben wollen – teilen nicht. Interessant, nicht wahr?«

Dann zündete Mimi vier Kerzen an – eine für jedes Familienmitglied – und sprach das Tischgebet auf Hebräisch. Moritz schwieg dabei und musste daran denken, auf wessen Platz er gerade saß. Ob Victor noch lebte. Und dass er eigentlich kein Recht hatte, hier zu sitzen. Nicht, wer er war, sondern nur das, was er getan hatte, rechtfertigte sein Dasein. Solange er noch Gast war, würde er allein durch seine Mithilfe ein Anrecht auf Essen haben, auf ein Bett und ein Dach über dem Kopf. Und auf die Gnade, nicht verraten zu werden. Bei Albert und inzwischen auch Mimi war er sich dessen sicher. Doch ob auch Yasmina zu ihm hielt, und was er dafür tun musste, dass sie ihn nicht auslieferte, das konnte er nur schwer erraten. Sie mied seine Blicke, und er die ihren. Niemand fragte ihn danach, was er in der Wehrmacht getan hatte. Ebensowenig, ob er verheiratet war oder einen zivilen Beruf hatte. Er fragte sich, warum. Dann verstand er, dass es kein Ausdruck von Desinteresse war, sondern notwendig, um ihr zerbrechliches Arrangement nicht zu stören, denn es stand außer Frage, dass sich hier Abgründe auftun würden.

Was ihn schützte, war nichts als eine Geschichte, die ebenso gut hätte erlogen sein können. Er war sicher kein Held, noch hegte er eine besondere Sympathie für die Juden. Es war ihm einfach noch nie eingefallen, aufgrund der Religion oder des Aussehens über jemanden zu urteilen. Ganz allgemein urteilte er nicht über Menschen; sein Verhältnis zur Welt war von einer Neugierde geprägt, der alles und jeder gleich interessant erschien. Ihm fehlte schlicht das Überlegenheitsgefühl, welches so viele in dieser Zeit an den Tag legten, diese Anmaßung, etwas Besseres zu sein – woher hätte er es auch nehmen sollen, er war ein einfacher Junge vom Land, nicht mehr. Bei Gelegenheit versuchte er beim Gespräch am Tisch einzustreuen, dass er niemanden getötet hatte, sondern Kameramann war. Doch das schien die Sarfatis nicht zu erleichtern, denn wie konnte er das beweisen; und jeder an seiner Stelle hätte verschwiegen, was er seinen Feinden angetan hatte. Manchmal, mitten im Gespräch, fiel die Familie vom Italienischen ins Judäo-Arabische, und Moritz ahnte, dass sie von persönlichen oder familiären Dingen sprachen, die ihn nichts angingen. Er tat dann so, als würde er es nicht bemerken.

Albert berichtete von den verheerenden Zuständen draußen. Sosehr die Juden jetzt aufatmeten, gerieten nun die Italiener ins Visier der neuen Herrscher. Es gab Verhaftungen, Verhöre, Verrat. Auf einmal waren alle schon immer glühende Antifaschisten gewesen. Mussolini? Ein Verbrecher, *very bad man, of course, Mister*. Yasmina wollte zurück ins Majestic, doch die Amerikaner, die dort nun residierten, stellten niemanden mit italienischem Namen ein. Jude, Christ oder Moslem, dein Gott war ihnen egal; für sie zählte nur, woher deine Eltern kamen.

»Geduld«, sagte Latif zu Yasmina, »die Zeiten ändern sich schneller als wir.«

Aber Yasmina ahnte, dass es keinen Weg zurück gab. Die neuen Zimmermädchen in den alten Uniformen, Araberinnen und Französinnen, machten ihre Arbeit genauso gut. Und niemand vermisste Victors Stimme; der Flügel stand stumm in der Bar, während ein Grammophon Swing spielte. Yasmina fragte Latif, ob er Nachricht von Victor hatte – einen heimlichen Anruf, ein Telegramm, irgendein Lebenszeichen. Doch Latif hatte nichts gehört. Niemand hatte etwas gehört; Victor blieb verschwunden. Hatten die Deutschen ihn erwischt, war er an der Front zwischen die Linien geraten, lag er irgendwo verwundet in einem Lazarett?

Im Krankenhaus, erzählte Albert, beschlagnahmten die Alliierten Medikamente, so dass für die Einheimischen kaum etwas blieb; und die Importe aus Europa waren ohnehin rar. Morphium und Amphetamine aus deutschen Armeebeständen kursierten als Drogen auf dem Schwarzmarkt. Albert erzählte auch von den Hässlichkeiten, die sich in der Stadt ereigneten: Spekulanten kauften ausgebombten Familien ihre Häuser für ein Almosen ab. Die Prostitution erreichte Piccola Sicilia, wo sich abends die Soldaten in den Bars betranken. Pensionsbesitzer vermieteten ihre Zimmer nun stundenweise, zu Wucherpreisen, in Dollar oder Pfund. Die Nachbarn verschlossen ihre Augen, und wer sie nicht verschließen wollte, wurde mit Geld oder Erpressung überzeugt. Am nächsten Morgen hatte niemand etwas gesehen. Aber alle sprachen darüber. Vor allem, wenn hin und wieder eines der Mädchen mit blauem Auge an Dr. Sarfatis Haustür klopfte, im Schutz der Dunkelheit und nicht im Krankenhaus, wo jeder sie sehen konnte.

Am nächsten Tag fuhr Albert in seinem Citroën zum Hafen. Dort warteten Dutzende von Tagelöhnern auf Lastwagen, die sie zu den Baustellen in der Stadt brachten. All die zerbombten Häuser. Albert suchte keinen aus, der im Viertel wohnte, sondern zwei junge, schüchterne Männer, die vom Land kamen. Muslime, denen sie Moritz als italienischen Freund der Familie vorstellten. Die Araber fragten nicht lang, spuckten in die Hände und legten los. Für die Nachbarn, die von Zeit zu Zeit kamen, um zu helfen oder etwas zu essen zu bringen, war Moritz einfach einer der Arbeiter; ein entfernter, sehr entfernter Verwandter, weswegen er im Haus wohnen durfte. Und zum ersten Mal bekam er einen Namen: Maurice. Französisch, wie die meisten tunesischen Italiener. Jude, wie die Sarfati, mit einer Großmutter aus Osteuropa; das rechtfertigte seine helle Haut. Albert sagte, er käme aus Triest, und das genügte ihnen. Es war nichts Ungewöhnliches. Viele Juden flohen übers Mittelmeer ins befreite Nordafrika. Moritz sprach nicht viel und staunte, wie leicht die Lüge funktionierte. Es gibt eine beschränkte Anzahl von Schubladen in den Gehirnen der Menschen, dachte er, und sobald du in eine passt, sind sie froh, nicht weiter fragen zu müssen. Menschen sind faul, auch was das Denken angeht. Und weil die Alliierten den Italienern im Viertel misstrauten, die Gendarmen sogar manche von ihnen misshandelten, hielten die Nachbarn zusammen und verrieten keinen der Ihren.

Abends las Moritz alle italienischen Bücher, die er finden konnte. Selbst wenn er vieles nur zur Hälfte verstand, ergänzte seine Phantasie die andere Hälfte – eine Lektüre wie ein Kreuzworträtsel. Alle Wörter, die er aus dem Lateinischen nicht ableiten konnte, unterstrich er. Beim nächsten Frühstück oder Abendessen nahm er das Buch mit und fragte nach den Wörtern. Mimi schmunzelte über seine sprichwörtliche deutsche Genauigkeit, hatte aber großen Spaß daran, ihm die Aussprache von Wörtern wie *lenzuole*, *fiordilatte* oder *arcobaleno* beizubringen. »Sie müssen die Wörter singen, nicht sprechen!«, rief sie und lachte. Moritz mochte den Effekt des Italienischen, diese Art zu sprechen und damit auch die Art, die Welt zu sehen und in der Welt zu sein. Eine neue Sprache, fand er, schenkt dir Flügel, auf denen du dich in jemand anderen verwandelst. Jemand, der schon immer in dir war, aber bisher keinen Weg gefunden hatte, sich zu zeigen. Manchmal führen uns andere Sprachen nicht in die Ferne, sondern näher zu uns selbst.

»Wussten Sie«, fragte Albert beim Abendessen, »wie viele italienische Wörter aus dem Arabischen stammen? Wenn ich Ihnen sage: ›*Una tazza di caffè con zucchero*‹, dann sind das bereits drei Wörter! *At-tass, al-qahua, as-sukkar!* Im Übrigen klingt es im Hebräischen nicht viel anders, *kavah, sukar.* Und die Franzosen haben es auch übernommen: *Une tasse de café avec du sucre, voilà!* Wie heißt das im Deutschen?«

»Eine Tasse Kaffee mit Zucker.«

Albert breitete die Arme aus. »Und wegen dieser Unterschiede schlagen wir uns die Köpfe ein? *Quelle connerie!*«

»Als was definieren Sie sich eigentlich?«, wollte Moritz wissen. »Jude, Italiener oder Tunesier?«

Albert sah ihn halb amüsiert, halb streng an.

»Das ist eine sehr deutsche Frage.«

»Warum?«

»Sie benutzen das Wort *oder.* Wir bevorzugen das Wort *und.*«

27

Eines Abends nahm Moritz Victors Anzug von seinem Bügel an der Wand und schlüpfte hinein. Er musste den Gürtel etwas enger schnallen, dann passte er wie angegossen. Dazu seine schwarzen Halbschuhe, italienisches Leder – alles einen Hauch feiner und dandyhafter als die Sachen, die er in Deutschland getragen hatte. In der Dunkelheit, hoffte er, würde es nicht auffallen. Er wollte das Haus gerade durch den Hinterausgang verlassen, als Yasmina aus der Küche kam.

»Sie dürfen nicht raus!«

»Ich muss. Sonst werde ich verrückt.«

»Lieber verrückt als tot.«

»Keine Sorge, mir wird nichts passieren.«

»Das hat Victor auch gesagt.«

Warum hielt sie ihn zurück, fragte er sich, wenn sie ihm nicht traute? Müsste sie nicht froh sein, wenn er verhaftet würde?

Alberts Stimme schreckte beide auf. »Wo wollen Sie hin?«

»Nur mal Luft schnappen. Mich wieder normal fühlen.«

»Unmöglich. Was machen Sie, wenn eine Patrouille Sie nach ihren Papieren fragt?«

»Ich weiß nicht. Aber ...«

Mimi kam dazu. Sie trug schon ihr Nachthemd.

»Bring ihn zu Monsieur Lévy«, sagte sie.

Albert sah sie skeptisch an und dachte nach.

»Wer ist das?«, fragte Moritz.

»Monsieur Lévy repariert Radios«, antwortete Albert.

»Radios?«

Mimi insistierte: »Sag ihm, dass Moritz ein deutscher Jude auf der Flucht ist.«

Albert grübelte. »Das könnte funktionieren ...«

Moritz sah fragend von einem zum anderen.

Albert nahm die Brille ab und sagte leise, als stünde ein Gendarm vor der Tür: »Monsieur Lévy ist nicht nur gut mit Radios. Er hat mal einen da Vinci auf eine Serviette gemalt, den konnte man nicht vom Original unterscheiden!«

Langsam begann Moritz zu verstehen.

»Er hilft Juden, aus Europa zu fliehen. Sie kommen über Palermo und Marseille, und von hier aus fahren sie weiter, nach Amerika oder Palästina. Aber die Amerikaner machen die Häfen dicht, und die Briten in Palästina schicken die Schiffe zurück. Es gab Aufstände der Einheimischen gegen die Einwanderer. Also braucht man die richtigen Papiere. Verstehen Sie?«

»Ja. Gehen wir hin.«

»Sie nicht. Monsieur Lévy ist sehr misstrauisch.«

Albert ging nach oben und holte Victors Personalausweis, den sie aufbewahrt hatten. Er klappte das graue, abgewetzte Dokument auf. Victors Porträt in schwarzem Anzug und Krawatte, der schwungvoll mit der Hand geschriebene Name und darüber der rote Judenstempel: »JUIF«.

»Sie haben ungefähr das gleiche Alter. Wenn Victor zurückkommt, melden wir ihn einfach gestohlen, und er bekommt einen neuen.«

Am nächsten Tag reparierte Moritz Alberts alte Faltbalgkamera. Albert brachte einen Film mit nach Hause und setzte Moritz auf einen Stuhl vor den geschlossenen Vorhang. Auf der anderen Seite der Kamera zu sitzen machte Moritz nervös. Yasmina beobachtete amüsiert, wie er nicht aufhören konnte, Anweisungen für Belichtung und Blende zu geben, während Albert mit den Armen ruderte: »Nun halten Sie endlich still!«

Abends ging Albert mit Film und Ausweis zu Monsieur Lévy in der Rue de l'Avenir.

Und dann taten sie etwas, was sie nicht einmal den Frauen erzählten. Moritz hatte Albert darum gebeten, um ganz sicher zu gehen. Für den Fall, dass er verhaftet und verhört wurde. Albert hatte seine Sorge nicht, wie Moritz vermutet hatte, als übertrieben abgetan, sondern angeboten, die Beschneidung selbst durchzuführen. Doch das war Moritz zu privat. Also gingen sie heimlich zu Monsieur Melloul, einem alten Mohel, der nicht mehr praktizierte. Albert behandelte ihn umsonst, also schuldete Melloul ihm noch einen Gefallen. Unter dem Siegel der Verschwiegenheit erzählten sie ihm die ganze Wahrheit. Der alte Mann war so berührt von dem, was Moritz für Victor getan hatte, dass er schwor, das Geheimnis mit ins Grab zu nehmen. In seiner kleinen, dunklen Wohnung führte Monsieur Melloul die Brith Milah in aller Form durch, als wäre Moritz tatsächlich Jude. Zum Abschied gab er Moritz eine Thora mit und sagte ihm: »Gott liebt einen gerechten Goi mehr als einen Ungerechten, der in die Synagoge geht.«

Am übernächsten Shabbat, als alle sich zum Abendessen setzten, legte Albert schmunzelnd Victors Ausweis auf den Tisch. Yasmina schlug ihn auf. Die Fälschung war perfekt. Der dunkelblaue Behördenstempel ging nahtlos auf Moritz' Foto über.

»Er ist ein Genie, nicht wahr?«, sagte Albert.

Als Yasmina das Foto des Deutschen neben Victors Namen und Geburtsdatum sah, durchfuhr sie ein befremdendes Gefühl.

»Wo ist Victors Foto?«, fragte sie ihren Vater.

»Monsieur Lévy hat es verbrannt.«

»Warum?«

»Der Stempel. Es darf nirgends auftauchen.«

Yasmina verstummte. Moritz bemerkte es.

»Wenn er zurückkommt«, sagte er, »mache ich ein neues Foto von ihm.«

Yasmina reichte Moritz den Ausweis. *Victor Sarfati, né le 21 novembre 1916 à Tunis.* JUIF. Jetzt war er ein Jude mit italienischem Namen und französischer Nationalität. Victor Sarfati war seine Lebensversicherung.

»Tragen Sie ihn immer bei sich. Und wenn die Soldaten Sie nach Ihren Eltern fragen, nennen Sie unsere Namen.«

»Danke. Ich weiß das sehr zu schätzen.«

»*LeChaim*, Victor!«, rief Mimi schmunzelnd und hob das Weinglas. Sie stießen miteinander an. Als Yasmina Moritz in die Augen sah, empfand sie eine eigenartige Mischung aus Dankbarkeit und Zorn. Er mochte Victor gerettet haben, aber warum saß *er* jetzt dort, nicht ihr Geliebter? Moritz spürte ihr Unbehagen und fühlte sich auf einmal fremd. Ein Scharlatan wider Willen.

Albert stand auf und zündete die vier Kerzen auf dem Tisch an.

»Noch eine«, sagte Yasmina bestimmt. »So ist Victor auch bei uns.« Albert nickte und brachte noch eine Kerze zum Tisch. Mimi zündete sie an, hielt die Hände über alle Kerzen, bedeckte dann ihre Augen und sprach den Segen. Als Albert das Brot anschnitt, fragte Moritz sich im Stillen, ob Victor noch lebte.

Nach dem Essen steckte Moritz den Ausweis in die Hosentasche, um endlich einen Spaziergang zu machen. Draußen zirpten die Grillen, es war noch warm, die Luft duftete nach Frühsommer.

»Ich bin gleich wieder da. Nur eine Viertelstunde.«

»Warten Sie«, sagte Albert. »Ich begleite Sie.«

Yasmina und Mimi sahen den beiden Männern besorgt nach, als sie das Haus verließen. Im Dunkeln sahen ihre Silhouetten aus wie einst Vater und Sohn.

Auf der Avenue de Carthage brodelte das Leben. Es roch nach Fisch und Öl und dem Parfüm der Frauen. Auf den glühenden Kohlegrills zischten die Maiskolben, Verkäufer mit Gebäck auf dem Kopf schoben sich durch die Menge, zahnlose Händler boten Pistazien in Papiertüten feil, Erdnüsse und Kürbiskerne. Einheimische und Soldaten flanierten zwischen dem Café Vert und dem Casino, als hätte es nie einen Krieg gegeben. Moritz passte sich Alberts langsamem Gang an, tauchte ein, verschmolz mit der Menge. Er staunte, wie leicht es ging. Offenbar fiel seine helle Haut nicht weiter auf – waren doch die Hälfte der Menschen hier Europäer. Da er mit seinen braunen Haaren nie dem arischen Klischee entsprochen hatte, ging er gut als Norditaliener oder Franzose durch. Er durfte nur nicht viel sprechen, um sich nicht durch den Akzent zu verraten. Hier und dort sah er Gendarmen, die Papiere kontrollierten. Sie bogen in eine Seitenstraße ab und gingen zum Strand. Auf dem nachtschwarzen Meer schwebten Boote, Liebespärchen flanierten auf der kleinen Corniche. Keiner von ihnen beachtete sie. Moritz starrte in die Dunkelheit über dem Strand. Die Lichter der Schiffe auf Reede. Irgendwo dahinter, gar nicht weit, Sizilien, Europa. Ein Straßenverkäufer sprach sie von der Seite an, keine fünfzehn Jahre alt.

»*Cigarettes? Chewing gum? Americano!*«

»*Non, merci*«, sagte Albert, dann nahm er Moritz am Arm und führte ihn zurück nach Hause.

Der kleine Ausflug machte ihm Mut. Ab jetzt verließ Moritz jeden Abend das Haus. Er ging immer die gleichen Straßen entlang, um sich sicher zu fühlen, und an jedem Passanten, der ihm begegnete, übte er die Kunst, nicht aufzufallen. War er bisher schon ein Meister darin gewesen, sich hinter seiner Kamera zu verstecken, ging er jetzt einen Schritt weiter: Er wollte sich unsichtbar machen. Er verstand, dass nicht allein das Äußere darüber entschied, ob er auffiel. Es war nicht wichtig, ob er Hut oder Mantel trug. Unsichtbarkeit war eine Frage der inneren Haltung. Um vom Radar der anderen zu verschwinden, musste er lernen, seine Aufmerksamkeit von ihnen abzuziehen. So, als wäre sein Blick ein Lichtstrahl, den er ausschalten konnte, um selbst zu erlöschen. Schweigen mit den Augen, das ist es, dachte er.

Von der Fotografie wusste er, dass es ein Licht gibt, das von außen auf ein Gesicht fällt, und eines, das von innen kommt, aus den Augen. Es ist nicht messbar, und dennoch bestimmt es, ob ein Porträt uns berührt oder kaltlässt. Augen sprechen immer; sie können lieben ohne Worte und schreien ohne Stimme. Wir haben gelernt, unser Mundwerk zu beherrschen, aber niemand hat uns gezeigt, wie wir unsere Augen zum Schweigen bringen. In ihnen liegt, anders als in der Linse einer Kamera, die ganze Bandbreite menschlicher Gefühle: Begehren, Liebe, Angst, Zärtlichkeit, kalte und heiße Wut. Wenn es ihm gelänge, all das loszulassen, würde sein Blick in den Augen der anderen nichts auslösen. Er wäre für sie nichts als ein wandelnder Toter. Wunschlos, furchtlos.

Ich schalte mein Licht aus. Ich bin ein alter Mann, der still vergeht. Ich bin durchsichtig. Moritz flanierte über die Avenue de Carthage und zählte, wie viele Entgegenkommende ihn ansahen. Je weniger, desto besser wurde er. Schließlich achtete er nicht mehr darauf, wer ihn ansah oder nicht; denn allein dafür musste er ihnen, wenn auch nur kurz, in die Augen sehen. Schon das war zu viel. Es musste so sein, als gäbe es ihn nicht. Keine Verstellung, kein freundliches Lächeln, kein Bonmot beim Bäcker – er ließ alles weg, was einen Einzelnen aus der Masse hervorhebt und im Gedächtnis der anderen einprägt. Je weniger er sich in ihren Blicken verfing, desto besser.

Einmal, als er nachts zum Haus zurückkehrte, stand plötzlich ein großer Straßenköter vor ihm. Er bellte wild, aber noch lief er nicht los. Schlagartig erinnerte sich Moritz an das, was er als

Kind auf dem Land gelernt hatte: Nicht weglaufen. Für Hunde ist Flucht ein Zeichen der Schwäche – er würde ihn angreifen. Aber dem Hund in die Augen zu sehen war ebenso gefährlich: Er könnte es als Dominanzgeste wahrnehmen, als Herausforderung zum Kampf. Instinktiv wählte Moritz einen dritten Weg: Er ging einfach weiter, ohne auf das Bellen zu reagieren. Als wäre der Hund nicht da, als wäre er selbst nicht da. Als ginge ihn alles nichts an. Den Blick nach vorne gerichtet, ging er an dem Hund vorbei, der zornig kläffte, aber keine Anstalten machte anzugreifen. Irgendwann hörte er einfach auf zu bellen. Moritz musste lächeln. Ein unerwartetes Gefühl der Macht überkam ihn.

Den Unsichtbaren gehört die Welt, dachte er, und nicht, wie alle denken, den Lauten und Forschen. Denn die bekommen den Zorn ab, den Neid und die Attacken, während die Unsichtbaren unbehelligt ihrer Wege ziehen. Darum ging es also: nicht nur nicht teilzuhaben an der Welt, sondern auch keine Haltung zu ihr einzunehmen. Eine Haltung setzt ein Ich voraus, das sich abgrenzt von der Außenwelt. Damit macht es sich sichtbar. Angreifbar. Man urteilt und wird beurteilt. Was aber, wenn es ihm gelänge, das Gefühl aus seinen Fiebernächten ins Tagesbewusstsein zu übertragen, als er nicht mehr wusste, wer er war? Während andere junge Männer danach strebten, zu leuchten, sich durch Abzeichen und Statussymbole aus der Masse hervorzuheben, musste er den umgekehrten Weg gehen: den, der er geworden war, wieder abstreifen. Niemand zu werden. Er musste lernen, der Welt keinen Widerstand zu bieten. Wie in seiner Schulzeit im Internat, die er nur durchgestanden hatte, indem er aus dem Blickfeld der Stärkeren verschwand. Wenn er jetzt noch einen Schritt weiterginge, wenn er einfach alles geschehen ließ, gut oder böse, und sich inmitten einer lauten, gierigen Welt in den Nebel der Wunschlosigkeit hüllte, wenn ihm das gelänge, würde er unsichtbar sein.

Die Feuerprobe kam mitten auf der Avenue de Carthage: Auf dem Gehweg vor dem Café Vert standen drei bewaffnete amerikanische GIs und kontrollierten die Papiere der Passanten. Statt in einer Seitenstraße oder ein Geschäft zu verschwinden, ging Moritz direkt auf sie zu. Blickte nach innen, nahm sich völlig zurück, so sehr, dass er in seiner eigenen Welt zu gehen schien, nicht in der ihren; er registrierte sie nicht als Feinde, so dass er weder Angst noch Wut empfand. Er schlenderte einfach an den Soldaten vorbei. Einer von ihnen drehte sich im selben Moment zu seinem Kameraden um, wodurch er Moritz aus Versehen mit seinem Gewehrkolben anrempelte. *Sorry*, sagte er, und Moritz ging einfach weiter, als hätte er es nicht bemerkt. Tatsächlich spürte er keinen Schmerz am Arm, spürte gar nichts, war wie in Watte gehüllt. Seine Augen schwiegen. Seine Gedanken schwiegen. Seine Gefühle schwiegen. Er verspürte eine ungekannte Euphorie. Er war unbesiegbar.

Erst als er an die Haustür der Sarfatis klopfte, wachte er aus seiner Trance auf. Die Tür öffnete sich einen Spalt weit, und Yasminas schwarze Augen fixierten ihn auf eine Art, die ihm signalisierte, dass etwas nicht stimmte. Sie trat zur Seite und ließ ihn herein. Erst drinnen sah er, dass sie weinte.

Albert saß zusammengesunken auf der Couch, seine Brille in den Händen, die Augen starr auf den Boden gerichtet. Mimi, die neben ihm saß, hatte ihm tröstend die Hand auf den Rücken gelegt. Auch sie war bleich vor Schreck. *Victor*, dachte Moritz, *sie haben Nachrichten von Victor bekommen. Schlechte Nachrichten.* Als er näher kam, sah er das Blut auf Alberts Anzug.

»Haben Sie sich verletzt?«

»Nein.« Albert setzte ungelenk seine Brille auf. Jetzt sah Moritz seine geröteten Augen. Er hatte Mühe zu sprechen, langsam setzte er Wort um Wort, Satz um Satz zusammen, wie um sich des Unbegreiflichen zu vergewissern, das vorgefallen war.

»Ein amerikanischer Bomber ist über Centre Ville abgestürzt. Mitten in ein Café. Es gab viele Tote. Die Schwerverletzten werden immer noch operiert. Es war ein Massaker.«

Moritz erschrak über sich selbst, denn im ersten Moment empfand er ein Gefühl der Erleichterung. Weil nicht Victor tot war. Nur Menschen im Café. Fremde. Dann schämte er sich, dass er, anders als Albert, Mimi und Yasmina, nur betroffen war, aber nicht berührt. Wäre es anders gewesen, wenn die Toten Deutsche gewesen wären? Hatte der Krieg ihn abgestumpft? Oder hatte der Mantel der Unsichtbarkeit, in den er sich gehüllt hatte, auch sein Herz gleichgültig gemacht?

»Latif war in diesem Café«, sagte Yasmina leise. »Er machte dort gerne Mittagspause.« Moritz spürte, wie das Blut aus seinem Gesicht wich.

»Wir haben ihn mit bloßen Händen aus den Trümmern gezogen. Er war schon tot. Ich konnte nichts mehr tun.«

Alberts Stimme erstickte. Er stand auf, zog sein blutverschmiertes Jackett aus und ging in die Küche, um sich zu waschen. Moritz stand immer noch mitten im Raum und fühlte sich auf einmal schrecklich nutzlos. Er hätte den Frauen gerne Trost geschenkt, aber wie? Mimi folgte Albert in die Küche. Moritz blieb allein mit Yasmina. Sie wich seinem Blick aus und räumte die Teegläser vom Tisch, um irgendetwas zu tun. Alles, was er jetzt sagen könnte, kam ihm schrecklich schal vor. Er setzte an, um ihr sein Beileid auszusprechen, aber verstummte. Sie ließ ihn stehen.

Der Vollmond starrte durchs Fenster. Der fröhliche Lärm, der von der Avenue de Carthage herüberdrang, schien unwirklicher denn je. Moritz stand vom Bett auf. An Schlaf war nicht zu denken. Er ging hinunter in die Küche, um sich das verschwitzte Gesicht zu waschen. Er erschrak, als er im dunklen Wohnzimmer jemanden auf der Couch sitzen sah. Es war Albert, gebeugt über ein Buch. In seinen Brillengläsern spiegelte sich der Schein einer Kerze. Er bemerkte Moritz. Er sagte nichts, aber Moritz interpretierte seinen Blick als Einladung und setzte sich zu ihm. Jetzt konnte er das Buch sehen. Hebräische Schriftzeichen. Die Thora.

»Glauben Sie an Gott, Maurice?«, fragte Albert.

Moritz nickte. Albert legte die Thora beiseite.

»Ich habe in diesem Buch nach einer Erklärung gesucht. Aber keine gefunden.« Albert sagte *Erklärung*, nicht *Trost*. »Der Herr ist ein Gott des Rechts, sagt die Schrift. Aber ist das Leben gerecht? Warum laufen Verbrecher frei herum, während Latif sterben muss? Man sagt: Wer Gutes tut, dessen erbarmt sich Gott. Aber wenn jemand das Gute verkörperte, dann Latif. Wie kann Gott uns lieben, wenn er zulässt, dass Latif so grässlich sterben muss? Er kann nur ein gleichgültiger Gott sein, der seine Schöpfung verlassen hat. Was denken Sie darüber, Maurice?«

Moritz wusste keine Antwort. Vielleicht hatte er es zu weit getrieben mit seiner Unsichtbarkeit. Es fiel ihm schwer, eine klare Haltung zu entwickeln.

»Ich weiß, das sind ketzerische Gedanken, bitte verzeihen Sie.«

»Nein, nein, im Gegenteil, Sie haben ja recht. Ich weiß auch keine Antwort, die Sinn ergibt.«

»Als wir bei Latif wohnten, hat er mir eine Stelle aus dem Koran vorgelesen: *Wenn jemand einen unschuldigen Menschen tötet, so ist es, als habe er die ganze Menschheit getötet. Und wenn jemand einen Menschen rettet, so ist es, als habe er die ganze Menschheit gerettet.* Ich habe die gleichen Sätze im Talmud gefunden. Gibt es diesen Satz auch in Ihrer Religion?«

»Es heißt: *Liebe deinen Nächsten wie dich selbst.*«

Albert seufzte erschöpft. »Es ist seit Jahrtausenden bekannt, aber immer noch verhalten sich die Menschen, als hätten sie nie davon gehört. Vielleicht hat nicht Gott den Menschen verlassen, sondern der Mensch hat Gott verlassen.«

Ja, dachte Moritz. Wir haben alle unseren Gott verlassen, als wir in die verdammten Flugzeuge stiegen, um den Krieg in die Welt zu tragen.

»Latif«, sagte Albert leise, »war mehr als nur der Concierge des Majestic. Latif *war* das Majestic. Die fünf Sprachen, die er mühelos beherrschte. Seine Freundlichkeit, die nie aufgesetzt, immer am Gegenüber interessiert war, egal, ob es die reichen Gäste oder einfachen Angestellten waren. Sein geistreicher Humor. Seine Großzügigkeit. Und wenn es wahr ist, dass das Majestic das Beste an unserem Land verkörpert, dann ist Tunesien jetzt ein ärmeres Land geworden.«

»Ich habe ihn sehr geschätzt«, sagte Moritz und dachte im selben Moment: *Was für eine abgestandene Floskel!* Wenn er ehrlich war, hatte er dem Concierge nie große Beachtung geschenkt. Wie die Heuschrecken waren sie im Majestic eingefallen; nicht als Gäste, sondern als Herren. Albert stand auf und legte die Thora auf ihr weißes Tuch im Regal. Alle anderen Bücher standen senkrecht nebeneinander, nur die Thora lag allein.

»Bei uns gibt es die Legende der sechsunddreißig Zaddikim«, fuhr Albert fort. »Sie besagt, dass es auf der Welt zu jedem Zeitpunkt sechsunddreißig Gerechte gibt. Wenn einer von ihnen stirbt, wird zugleich ein neuer geboren. Niemand kennt ihren Namen, niemand weiß, ob sie arm oder reich sind, ob sie Könige sind oder Schuhputzer. Sie treten nur selten in Erscheinung, und zwar wenn Juden in großer Gefahr sind. Gott schickt sie, um die Juden zu retten, und sobald ihre Aufgabe erfüllt ist, tauchen sie wieder unter. Nur wegen ihres Edelmuts lässt Gott die Welt trotz ihrer Verkommenheit nicht in Scherben gehen. Stellen Sie sich das vor, Maurice! Und nicht einmal ein Zaddik selbst weiß, dass er einer der sechsunddreißig ist. Wenn also jemand behauptet, er sei ein Gerechter, ist er es ganz sicher nicht.«

Moritz dachte darüber nach. Er stellte sich die Weltkugel zwischen zwei Waagschalen vor: eine Handvoll Gerechte gegen Millionen von Ungerechten.

»Haben Sie Kinder, Maurice?«

»Nein.«

»Sie sollten welche haben.«

Albert ging zu dem alten Klavier und strich mit der Hand über den Deckel. Dunkelbraunes Holz, gerissen und gesplittert.

»Ich hatte nie Zeit, Klavier spielen zu lernen. Victor hat uns in solchen Momenten mit seiner Musik aufgeheitert.«

»Ich ... kann ein wenig Klavier spielen«, sagte Moritz. Endlich etwas, womit er sich vielleicht nützlich machen konnte.

»*Prego,* Maurice, spielen Sie.«

Albert rückte einen Stuhl vom Esstisch vors Klavier, und Moritz setzte sich. Es war lange her, seit er das letzte Mal gespielt hatte. Er klappte den zerbrochenen Deckel hoch. Einige der Tasten fehlten. Die Soldaten mussten sie herausgebrochen haben. Zögernd versuchte Moritz eine Tonleiter. Leicht verstimmt klang es, belegt wie eine menschliche Stimme nach langer Krankheit. Der Staub musste in jede Ritze gedrungen sein.

»Was spielen Sie? Mozart?«

Das Requiem vielleicht. Moritz versuchte den Anfang der Lacrimosa, aber ihm war jetzt nicht nach Mozart. Er suchte nach einer Tonfolge, die Alberts Stimmung entsprach. Oder seiner eigenen – wenn er denn wüsste, was er fühlte. Er tastete sich voran, ließ die Saiten mit dem Pedal atmen, und mit jeder Harmonie konnte er spüren, wie sein Spiel den verschütteten Klang des alten Klaviers befreite. Eine Triole folgte der anderen, und ohne dass er wusste, woher, entstand auf einmal in der rechten Hand das Adagio von Beethovens Mondscheinsonate. Die linke Hand suchte und fand die Oktave dazu. Cis-Moll, er erinnerte sich, dann tiefer, das schwere H unter der rollenden

Harmonie der rechten, er schloss die Augen und gab sich den dunklen Harmonien hin, diesem eigenartigen *adagio sostenuto*, das immer nach Nacht klang, schwermütig und verträumt, unmöglich, es am Tage zu spielen, man verlor sich darin wie in einem Wald, wie lange hatte er keinen Wald mehr gerochen, deutsche Tannen, verschneit in einer sternklaren Winternacht, Mondlicht auf dem Schnee.

Hinter seinem Rücken hörte er leise Schritte, nackte Füße auf den Fliesen; es war Yasmina, die im Nachthemd herunterkam, verwundert von dem Klang, der das Haus erfüllte. Als Moritz sich kurz nach ihr umdrehte, konnte er den Ausdruck auf ihrem Gesicht erkennen – die Enttäuschung, dass er es war, nicht Victor, der das Instrument zum Leben erweckt hatte. Aber dann machte Albert ihr ein Zeichen, und sie blieb neben dem Klavier stehen, so dass Moritz sie aus dem Augenwinkel sehen konnte, ihr weißes Gewand im Kerzenschein. Er konnte ihren Duft riechen, jung und verwirrend, so nah stand sie neben ihm und sah seinen Händen zu. Dann ging sie leise zu ihrem Vater, setzte sich neben ihn und verbarg ihren Kopf an seiner Schulter. Albert legte zärtlich den Arm um sie. Im Halbdunkel konnte Moritz ihr Gesicht nicht erkennen. Aber dann hörte er, dass sie leise weinte. Sein Atem stockte. Es war, als drückten ihre Tränen all das aus, was in ihm verstockt und verschlossen war. Sie weinte für ihn. Plötzlich hörten sie ein Geräusch vor dem Haus. Die Nachbarn waren gekommen und schauten zum Fenster herein.

»Wir dachten, Victor sei zurückgekehrt.«

»Nein«, sagte Albert, »es ist einer der Arbeiter, Maurice.«

»*Mashallah. Meraviglioso!*«

Moritz beendete das Adagio. In der plötzlichen Stille spürte er den kühlen Nachtwind auf der Haut, der durchs offene Fenster kam. Es war ihm unangenehm, beobachtet zu werden.

»Wollt ihr nicht reinkommen?«, fragte Albert.

»Nein, danke. *Bonne nuit, Albert. Laila saida, ya Yasmina. Buona notte, Maurice.*«

Weit nach Mitternacht, als Moritz in seinem Bett lag und in den mondhellen Himmel über den Dächern starrte, öffnete sich lautlos die Tür. Yasmina blickte herein. Sie trug ihr weißes Nachthemd und offenes Haar. Als sie sich vergewissert hatte, dass er wach war, schlüpfte sie ins Zimmer, schloss die Tür hinter sich und setzte sich auf den Stuhl gegenüber vom Bett.

»Als Sie heute spielten«, sagte sie leise, »haben Sie Victor zurückgebracht.«

Moritz setzte sich auf. Er trug nur ein Unterhemd. Es schien sie nicht zu stören.

»Danke«, sagte sie.

»Ich habe nur ein bisschen gespielt ...«

»Ich meine, danke, dass Sie nichts sagen. Zu meinen Eltern.«

Sie sah ihn durchdringend an. Dunkle Augen im Mondlicht.

»Verurteilen Sie mich?«

»Nein. Welches Recht hätte ich dazu?«

»Es ist nicht wie zwischen anderen Geschwistern, müssen Sie wissen. Es passiert vieles, und die Leute reden nicht darüber. Aber ich liebe ihn wirklich.«

Warum musste sie ihm das erklären, fragte er sich. Was ging es ihn an? Welchen Unterschied machte es, ob er es guthieß oder nicht?

»Haben Sie jemanden, den Sie lieben?«, fragte Yasmina.

»Ich bin verlobt.«

Yasmina blickte prüfend auf seine Hand.

»Sie tragen keinen Ring.«

»Glauben Sie mir nicht?«

»Ich weiß nicht.« Sie lächelte hintergründig.

»Möchten Sie ein Bild sehen?«

»Ja.«

Er beugte sich zu seiner Hose, griff nach dem Portemonnaie und zog das Foto heraus, das er darin aufbewahrte. Zögerte einen Moment lang. Dann reichte er es ihr. Yasmina setzte sich neben ihn auf die Bettkante und betrachtete das Foto im Mondlicht. Der Wannsee. Der hölzerne Steg. Fannys offenes Lachen.

»Sie ist schön. Wie heißt sie?«

»Fanny.«

Sie schwieg, als mochte sie den Klang des Namens nicht.

»Vermissen Sie Ihre *fidanzata*?«

»Ja. Aber ... wissen Sie, wenn man sich so lange nicht mehr gesehen und geschrieben hat ...«

Ihre Augen fixierten ihn, um herauszufinden, was er damit sagen wollte. »Haben Sie sie vergessen?«

»Nein. Haben Sie denn Victor vergessen?«

»Ich werde ihn nie vergessen!«

Ihre Bestimmtheit imponierte ihm. Wenn Fanny auch so sehr an mir hängt, dachte er, wird alles gut.

Yasmina gab ihm das Foto zurück.

»Es ist Vollmond. Sie wird gerade an Sie denken und sich fragen, wann Sie zurückkommen.«

»Sie wird sich fragen, ob ich noch lebe.«

»Warum schreiben Sie ihr nicht?«

»Was, wenn der Brief abgefangen wird? Auf Fahnenflucht steht die Todesstrafe.«

»Sie lieben sie nicht genug!«

»Wie können Sie das sagen?«

Yasmina fuhr sich durchs Haar, ohne zu antworten. Es verstörte ihn, wie jemand zugleich so stolz und verletzlich wirken konnte. Er versuchte, ihre Gedanken zu erraten, bis sie schließlich sagte: »Was würden Sie tun, wenn ihre *fidanzata* Sie betrügt?«

Moritz stutzte. »Ich weiß nicht.«

»Würden Sie sie auch betrügen? Aus Rache?«

»Nein.«

Er fragte sich, worauf sie hinauswollte. Gab es noch etwas, das sie ihm nicht sagte?

»Und Sie? Was wollen Sie jetzt tun?«, fragte er zurück.

»Warten ...«

Moritz nickte. Welche andere Wahl hatte sie schon?

»Aber ich kann nicht mehr warten!«, sagte sie mit einer plötzlichen Dringlichkeit, die ihn erschreckte.

»Er wird kommen. Sie müssen Geduld haben.«

»Unmöglich!«

»Warum?«

»Weil ...« Ihre Augen fixierten ihn, wie um zu prüfen, ob er ein Geheimnis bewahren konnte. Dann stand sie abrupt auf und ging zur Tür.

»*Buona notte, Maurice.*«

Sie verschwand ebenso leise, wie sie gekommen war.

Moritz schlief kaum in dieser Nacht. Am nächsten Morgen begrüßte Albert ihn besonders freundlich, Yasmina dagegen tat so, als wäre nichts zwischen ihnen geschehen. Und tatsächlich war ja auch nichts geschehen. Oder?

Moritz blieb allein im Haus, während die Familie in den Citroën stieg, um zu Latifs Beerdigung zu fahren. Schwarz gekleidet im schwarzen Wagen. Es war ein klarer Tag, nichts deutete auf die Katastrophe des gestrigen Tages hin. Auf der Straße spielten Kinder Fußball. Moritz wäre gerne mitgefahren, doch das war zu riskant. Es würde eine große, öffentliche Zeremonie sein; nicht nur Latifs Familie, sondern auch alle Angestellten des Majestic würden dort sein, und vermutlich die Amerikaner.

Nur das Ticken der Wanduhr erfüllte das Wohnzimmer. Moritz fühlte sich fremd in dem leeren Haus. Er setzte sich ans Klavier und versuchte, sich an die Goldberg-Variationen zu erinnern.

Aber anders als gestern Nacht wollte es ihm nicht gelingen. Seine Gedanken waren bei Yasmina. Auf einmal hörte er ein Klopfen an der Tür. Er hörte auf zu spielen. Wieder klopfte es, diesmal energischer. Vielleicht waren es nur die Nachbarn – vielleicht aber hatte jemand ihn verraten. Unschlüssige Schritte vor der Tür. Moritz spähte aus dem Fenster – und sah den Rücken eines Soldaten in Uniform. Schnell duckte er sich in eine Ecke des Wohnzimmers, die vom Fenster aus nicht einsehbar war. Jetzt hörte er ein kratzendes Geräusch, als schabe etwas an der Hauswand entlang. Auf einmal ein Schlag im oberen Stockwerk. Jemand war an der Fassade hochgeklettert und hatte im ersten Stock ein Fenster eingedrückt. Moritz hörte Schritte über seinem Kopf. Männerschritte. Fieberhaft dachte er nach. Wenn er durch die Tür nach draußen floh, standen dort vielleicht weitere Soldaten, um ihn abzufangen. Er musste sich verstecken. Die Küche, die Speisekammer. Er lief hinüber, aber da hörte er schon die Stiefelschritte auf der Treppe. Gerade, als er in die Küche schlüpfte, bemerkte er, wie die Schritte ihm folgten. Es war aussichtslos. Der Soldat hatte ihn gehört. Er nahm ein Küchenmesser in die Hand und drehte sich zur Tür. Einige Sekunden lang geschah nichts, dann öffnete sich die Tür. Der Soldat stand da und erschrak über Moritz, der das Messer auf ihn richtete. Er trug eine französische Uniform.

»Wer sind Sie?«, fragte der Mann auf Italienisch. Und jetzt erkannte Moritz ihn, obwohl er kürzere Haare und abgenommen hatte.

»Victor?«

Ja, er war es. Victor in der Uniform der *Forces Françaises Libres*. Er sah ernst aus, abgekämpft und härter als damals. Um den Hals trug er die silberne Khamsa mit dem Davidstern. Victor stutzte, als er Moritz' Hemd und Hose sah: Ein fremder Mann trug seine Kleider! Moritz legte das Messer weg und breitete langsam die Arme aus. Victor kam näher.

»Ich bin's«, sagte Moritz.

»Kennen wir uns?«

»Ja. Das Majestic. Ich trug eine deutsche Uniform. Sie haben mir einen Zettel gegeben.«

Victors Augen suchten misstrauisch Moritz' Gesicht ab. Langsam, ganz langsam dämmerte es ihm. Seine Anspannung löste sich.

»Sie haben tatsächlich ... meine Familie gefunden?«

»Ja.«

Moritz versuchte ein Lächeln und streckte ihm vorsichtig die Hand entgegen. Victor nahm sie nicht, sondern fasste ihn fest an den Schultern, zog ihn zu sich und umarmte ihn so herzlich, dass Moritz kaum mehr Luft bekam. Victors Hände fuhren ihm übers Haar, er küsste ihn auf die Wange.

»*Incredibile. Dio mio!*«

Moritz hatte keinen Bruder, aber in diesem Moment spürte er, wie es wäre, einen zu haben.

»Wie heißt du?«, fragte Victor und sah ihm fest in die Augen.

»Maurice.«

28

MARSALA

»Sechs Kisten?«, fragt Patrice erregt und richtet sich in seinem Bett auf. »Sind Sie sicher?«

»Mein Vater hat mit eigenen Augen gesehen, wie sie verladen wurden. Und schon im Majestic hatte sich herumgesprochen, was in dem verschlossenen Zimmer war: sechs Kisten.«

Wir sitzen in Patrice' Krankenzimmer, und Joëlle hat ihm alles erzählt. Je mehr sie erzählte, desto weniger hatte er ihr entgegenzusetzen. Vielleicht musste ein Mann wie er mit einem Lungenriss im Krankenhaus liegen, um endlich zu begreifen, dass niemand ihm seinen Schatz wegnehmen wollte.

»Dann sind Sie also nur eine Angehörige? Warum haben Sie das nicht gleich gesagt?«

»Hätten Sie mir geglaubt?«

»Nein.«

»Also.«

Was ihm an der Geschichte gefällt, ist, dass sie bestätigt, was er unter Wasser gesehen hat. Was er nicht mag, ist, dass die Ärzte ihm das Tauchen für die nächsten drei Monate verboten haben. Aber selbst wenn Benoît und Philippe nun versuchen würden, die Kisten zu bergen – der Flugzeugkörper ist schon zu sehr eingefallen, als dass man sie rausziehen könnte. Und sie sind so verrostet – das hatte er selbst gesehen –, dass sie leicht auseinanderbrechen könnten. Patrice wägt das Für und Wider aller Möglichkeiten ab und kommt dann zu dem Schluss, dass die größte Chance, ihren Inhalt unbeschädigt nach oben zu bringen, ein Weg ist, der auch das größte Risiko birgt: Er entscheidet, den Rumpf als Ganzes zu heben. Die eingebrochenen Wände mit Gurten zu sichern, das ganze Flugzeug wie einen Rollmops einzuwickeln und dann, so wie zuvor das Leitwerk, langsam mit dem Kran nach oben zu hieven. Im *worst case* könnte der Rumpf auseinanderbrechen. Wenn alles gut geht, bei ruhiger See, wenn das Wetter hielt, könnten sie es noch vor den Dezemberstürmen schaffen.

Patrice ruft Lamine an, der wieder auf dem Schiff ist. Er soll heute noch mit Benoît und Philippe rausfahren; die beiden sollen zum Wrack tauchen, um die Stabilität des Rumpfes zu prüfen. Dann kommt die Italienerin im T-Shirt, deren Namen ich jetzt zum ersten Mal höre, zur Tür herein. Pia. Das bedeutet: die Fromme. Patrice hatte schon immer einen Sinn für Humor.

Wir lassen Patrice mit ihr allein und gehen. Es ist ein außergewöhnlich milder Tag; fast windstill, die Sonne scheint mit unerwarteter Kraft, fast surreal, wie im Spätsommer. Wir leben in zwei Welten, gleichzeitig in der Vergangenheit und der Gegenwart, und es würde mich nicht wundern, wenn auf einmal Moritz hinter einem Baum hervorkommen und über die Straße spazieren würde. Moritz als junger Mann, auch er ein Besucher, der sich vor der Welt versteckt. Ein panzerloser Hummer unter einem Stein tief in der See. Doch dann wird mir schlagartig bewusst, dass dieser junge Mann inzwischen alt ist, sehr alt – wenn er überhaupt noch lebt, wovon Joëlle überzeugt ist –, und dass ich nicht unter den Jungen Ausschau nach ihm halten sollte, sondern unter den Alten; vielleicht versteckt er sich hinter einem grauen Bart, einem Gehstock, einem eingefallenen Anzug aus besseren Zeiten, vielleicht ist er einer der beiden Signori auf der Bank dort drüben, vielleicht aber folgt er uns heimlich, ohne aus dem Schatten zu treten.

Wir wandern am Strand entlang, ziehen die Schuhe aus, gehen barfuß weiter. Ich laufe übermütig ins Wasser hinein, heute scheint das Meer so friedlich, als wäre es kein Grab, sondern unschuldig wie am ersten Tag. Wenn es mir doch gelänge, in diesen Zustand zurückzukehren. Wir setzen uns auf die Veranda des leeren Strandbads, lassen die Füße trocknen und reiben uns den Sand von der Haut.

»Eine Sache verstehe ich noch nicht, Joëlle. Du hast gesagt, du seist im Dezember 1943 geboren. Wenn ich zurückrechne, neun Monate ... Aber nach deiner Erzählung kam Moritz erst nach dem Fall von Tunis zu den Sarfatis, also im Mai 1943.«

Joëlle blinzelt in die Sonne.

»Du bist eine gute Zuhörerin. Ihr hättet euch verstanden, dein Großvater und du. Er war auch immer ganz genau. Halbwahrheiten konnte er nicht ausstehen. Fragte immer nach, penetrant geradezu, wenn ich was ausgefressen hatte. Bis ich alles zugab. Und dann ging er mit mir los, zu dem anderen Kind oder so, und ich musste mich entschuldigen. Er war korrekt bis ins Detail. Von ihm habe ich gelernt, dass man nichts unerledigt lassen soll.«

Es mutet fremd an. Gerade er, der ein ganzes Leben unerledigt gelassen hatte.

»Ja«, sagt Joëlle nachdenklich, »das ist paradox. Bis heute.«

Sie kramt ihr Päckchen Zigaretten raus.

»Weißt du, manchmal habe ich die Phantasie, er würde mir heimlich folgen. Einfach so, um mich zu beobachten. Ein Wunschtraum. Aber immerhin habe ich dich gefunden.«

»Und ich hab auch keine Antworten, nur Fragen.«

Wir schmunzeln uns an.

»*Wer nicht fragt, bleibt dumm,* hat er immer gesagt. Aber wenn ich ihn nach seiner Vergangenheit gefragt habe, wich er immer aus. Fast alles, was ich weiß, hat meine Mutter mir erzählt.«

29

VICTOR

Yasmina roch es als Erste. Als sie in ihrem schwarzen Kleid aus dem Citroën stieg, den Albert vorm Haus parkte – sie hatten die ganze Fahrt vom Friedhof bis hierher geschwiegen –, lag ein vertrauter Geruch in der Luft, den es an diesem Tag – ein Shabbat – nicht geben durfte. Tomaten, Zwiebeln, Kreuzkümmel, Koriander … Jetzt roch es auch Mimi: Shakshuka. Dann öffnete sich die Tür, und Victor kam aus dem Haus. Yasmina stieß einen spitzen Schrei aus, rannte ihm entgegen und fiel ihm um den Hals.

»*Farfalla!*« Victor wirbelte seine Schwester herum. Yasmina juchzte, außer sich vor Freude. Dann bemerkte sie, dass Victor anders roch, nicht mehr nach dem Parfüm seiner Liebhaberinnen, sondern nach Zigaretten und Benzin. Und seine Brust fühlte sich anders an. Muskulöser. Es war die Zeit der versehrten Körper. Kein Mann ohne Wunden. Aber Victor schien vor Kraft zu strotzen, wie eine gespannte Armbrust vor dem Schuss. Nur welche inneren Wunden er davongetragen hatte, wusste niemand.

»*Amore,* wo warst du so lange? Und was ist das für eine Uniform?«

Victor grinste stolz. Dann kam Mimi, um ihn in die Arme zu schließen und sein Gesicht mit Küssen zu bedecken. Albert kletterte langsam aus dem Auto und sah verwundert, fast ein wenig kritisch herüber, um sich zu vergewissern, dass es tatsächlich sein Sohn war, der in der Uniform von de Gaulles freien Franzosen steckte. Ein ungläubiges Lächeln huschte über sein Gesicht, dankbar und verlegen vor Glück. Seine schlimmsten Befürchtungen waren nicht eingetreten. Langsam ging er auf das Haus zu, wo Victor sich von den Frauen löste und ihm entgegenkam. Er hatte seinen Vater noch nie weinen gesehen. Albert nahm seine Brille ab und wischte sich die Tränen aus den Augen, dann umarmte er seinen Sohn so fest, als wolle er ihn nie mehr loslassen.

Moritz trat aus der Tür und freute sich für die Sarfatis, als wären sie seine eigene Familie. Vielleicht zum ersten Mal im Leben – und mehr noch als in der Nacht, als er Victor befreit hatte – spürte er, dass seine Existenz einen Sinn hatte.

»Jeeeeeh! Er hat Shakshuka gekocht!«, rief Mimi und lachte. Tatsächlich hatte Moritz sich in der Küche an einer Shakshuka für den hungrigen Victor versucht, weil nur er als Nichtjude am Shabbat den Herd anzünden durfte. Albert führte alle schnell ins Haus, um diesen kostbaren Moment vor den Blicken der Nachbarn zu schützen. Drinnen zog er Victor diskret beiseite, deutete auf Moritz und flüsterte: »Ist es wahr, dass er dich beschützt hat?«

Moritz bemerkte, dass sie zu ihm sahen. Die Frage, von der alles abhing.

»Ohne ihn«, sagte Victor zu seinem Vater, »wäre ich nicht mehr am Leben.«

Mimi schlug die Hände vors Gesicht, ging zu Moritz und küsste seine Stirn, als wäre er ihr eigener Sohn.

»Ich hab es immer gewusst!«, flüsterte sie ihm ins Ohr. Yasmina schämte sich im Stillen, ihm nicht vertraut zu haben.

»Wir werden nie vergessen«, sagte Albert, »was Sie für unseren Sohn getan haben. Unsere Familie ist Ihre Familie.«

Moritz errötete. Es war ihm unangenehm, von seinen Gastgebern gelobt zu werden.

»Sie haben das Gleiche für mich getan.«

Albert öffnete eine Flasche Anisette, während Victor sich an den Tisch setzte, um hungrig die Shakshuka aus der heißen

Pfanne zu löffeln. Yasmina setzte sich neben ihn, reichte ihm Brot und schenkte ihm Wasser ein.

»Wo warst du so lange?«

Er tat, als hätte er ihre Frage nicht gehört.

»Lasst ihn doch erst mal essen!«, rief Mimi. Sie behandelte ihren Sohn, als wäre er gestern erst aus dem Haus gegangen und immer noch derselbe. Yasmina jedoch bemerkte, dass sich etwas verändert hatte: Seine Hände, die nicht mehr tanzten, sondern sich am Tisch festhielten. Seine Stimme, die die Worte nicht mehr sang, sondern sie bewachte. Seine Augen, die nicht mehr einluden, sondern ausspähten. Er trug die Uniform nicht nur am Körper, sondern auch auf der Seele. Vordergründig war er der alte, lachte, machte seine typischen, pointierten Witze, aber tatsächlich wich er den Fragen aus, beantwortete nur das Nötigste, während seine Augen unruhig hin und her wanderten. Was immer er erlebt haben mochte – es hatte Spuren hinterlassen.

Nach seiner Flucht aus dem Majestic, erzählte Victor, war es ihm gelungen, sich zur Front durchzuschlagen, bis zu einem Flugfeld der Amerikaner bei Souk El Arba, irgendwo zwischen Bizerte und der algerischen Grenze. Dort hatte er den Amerikanern angeboten, bei der Befreiung von Tunis zu helfen, als Scout oder, wenn nötig, auch mit Waffen. Aber er hatte keine Papiere bei sich, nur seine Geschichte, also schickten sie ihn nach Algier weiter, den italienischen Juden mit französischer Staatsangehörigkeit, zum Hauptquartier der *Forces Françaises Libres*, die für General de Gaulle auf Seiten der Alliierten kämpften. Was dann passierte, und warum er erst so spät zurückkehrte, behielt er für sich.

»Und jetzt? Was hast du jetzt vor?«, fragte Albert.

»Jetzt bleibt er bei uns«, sagte Mimi.

Victor schwieg dazu, was Mimi nicht gefiel. Er kratzte seinen Teller mit Brot aus.

»Der Krieg ist noch nicht zu Ende.« Mehr sagte er nicht. Alle schwiegen. Albert und Moritz hatten keine Zweifel mehr daran, was die Uniform bedeutete. Victor wollte sich nicht mehr verstecken. Sein Krieg gegen Hitler hatte gerade erst begonnen.

»Doch. Für uns ist er zu Ende«, sagte Yasmina und legte ihm die Hand auf den Arm. »Wir haben genug gelitten.« Ihre Augen fixierten ihn, als wollten sie ihn durch bloßes Anschauen daran hindern, das Haus wieder zu verlassen.

»Die Zeiten haben sich geändert, *farfalla*. Wir dürfen jetzt nicht nur an uns denken, sondern an unser Volk. Die Amerikaner haben mir erzählt, was in Europa wirklich passiert. Millionen auf der Flucht, Millionen in den Lagern. Sie verhungern, sie werden erschossen, dort geschehen Dinge, die du dir nicht vorstellen kannst. Es gibt Mütter, die ihre Kinder Fremden anvertrauen und auf Schiffen nach Amerika schicken, damit sie überleben. Weil sie selbst nicht mehr rauskommen. Ich hab Glück gehabt – aber was mache ich jetzt mit diesem Leben, das mir geschenkt wurde? Wir müssen Hitler besiegen. Er oder wir!«

Er warf einen herausfordernden Blick zu Moritz. Etwas in ihm war aufgewacht. Er hatte früher nie das Wort »Volk« für die Juden benutzt. Sondern »Gemeinschaft« oder »Brüder«. Und damit hatte er nie die europäischen Juden gemeint, sondern die nächsten Freunde, Verwandten und Nachbarn. Albert und Mimi staunten. Ihr Sohn war erwachsen geworden. Mehr vielleicht, als ihnen lieb war.

»Bleib hier«, flüsterte Yasmina. Etwas Unbedingtes lag in ihrer Stimme, ein fordernder Ton, der ihn nervös machte. Er stand ruckartig auf und ging in die Küche. Albert bedeutete den anderen, sitzen zu bleiben, und folgte ihm.

»Bist du dir sicher, dass du Soldat sein willst?«, fragte Albert ernst.

Victor durchsuchte hungrig den Schrank nach Brot.

»Ja, Papà.«

»Ist es wahr, dass die Alliierten in Europa einmarschieren wollen?«

Victor biss von einem alten Baguette ab, ohne zu antworten.

»Wo?«, fragte Albert. »Korsika? Kreta? Sizilien?«

»Sie brauchen Aufklärer«, flüsterte er schließlich leise. »Die sich unauffällig bewegen. Die italienisch aussehen und akzentfrei sprechen.«

»Also Sizilien?«

Yasmina kam herein, mit Victors leerem Teller in der Hand.

»Du kannst jetzt nicht gehen«, sagte sie entschlossen.

»Aber ich komme wieder, *farfalla*.«

Yasmina warf wütend den Teller in die Spüle. Albert erschrak.

»Beruhige dich, Yasmina«, sagte er. Sie ignorierte ihn und sah Victor an.

»Die Dinge haben sich geändert.«

Victor verstand nicht, was sie damit meinte. Auch Albert wunderte sich. Mimi kam herein und fragte, was los sei. Yasmina wandte sich abrupt um und lief weg. Die Haustür fiel hinter ihr ins Schloss. Victor sah ihr unschlüssig nach.

»Sie wird sich beruhigen«, sagte Albert und legte die Hand auf Victors Schulter. »Ich bin stolz auf dich, *figlio mio*.«

Victor wand sich aus seiner Umarmung und verließ die Küche. Moritz, der als Einziger noch am Tisch saß, spürte, wie Victors Blick ihn erfasste. Sein Misstrauen, ob er das Geheimnis ausgeplaudert hatte. Er hielt dem Blick stand.

»Sie wird sich schon beruhigen«, sagte Mimi und strich Victor zärtlich über den Kopf. »Jetzt nimm erst mal ein Bad, *tesoro!*«

Victor stieß sie weg und ging aus dem Haus, um Yasmina zu suchen.

Er wusste, dass sie dort auf ihn warten würde, an ihrem Lieblingsplatz aus den Kindheitssommern: die lange Pier, die am

Ausgang des Kanals ins Meer hineinragte. Ganz vorn an der Spitze, dort wo die Brandung so laut war, dass man die Musik der Cafés nicht mehr hörte, stand Yasmina im Wind. Es roch nach Muscheln und Salz. Schaumkronen auf den Wellen, Segelboote fuhren aus, fast wie in Friedenszeiten. Sie spürte seine Schritte im Rücken und war nicht überrascht, als er sich neben sie stellte, die Hände auf das Geländer gestützt.

»Hat der Deutsche was erzählt?«

»Nein.«

»Können wir ihm trauen?«

»Ja.«

Yasmina fuhr herum.

»Geh nicht nach Sizilien.«

»Es ist meine Pflicht.«

»Und du meinst, es kommt auf einen Soldaten mehr oder weniger an? Dort drüben bist du einer von Hunderttausenden. Hier, für mich, bist du alles.«

Er wandte sich ruhelos ab. Strich sein Haar glatt, das der Wind zerzauste. Sie spürte, wie er mit sich rang. Sie hätte zu gerne seine Hand genommen, aber hier draußen waren überall Augen.

»Victor, wir waren so glücklich miteinander. Nur wir zwei in diesem dreckigen Stall; es war kalt, wir hatten Hunger und wussten nie, ob wir morgen noch leben ... aber das war die schönste Zeit meines Lebens. Erinnerst du dich? Die Stachelschweine, die Eidechsen und Fledermäuse, all die Geräusche der Nacht, und das Gewitter, während wir uns liebten. Die ganze Welt war beseelt! Jede Kleinigkeit, jeder Moment war einzigartig, *wir* waren einzigartig! Als ob ein guter Gott über uns wachte. Ich war so frei. Du hast das Beste aus mir herausgebracht.«

Ihre Worte erreichten ihn. Plötzlich sah sie die alte Wärme in seinen Augen aufleuchten. Warum konnten sie nicht einfach dort weitermachen, wo sie aufgehört hatten?

»Ich weiß, *farfalla*. Aber welches Recht haben wir auf unser kleines Glück, wenn Europa im Unglück versinkt?«

»Du klingst auf einmal wie Papà. Woher kommt dieser Idealismus? Von den Amerikanern?«

»Es ist kein Idealismus. Ich will Rache.«

Yasmina erschrak über die Härte in seiner Stimme.

»Und ... was du mir gesagt hast, in unserem Stall, gilt das noch?«

»Was meinst du?«

»Uns.«

Sie wartete. Er schwieg.

»War das mit mir ... nur so wie mit allen anderen?«

»Aber nein, *farfalla*, ich habe dich die ganze Zeit vermisst. Ich liebe dich. Mehr als alles andere auf der Welt.«

Er kann es sagen, dachte sie. Endlich. Was sie an Victor so verwirrte, war, dass er seine Gefühle entweder verbarg, so wie Papà, oder, wenn er sie zeigte – das war die Seite, die er von Mamma geerbt hatte –, in Worte kleidete, die aus seinen Liedern stammen könnten. Für ihn gab es nur diese Extreme, Schweigen oder große Liebe, nichts dazwischen.

»Was machen wir jetzt mit unserer Liebe?«

»Das sehen wir dann.«

»Wann?«

»Später.«

»Wann später?«

»Nach dem Krieg.«

Victor wollte gehen. Er hasste es, in die Ecke gedrängt zu werden. Sie legte ihre Hand auf seine, diskret, so dass niemand sie sehen konnte. »Ich kann nicht mehr so lange warten, Victor.«

»Du musst jetzt stark sein, *farfalla*.«

Von der Uferstraße kamen zwei amerikanische GIs auf den Pier. Sie prüften die Papiere der Passanten. Victor griff nervös in seine Brusttasche.

»Ich bin schwanger, Victor.«

Er erstarrte.

»Nein.«

Das war das Erste, was er sagte. Nein. Als wäre eine Schwangerschaft keine Tatsache, sondern etwas, was er zu entscheiden hatte. Sie wartete auf seine Antwort. Nach all dem Töten würden sie neues Leben in die Welt bringen. Aber in seinem Gesicht sah sie keine Regung der Freude, nur eine ungläubige Starre. Sie nahm seine Hand und legte sie vorsichtig auf ihren Bauch. Er zog sie wieder weg und blickte sich um. Die beiden Soldaten kamen näher.

»Was machen wir jetzt? Was sagen wir den Eltern?«

»Nichts.«

»Victor, man sieht es schon.«

»Nein, man sieht nichts.«

Sie wollte etwas erwidern, da sprachen die GIs ihn an. Victor stammelte etwas auf Englisch, noch verstört, und holte seinen Armeeausweis aus der Brusttasche. Sie prüften ihn, dann schüttelten sie ihm kameradschaftlich die Hände, nannten die Nummern ihrer Regimenter und machten Witze, die Yasmina nicht verstand. Aber so viel verstand sie doch, dass er sie als *sister* vorstellte. Früher war sie stolz darauf gewesen. Jetzt kränkte es sie. Die GIs luden Victor ein, mit ihnen zu kommen. Yasmina verstand nicht, wohin. Aber Victor schien erleichtert über die Gelegenheit, sich aus der Ecke zu befreien, in die er sich gedrängt fühlte.

»Geh nach Hause, ja? Sag ihnen, ich komme bald nach!«

Kein Kuss, keine Berührung, kein zärtliches Wort. Victor verschwand mit den Soldaten und ließ Yasmina mit ihrer offenen Frage einfach stehen. In diesem Moment überkam sie eine schreckliche Wut auf ihn. Unbändige Wut, die in einem Käfig eingesperrt blieb, dessen Schlüssel sie nicht besitzen durfte. Victor aber gehörte allen. Sie würde ihn immer teilen müssen.

Dazu wäre sie sogar bereit gewesen – wenn er sich nur zu ihr bekannte. Zu ihr und seinem Kind.

Mimi breitete ein weißes Tischtuch aus und zündete fünf Shabbat-Kerzen an. Draußen rief der Muezzin zum Abendgebet. Yasmina brachte alle Teller aus der Küche, die sie auftreiben konnte. Immer mehr Freunde, Verwandte und Nachbarn kamen zur offenen Tür herein. Die Juden brachten Wein, die Muslime Merguez und Baklava, die Christen Makkaroni und Manicotti. Victor war ihrer aller verlorener und zurückgekehrter Sohn. Victor, der große Star aus dem kleinen Viertel. Victor, der nun sogar über die Nazis triumphiert hatte. Es kam Rabbi Jacob, der ihn beschnitten und seine Bar Mitzwa gefeiert hatte. Es kam Emily aus Bizerte, Mimis Schwester, die so tat, als hätten sie sich nie zerstritten. Es kam sein alter Schulfreund Skander, der Automechaniker im ölverschmierten Overall. Es kam, im weißen Dreiteiler und in italienischen Schuhen, Léon Attal, Victors reicher Förderer, mit seiner bezaubernden Frau Sylvette, der nicht ahnte, wie sehr die Dame an seiner Seite Victor vermisste. Es kam Latifs Witwe Khadija mit den beiden Töchtern. Nur einer fehlte: Victor.

»Er kommt gleich«, rief Mimi in die Runde. »Er trifft noch ein paar Freunde.« Oder seine Freundinnen, dachte Yasmina. Am liebsten hätte sie alle Gäste, die sie jetzt bewirten musste, rausgeworfen. Monatelang hatte sie auf diesen Tag hingefiebert. Darauf, dass er eine Entscheidung traf, die das Unlösbare auf irgendeine Weise löste. Mit seinem Kind im Leib, hatte sie gedacht, würde er sie unmöglich zurückweisen können.

Albert sprach den Kiddusch und reichte das Weinglas an Moritz weiter. Moritz trank und reichte den Kelch an Yasmina. Ihre Augen drückten aus, was die anderen nicht aussprachen. Alle hatten gedacht, mit Victors Rückkehr würde alles wieder gut werden. Aber nichts wurde gut. Victor war gekommen, um nicht zu bleiben. Er hatte seine Seele ausgeweitet; seine Heimat war jetzt nicht mehr sein Viertel, sondern sein Volk, wo auch immer es über die Erde verstreut lebte. Albert schnitt das Brot, salzte es und verteilte es an alle Gäste. Jeder erzählte eine Geschichte von Victor, die Schulzeit, der Sommer am Strand, das Majestic, und je öfter sein Name fiel, desto absurder erschien Yasmina sein Fehlen.

Plötzlich kam er zur Tür herein und sah sich erstaunt um. Die Gäste sprangen auf, um ihn zu umarmen. Die Frauen trällerten vor Freude, die Männer dankten Allah, der Madonna und dem verstorbenen Rabbi Hay Taïeb, dessen Geist über die Gemeinde wachte. Victor stolperte. Jetzt sahen alle – nicht nur Yasmina, die es längst bemerkt hatte –, dass er betrunken war.

»Nein, nein, ich hab nicht getrunken!«, rief Victor und fiel auf seinen Stuhl. Mimi musste ihn festhalten, sonst wäre er gestürzt. Er lallte, genoss die Bewunderung der einen, ignorierte die Bestürzung der anderen, redete ohne Punkt und Komma und vermied es, Yasmina anzusehen. Sie konnte es kaum ertragen, dass er sie ignorierte, aber noch weniger, dass er die Gäste vor den Kopf stieß.

»Nein, ich gehe nicht zurück ins Majestic! Wie kann man in dieser Bar sitzen und Champagner trinken, während die Welt brennt! Nein, Mamma, ich hab keinen Hunger! Was glotzt ihr so? Habt ihr noch nie einen freien Franzosen gesehen?«

»Aber was hast du vor, Victor? Bleib doch erst mal, ruh dich aus!«

Er sagte weder, wohin, noch, wann er wieder gehen würde. Stattdessen lieferte er sich eine hitzige Diskussion mit seinen Freunden.

»Wie könnt ihr noch hier sitzen und essen und feiern, als wäre alles wie immer?«

»Du hast den Krieg gehasst«, sagte Sylvette. »Und jetzt, wo er vorbei ist, willst du ihm hinterherlaufen?«

»Vorbei? Er ist nicht vorbei! Solange unser Volk in Europa verfolgt wird ...–«

»Was willst du in Europa? Unser Volk ist hier!«, rief Skander, sein arabischer Schulfreund.

»Nein, das verstehst du nicht, denn sie massakrieren nicht die Muslime, nur die Juden!«

»Wir sind Tunesier! Juden, Muslime, Christen, *je m'en fous.*«

Skander und Victor. Sie hatten zusammen Fußball gespielt, als Jugendliche im Club von Piccola Sicilia. Nie war es dort um Religion gegangen, nur um Mädchen und Mutproben.

»Nein, Skander, das haben wir jetzt gelernt.« Victor klang auf einmal fast nüchtern, so scharf wurde seine Stimme. »Unsere Schutzmacht Frankreich kann uns nicht schützen. Wir müssen unser Schicksal selbst in die Hand nehmen.«

»Wenn die Europäer uns nicht schützen, warum sollen wir unser Leben für Europa geben?«

»Die Lösung liegt nicht in Europa!«, rief Léon. »Solange wir Juden keinen eigenen Staat haben, mit einer eigenen Armee und eigenen Grenzen, werden wir nie sicher sein!«

Skander protestierte: »Wir brauchen eine Nation für alle! Juden, Muslime, Kommunisten, mit gleichen Rechten, ein demokratisches Tunesien! Wie im Libanon – habt ihr gehört, unsere Brüder werden jetzt unabhängig von Frankreich! Bleib hier, Victor! Wir müssen unser eigenes Land befreien. Von den Franzosen!«

»Hört auf, den Franzosen die Schuld zu geben!«, schaltete Albert sich ein. »Frankreich hat euch so viel gegeben! Wer hat die Schulen und Universitäten gebaut? Die Eisenbahn und die Straßen?«

»Alles doch nur für euch Europäer! Und wir verhungern in den Dörfern!«

Die Diskussion wurde schärfer, persönlicher, beleidigender. Die Wörter »wir« und »ihr« schnitten durch die Mitte, schlossen die einen ein und die anderen aus. Auf einmal saßen um diesen Tisch nicht mehr Nachbarn, die sich ein Fleckchen Erde teilten, sondern verschiedene Gruppen, die ihre Zukunft nicht mehr im selben Buch lasen. Das war nicht mehr Skander, der dein Auto reparierte, sondern Skander, der Muslim. Nicht mehr Léon aus dem Fußballverein, sondern Léon, der Jude.

»Ihr sollt eure Unabhängigkeit haben, Skander«, sagte Victor. »Und wir die unsere. In unserem eigenen Staat.«

»Wo soll das sein? In Centre Ville?«

»In Palästina«, sagte Léon, und die Stimmung explodierte.

»Alle europäischen Völker haben ihr eigenes Land bekommen«, rief Victor, »selbst die Luxemburger, nur wir nicht! Wir wurden von den Römern aus Jerusalem vertrieben, Mussolinis verdammten Vorfahren. Seitdem wandern wir über die Erde als Volk ohne Land!«

»Und jetzt willst du die Araber aus Palästina vertreiben?«, rief Skander empört.

»Niemand will sie vertreiben«, rief Léon. »Sie sind es, die jüdische Siedlungen angreifen!«

»Und das wundert dich? Was würdest du mit einem Ausländer machen, der übers Meer kommt und sagt: *Dein Land gehört mir*?«

»Wir waren schon vor dreitausend Jahren dort«, sagte Victor. »Das ist *mektoub*. Das gelobte Land.« Yasmina staunte. Früher waren ihm solche Diskussionen egal gewesen, mehr noch, unangenehm. Er mochte es nicht, wenn Freunde sich stritten. Irgendwann war er immer aufgestanden und hatte angefangen, ein Lied zu singen, das alle wieder vereinte.

»*Mektoub*?«, rief Skander. »In eurem Buch vielleicht, aber nicht in unserem! Geh mal mit der Thora ins Grundbuchamt und sag: *Bonjour, Messieursdames,* wir müssen dreitausend Jahre rückgängig machen, es ist *mektoub!*«

Albert schaltete sich ein, um die jungen Männer zu beruhigen. »Haben wir in Wahrheit nicht *einen einzigen Gott* – ist das nicht die Essenz unserer drei Bücher?«

»Seit wann glaubst du an Gott, Papà?«, lachte Victor.

Albert schmunzelte. »Nun, wenn die Wissenschaft eines Tages herausfindet, dass Gott gar nicht existiert, müssten die Juden dann das Gelobte Land wieder verlassen?«

Rabbi Jacob, der lange Zeit schweigend gelitten hatte, sagte leise, aber bestimmt: »Wir haben kein Land, keine Hauptstadt, keine Grenzen. Gott gab uns die Gebote in der Wüste, um uns zu lehren: Seine Gesetze gelten überall! Unsere Religion ist nicht an ein Land gebunden, sondern an ein Buch, das wir überallhin mitnehmen können.«

»Ein Buch ist schön und gut«, gab Victor sarkastisch zurück. »Aber mein Leben vertraue ich lieber *dem* hier an.«

Er zog seine Pistole aus dem Halfter und legte sie auf den Tisch. Alle starrten darauf und verstummten.

»Nimm die Waffe weg!«, rief Mimi empört. Victor ließ seine Hand darauf ruhen. Albert griff nach seinem Arm, aber Rabbi Jacob hielt ihn zurück.

»Vielleicht kannst du mit Waffen deine Feinde besiegen«, sagte er. »Aber du wirst dich nie sicher fühlen. Es gibt auf dieser Welt nur einen wirklichen Schutz. Weißt du, was das ist, Victor?«

»Der Glaube!«, rief Léon entnervt. »Ja, natürlich, Rabbi, aber wir reden hier nicht vom Jenseits, wir reden von der Wirklichkeit.«

»Nein«, antwortete Jacob, »ich meine etwas anderes: Freundschaft. Gute Nachbarn brauchen keine Waffen.«

Je lauter die Stimmen wurden, desto stiller wurde Albert. Die Unterschiede hatten immer schon bestanden, aber solange die

Zukunft eine gemeinsame war, hatten sie keinen trennenden Charakter gehabt. Im Gegenteil, die Unterschiede waren Beweis einer gemeinsamen Identität, auf die man stolz war. Doch das »Teile und herrsche!« der Nazis hatte schwelende Bruchstellen aufgerissen. Das fragile Gleichgewicht der Gemeinschaften war ins Wanken geraten. Albert, der überzeugte Kosmopolit, ahnte, dass diese jungen Idealisten das Ende einer Epoche besiegeln würden. Jeder wollte in seinen eigenen Grenzen leben. Und von den drei unerfüllten Idealen, die Albert verehrte, *liberté, égalité, fraternité*, würde nur das erste übrig bleiben, als Freiheit von den anderen.

Mitten in der Diskussion, die er nicht mehr ertrug, stand Victor auf, warf torkelnd seinen Stuhl um und erklärte im Gehen, dass er jetzt schlafen müsse. Ein flüchtiger Blick zu Yasmina, nur eine Sekunde lang, wie ein gejagtes Tier.

Später, als alle Gäste gegangen und die Eltern sich zurückgezogen hatten, bezog Yasmina das Sofa für Moritz. Sie bat ihn, ihren Bruder zu entschuldigen. Morgen sei er wieder der Alte. Aber sie wusste selbst, dass das nicht stimmte. Moritz versuchte, ihr Mut zu machen, fand aber nicht die richtigen Worte. Sie ging schweigend nach oben in ihr Zimmer.

Moritz legte sich hin, ohne einschlafen zu können. Er war Victor ja kaum begegnet, aber durch die Erzählungen, die Fotos und die Liebe seiner Familie schien er ihn doch wie einen guten Freund zu kennen, einen heimlichen Bruder. Der Mann, den er heute Abend erlebt hatte, war nicht Victor. Und so schien es ihm, dass ein Mensch zwar das Leben eines anderen retten konnte, nicht aber seine Seele. Irgendetwas musste geschehen sein, das ihn hatte entgleisen lassen.

Plötzlich löste sich ein Schatten aus der Dunkelheit. Moritz hörte schwere Schritte, und auf einmal stand er vor ihm, Victor im Unterhemd, mit einer Weinflasche in der Hand. Moritz richtete sich auf. Er erschrak über seinen drohenden Blick. Eine Kampfansage.

»Haben Sie meine Schwester angefasst?«

»Nein!« Moritz richtete sich empört auf.

Victor ging auf ihn zu, so nah, dass Moritz seinen erhitzten Atem spürte. »Ich verdanke Ihnen mein Leben, das ist Ihr Glück«, sagte Victor. »Sonst würde ich Sie erschlagen!«

»Ich habe Ihre Schwester nicht berührt. Nicht ein einziges Mal.«

»Schwören Sie.«

»Ich gebe Ihnen mein Ehrenwort. Und ... ich habe Ihren Eltern nicht gesagt, was ich damals gesehen habe.«

Victors Blick flackerte. Moritz hielt ihm stand. Ein stummes Duell, das eine Ewigkeit dauerte, bis Victor schließlich begriff, dass Moritz die Wahrheit sagte. Er atmete aus, stellte die Flasche ab und setzte sich auf die Couch. Moritz blieb stehen.

»Sie ist schwanger«, sagte Victor und starrte in die Dunkelheit. Über dem Klavier tickte die Wanduhr.

Moritz glaubte, sich verhört zu haben. Er brauchte einige Zeit, um seine Fassung wiederzufinden. Das ganze Ausmaß zu begreifen.

Dann setzte er sich langsam neben Victor.

»Was machen Sie jetzt?«

»Was würden *Sie* machen? Sie sind auch Soldat.«

»Yasmina hat von nichts anderem gesprochen als von Ihnen. Sie braucht Sie jetzt.«

»Sie sind ein Guter.« Victor warf Moritz einen eigenartigen Blick zu, den er nicht deuten konnte. Unter seinem ironischen Tonfall lag ein Abgrund an Verzweiflung. »Sie hätten sich von vornherein nie in so ein Schlamassel gebracht. In Ihrem Land ist alles ordentlich. Wir aber leben das Leben, ohne an morgen zu denken, *facciamo casino, c'est le bordel,* das werden Sie nie verstehen.«

»Sagen Sie es Ihren Eltern. Bevor sie es selbst herausfinden.«

»Wie sollen sie denn rausfinden, wer der Vater ist? Wollen Sie es ihnen sagen? Wer weiß, wen Yasmina noch getroffen hat!«

»Nein, sie liebt Sie. Niemanden sonst.«

»Ich weiß nicht, wie das in Ihrem Land ist. Aber hier – meine Familie bringt mich um.«

»Ihre Familie liebt Sie.«

»Nicht mehr lange.«

Moritz hörte sie zuerst. Ihre nackten Füße auf den Fliesen. Yasmina kam die Treppe herunter, die offenen schwarzen Locken über einem weißen Nachthemd. Moritz richtete sich auf. Yasmina blieb mitten im Raum stehen, wie eine Frage, ein Vorwurf, ein glühendes Warten.

»Ich habe Ihre Schwester nicht angerührt«, sagte Moritz in die Stille, zu Victor gewandt, aber eigentlich in Richtung Yasmina, um ihre Bestätigung zu bekommen. Victor blickte prüfend zu Yasmina. Sie stand nur da und ließ ihre Augen auf den Männern ruhen, ohne etwas zu sagen. Moritz wartete. Dann erlöste sie ihn.

»Er sagt die Wahrheit, Victor.« Sie reichte ihm die Hand. »Kommst du?«

Victor schien vor Anspannung fast zu zerbersten, wie ein angeschossenes Tier in einem unsichtbaren Käfig. Er ergriff ihre Hand nicht, sondern wandte sich an Moritz.

»Danke, dass Sie meinen Eltern nichts verraten haben.«

Es klang nur scheinbar freundlich, eher wie eine Drohung: *Wehe, du sagst etwas!*

Es geht mich nichts an, wollte Moritz antworten. Aber der Satz kam ihm nicht über die Lippen, denn es ging ihn etwas an. Ob er wollte oder nicht. Victor stand auf und ging zur Treppe. Yasmina folgte ihm. Am Absatz drehte sie sich noch einmal um, um sich zu versichern, dass Moritz ihnen nicht hinterherkam, dann verschwanden sie.

Moritz blieb verwirrt zurück. Er empfand ein Gefühl für Yasmina, das er nicht in Worte fassen konnte. Sein nächtliches Gespräch mit Victor erschien ihm unfassbar unwirklich, so wie alles, was er seit der Nacht im Keller des Majestic erlebt hatte. In dieser Nacht hatte sich sein Ich unmerklich in zwei Teile gespalten, einen äußeren und einen inneren. Der eine erschien morgens wie immer zur Lagebesprechung, als wäre nichts geschehen, und der andere hoffte, dass Victor es lebendig über die Front schaffen würde. Der eine war in ein Flugzeug gestiegen, das ihn zurück nach Europa hätte bringen sollen, der andere war in Nordafrika geblieben. Der eine verbot ihm, sich in Yasminas Leben einzumischen, der andere sehnte sich nach ihrer verstörenden Nähe. Der eine wusste, dass sie mit dem Mann, den sie gewählt hatte, nie glücklich werden könnte, der andere wollte ihr am liebsten all das geben, was Victor ihr nicht geben konnte. Und noch immer schien es Moritz, als wäre dieser andere Teil nicht real. Weil er vor der Welt im Verborgenen lebte. Vor der Welt, aber auch vor sich selbst.

Jeden Morgen, wenn er aufwachte und die fremden Stimmen von der Straße hörte, dauerte es einige Sekunden, bis er begriff, dass dies kein Traum, sondern die Wirklichkeit war, in die er sich verirrt hatte.

Oben konnte man die Brandung hören. Wäscheleinen spannten sich über die Terrasse, die Bettlaken bewegten sich im Wind. Über den weißen Häusern von Piccola Sicilia ging der Mond unter. Zur einen Hälfte war das zerbombte Dach wieder aufgebaut; über dem eingestürzten Teil lagen Stege aus Holzdielen. Als Kinder hatten sie hier oben geschlafen, Yasmina und Victor, in den heißen Augustnächten, wenn die Hitze in den Zimmern unerträglich wurde. Hier oben war es immer kühl, hier hatten sie sich frei gefühlt, schwerelos in der Schwebe zwischen Erde und Unendlichkeit, unterm Rücken der warme Stein und weit oben der Sternenhimmel. Während sie hinaufschauten, hatten sie sich vorgestellt, was die Nachbarn gerade träumten, und sich gegenseitig davon erzählt: Abdelkader, der Bäcker, träumte von dem größten Baguette der Welt, seine Frau Rima träumte davon, wie sie mit einem anderen Mann, der Georges hieß oder Javier, durch Paris spazierte. Und Rabbi Jacob träumte davon, mit Moses Tee zu trinken, wobei er alle Geheimnisse der Welt erfahren würde, nur um sie am nächsten Morgen wieder vergessen zu haben.

Jetzt zogen große Wolken vom Meer über die Stadt; der Wind frischte auf. Zwischen den Wäscheleinen konnte niemand sie sehen.

»Und wenn ich mitkomme?«, fragte Yasmina.

»In den Krieg?«

»Ihr braucht doch Krankenschwestern. Ich kann alles lernen.«

»*Farfalla,* du kannst nicht schwanger in den Krieg ziehen.«

Insgeheim war Yasmina froh, dass er das Wort aussprach. Als würde er, endlich, die Wahrheit anerkennen.

»Dann bleib du hier«, sagte sie. Victor ging auf dem Dach hin und her. Ein rastloser Tiger in einem offenen Käfig, dachte Yasmina.

»Wie sollen wir es Mama und Papa sagen? Unmöglich!«

»Dann hauen wir gemeinsam ab. Wenn wir nach Algier gehen? Hast du keine Freunde in Algier?«

»Yasmina, du verstehst nicht. Ich habe einen Eid geschworen.«

»Du hast selbst gesagt, in unserem Stall, weißt du es nicht mehr, dass du nicht mehr weglaufen willst. Dass du von einer eigenen Familie träumst. *Voilà!*«

»Wenn wir Hitler besiegt haben. Aber in diese Welt kann man kein Kind setzen.«

Sie stellte sich ihm in den Weg.

»Victor. Liebst du mich?«

»Ja.«

Er gibt hundert Arten, diese Frage zu beantworten, und Victor hatte sie schon von hundert Frauen gestellt bekommen. Aber nie war ihm die Antwort so leichtgefallen. Er liebte sie, ohne Zweifel. Aber so, wie es einen Unterschied gab zwischen der geschwisterlichen und der erotischen Liebe, gab es einen Unterschied zwischen der Liebe zu einer Geliebten und der zur Mutter des eigenen Kindes. Wer in den Familien des Mittelmeers aufwuchs, wusste, dass den Söhnen alles erlaubt war, solange es die Eltern nicht sahen, aber sobald ein Kind unterwegs war, endete die Jugend, die Freiheit, die Liebe – oder das, was man für Liebe gehalten hatte, während eine neue, viel größere, aber auch schwerere Liebe wartete. Das war der Moment, in dem die Mädchen, denen vorher verwehrt geblieben war, was bei den Jungs diskret geduldet wurde, in ihre Kraft fanden, als anerkannte Frau und Mutter. Es waren die Männer, nicht die Frauen, die diesen Machtwechsel im Spiel der Geschlechter so weit wie möglich auf später verschoben. Aber später, das war jetzt.

»Und wenn wir zu Docteur Abitbol gehen?«, fragte er.

Abitbol war der Engelmacher von Piccola Sicilia. Ein ungarischer Jude, dessen Familie über Malta hierhergekommen war. Niemand sprach darüber, aber alle wussten, was er machte. Und obwohl alle drei Religionen es verboten, gingen doch alle zu ihm, wenn sie keinen anderen Ausweg sahen, um die Ehre der Familie zu retten. Docteur Abitbol verstand sich auch in der Kunst, Jungfernhäutchen zu nähen. Papà konnte ihn nicht ausstehen – weniger aus religiösen Gründen, sondern weil er für seine Dienste das doppelte Honorar nahm; einmal für das Medizinische, das er gewissenhaft erledigte, und einmal für die Verschwiegenheit, mit der er es weniger genau nahm. Yasmina war nicht schockiert, dass Victor ihn erwähnte, nein, sie hatte sich in den unzähligen Nächten, in denen sie dieses Gespräch schon in Gedanken geführt hatte, darauf vorbereitet.

Und jetzt sagte sie einfach: »Nein.«

»Aber denk doch darüber nach. Wenn Mamma und Papà davon erfahren ...–«

»Wenn du dein Kind töten willst, musst du erst mich töten.« Yasmina sah ihn herausfordernd an. Es war das Kind in ihr, *sein* Kind, das ihr Macht verlieh und ein Selbstvertrauen, das ihr vorher gefehlt hatte. Sie war keines der Mädchen, die eine ungewollte Schwangerschaft in einen Strudel von Schuld und Selbstanklage stürzte, nein, sie war stolz darauf, Mutter zu werden, unbändig stolz darauf, als einzige von Victors Frauen sein Kind im Leib zu tragen.

»Es geht ganz schnell, es tut nicht weh«, sagte er. Da begriff Yasmina, dass er für Docteur Abitbol kein Unbekannter war, dass sie nicht die einzige Frau war, die er in diese Situation gebracht hatte. Umso mehr war sie entschlossen, sich nicht so wie die anderen seinem Willen zu beugen. Ihr Kind war ein Kind der Liebe.

»Du willst gegen Hitler kämpfen, weil er uns umbringen will. Aber dein eigenes Kind würdest du töten?«

»Das tun doch alle.«

»Ich nicht. Das ist *meine* Art, gegen Hitler zu kämpfen. Sie wollen uns töten? Wir machen Kinder!«

Victor begriff, dass er sie nicht umstimmen konnte. Er hasste nichts mehr, als unter Druck gesetzt zu werden. Doch im Unterschied zu früher konnte er es ihr jetzt nicht mehr vorwerfen. Es war nicht ihr Wunschtraum, sondern die Natur selbst, die ihn unter Druck setzte.

»Gut«, sagte er. »Ich gehe jetzt zur Armee, dann komme ich zurück, und dann sehen wir weiter, ja? Es wird schon alles gut werden, glaub mir.«

»Victor! Wie stellst du dir das vor? Soll ich dem Kind sagen:

Warte mit dem Wachsen, bis Papa zurückkommt? Man sieht es schon!«

»Man sieht nichts.«

»Wenn ich nackt bin, sieht man es!«

Er starrte auf ihr Nachthemd. Sie mochte das. Sie nahm seine Hand und legte sie auf ihren Bauch.

»Spürst du es?«

Victor spürte keine Bewegung, aber unverkennbar eine kleine Wölbung. Er war überwältigt. Es durfte nicht sein, aber es wuchs. Yasmina zog ihn vorsichtig, aber bestimmt an sich. Sog seinen Duft ein und spürte seine Erregung. Zärtlich und entschlossen schlang sie ihre Arme um ihn, schloss die Augen und wartete auf seinen Kuss.

Plötzlich hörte sie ein Geräusch hinter Victor. Eine Holzdiele knirschte. Yasmina öffnete die Augen. An der Treppe, die aufs Dach führte, wo eine Holzdiele über den eingestürzten Teil führte, stand Albert. Eine unbewegliche Silhouette vor dem Nachthimmel, erstarrt vor Entsetzen. Er sagte kein Wort. Victor und Yasmina ebenfalls nicht. Über den Krater im Dach sahen sie sich an, die Kinder in der Umarmung ertappt und der Vater allein, so allein wie noch nie in seinem Leben. Ein innerhalb von Sekunden gealterter Mann, dessen Innerstes zerbrach.

»Papà!«, rief Yasmina.

Albert drehte sich um und lief die Treppe hinunter. Er floh. Er musste alles mit angehört haben.

»Wir müssen mit ihm reden, bevor er es Mamma ...–«

»Du bleibst hier!« Victor rannte über die Holzdiele zur Treppe.

»Warte!« Yasmina folgte ihm, aber da war er schon nach unten verschwunden. Sie stieg die Treppe in den ersten Stock hinunter. Zuerst sah sie dort nur Dunkelheit. Dann hörte sie Victor, der zu einer Erklärung ansetzte, die jäh von einer harten

Ohrfeige unterbrochen wurde. Yasmina schrie auf. Noch eine. Dann noch eine. Und noch eine. Und noch eine.

Victor wehrte sich nicht. Er stürzte die Treppe hinunter bis ins Wohnzimmer, verfolgt von seinem Vater, der völlig außer sich auf ihn einschlug. Yasmina lief hinterher und versuchte vergeblich, ihn zurückzuhalten. Albert stieß sie weg und prügelte auf Victor ein, während der schon zu Boden ging, seine Arme schützend vors Gesicht haltend, ohne zurückzuschlagen.

»Schützen solltest du sie! Deine eigene Schwester! Kannst du deinen verfluchten Schwanz nicht wenigstens vor deiner Familie im Zaum halten? Wer hat dir das beigebracht? Wessen Kind bist du? Hast du keinen Funken Anstand in dir? Wer gibt dir das Recht, diese Familie zu zerstören? Antworte, verdammt!«

Yasmina hatte ihren Vater noch nie so brüllen gehört. Er war so außer sich vor Zorn, dass selbst Mimi, die aufgewacht und herbeigeeilt war, ihn kaum zurückhalten konnte. Wären die Frauen nicht dazwischengegangen, hätte er seinen Sohn umgebracht. Als Mimi begriff, was vorgefallen war, ließ sie von Victor ab, taumelte zurück, als hätte sie einen schweren Schlag abbekommen – nichts anderes waren diese unerhörten Worte: ein Schlag ins Gesicht –, und stützte sich an der Wand ab, um nicht den Verstand zu verlieren.

»Ist das wahr?«, presste sie heraus und starrte Yasmina an.

Yasmina wagte es nicht zu nicken. Doch allein ihr Schweigen reichte, um das Undenkbare zu bestätigen.

Victor lag am Boden und wimmerte wie ein Kind.

Dann tat Mimi etwas Unerwartetes: Sie beugte sich zu Victor und strich ihm das Blut aus dem Gesicht. Langsam drehte sie sich zu Yasmina um, die entsetzt neben Albert stand, und sagte: »Musst du uns alle ins Unglück stürzen?«

Yasmina verlor den Boden unter den Füßen. Dass ihre Mutter sich in diesem Moment gegen sie wendete, war ein so unvorstellbarer Verrat, dass selbst Albert schockiert war.

»Ich wusste, dass es nicht gutgeht«, sagte Mimi mit zitternder Stimme. »Ich wusste es vom ersten Tag an. Aber du musstest unbedingt etwas Gutes tun, Albert. Du musst immer etwas Gutes tun! Siehst du jetzt, was du davon hast?«

»Nein, Mamma, nein ...«, versuchte Victor sie zu unterbrechen.

»Sei still, *maledetto!*«, fuhr sie ihm über den Mund. Dann drehte sie sich zu Yasmina und sagte leise, aber scharf: »Du hast meine Familie zerstört.«

Es war nur ein Satz, mehr sagte sie nicht. Ein Satz, der siebzehn gute Jahre zunichtemachte, alles, was Yasmina seither Halt und Sicherheit gegeben hatte. Jedes einzelne Wort dieses Satzes riss einen schrecklichen Graben auf, der sie plötzlich von den Menschen trennte, die sie über alles liebte. Schlagartig war sie die Außenseiterin. Der Eindringling. Die Verführerin. Es war *ihre* Schuld.

Moritz stand fassungslos daneben und wünschte, er hätte den Mut gehabt, drei Schritte nach vorne zu gehen – mehr waren es nicht, drei Schritte, die einen Zeugen von einem Mann trennten –, um Yasmina, aus der das Leben wich, in den Arm zu nehmen. Albert fasste Mimi an der Hand. Erst langsam kam er wieder zur Besinnung.

»Du kannst nicht *ihr* die Schuld geben.«

»Du ziehst sie deinem eigenen Sohn vor! *Sfortunato!*«

»Das ist nicht wahr, Mimi!«

Der alte Streit, den die beiden nie vor die Kinder tragen wollten, brach jetzt unverhohlen aus: Während Albert fand, Mimi würde ihren Sohn verzärteln, warf Mimi Albert vor, sich von Yasmina um den Finger wickeln zu lassen, aber Victor zu hart anzufassen. Albert würde das nie zugeben –, doch Victor fand, dass seine Mutter recht hatte. Yasmina bekam seine Liebe und sein Mitgefühl, während er Victor für sein Leben als Bohemien verurteilte. Und vielleicht hatte Victor nur aus Trotz nicht den

Arztberuf ergriffen, weil er Alberts hohe Ansprüche nie erfüllen konnte. Und jetzt hatte Victor das Schlimmste getan, das Albert sich je hätte vorstellen können. Er hätte ihm eher verzeihen können, wenn er einen Menschen getötet hätte.

»Es ist meine Schuld«, sagte Victor und wischte sich das Blut aus dem Gesicht.

»Aber Victor ...«

»Mamma, es ist allein meine Schuld!«

Albert und Mimi schwiegen. Albert hob mit zitternden Fingern seine zerbrochene Brille vom Boden auf, sah Victor ein letztes Mal an und sagte: »Du bist nicht mehr mein Sohn.«

Seine Stimme klang zornig und bitter, aber wer ihn kannte, spürte, wie er im selben Moment, als er den vernichtenden Satz aussprach, in eine abgrundtiefe Verzweiflung stürzte. Er wandte sich ab und stieg langsam die Treppe nach oben, ein alter, gebrochener Mann. Plötzlich war es sehr still im Raum. Victor stand vom Boden auf. Er zitterte.

»*Figlio mio*«, sagte Mimi und ging auf ihn zu. Victor richtete sein zerrissenes Hemd zurecht und ging an seiner Mutter vorbei zu Yasmina, die völlig verschreckt an der Wand stand. Er strich ihr übers Haar und sagte: »Ich liebe dich.« Dann drückte er ihr einen Kuss auf den Mund und ging an seiner entsetzten Mutter vorbei zur Haustür. Ohne ein weiteres Wort zu verlieren, verschwand er in die Nacht.

Auch am nächsten Tag blieb Victor verschwunden. Er hinterließ keine Nachricht, keine Adresse, keinen Gruß. Er war einfach weg, so wie der Reisepass in seinem Schreibtisch. Zurück blieb eine schreckliche Leere, eine offene Wunde, ein Scherbenhaufen, den niemand mehr zusammensetzen konnte.

Ein paar Tage später kam ein Brief für Yasmina. Seine Schrift auf dem Kuvert. Sie riss es hastig auf. Darin lag seine silberne Khamsa mit dem Davidstern. Sonst nichts. Kein Briefpapier, kein Absender. Yasmina zog die Kette vorsichtig heraus, hielt sie liebevoll in ihrer Hand, küsste sie und schloss die Augen. Dann hängte sie die Khamsa um ihren Hals und schwor sich, sie erst wieder abzunehmen, wenn sie Victor wiederfände.

30

MARSALA

Ich bin schockiert. Wenn meine Eltern so reagiert hätten, wäre ich an Yasminas Stelle sofort abgehauen.

»So war das dort. Die Ehre der Familie bedeutete alles. Docteur Abitbol war einer der reichsten Männer im Viertel. Aber ich hatte Massel.«

Joëlle grinst. Eine Überlebende. »Das war mein Auftritt auf dem Planeten Erde. Es begann mit einem großen Skandal. *Me voilà!*«

Sie lacht mich an, wie nur Menschen lachen können, die wissen, wie kostbar ihr Leben ist. Dann steht sie auf und geht ein paar Schritte durch den Sand, als wäre der verlassene Strand ihre Bühne. Ich folge ihr.

»Warum hast du mir gesagt, Moritz sei dein Vater?«

»Weil es wahr ist.«

»Aber ...«

Sie lächelt verschmitzt. Wenn ich genau hinschaue, sehe ich aber etwas Verlorenes in ihren Augen.

»Ich werd's dir erklären, Schätzchen. Es gibt Menschen, die haben zwei Väter. Oder zwei Mütter. Das ist schlechter, als nur einen zu haben, aber besser als gar keinen. Ich war nie ganz sicher, ob ich *fortunata* oder *sfortunata* bin. Sicher ist nur, keiner hat nach mir gefragt, aber trotzdem war ich da. Mir war's ja recht, das Schlamassel hatten die Erwachsenen.«

»Hast du das gespürt, dieses Gefühl, ein ungewolltes Kind zu sein?«

»Ach, was heißt das schon, ungewolltes Kind? Ich wurde in

einem Albtraum gezeugt, als meine Eltern um ihr Leben fürchteten. Ein Kind der Liebe in einer Zeit der Angst, *voilà*. Und meine Mutter wollte mich. Ich war ihre Antwort auf den Tod ringsherum. Hätte sie mich weggemacht, hätte sie ihr eigenes Leben getötet. Ihre Zukunft, von der sie noch kein Bild hatte. Sie hatte sich ja die ganze Zeit an diese Familie angepasst; das war alles, was sie hatte, ihr Überleben. Dass sie anders war, als ihre Eltern, vertuschte sie immer; denn es hätte ja bedeutet, dass sie ihren Schutz nicht verdiente. Nein, sie musste immer liebenswert sein. Dass sie jetzt aber etwas getan hatte, was die Eltern schockierte, war in Wahrheit der Schlüssel zu ihrer Identität. Sie musste aufhören, die brave Tochter zu sein. Sie musste ihre Eltern verraten, um sie selbst zu werden.«

Joëlle ist stolz auf ihre Mutter, noch heute. Ich denke an meine Mutter – auch ich war ja kein Wunschkind. Manchmal hatte ich die anderen Kinder beneidet, die in sicheren Verhältnissen aufwuchsen; alles so normal und geplant und sicher. Erst bauen sie das Nest, dann legen sie das Ei hinein. Bei mir war es wie bei Joëlle: Erst kam das Ei, und irgendwo musste dann ein Nest her. Manchmal habe ich mich gefragt, ob ich deshalb so früh ein eigenes Nest bauen wollte, mit Gianni.

Joëlle zündet sich eine neue Zigarette an und legt ihre Hand auf meinen Arm.

»Weißt du, die Eltern sagten: Kindchen, wir gehen zu Docteur Abitbol. Bevor die Nachbarn es erfahren. Also schleppten sie die Arme ins Auto und fuhren zu dem Kerl. Abitbol arbeitete nachts, und die Mädchen, die zu ihm kamen, trugen immer einen Schleier, auch die Jüdinnen und Christinnen, damit die Nachbarn sie nicht erkannten. Yasmina schwieg auf der Rücksitzbank und hüllte sich in den Schleier, während sie durch die dunklen Straßen fuhren – es gab noch keine Straßenlaternen im Viertel, weißt du? Als sie ankamen, wartete er schon ungeduldig. Mimi öffnete die Wagentür und befahl Yasmina, rauszukommen. Nein, sagte sie. Da packte Mimi ihre Hand, aber sie stieß ihre Mutter weg und rannte davon. Albert lief ihr nach, aber sie war schneller, sogar in ihrem langen Kleid. Stell dir vor: Ein Mädchen in ein weißes Tuch gehüllt, das durch die Nacht läuft wie ein Gespenst, vorbei an den Jungs, die an den Mauern lehnen, und an den Soldaten, die nicht begreifen, was hier geschieht. Albert verlor sie aus den Augen und suchte überall, der Arme. Yasmina war noch vor den Eltern zu Hause. Moritz war allein im Haus, und als sie ihm von ihrer Flucht erzählte, strahlte er, überglücklich. Yasmina hatte Gewissensbisse, denn jetzt hatte sie auch noch die Eltern blamiert, vor Docteur Abitbol, aber Moritz sagte ihr: Nein, das war richtig so, ich bin stolz auf Sie, und Victor wäre es auch. Meinen Sie, fragte sie. Ja, natürlich, sagte er, es ist sein Kind, was gibt es Wertvolleres? Dann kamen die Eltern zurück, und Yasmina sagte ihnen, dass sie eher sterben würde, als Victors Kind zu töten. Aber Kindchen, lass uns reden ... Nein! Yasmina sperrte sich in ihr Zimmer ein. Mimi verfluchte den Tag, an dem sie in die Familie gekommen war, Und Albert, tja, Albert sah ein, dass er machtlos war. Etwas Unerhörtes wuchs in Yasminas Bauch heran, unter seinem Dach. Mimi konnte nicht einmal zum Rabbi gehen, mit dem sie sonst alles besprach. Und Albert bezahlte Abitbol das vereinbarte Honorar, damit er bloß nicht auf die Idee kam, aus Gehässigkeit zu plaudern.«

»Und dann?«

»Dann breitete sich eine unheimliche Stille aus. Mimi hasste Albert für den Satz, mit dem er Victor verjagt hatte. Albert schwieg stur, aber insgeheim bereute er es. Im Nachhinein glaube ich, hat er sich zu viel Schuld gegeben. Denn ob er ihn verstoßen hätte oder nicht, Victor war längst nicht mehr sein Sohn. Er war ein Kind seiner Zeit, er gehörte inzwischen zu einer anderen Familie, einer viel größeren und mächtigeren, von der wir alle erst später erfahren sollten.«

31

AUGURI!

Die Abwesenheit vermehrt den Respekt.

Tunesisches Sprichwort

Wenn das Innerste einer Familie nach außen gestülpt wird, ist jeder Gast fehl am Platz. Moritz versuchte, sich so weit wie nur möglich unsichtbar zu machen. Aber dem bleiernen Schweigen am Tisch konnte er sich nicht entziehen; er war ein Teil davon. Eines Nachts nahm Albert Moritz beiseite, um ihn unter vier Augen zu sprechen. Er hatte das Bedürfnis, ihm zu erklären, dass Yasmina und Victor keine leiblichen Geschwister waren. Dass es sich insofern nicht um das handelte, was man gemeinhin »Inzest« nannte; ein hässliches Wort für eine hässliche, aber doch nie aus der Welt verschwundene Sache. Sondern um eine unglückliche Liebe, ein schreckliches Missverständnis, an dem er, Albert, sich die Schuld gab. *Er* war es gewesen, der Yasmina in die Familie geholt hatte, gegen die Zweifel seiner Frau und den Widerwillen seines Sohnes.

»Aber wenn es Liebe ist«, sagte Moritz, »sollten Sie sich keine Vorwürfe machen.«

»Liebe ist ein großes Wort, das oft verwechselt wird mit Gefühlen. Aber Gefühle kommen und gehen. Wenn Sie eines Tages verheiratet sind und Kinder haben, werden Sie sehen, dass zwischen Mann und Frau andere, beständigere Dinge zählen. Respekt, Geduld, gemeinsame Werte. Was Yasmina für Liebe hält, sind die *emozioni* und *passioni*, von denen Victor singt, um die Frauen verrückt zu machen. Aber das sind Schwärmereien, keine Tatsachen; so wie auch seine *petits amours* nie der Realität standhalten. Sie sind beide noch viel zu jung, um zu begreifen, womit sie spielen. Wie wollen sie jetzt Eltern werden?«

»Vielleicht werden sie es lernen.«

Albert sah Moritz ernst an. »Maurice, Sie verstehen nicht, wer Yasmina ist.«

»Warum?«

»Sie ist ein entwurzeltes Kind. Wir, die wir in Sicherheit aufgewachsen sind, können nie ganz ermessen, wie sich ein Waise in der Welt fühlt, herausgerissen und allein gelassen. Ein solcher Mensch wird nie mit der gleichen Selbstverständlichkeit über die Erde schreiten wie einer, der in dem Bewusstsein groß wurde, dass der Boden unter seinen Füßen ihm gehört, dass seine Existenz unbestritten ist, dass dies sein Land ist und nicht das der anderen; sein Paradies, aus dem niemand ihn vertreiben kann. Wo unsere Wurzeln in die Tiefe reichen, tragen diese Kinder ein ewiges Feuer in sich. Wo wir geborgen sind in einem Haus der Generationen, wandern sie unter freiem Himmel. Wo wir selbstverständlich ›Ich‹ sagen, lauert bei ihnen der Abgrund einer nie beantworteten Frage. Wir, die wir willkommen waren, als wir ins Leben traten, können nie ermessen, wie sehr dieses Kind sich nach dem sehnt, was für uns selbstverständlich scheint: erwünscht zu sein, nicht nur geduldet. Wir können nie ermessen, wie sehr es sich nach etwas sehnt, um sich daran festzuhalten; nach einem Baum, der nie entwurzelt wird, einem schützenden Himmel, einer Liebe, die so groß erscheint, dass sie alle Wunden zu heilen vermag. Yasmina glaubt, das in Victor gefunden zu haben. Sie hat all seine Lieder gehört. Sie hebt ihn auf einen Thron. Aber Victor ist nicht für sie geschaffen. Er wird ihren Hunger nie stillen können.«

Moritz hörte die Verzweiflung aus Alberts Worten und begriff, dass es ihm nicht nur, wie er gedacht hatte, um die Ehre der Familie ging, sondern dass er als Vater in tiefer Sorge um seine beiden Kinder war. Er rechnete es ihm hoch an. Wenn sein eigener Vater diese Liebe für ihn empfunden hätte, wäre er vielleicht nie von zu Hause fortgegangen. Vielleicht aber, dachte Moritz, sind die Kinder ohne Wurzeln, von denen Albert spricht, nicht nur die anderen. Vielleicht lauert in jedem von uns ein Abgrund, vielleicht wurden wir alle von einer unbekannten Macht in die Welt geworfen, ohne zu wissen, warum, auf uns allein gestellt. Und erst viel später finden wir Menschen, denen wir vertrauen, und einen Ort, den wir Heimat nennen. Auch Albert und Mimi waren ja aus einem anderen Land hierhergekommen. Weil sie sich dort nicht mehr zu Hause fühlten.

»Wussten Sie«, sagte Albert, »dass sogar der Vater unserer Religion, Moses, ein Waisenkind war?«

»Ja. Das Findelkind im Schilfkorb, der im Nil trieb.«

Albert lächelte mit seiner eigenartigen Mischung aus Melancholie, Verschmitztheit und Güte. »Sigmund Freud sagt, seine leiblichen Eltern waren vielleicht gar keine Hebräer, sondern Ägypter, stellen Sie sich vor, *che casino!* Bei Jesus Christus dasselbe Schlamassel: Er war Jude, und auch bei ihm sind wir uns nicht sicher, wer sein Erzeuger war. Der Vater des Propheten Mohammed, ein Ungläubiger, starb schon vor dessen Geburt, und Mohammed wurde von einer Amme gestillt, bei Nomaden in der Wüste. Sehen Sie, warum wir in Wahrheit eine große Familie sind? Wir sind alle ein bisschen verloren. *Buona notte,* Maurice.«

Für den Abschied blieb keine Zeit. Yasmina war nicht da, als der Fischerjunge an die Tür klopfte und auf einmal alles ganz schnell gehen musste. Sie war mit Albert in sein Krankenhaus gefahren, um sich dort untersuchen zu lassen. Sie konnte nicht mehr verbergen, dass sie schwanger war. Und was alle befürchtet hatten, war schnell eingetreten: das Getuschel der Nachbarn.

Nichts liebte Piccola Sicilia so sehr wie Gerüchte, und schon bald wurde der Arbeiter verdächtigt, der bei den Sarfatis wohnte; dieser eigenartige, große, durchaus hübsche Italiener namens Maurice, von dem niemand so recht wusste, woher er plötzlich aufgetaucht war und warum er, anders als die anderen Arbeiter, im Hause schlief. Auch wenn niemand in der Familie so unhöflich war, es offen auszusprechen, war Moritz klar, dass er gehen musste. Und Mimi wählte, um den Gerüchten etwas entgegenzusetzen, den einzigen Weg, der in Piccola Sicilia gegen ein Gerücht half: Sie setzte ein zweites Gerücht in die Welt, das dem ersten Konkurrenz machen sollte; eines, das schöner war als das erste. Wenn eine Nachbarin sie dann fragte, ob es wahr wäre, musste sie es vehement verneinen, denn nur ein dementiertes Gerücht beflügelte die Phantasie der Menschen; das allzu Offensichtliche glaubte man hier aus Erfahrung nicht. Also ließ Mimi über Freundinnen streuen, dass Yasmina einen heimlichen Verlobten in der Freien Französischen Armee hatte, einen schönen Offizier aus Bizerte namens Alain. Der Nachname sei ein Geheimnis, denn er sei ein feiner Mann aus wohlhabender Familie, den sie im Majestic kennengelernt hatte. Mimi gab drei Freundinnen jeweils nur ein kleines Stück der Geschichte, wissend, dass die drei Frauen ihre Puzzleteile zusammensetzen und, berauscht von ihrer Entdeckung, in die Welt tragen würden.

Die Kunst des Gerüchtes, sagte Mimi, sei wie die Kunst des Backens: Man brauchte die richtigen Zutaten, die richtige Mischung, und am Ende musste es nur den Gästen schmecken, nicht einem selbst. Was Mimi auch wusste: Jedes Gerücht musste ein kleines Stückchen Wahrheit in sich tragen. Wenn Yasmina also neugierig die Ohren spitzte, wenn im Radio von der Freien Französischen Armee berichtet wurde, wenn sie am

Kiosk verstohlen in die Zeitungen schaute oder Angehörige von Soldaten der Freien Französischen Armee fragte, ob sie von ihren Liebsten gehört hatten, dann konnten die Nachbarn darin ihren Verdacht bestätigt sehen. So hoffte es Mimi jedenfalls.

Und sie hätte die Kunst des Gerüchts nicht vollständig beherrscht, wenn sie sich nicht jetzt schon ein Szenario für später überlegt hätte, wenn der Krieg vorbei wäre und die Soldaten nach Hause kämen: Alain wäre dann auf dem Felde der Ehre gefallen, und das Kind Halbwaise eines Helden, der sein Leben fürs Vaterland gegeben hatte.

Und Victor? Den würde sie nach seiner Rückkehr schneller verheiraten, als er nein sagen konnte. Zur Not würde sie ihn dazu zwingen, indem sie drohte, sich etwas anzutun, wenn er seine Schuld nicht wiedergutmachte und den guten Namen der Sarfati bewahrte. Er würde eine anständige Familie haben, und Yasmina würde zu einem Leben als ewige Witwe verdammt sein, zur Strafe für die Schande, die sie auf sich geladen hatte. Vielleicht würde man sie mit etwas Geld versorgen, um ihr Stillschweigen zu kaufen, denn alleine könnte sie nicht überleben, noch dazu mit einem unehelichen Kind. Diese Frauen wurden von der Gesellschaft gemieden, als läge ein ansteckender Fluch auf ihnen. Ein Leben in Scham und Schande, das hätte sie verdient. So plante es Mimi jedenfalls.

Doch so kunstvoll sie die Intrige auch spann, die Gerüchte verstummten nie vollständig. Zu offensichtlich war es, dass der mysteriöse Gast Maurice just aufgetaucht war, als Yasmina schwanger wurde. Erst Moritz' Abreise würde das Gerücht von Alain bestätigen; er würde aus dem Blickfeld verschwinden, bald würde man nicht mehr von ihm sprechen. Und der eigentliche Skandal würde nie ans Licht kommen.

Moritz hatte kein Gepäck dabei, als er das Haus der Sarfati verließ, nur die Kleider, die er am Leib trug, Victors Kleider. Und ein kleines Bündel Geldscheine, das Albert ihm geliehen hatte, um den Fischer zu bezahlen, der ihn nach Sizilien bringen sollte. Ein reguläres Schiff nach Neapel oder Marseille kam nicht in Frage; die Alliierten kontrollierten die Ausreisenden.

Es war der 9. Juli 1943, ein heißer und windiger Tag. Nachdem sie mit mehreren Fischern verhandelt und immer wieder auf die Gelegenheit gewartet hatten, dass einer die Hafenpolizei schmieren konnte, musste es auf einmal ganz schnell gehen. Seit Tagen machten Gerüchte die Runde, die Invasion der Festung Europa stünde kurz bevor. Nur wo die Landung stattfinden sollte, wusste keiner.

Sizilien lag wegen der kurzen Entfernung auf der Hand; die sizilianischen Inseln Pantelleria und Lampedusa waren bereits erobert. Aber dann hörte man von den Fischern, dass die Deutschen eine ganze Panzerdivision hastig von Sizilien auf den Peloponnes verlegten, und auch auf Sardinien wurde die Verteidigung verstärkt. Britische Schlachtschiffe nahmen Kurs auf Griechenland, und amerikanische Flugzeuge bombardierten Südfrankreich. Ein Manöver, ein Täuschungsmanöver, oder ein vorgetäuschtes Täuschungsmanöver? Niemand wusste es.

Victor würde es wissen – wenn er denn tatsächlich an der Invasion teilnahm. Alles, was Moritz wusste, war, dass er keine Zeit mehr verlieren durfte. Der Mond war halb voll, und bei Vollmond, sagte man, würden die Alliierten angreifen. Die Fallschirmspringer brauchten Mondlicht zur Orientierung.

Tagelang hatte Moritz auf eine Nachricht des Fischers gewartet; heute Morgen war sie gekommen. Ein Junge hatte an die Haustür geklopft und zwölf Sardinen gebracht, in Zeitungspapier gewickelt. Das war das Zeichen: Um zwölf Uhr mittags sollte Moritz sich am Boot von Belgaçem, dem Fischer, einfinden. Ein Sturm zog auf; offenbar war Belgaçem sich sicher, dass die Alliierten deshalb nicht auslaufen würden. Jetzt oder nie musste Moritz übersetzen. Bei Dunkelheit würden sie die sizilianische Westküste erreichen, Marsala oder Mazzara del Vallo; von dort aus musste er sofort aufs italienische Festland weiterreisen.

Moritz hätte sich gerne noch von Yasmina verabschiedet und Albert gedankt, doch als er überstürzt aufbrechen musste, waren die beiden noch nicht aus der Stadt zurückgekommen. Wie er später erfahren sollte, waren sie längst auf dem Weg, doch die Straße, die Tunis mit Piccola Sicilia verband, war ohne Vorwarnung vom Militär gesperrt worden.

Mimi gab Moritz einen Kuss auf beide Wangen und ein paar Münzen mit auf den Weg. Er sollte sie einem Armen spenden, das bringe Glück. Sie würde für ihn eine Kerze anzünden und ein *Tefilat HaDerech*, das Gebet des Weges, sprechen, damit er auf der Reise geschützt sei. Wenn er unterwegs Victor sähe, irgendwo dort draußen in diesem verdammten Krieg, der die Söhne von ihren Müttern trennte, müsse er ihm sagen, dass er gesund heimkommen solle. Moritz versprach es ihr. Dann verließ er das Haus, ohne Gepäck, so unauffällig, als würde er nur kurz zum Markt gehen.

Auf der Avenue de Carthage schlug ihm ein starker Wind ins Gesicht. Staub und Müll wirbelten durch die Luft, vor den Cafés fielen Stühle um. Es würde eine stürmische Überfahrt werden, dachte er. Als er sich dem Hafen näherte und die qualmenden Schornsteine der Schiffe hinter den Häusern sah, spürte er, dass etwas nicht stimmte. Dutzende Jeeps fuhren zum Hafen, nein, es waren Hunderte; jetzt hörte er auch das Rasseln der Panzerketten, dröhnende Riesen, die hautnah an ihm vorbeirollten. Die Erde bebte. Es stank nach Diesel und aufgewühltem Hafenwasser.

Dann sah er die Soldaten. Tausende, nein Zehntausende marschierten vollbeladen und bewaffnet auf die Schiffe zu, deren Maschinen schon liefen. Noch nie hatte er so viele Truppen gesehen. Das war die Invasionsarmee, von der alle gesprochen hatten. Ein Überraschungsangriff. Sizilien, Kreta, Korsika, Südfrankreich? Moritz rechnete die Entfernungen im Kopf durch, sah auf die Uhr und ahnte, dass es Sizilien sein würde: Sie warteten nicht auf den Vollmond, sondern würden die Fallschirmspringer in der ersten Hälfte der Nacht abspringen lassen, wenn der Halbmond noch schien, und die Boote in der zweiten, mondlosen Hälfte landen lassen – im Schutz der Dunkelheit.

Moritz starrte auf die Gesichter der jungen Männer, die sich unter ihren Helmen mit schwarzer Tarnfarbe bemalt hatten. Jeder von ihnen könnte Victor sein. Soldaten errichteten Absperrungen, um die Zivilisten abzudrängen. Moritz mied den Blickkontakt und versuchte, zu den Booten am Fischerkai durchzudringen. Vergeblich. Auf einmal hörte er eine raue Stimme, die ihm von hinten zuflüsterte: »*Allez, dégagez, vite!*« Noch bevor Moritz sich umdrehen konnte, war Belgaçem, der Fischer, in der Menschenmenge verschwunden.

Moritz trat den Rückzug an, gegen den Strom, weg vom Kai, dem Dickicht der Häuser entgegen, um wieder unterzutauchen in der Welt, die er fast schon hinter sich gelassen hatte.

Mimi staunte kaum, als Moritz wieder an der Tür klopfte, denn die Nachricht von der großen Invasion sprang schon wie ein Lauffeuer von Haus zu Haus. Als abends endlich Albert und Yasmina aus dem Auto stiegen, erschöpft von ihrer Odyssee der Umwege, hörten sie über sich das Dröhnen der Flugzeugmotoren. Sie liefen aufs Dach und sahen Schwärme von Transportmaschinen aufs Meer hinausziehen, entgegen der Route, die Moritz geflogen war, vor einer halben Ewigkeit, als er noch ein anderer war.

Die ganze Nacht lang saßen sie um das rauschende Röhrenradio, während Albert unruhig von einem Sender zum nächsten kurbelte. London, Paris, Rom und Tunis sendeten ihr übliches Programm. Am Morgen wurde es offiziell verkündet: Die ersten alliierten Soldaten hatten ihren Fuß auf europäischen Boden gesetzt. Zweieinhalbtausend Flugzeuge, dreitausend Schiffe, tausendachthundert Geschütze, fünfzehntausend Fahrzeuge und Panzer, hundertachtzigtausend Männer, alles an einem Tag. Die größte Landung der Geschichte. Am Ende würden fast eine halbe Million alliierte Soldaten auf Sizilien stehen.

Und alles begann mit einem Desaster: Wegen des Sturms stürzten die meisten Lastensegler ins Meer, und die Fallschirmspringer ertranken, bevor sie auch nur einen Schuss abgeben konnten. Die Infanteristen, die nachts im aufgewühlten Meer über die Bordwände kletterten und auf die tanzenden Boote sprangen, wurden am Strand von deutschem und italienischem Maschinengehrwehrfeuer empfangen. Und irgendwo mittendrin musste Victor sein. Während Moritz sich fragte, was er dort machte – als Scout oder Spion, vielleicht schon Tage vorher heimlich eingeschleust –, empfand er kein Mitleid, sondern einen Neid, den vielleicht nur Soldaten verstehen: Victor hatte ein Ziel, eine Mission, einen Glauben an die richtige Sache. Er hatte Männer zu führen und Feinde zu besiegen, vielleicht eine Kugel im Fleisch, aber einen Sanitäter, der sie herausschnitt, eine Krankenschwester, die seine Wunde pflegte, und einen Vorgesetzten, der ihm einen Orden verlieh. Er war Teil eines großen Mythos, der Befreiung Europas.

Moritz dagegen hatte seinen Mythos verloren. Er war aus der Rolle gefallen. Seine Identität hatte darauf beruht, dass er Teil einer großen Erzählung war; es war diese Geschichte, nicht er selbst, die ihm einen Platz in der Welt gab, eine Aufgabe, einen Rang, einen Namen. Doch jetzt war er wie eine Figur, die aus einem Film geschnitten wurde. Ein Abfallprodukt des Kriegs, der ohne ihn weiterzog. Die plötzliche Leere um ihn, der Fall ins Bodenlose. Er besaß keinerlei Absicherung; sein Bett, sein Essen und sein Wasser wurden ihm nur aus Freundlichkeit gewährt, es konnte ihm jederzeit entzogen werden. Manchmal stotterte er, weil er keine Sprache fand, um sich zu verständigen, obgleich er das Italienische immer besser beherrschte. Es war mehr ein Stammeln der Seele, die hier kein Echo im Außen fand.

Und je länger er hier verharrte, desto unmöglicher würde er in der Heimat glaubhaft darstellen können, dass er keine Fahnenflucht begangen hatte. Sicher, er konnte erzählen, dass er in Gefangenschaft geraten und geflohen war, aber ein, zwei Nachfragen über das Lager, aus dem möglicherweise auch andere geflohen waren, genügten, um ihn der Lüge zu überführen. Und das wäre sein Todesurteil.

Yasmina trug ihre Schwangerschaft mit einem Stolz, der alle überraschte und dem Getuschel der Nachbarn trotzte. Sie aß viel, kochte, ging auf dem Markt einkaufen, übernahm alle häuslichen Pflichten wie bisher, ohne sich aber an den Gesprächen zu beteiligen. Kein Wort zu Albert, dem sie nie verzeihen würde, dass er Victor verjagt hatte. Kein Wort zu Mimi, die sie wie eine Feindin im eigenen Haus behandelte und keine Gelegenheit ausließ, sie zu beschämen. Sie sprach nur mit sich selbst, manchmal mit Moritz, und in ihren Träumen, denen der Nacht und denen des Tages, sprach sie mit Victor.

Der Kuss, den er ihr zum Abschied gegeben hatte, überstrahlte alles andere; das Gerede der Nachbarn, die Schande vor den Eltern und die Zweifel, ob er zu ihr zurückkehren würde. Es war der erste Kuss ihres Lebens, der nicht in Heimlichkeit gehüllt war, ein stolzes, trotziges Aufbegehren gegen die Eltern, unter deren eigenem Dach. Er war stärker als die Schläge, die Victor einstecken musste. Dieser Kuss war ein Schlag ins Gesicht der Moral, ein triumphierendes Ausrufezeichen, mit dem Victor das letzte Wort behalten hatte. Er war aufrechten Hauptes aus dem Haus gegangen, kein Verstoßener, sondern ein freier

Mann. Und obwohl er verschwunden war, hatte er Yasmina mit seinem Kuss auf eine andere Ebene gehoben und ihr verbotenes Verhältnis legitimiert – so sah sie es jedenfalls.

Niemand konnte nun mehr sagen, dass ihre Liebe zu Victor nur eingebildet oder das Kind nicht seines war. Was sollten die Eltern, die über Nacht wieder zu Adoptiveltern geworden waren, gegen sie ausrichten, wenn sie ihr Enkelkind im Leib trug? Indem sie die Schande in den Augen der anderen einfach nicht annahm, sondern in Stolz umdeutete, zwang sie die Eltern zur Komplizenschaft wider Willen.

Sie belogen die Nachbarn und bereiteten sich auf die Ankunft des Kindes vor. Was kann das Kind dafür, sagte Albert zu Mimi, wir können Yasmina und Victor für ihre Schande strafen, aber nicht das Kind.

Mimi überwachte Yasmina Tag und Nacht, gab ihr kleine Münzen, um täglich die *Zedaka* an Arme zu verteilen, und verbot ihr, ins Kino zu gehen, damit sie nicht unkoschere Dinge sah und der Anblick sich auf das Kind in ihrem Leib übertrug. Sogar die Zeichentrickfilme der Amerikaner waren tabu, tauchten dort ja bisweilen Schweine, Hasen und Adler auf. Selbst als sie an den Restaurants der Muslime und Christen mit ihren offenen Grills vorbeigingen, zerrte Mimi Yasmina auf die andere Straßenseite, damit keine Hummer, Muscheln oder Tintenfische das Ungeborene störten.

Früher war sie nie so streng gewesen; es schien, als wolle sie die Sünde, in der das Kind gezeugt wurde, durch ein umso gottgefälligeres Verhalten ausgleichen. Yasmina empfand es als Strafe. Reine Willkür und Schikane. Wenn Mimi mit ihr sprach, fragte sie nur: »Wie geht es dem Kind?«, nie aber: »Wie geht es dir?« Das war ihre Art, zugleich die Mutter der ganzen Familie zu bleiben und Yasmina zu demütigen. Yasmina lernte es hinzunehmen. Moritz bewunderte sie für ihre Würde, die sie sich selbst verlieh. Obwohl sie eine Gefangene ihrer Umstände war, strahlte sie doch mehr innere Freiheit aus als ihre Eltern, die von Scham gebeugt waren. Ihr Gang war aufrecht, ihr Kopf erhoben, sie war kein Mädchen mehr, sondern eine Mutter. Stand es nicht in der Thora geschrieben, dass Gott zum Menschen sprach: »Seid fruchtbar und mehret euch und füllt die Erde«?

Doch niemand kann sein altes Ich einfach ablegen wie ein Kleid. Erst scheint es zu verschwinden, doch dann kehrt es zurück; wir wachsen in Zyklen, wie das Meer, vor und zurück, und niemand sah das kleine Waisenkind, das Yasmina im Grunde ihres Herzens immer noch war. Es tauchte nachts aus seinem Versteck auf, wenn sie allein im Dunkeln lag, wenn das Gefühl der Fülle, das die Schwangerschaft ihr verlieh, von einem älteren Klang verdrängt wurde, einem Gefühl der Leere, des Hungers und der Armut. Es kam ohne Vorwarnung, ausgelöst meist durch einen Gedanken, in dem sie sich mit anderen Frauen verglich, wenn beispielsweise die Musik einer Hochzeit ans Fenster drang.

Yasmina hatte schon als Kind Hochzeiten geliebt. Sie hatte den staksenden, aber stolzen Gang der Bräute imitiert, mit dem sie es zu vermeiden suchten, auf ihr Kleid zu treten. Und sie war sich sicher, dass sie es eines Tages schaffen würde. Heimlich übte sie vor dem Spiegel, in ein Bettlaken gehüllt, und immer war sie von einem ungetrübten Glücksgefühl erfüllt. Das Leben war ein weites Feld unendlicher Möglichkeiten.

Jetzt aber, wo der Sommer begann, die Jahreszeit der Hochzeiten, wurde ihr die Begrenztheit ihres Schicksals bewusst. Es gab nur einen Mann für sie, und der war fort. Sie suchte Victor, wenn sie allein im Bett lag und sich berührte, so wie er sie berührt hatte, während durchs Fenster die Tanzmusik drang ... bis sie schweißgebadet einschlief, ihre Flügel ausbreitete und über das Meer reiste, bis nach Sizilien, wo sie über die staubigen Straßen wanderte, durch grüne Hügel und alte Dörfer, mitten durch den Krieg und die Armut, auf der Suche nach ihrem Geliebten. Sie traf eigenartige Gestalten im Traum, die ihr erzählten, dass sie ihn gesehen hatten, hässliche Alte und zarte Engel. Manchmal sah sie ihn sogar – einmal stand er an einer Wand, mit verbundenen Augen, um erschossen zu werden, einmal lag er hungrig in einem Schützengraben, einmal war er in ein altes Haus eingesperrt, aber immer lebte er. Und wenn sie aufwachte, wusste sie, er würde zurückkommen. Verwundet vielleicht, aber sie würde ihn pflegen. Auch wenn Albert sagte: »Wir müssen auf das Schlimmste gefasst sein.« Mimi fuhr ihm dann über den Mund und zischte leise: »Sag so was nicht! *Porta sfortuna,* das bringt Unglück!« Aber Yasmina wusste, dass Victors Überleben nicht von Alberts Worten abhängen würde. Auch nicht von Mimis Gebeten. Und am wenigsten von den Deutschen. Nein, allein ihre Liebe war es, die entschied, ob er lebte oder nicht. Solange ihr Herz für ihn schlug, würde seines schlagen. Darin war sie sich so sicher, dass Moritz es nicht wagte, sie auf den Boden der Tatsachen zurückzuholen. Ihre Vorstellung diktierte die Wirklichkeit, nicht andersherum, wie bei den meisten Menschen. Wenn jemand sie als Träumerin verspottete, sagte sie nur: Wenn deine Träume nicht in Erfüllung gehen, sind sie eben nicht stark genug. Yasminas Innenwelt war ihr Schatz, ihr geheimes Königreich, ihre Erhabenheit über die Niedertracht der Welt.

Andere Frauen aus dem Viertel schrieben ihren Männern Briefe an die Front. Nach Frankreich und Italien, nach Malta und Griechenland. Yasmina aber hatte nicht die leiseste Spur einer Adresse. Also ging sie, ohne ihren Eltern davon zu erzählen, ins Rekrutierungsbüro der Freien Französischen Armee in der Rue de Naples, um nach Victor zu fragen. Ein paar junge Männer standen dort rauchend zusammen, um in den Krieg zu ziehen, Muslime und Franzosen, wobei die Offiziere alle Franzosen waren. An der Wand hing das Porträt von Charles de Gaulle. *Non, Mademoiselle, désolé,* der Name Ihres Bruders steht nicht auf der

Liste, sagte der schlaksige Offizier namens Rubeault. *Ah bon, en Sicile? Non, Mademoiselle,* das darf ich Ihnen nicht sagen, *c'est secret défense,* vielleicht fragen Sie bei den Amerikanern, *Mademoiselle, au revoir.*

Also ging Yasmina ins Majestic, wo die Amerikaner ihr Hauptquartier aufgeschlagen hatten. Alles sah aus wie früher, nur es klang anders. Die Offiziere waren freundlich, fast entspannt. *Name? Division? No, Miss Sarfati. Free French?* Die gehen erst später rüber, *hopefully.* Ah, Ihr Bruder ist Aufklärer? *Scout?* Übersetzer? Italiener? *Oh, well,* vielleicht arbeitet er für den *Secret Service.* Wo das Büro ist? Nirgends, *Miss Sarfati,* das Büro existiert natürlich nicht, ebensowenig wie der *Secret Service,* und wenn Ihr Bruder dort arbeitet, existiert er auch nicht. Verstehen Sie? *Sorry, I gotta go.*

Yasmina stand verloren in der Lobby des Hotels, in dem niemand mehr ihre Sprache sprach, allein mit einer Liebe, die nicht sein durfte, zu einem Mann, der nicht existierte.

Auf dem Rückweg im Vorortzug stellte sie sich vor, was sie Victor schreiben würde, wenn sie seine Adresse hätte. Ihr Blick schweifte über den vorbeiziehenden See, die Flamingos im Schilf, den flammenden Abendhimmel, und eine Flut von Worten schoss ihr durch den Kopf. Als der Zug in Piccola Sicilia angekommen war und sie sich vorstellte, wie Victor ihren imaginären Brief las, war sie froh, dass sie ihm nicht wirklich geschrieben hatte; denn dieser Brief war voller Dinge, die sie besser nicht sagen sollte. Dann nahm sie sich vor, ihm beim nächsten Mal, um ihn nicht zu verlieren, nur die guten Dinge zu schreiben, nur das Schöne, da er von so viel Hässlichem umgeben war; nur vom Stolz auf das Kind in ihrem Bauch, aber nicht von der Angst des Kindes, das sie selbst noch war.

Die Nachbarn begrüßten Yasmina nun nicht mehr mit »Buongiorno!« und »Asslema!«, sondern mit »Auguri!« und »Sahalik!«, um ihr zur Schwangerschaft zu gratulieren ... und in Wahrheit ihre Neugier zu befriedigen. Yasmina erzählte dann von Alain, ihrem imaginären Verlobten, der auf Sizilien für die Freie Französische Armee kämpfte. Sie schmückte ihre Geschichten mit Details darüber, wie er ihr den Antrag gemacht hatte. Victor sei Zeuge gewesen, und wenn Alain nicht gegen Hitler kämpfen müsste, hätten sie längst geheiratet. Ein feiner Mensch, aber eine fragile Gesundheit habe er, und sie hoffe, dass ihm nichts zustoße.

In jedem Krieg gibt es Verlierer und Gewinner. Signora Cucinotta gehörte zweifellos zu den letzteren. Sie besaß ein Radio, was ihr einen uneingeschränkten Vorteil gegenüber allen anderen Wahrsagerinnen des Viertels verlieh. Die kleine Schneiderei in der Rue Scipion quoll über vor Besuchern. Bis auf die Straße hinaus standen die Frauen zusammen, um zu erfahren, was auf der Heimatinsel ihrer Vorfahren vor sich ging. Absurderweise kämpften ihre Verwandten teils miteinander, teils gegeneinander, je nach Staatsangehörigkeit. Und jede Frau aus Piccola Sicilia, die einen Cousin, Bruder oder Sohn auf Sizilien hatte, zog die Cucinotta ins Hinterzimmer, wo sie aus der Kaffeetasse *fortuna* und *sfortuna* las. Ein kleiner Buchstabe trennte Glück von Unglück, Tränen der Freude von Tränen des Schmerzes. Manche Frau eines *sfortunato* lief gleich hinüber in die Kirche, um mit einer Kerze oder Spende für die Armen das Schicksal ihres Liebsten noch einmal zu wenden.

Bei der Cucinotta lief Radio Roma auf Italienisch, der faschistische Propagandasender, was niemanden störte, da die Alliierten nur die Radios der Cafés kontrollierten. Dort, auf der Avenue de Carthage, saßen die Männer, während die Frauen in der dunklen Bude der Cucinotta den Militärpolizisten wohl nicht gefährlich genug erschienen. Nach der Befreiung von Tunis hatten die Cafébesitzer ihre italienischen Einheitsempfänger, die nur eine Frequenz empfingen, ins Meer geworfen und von den neuen Besatzern großzügigerweise neue Geräte geschenkt bekommen, auf denen sie die BBC empfingen. Charles de Gaulle sprach dort auf Französisch. Und im *Alimentari* an der Ecke lief Radio Tunis, das alliierte Programm, auf Italienisch, Französisch und Arabisch. So kam es, dass die Familie beim Abendessen die Nachrichten aus den verschiedenen Sendern wie Puzzlestücke zusammensetzte, um sich ein Bild davon machen, was wirklich auf Sizilien passierte.

Die Männer in den Cafés verfolgten die Nachrichten fast wie ein Fußballspiel. Anfangs schienen sie noch unentschlossen, welche Mannschaft sie anfeuern sollten. Doch als die Alliierten blitzartig eine Stadt nach der anderen eroberten, nein, befreiten, Siracusa, Agrigento und Marsala, begannen sie zu jubeln, als hätte ihre Mannschaft ein Tor geschossen. Es schien absurd, dass kein Italiener mehr die italienischen Soldaten anfeuerte. Aber jeder wusste, dass die Spione der alliierten Militärpolizei mitten unter ihnen saßen. Und so stellte der Konditor, der noch im Winter seine Profiteroles als »*Dolce del Duce*« verkauft hatte, jetzt seine zigarrenbraunen »*Cannoli Churchill*« ins Schaufenster. Nur in manchen Cafés sah man drinnen, nie draußen, Männer im Glühlampenlicht Backgammon spielen und düster schweigen, während Radio Tunis die Erfolge der Alliierten rühmte. Als die amerikanischen Panzer am 22. Juli in Palermo eintrafen, war allen klar, dass es nur noch eine Frage der Zeit war, bis ganz Sizilien fallen würde. Über ihren Köpfen sahen sie die schwer beladenen Bomber starten, die schon bis nach Rom flogen.

Moritz saß mit Albert auf der sonnigen Terrasse des Café Vert. Nie hätte er gedacht, wie leicht es ihm fallen würde, hier unterzutauchen. Er begann zu verstehen, dass die Menschen in Piccola Sicilia, wo jeder von irgendwoher gekommen war, weniger darauf schauten, wer man war, sondern *mit wem* man war. Maurice war *amico del dottore*; mehr brauchte es nicht, um respektvoll gegrüßt und dann in Ruhe gelassen zu werden, während jeder seinen Geschäften nachging. Im Süden, sagte Albert, wäre das unmöglich, dort lebten die Menschen wie vor hundert Jahren auf dem Dorf, aber Hafenstädte waren wie ein großes Ragout. Man wirft alles Gemüse vom Markt in einen Topf und rührt es um. Was kümmert es die Zwiebel, ob neben ihr ein Kürbis oder eine Kartoffel schwimmt?

Albert schlug die Zeitung auf, und Moritz beobachtete unruhig die vorbeifahrenden Autos. Die Männer am Steuer hatten Ziele; sie suchten und fanden Arbeit, feierten Hochzeiten, bekamen Kinder. Es war längst Sommer geworden, aber Moritz lebte noch in seinem eigenen Winter.

»Haben Sie mit dem Fischer gesprochen?«, fragte er leise.

Albert nickte. »Er sagt, es ist noch zu gefährlich.«

»Aber wenn Sizilien fällt, rücken die Alliierten aufs Festland vor. Ich muss schneller als sie in Neapel sein.«

Das war sein Plan: ein größeres Boot zu finden, das ihn bis nach Neapel bringen würde. Hinter die Front.

»Geduld«, sagte Albert. Doch Moritz sah, wie sein Zeitfenster sich immer weiter schloss. Die Alliierten kamen überraschend schnell voran. Der BBC-Sprecher verkündete, dass die Briten und Amerikaner von zwei Seiten auf Messina anrückten. In der letzten Bastion an der Meerenge zum Festland verschanzten sich die Deutschen und Italiener. Was war das Geheimnis des alliierten Erfolgs? Warum ergaben sich so viele Italiener kampflos? Warum hatten die Deutschen noch kurz vor der Invasion viele Truppen an andere Küsten verlegt?

Erst Jahre später sollten die Geschichten hinter der Geschichte bekannt werden: Ein Team des britischen Geheimdienstes unter der Leitung des jüdischen Offiziers Ewen Montagu hatte Hitler in einem brillanten Coup getäuscht: Ein britisches U-

Boot setzte schon Monate vor der Invasion die Leiche eines angeblich abgestürzten englischen Kuriers an der spanischen Küste aus, mit einer Aktentasche voll gefälschter Dokumente. Aus ihnen ließ sich die bis ins Detail erfundene Identität eines Mannes rekonstruieren, den es in Wahrheit nie gegeben hatte: Major William Martin, Captain des *Marine Corps*, hatte korrekt datierte Abrisse von Theaterkarten aus London dabei, die Quittung für einen teuren Verlobungsring, die Mahnung seiner Bank, dass er sein Konto überzogen habe, und den Brief seines Vaters, der sich mit der Wahl der Braut nicht einverstanden erklärte. Und einen geheimen Brief an General Sir Alexander, den Britischen Kommandeur in Nordafrika, aus dem hervorging, dass die Invasion nicht auf Sizilien, sondern auf Sardinien, Korsika und dem Peloponnes erfolgen würde.

Der Brief gelangte von Spanien nach Berlin und schließlich bis nach Berchtesgaden, wo der Führer höchstpersönlich ihn für authentisch erklärte. Er befahl den Abzug von Truppen, Panzern und Booten von der sizilianischen Südküste und beorderte Verstärkung nach Griechenland, Sardinien und Korsika. Sizilien war sturmreif. Der tote Major Martin, der in Spanien begraben wurde, war in Wahrheit übrigens ein obdachloser Trinker aus Wales namens Glyndwr Michael, der an einer Überdosis Rattengift gestorben war.

Die Amerikaner verließen sich währenddessen nicht auf gute Geschichten, sondern gute Beziehungen: Die CIA schloss einen geheimen Deal mit Lucky Luciano, einem inhaftierten New Yorker Mafiaboss, der im Gegenzug für gewisse Privilegien im Hafen von Manhattan gewisse sizilianische Freunde dazu überredete, die Seiten zu wechseln. Tatsächlich hörte man jetzt zahlreiche Berichte über italienische Soldaten, die mit weißen Fahnen aus den Häusern kamen, als die amerikanischen Panzer in die Dörfer rollten. Ohne einen einzigen Schuss abzugeben. Ein faschistischer Bürgermeister nach dem anderen wurde von den Amerikanern durch Männer ersetzt, welche die Cosa Nostra »empfohlen« hatte. Antifaschistische politische Gefangene, hieß es. In Wahrheit hatten sie wegen Raub und Mord im Gefängnis gesessen. Ein Pakt mit dem Teufel, der noch lange seine schmutzigen Spuren hinterlassen sollte. Man hörte aber auch schöne Geschichten wie die des amerikanischen Piloten Tony Scafidi, der seine Bomben über dem Meer statt über Messina abwarf, wo seine emigrierte Familie herstammte.

Der deutsche Kurzwellensender in arabischer Sprache schimpfte auf die feigen Italiener, denen es an Kampfmoral, Siegeswille und Fanatismus fehle. Statt mit Kanonen hätten sie die Alliierten mit *cannoli* empfangen. Moritz kannte dieses Vorurteil gegen die italienischen Kameraden aus seiner Wüstenzeit und fragte sich, ob sie nicht gerade *wegen* des Mangels an Fanatismus die sympathischeren Zeitgenossen waren. Wo auch immer sie hinkamen, wurden die deutschen Blitzkrieger gefürchtet, aber nie geliebt wie die Italiener.

Plötzlich verstummten alle Männer im Café. Radio BBC unterbrach die Musik, und mit pathetischer Stimme verkündete der Sprecher, dass der italienische König Vittorio Emanuele II in Rom befohlen hatte, Mussolini verhaften zu lassen. Der Duce, ein Gefangener! War das der Anfang vom Ende? Einige Männer sprangen von ihren Stühlen, liefen jubelnd auf die Straße und hielten die Autos an, um den verdutzten Fahrern die frohe Nachricht ins Gesicht zu brüllen. Einer begann, »Bella Ciao« anzustimmen, dann standen alle auf, sangen laut mit und klatschten. Der Nebentisch fiel um, und zwei Männer rempelten Albert an. Moritz musste die Kaffeegläser auf dem Tisch festhalten. Albert, der mit Moritz als Einziger sitzen geblieben war, sah ihn über seinen Brillenrand an, als müsse er eine fachliche Diagnose erstellen. Moritz fühlte sich auf eigenartige Weise beobachtet.

»Lassen Sie uns ein wenig spazieren gehen«, sagte Albert und legte ein paar Centimes auf den Tisch. Sie standen auf und verließen das Café, während hinter ihnen Chaos ausbrach. Die Kellner wirbelten ihre Schürzen durch die Luft, die einen sangen, die anderen stritten sich darüber, ob es nur ein Gerücht war, und die nächsten erklärten, Hitler habe sich soeben umgebracht.

»Ich möchte Sie etwas fragen, Maurice.«

»Ja?«

»Stalingrad, Tunis, Sizilien. Ihre Armee ist auf dem Rückzug«, sagte Albert, als sie die Straße zum Hafen entlanggingen. Ringsherum hupten die Autofahrer. »Sie haben nicht gejubelt.«

»Sie auch nicht«, sagte Moritz.

»Wissen Sie, ich finde es seltsam, wie alle auf einmal Antifaschisten geworden sind. Wir haben gesehen, wozu manche von ihnen unter der deutschen Besatzung fähig waren.«

Moritz fragte sich, worauf er hinauswollte.

»Und Sie?«, fragte Albert. »Sie haben Ihre Uniform abgelegt, aber sind Sie wirklich froh, wenn Ihr Land den Krieg verliert? Auf welcher Seite stehen Sie?«

»Die Antwort hängt davon ab, ob Sie mich als Moritz oder als Maurice fragen.«

»Ich frage Sie als der, der Sie wirklich sind. Oder lassen Sie mich die Frage anders stellen. Ich habe die deutsche Kultur immer bewundert. Sie haben den Buchdruck erfunden, die Röntgenstrahlung, das Periodensystem der Chemie. Als Sie Beethoven gespielt haben, hat das mein Herz berührt, mein seltsames jüdisch-italienisch-tunesisches Herz – mehr als die Lieder, die Victor gespielt hat. Aber als Sie und Ihre Kameraden unser Land besetzten, stellte Yasmina mir eine Frage, die ich nicht beantworten konnte: *Was haben wir den Deutschen getan, dass sie uns so hassen?*«

Moritz hatte nie gehasst, aber er kannte zu viele von denen, die in der Hitlerjugend, Partei und SS eine Blitzkarriere gemacht hatten und ihre geliehene Macht jetzt an den Schwächeren ausließen. Aber war das etwas Deutsches? Niemand in seiner Familie, nicht einmal sein Vater, hatte ihm beigebracht, Juden zu hassen.

»Ich möchte Sie nicht in Verlegenheit bringen«, sagte Albert, der Moritz' Schweigen bemerkte. »Aber wissen Sie, als ich die Filmaufnahmen gesehen habe, in der Wochenschau, diese Massen auf den Plätzen, die ›Heil Hitler‹ rufen ... Was mir Angst machte, waren die Massen von Menschen, die alle gleich aussahen, alle zugleich den Arm hoben, alle wie ein einziger Körper jubelten. In unserem *ragoût méditerranéen* wäre das unmöglich. Wenn Sie hier zwei Männer in ein Zimmer sperren, hören Sie drei Sprachen und vier Meinungen. Und wenn sie sich die Köpfe einschlagen, dann nicht für den Führer, sondern wegen einer Frau!«

Moritz musste schmunzeln. Albert sah ihn ernst an.

»Es fällt mir schwer, mir Sie in dieser Masse vorzustellen.«

»Ich war nicht in der Partei.«

»Aber Sie haben das Parteiabzeichen getragen, auf Ihrer Uniform. Wie konnten Sie für diesen Mann kämpfen? Wie konnte ein ganzes Volk sich daran berauschen? Diese Idee der Herrenrasse. Die Reinheit des Blutes. Als Arzt kann ich Ihnen versichern, dass das, medizinisch gesehen, Unfug ist. Wir Juden haben uns überall, wo wir waren, mit den Christen und Muslimen vermischt, durch Konversion, durch Heirat, *c'est la vie!* Wir haben Blauäugige und Braunäugige, wir haben Schwarzhaarige, Brünette und Blonde, wir haben sogar Schwarzhäutige in Äthiopien, trotzdem sind wir alle Juden! Und ich habe noch keinen gesehen, dem das geschadet hätte. Wenn ich mir dagegen die kleinen Dörfer ansehe, *les bleds,* wo alle nur untereinander heiraten, *oh là là,* ich kann Ihnen sagen, da gibt es so manch einen geistig Zurückgebliebenen!«

»Aber Albert«, entgegnete Moritz vorsichtig, »auch hier herrschen die Weißen über die Dunkelhäutigen. Die Araber haben nicht die gleichen Rechte.«

»Das ist wahr. Aber niemand sperrt sie in ein Lager. Wir leben miteinander. Und viele Araber lieben Frankreich. Ich versichere Ihnen, Tunesien wird immer französisch bleiben! Doch Sie haben meine Frage nicht beantwortet.«

Moritz dachte nach. Er wollte nichts sagen, was Albert verletzen könnte, aber er wollte auch ehrlich zu ihm sein. »Wissen Sie«, antwortete er, »zu Hause kannte ich kaum Juden. Nur in Berlin gab es einen in meiner Klasse; er hieß Max, wir haben zusammen im Orchester gespielt ... Das war ein evangelisches Internat, und trotzdem war er dort, ich weiß nicht, warum. Ich war sogar mal bei seinen Eltern eingeladen. Freundliche, anständige Leute. Ich sah keinen Unterschied zu anderen Familien. Und eines Tages war er einfach weg. Es hieß, sie sind weggezogen. Niemand hat weiter danach gefragt.«

»Warum nicht?«

»Er war kein Freund, einfach ein Mitschüler. Man ist mit sich selbst beschäftigt, wenn man jung ist. Und zu viele Fragen sind nicht gut. Sei still, heißt es dann, sonst kommst du nach Dachau!«

Albert rückte seine Brille zurück und verlangsamte seinen Schritt. »Was machen sie dort mit den Menschen? Niemand kommt aus den Lagern zurück.«

»Ich weiß es nicht.«

»Wie kann das sein?«, rief Albert, auf einmal erregt. Seine Hände zitterten. »Sie *müssen* es wissen!«

»Ich war nie dort. Niemand spricht darüber.«

Albert rang mit seiner Beherrschung. Er vermied es, Moritz in die Augen zu sehen, um seine Gefühle nicht zu zeigen, aus Höflichkeit und Respekt, aber dennoch wollte er ihn dieses Mal nicht davonkommen lassen. Moritz konnte förmlich spüren, wie es in Alberts Kopf arbeitete. Dann fragte Albert unvermittelt: »Ist es wahr, was man hört?«

»Was?«

Albert zögerte. »Die Lastwagen mit dem Gas.«

Moritz hatte davon gehört. Rauff, der SS-Führer. Osteuropa. Es gab Gerüchte, aber man sprach nicht darüber. »Ich weiß nicht, ob es wahr ist. Vielleicht ist das eines dieser Gerüchte, die sie in Umlauf setzen, um Angst zu verbreiten.«

Jetzt konnte Albert seine Wut nicht mehr zurückhalten. Er fasste Moritz am Arm, wie um ihn wachzurütteln.

»Maurice. Dieser Mann, Ihr Führer, hat vor, uns auszulöschen! Hier sind die Juden in ihre Häuser zurückgekehrt, aber in Europa rollen die Züge weiter, die Viehwagen zu den Lagern, aus denen niemand zurückkehrt! Sie schicken ihre Kinder weg, damit wenigstens die entkommen; können Sie sich das vorstellen? Wissen Sie, wie viele das sind? Wissen Sie, wie viele Menschen an Bord von Schiffen gegangen sind, alles zurücklassend außer ihrem nackten Leben, auf der Suche nach einem Land, das seine Grenzen für sie öffnet, bettelnd um ein bisschen Mitgefühl?«

Moritz schwieg. Es beschämte ihn. Aber er fühlte sich nicht schuldig. Dieser Krieg war nicht mehr seiner. Er hatte keinen Befehlen mehr zu gehorchen, diese Welt erreichte ihn nicht mehr. Doch Albert ließ sich nicht abspeisen. »Sie haben meine Frage noch nicht beantwortet! Warum hasst ihr uns?«

»Albert. Ich hasse Sie nicht.«

Moritz sah ihn ernst an. Albert rückte seine Brille zurecht.

»Natürlich, Maurice. Ich Sie auch nicht. Bitte entschuldigen Sie.«

Etwas verlegen wichen sie ihren Blicken aus, die allzu viel Gefühl offenlegten, und gingen weiter, vereint im Schweigen.

32

MARSALA

Über dem leeren Strandbad geht die Sonne unter. Es wird kühl. Unwirtlich. Irgendwo bellt ein Hund.

»Weißt du«, sagt Joëlle, »ich hab ihm die gleiche Frage gestellt. Später.«

»Und was hat er geantwortet?«

Joëlle: »Er hat mich überrascht. Er hat von seinem Vater erzählt. Nur dieses eine Mal. Sein Vater war im Ersten Weltkrieg in Verdun. Diese Männer sind begeistert losgezogen, und dann kamen sie gedemütigt zurück, zu Krüppeln geschossen. Wenn sein Vater trank, und er trank viel, schlug er seinen Sohn. Ich glaube, Moritz hasste ihn in diesen Momenten, aber trotzdem blieb er sein Vater. Eine Frage von Respekt, weißt du. Er sagte, er war nicht begeistert, als Hitler den Krieg anfing. Allen steckte der letzte Krieg noch in den Knochen. Und als er sich mit seinen Freunden zur Wehrmacht meldete, da dachten sie nicht an die Juden; nein, sie dachten daran, die Demütigung ihrer Väter zu rächen. So hat er's mir jedenfalls erzählt.«

Der Nebel in meinem Kopf lichtet sich. Niemand ist allein auf der Welt. Jeder führt etwas fort. Wir erfüllen Aufträge, ohne zu wissen, wer sie uns gegeben hat. Wir sind den einen treu und verschulden uns an den anderen. Kaum kommen wir in die Welt, gibt man uns einen Rucksack voller Steine und Schweigen; und wenn wir ihn nicht auspacken, geben wir ihn an unsere Kinder weiter. Dieser Nebel, in den der Name meines Großvaters gehüllt war, diese undurchdringliche, schuldbehaftete Schwere – ich hatte immer gedacht, es sei der Nationalsozialismus. Aber war es wirklich allein die Ideologie, die wir unseren Vätern und Großvätern vorgeworfen haben? Wir reden viel darüber, was sie anderen angetan haben, und angesichts dieses Schreckens verblassen unsere eigenen Wunden. Doch vielleicht ist es etwas viel Unmittelbareres, was wir ihnen nachtragen: dass sie uns allein gelassen haben. Es waren ja nicht nur die Verschollenen und die Toten. Auch die Zurückgekehrten, die Versehrten an Körper und Geist, all die Verstummten, die ihre Erinnerungen in sich begruben, um sich und ihre Familien davor zu schützen – und uns allein ließen mit unseren Fragen und unserem Hunger nach Zärtlichkeit.

Ich schnalle den Tauchergürtel um Benoîts Hüfte, lege ihm die Sauerstoffflasche an, die Stirnkamera. Es tut gut, mich nützlich zu machen. Wenn ich mit den Händen arbeiten kann, fühle ich mich wohl. Klickende Karabiner, passende Gurte und abgehakte Listen helfen mir, in die Gegenwart zurückzufinden. Patrice steht daneben und sieht mir zu; er vertraut mir. Die Ärzte haben ihm verboten, wieder aufs Schiff zu gehen. Aber wenn das Wrack nicht vor den Winterstürmen gehoben wird, war alles umsonst. Der Unfall hat ihn verändert; er ist verletzlicher geworden. Nicht unsicherer, aber nahbarer. Ich mag das. Die Hast ist aus seinen Bewegungen gewichen. Ich spüre aber, dass er nervöser ist als vorher. Sein Blick wandert von der Wetterkarte zu den Wolken. Der Wind nimmt zu. Kleine Kronen auf den Wellen. Noch steht das Hoch über Sizilien. Benoît und Philippe gehen ins Wasser.

Auf dem Monitor verfolgen wir, wie sie den ersten Hebegurt um den Flugzeugrumpf schließen. Konzentrierte Bewegungen wie in Zeitlupe; ein Tauchgang am Morgen und einer am Nachmittag, mehr hält unser Körper nicht aus in dieser Tiefe, in der kein Mensch sein dürfte. Patrice beugt sich zum Funkgerät, um die

Wetteraussichten abzufragen. Windstärke vier, der Luftdruck fällt.

»Wie lange braucht ihr?«, frage ich.

»Einige Tage, maximal eine Woche, wir werden sehen.«

»Wo ist deine Freundin hin?«

»Sie war nicht meine Freundin.«

Ich habe gehört, wie sie gestritten haben, im Krankenhaus. Er war durch den Wind, und sie hatte Stress mit ihrem Typen.

»Und, vermisst du sie?«

»Gegenfrage: Was machst du heute Abend?«

»Essen mit Joëlle.«

»Was hat sie, was ich nicht habe?«

Er grinst charmant. Aber auch ein bisschen verlegen. Dann spricht er mit den Tauchern unter dem Schiff, die jetzt wieder aufsteigen, und schiebt sich an mir vorbei nach draußen aufs Deck. *Du bist ein komischer Vogel,* sagt sein Blick. *Hängst in der Vergangenheit fest. Hast einen Knoten in der Seele.* Er hat recht. Ich bin noch nicht ganz da. Das Leben geht im Krebsgang. Zwei Schritte vor, einer zurück. Wer nicht weiterkommt, muss innehalten. Wie ein Wasserlauf, der eine Untiefe erreicht und sie erst auffüllen muss, bevor er weiterfließen kann.

33

FERRAGOSTO

Dieser Bauer vertraut sich
der Medaille des Heiligen Antonius an
und geht leicht dahin.
Aber ganz allein und nackt
und ohne Blendung
trage ich meine Seele.

Giuseppe Ungaretti

Täglich trafen Nachrichten aus Sizilien ein, aber kein Lebenszeichen von Victor. Mimi betete jeden Tag für ihn. Um vor Sehnsucht nicht wahnsinnig zu werden, traf Yasmina einen spontanen Entschluss. Eines Morgens verließ sie früh das Haus und ging in den Souk El Grana. Dort kaufte sie bei einem italienischen Händler kiloweise Wolle in drei verschiedenen Farben, die sie nach Hause brachte, wo sie den alten Webstuhl der Mutter, der zerlegt in der Kammer stand, zusammenbaute und in ihr Zimmer trug. Dort begann sie, die Wolle zu einem Wandteppich zu weben, so wie es die Frauen des Südens vor ihrer Hochzeit taten; einen leichten, tiefroten Kelim, mit geometrischen Mustern. Faden um Faden, Knoten um Knoten, verlieh sie ihrem Glauben an Victors Rückkehr eine Gestalt. Man muss die Hoffnung anfassen können, sagte sie, sonst wird man verrückt.

Albert und Mimi machten sich jedoch Sorgen, dass sie bereits auf dem Weg war, verrückt zu werden. Welche Hochzeit, fragten sie. Es wird keine Hochzeit geben, hörst du? Yasmina blickte nicht auf, sondern webte weiter. Die monotonen Bewegungen ihrer Hände gaben ihrer Seele Halt. Dazu summte sie immer dasselbe Lied. *Aman Aman Yalmani*. Die verträumte Melodie war der Ohrwurm des Sommers; alle Radios in den Cafés spielten es, sogar die Kinder sangen es nach. Moritz mochte den Klang der Worte, ohne zu verstehen, was sie bedeuteten. Wenn Yasmina es sang und nichts als ihre leise Stimme das leere Haus erfüllte, klang es noch schöner.

Eines Nachmittags, als Albert und Mimi außer Haus waren, setzte Moritz sich neben Yasmina, um ihr zu helfen. Sie ließ es geschehen, sang leise vor sich hin, und irgendwann sagte sie: »Er ist wie ein Klavier, dieser Webstuhl, nicht wahr? Die gespannten Saiten, das schnelle Schiffchen, die Finger, die sich wie von selbst bewegen; man kann ihnen dabei zusehen, als gehörten sie einem anderen, finden Sie nicht?«

»Ja«, sagte Moritz, um irgendetwas zu sagen, um den dünnen Faden zu ihrem Inneren nicht abreißen zu lassen. Yasmina sang weiter.

»Wissen Sie, Maurice, wovon dieses Lied erzählt?«

»Nein.«

»Es ist das Lied einer Frau, die einen Deutschen geliebt hat.« Moritz staunte.

»Einen Soldaten. Aber er ist verschwunden, und sie blieb allein zurück.« Sie sagte es, als wäre es das Natürlichste auf der Welt, fast tonlos, als wäre es schon immer so gewesen.

Aman aman yalmani
Safir aleyau khalani.

Moritz hörte ihr gebannt zu. Sogar, wenn sie traurig war, klang sie schön. Dann verstummte sie. Auch ihre Finger hielten inne.

»Singen Sie mir auch ein Lied, Maurice?«

»Aber ich kann nicht singen, Yasmina.«

»Dann spielen Sie eine Melodie am Klavier. Ein Chanson von Victor. Und ich stelle mir dazu seine Stimme vor.«

»Aber ich kenne seine Chansons nicht.«

»In seinem Zimmer finden Sie seine Noten. Bitte, tun Sie es für mich.«

Moritz ging in Victors Zimmer, fand seine Notenblätter und nahm sie mit hinunter. Die Nachmittagssonne flutete den Salon. Er setzte sich ans Klavier und legte die Noten auf den Ständer. Französische Chansons, die er nicht kannte ... bis auf eines. Er erinnerte sich, wie Victor es gesungen hatte, in der Bar des Majestic. Langsam, tastend fand er in den Rhythmus des Tangos, dessen Text er kaum verstand. Eine leichte, verspielte Melodie über einem schwerfälligen Bass. Er betrachtete seine Hände, als wären sie die eines anderen, und stellte sich ihre Finger vor, die im selben Takt auf den Saiten des Webstuhls tanzten. Und die Worte, die Yasmina dazu hörte. Victors Stimme in ihr.

Youkali,
C'est le respect de tous les voeux échangés
Youkali,
C'est le pays des beaux amours partagés
C'est l'espérance qui est au cœur de tous les humains
La délivrance que nous attendons tous pour demain.

Es war, als könnte er jeden Moment zur Tür hereinspazieren, als wäre er fast physisch anwesend, als gäbe es ein unsichtbares, verbotenes Band zwischen ihnen, das Victors Zeichen trug, und aus welchem Stoff auch immer es bestand – ohne Victor würde es zerreißen.

Youkali,
C'est le pays de nos désirs
Youkali,

C'est le bonheur, c'est le plaisir
Mais c'est un rêve, une folie
Il n'y a pas de Youkali!

»Danke, Maurice.« Er hörte ihre Stimme hinter seinem Rücken, als sie herunter in den Salon kam. Sie war barfuß. Die Sonne verfing sich in ihren schwarzen Locken. Er hörte auf zu spielen.

»Glauben Sie, dass er noch lebt?«, fragte sie leise.

»Ja.« Er *wollte* es glauben, denn wenn Victor nicht mehr lebte, welchen Sinn hatte dann das, was er für ihn getan hatte?

»Warum schreibt er dann nicht? Man kann doch nach Hause schreiben. Auch die anderen Frauen bekommen Post.«

»Ja, man kann nach Hause schreiben.«

»Wann kommt er zurück?«

»Angenommen, er kämpft wirklich für die Alliierten ... Wenn Sizilien fällt, werden sie weiter nach Norden rücken. Um Rom zu erobern. Und dann immer weiter.«

Das war nicht, was sie hören wollte. In ihren Augen schimmerten Tränen. Er wünschte, er könnte ihr irgendwie helfen. Letzte Nacht war er aufgewacht, als sie plötzlich ins dunkle Zimmer gekommen war, um Victors Parfümflacon aus der Schreibtischschublade zu ziehen und daran zu riechen. Moritz hatte sich schlafend gestellt. Dann hatte sie eines der Fotos von der Wand gelöst und war wieder aus dem Zimmer verschwunden, wie eine Traumgestalt, ein unruhiger Geist. In Wahrheit, das begriff Moritz jetzt, war Yasmina längst nicht so bescheiden wie sie sich gab. In Wahrheit war ihre Liebe maßlos. Sie konnte nicht nur ein bisschen lieben, wie die meisten, oder ihre Liebe aufteilen, nein, sie war immer ganz, und in ihrem Herzen gab es nur einen.

»Warum liebt er mich nicht?«, fragte Yasmina leise. Sie weinte mit offenen Augen. Zwischen ihr und der Welt gab es keinen Schutz.

»Aber er liebt Sie doch«, sagte er. »Auf seine Weise. Aus der Ferne.«

»Ich träume jede Nacht von ihm. Sogar tagsüber, wenn ich die Augen schließe. Und immer, wenn ich ihn sehe, schlägt mein Herz schneller; ich kann nichts dagegen tun. Als wollte es in die Luft springen, tanzen und singen. Meine Eltern sagen, ich soll ihn vergessen. Aber man kann sich nicht aussuchen, wen man liebt, wissen Sie. Man liebt einen Menschen, man schenkt ihm sein Herz, und dann gehört es ihm, für den Rest des Lebens.«

Moritz hatte das noch nie so gesehen. Nein, für ihn war Liebe eine Sache der Entscheidung.

»Wissen Sie«, sagte er, »ich war einmal unglücklich verliebt, als Jugendlicher, und ich habe die verrücktesten Dinge gemacht, um dieses Mädchen zu bekommen. Im Nachhinein frage ich mich, wie ich so dumm sein konnte. Sie mochte mich, als Freund, aber mehr nicht. Sie war einfach nicht verliebt. Und als ich sie trotzdem küssen wollte, sagte sie mir etwas ganz Einfaches, aber sehr Kluges: »Such dir lieber eine, mit der du glücklich wirst.«

»Und dann haben Sie einfach eine andere geliebt? Wie wenn man einen Schalter umlegt?«

Moritz nickte.

»Sie sind seltsam«, murmelte sie. »Warum erzählen Sie mir das?«

»Weil ...« Er suchte nach Worten. Sie unterbrach ihn.

»Wir sagen: *Al cuore non si comanda.* Dem Herzen kannst du nicht befehlen!«

Er wird zurückkommen, wollte Moritz antworten. Aber dann schwieg er lieber. Nichts, was er sagte, könnte sie trösten.

»Es wäre besser«, sagte Yasmina unvermittelt hart, »man würde nicht lieben. Deshalb seid ihr Männer die stärkeren. Wer weniger liebt, gewinnt. Ihr könnt in den Krieg ziehen und töten und vergessen, dass zu Hause eine Frau auf euch wartet.«

»Nein«, sagte Moritz. »Das ist nicht wahr. Das Einzige, was uns aufrechterhält dort draußen, ist das Wissen, dass zu Hause jemand auf uns wartet. Dass es nicht sinnlos ist, einen verdammten Hügel einzunehmen oder nächtelang im Schlamm zu schlafen, sondern dass wir es tun, um unsere Liebsten in der Heimat zu schützen.«

»Sie sind nach Tunesien geflogen, um Ihre Verlobte in Berlin zu schützen?« Yasmina lächelte spöttisch. »*C'est fou!*«

Ja, dachte Moritz, sie hat recht, der ganze Krieg ist verrückt, aber was soll man machen? Weder hat man ihn selbst angezettelt, noch kann man ihn beenden; man kann nur hoffen, dass man ihn irgendwie überlebt.

In der Nacht schrieb Moritz einen Brief an Fanny. Er würde ihn nie abschicken, aber er musste seinen Gefühlen wenigstens auf Papier freien Lauf lassen, um nicht verrückt zu werden.

An Ferragosto war Sizilien gefallen. Oder befreit, je nachdem, welchen Sender man hörte. Zehntausende getötet, Zehntausende verwundet, hunderttausend Deutsche und Italiener, die mit den letzten Schiffen aufs italienische Festland entkamen. Die Glocken läuteten, und das ganze Viertel strömte zur Kirche, so wie jedes Jahr am Morgen des 15. August. Wie um einander zu beweisen, dass hier alles beim Alten blieb, egal, was auf der anderen Seite des Meeres geschah. Als ob die deutsche Besatzung nur ein kurzer Albtraum gewesen wäre und der verfluchte Krieg dem Viertel nicht das Feiern verbieten konnte.

Moritz stand mit der Familie Sarfati auf dem Kirchplatz, unter Hunderten von Menschen, die dem Gesang in der überfüllten Kirche zuhörten. Die Sonne brannte herunter. Die Frauen tupften sich den Schweiß vom Gesicht. Das große Portal war geöffnet – die ganze Nacht lang hatte es offen gestanden, die Kirche von Kerzen beleuchtet und erfüllt vom Murmeln der Gebete und Fürbitten –, und jetzt war der große Moment gekommen, der alle daran erinnern würde, dass der Himmel sie nicht vergessen hatte.

»Schauen Sie, Maurice, da kommt sie!«, rief Yasmina aufgeregt. Die Menge begann zu singen, als die Madonna erschien. Aus dem Dunkel der Kirche trat sie ans Licht, in blauen Samt gehüllt, mit einem Heiligenschein auf dem Haupt, getragen von einem Dutzend kräftiger Männer. Die Christen bekreuzigten sich, und erst zu diesem Zeitpunkt konnte Moritz erkennen, wie viele Juden und Muslime unter ihnen standen. Es waren erstaunlich viele, und auch sie riefen mit: »*E viva, e viva, la Santa Madonna di Trapani!*«

Die Madonna teilte die Menge wie ein Meer, das zur Seite wich und ihr folgte, während sie über den Platz zu schweben schien, über die wogenden Köpfe der Männer und Frauen, die sie mit gefalteten Händen begrüßten. Sie schien jeden persönlich anzusehen, selbst jene, deren Gott weder eine Mutter hatte noch Mensch geworden war. In den Augen der Betenden lag eine Ergebenheit und tiefe Verehrung, wie Moritz sie noch nie erlebt hatte. Immer wieder brandete unbändige Freude auf, laute Klagerufe unter Tränen; es war ein ergriffenes Gebet und entfesseltes Volksfest zugleich. Ein muslimischer Zuckerbäcker verteilte Süßigkeiten an die Kinder auf den Schultern ihrer Väter. Die Frauen hoben die Hände, wenn die Madonna an ihnen vorbeikam und riefen: »Santa Madonna, vergiss meinen Bruder Francesco nicht! Lass ihn lebend aus dem Krieg zurückkehren!«

»Santa Madonna, gib uns endlich ein Kind! Hilf mir, warum lässt du mich so sehr leiden?«

»Die Madonna weint, hast du gesehen?«

»Die Madonna lacht, hast du gesehen?«

Eine Großmutter warf sich vor der Madonna auf die Straße und flehte sie so verzweifelt und außer sich an, dass andere Frauen ihre Hände festhalten mussten, damit sie aufhörte, sich

Büschel von Haaren auszureißen. Niemand schien sich daran zu stören, im Gegenteil, es schien, als würde ihre schrille Klage allen anderen Frauen aus der Seele sprechen. Mimi murmelt ein Gebet, auf Hebräisch.

»Ist sie nicht schön?«, rief Yasmina, als die Madonna direkt auf sie zukam. Moritz sah zu ihr hoch und wünschte sich, er hätte seine Kamera dabei, um diesen Moment festzuhalten. Der Heiligenschein gegen den gleißenden Himmel, die Augen der Madonna, in denen zugleich Zärtlichkeit und Gleichgültigkeit gegenüber der Welt lagen. Plötzlich wurde Moritz von einer Woge der Traurigkeit erfasst. Er wusste nicht, woher sie kam; doch als die Madonna an ihm vorüberzog, spürte er keinen Segen, keine Erhabenheit, keine Hoffnung, nur den jähen Abgrund seiner inneren Leere.

Seine Gefühle lagen hinter einem undurchdringlichen Panzer. In seinem Bemühen, unsichtbar zu werden, hatte er sich nicht nur vor der Welt, sondern auch vor sich selbst versteckt. Als hätte er alles, was in ihm lebendig und leuchtend gewesen war, alles, was diese gottesfürchtigen Frauen so sorglos und wild entblößten, in einer tiefen Kammer in sich verschlossen, deren Schlüssel er nicht mehr fand.

»Kommen Sie!«, rief Yasmina, aufgeregt wie ein Kind. Sie zog ihn am Arm, der Madonna hinterher. Ihre schwarzen Augen strahlten. Mit jedem Tag ihrer Schwangerschaft wurde sie schöner. Moritz folgte ihr wie betäubt. Singend zog die Menge durch die staubigen Straßen; die Träger schwitzten in der Hitze, viele Frauen liefen barfuß als Zeichen ihrer Demut, auf den Balkonen und Dächern winkten die Schaulustigen. Moritz und Yasmina wurden von der Menge mitgerissen. Ein atmender Strom der Körper, der sich auf die Avenue ergoss und zum Hafen, bis hinunter zum Wasser, in dem die Männer fast versanken, als sie die Madonna mit dem Meer vereinigten, damit sie die Seelen der ertrunkenen Fischer segne und die Lebenden beschütze. Moritz war so überwältigt, dass er den Wunsch vergaß, den er noch vor der Kirche verspürt hatte, nämlich alles mit der Kamera festzuhalten. Er war Teil dieses großen, schwitzenden Menschenkörpers geworden, dieses Gebets aus tausend Stimmen. Es ist unmöglich, ein Geschehen zu beobachten und gleichzeitig eins mit ihm zu sein.

Dann dröhnten die schweren Bomber über ihren Köpfen. In der gleißenden Mittagssonne konnte Moritz die zerschossenen Leitwerke erkennen, die ausgefallenen Motoren und rußgeschwärzten Tragflächen. Mehr als hundert *Flying Fortresses* der US Air Force kehrten nach Tunesien zurück, nachdem sie, wie Moritz später erfahren sollte, den Tod über Schweinfurt abgeworfen hatten. Die Heimat war so nah und zugleich so fern.

Während die Prozession sich langsam auflöste, entdeckte Albert in der Menge Belgaçem, den Fischer, der Moritz nach Sizilien bringen sollte. Albert nahm Moritz an der Hand, und sie gingen zu ihm.

»*Buongiorno*, Belgaçem!«

»Dottore.«

Albert zog ihn beiseite und fragte leise: »Haben Sie inzwischen ein größeres Boot gefunden?«

»Das ist gut möglich.«

»Bis nach Neapel?«

Belgaçem nickte, ohne ihn anzuschauen.

»Wann kann es losgehen?«

»Wenn es so weit ist. Und denken Sie daran, Neapel kostet das Dreifache.«

»Wie bitte? Das ist unmöglich!«

»Auf dem Meer wimmelt es vor Engländern.«

Albert begann, erregt mit dem Fischer zu feilschen, so dass Moritz ihn zurückhalten musste.

»Geben Sie uns einfach das Geld zurück«, sagte er, »und wir suchen ein anderes Boot.«

»Welches Geld?«

»Ihr Lohn für die Überfahrt.«

»Sie haben mir noch gar kein Geld gegeben.«

Moritz sah Albert verblüfft an. Albert empörte sich. Natürlich hatte er ihn im Voraus bezahlt. Belgaçem schimpfte zurück, mit Worten, die Moritz nicht verstand. Albert nannte ihn einen Betrüger und drohte ihm, bis der Fischer sich einfach wegdrehte und ihn stehen ließ. Mimi und Yasmina kamen herbeigelaufen. Albert schwor, den Kerl nicht davonkommen zu lassen.

»Was wollen Sie machen«, fragte Moritz, »zur Polizei gehen?«

»Sehen Sie«, sagte Mimi sarkastisch. »So ist das bei uns. Wir feiern miteinander, und wir bescheißen uns gegenseitig. Es bleibt alles in der Familie.«

Moritz war niedergeschlagen. Er konnte Albert unmöglich bitten, ihm noch mehr Geld zu leihen. Abgesehen davon hatten die Sarfatis keinen Centime mehr übrig. Das Schlimmste daran war nicht einmal sein Heimweh. Auch nicht das Gefühl, in Alberts und Mimis Schuld zu stehen, während die Nachbarn nicht aufhörten, über ihn zu tuscheln. Nein, das Schlimmste war das Gefühl der Sinnlosigkeit: Warum war er hier?

Beim Abendessen versuchte Albert, Moritz abzulenken, indem er von einem Buch erzählte, das er gerade las. Es stammte von einem jungen französischen Schriftsteller aus Algier.

»Ich glaube, es könnte Ihnen gefallen«, sagte er nachdenklich.

»Nein, es ist völlig langweilig«, unterbrach ihn Mimi.

»Meine Frau mag es nicht, da es keinen Trost bietet. Aber vielleicht kommt es dem Leben gerade deshalb so nah.«

»Wovon handelt es?«

»Von einem Mann namens Meursault, dessen Mutter stirbt und der daraufhin am Strand einen Araber erschießt.«

»Warum?«

Albert zuckte mit den Schultern. »Es geht um eine Frau. Bei solchen Dingen geht es immer um eine Frau. Aber davon handelt das Buch nicht. Es handelt von der Gleichgültigkeit dieses Mannes gegenüber der Welt. Er hat den Mord nicht aus Leidenschaft begangen, es war ein dummer Zufall. Und er fühlt nichts dabei. Kein Mitgefühl, keine Reue. Sogar, als sie ihn vor Gericht bringen.«

»Und dann?« Moritz verstand nicht, worauf Albert mit der Geschichte hinauswollte. Wollte er damit andeuten, was er über ihn dachte? Moritz empfand sich nicht als gleichgültig gegenüber der Welt; es schien ihm eher, dass die Welt gleichgültig gegenüber ihm war, einem Vergessenen ohne Pass und Heimat. Auch ihm hätte es hier passieren können, dass er einen Fremden tötete, aber niemand hätte ihm dafür den Prozess gemacht. Stattdessen hatte er zufällig einen Fremden gerettet, in dessen Bett geschlafen und dessen Platz am Tisch eingenommen, während dieser Mann sein geschenktes Leben nun dafür einsetzte, Moritz' Kameraden zu töten.

»Der Richter«, sagte Albert, »will herausfinden, warum Meursault den Mord begangen hat. Aber er hat kein Motiv; es war ein absurder Mord. Am Ende wird er zum Tode verurteilt, und er nimmt es hin, da er für die Welt ebenso bedeutungslos ist wie die Welt für ihn.«

»Das ist das Ende?«, fragte Moritz.

»Eine schreckliche Geschichte! Warum liest du so was? Dieser Camus ist ein herzloser Mann, ohne Gott, ohne Moral!« Mimi sprach das letzte Wort. Sie stand auf und räumte den Tisch ab. Albert warf Moritz einen nachdenklichen Blick zu.

Später, als er im Bett lag und vor Hitze nicht einschlafen konnte, grübelte Moritz darüber nach, was Albert ihm hatte sagen wollen. Dass er nicht versuchen sollte, in dem, was ihm absurd erschien, einen Sinn zu suchen? Dass es in Wahrheit keinen Grund dafür gab, warum der eine starb oder der andere lebte, und dass uns nichts blieb, als die Sinnlosigkeit der Welt sehenden Auges auszuhalten? Gute Geschichten, also solche, die sie für die Propaganda benutzt hatten, endeten immer mit einem Triumph, einer Rettung, einem Sieg nach fast aussichtslosem Kampf. Was nach dem glücklichen Ende kommt, interessierte niemanden. Doch das wirkliche Leben geht weiter, über die auslaufende Filmrolle und das zugeklappte Buch hinaus, und das Ende der Geschichten ist der Beginn des Lebens. Das ist der Ort, an dem wir von Kräften, deren Ursprung wir nicht kennen, in ein Labyrinth geworfen werden, dessen Mauern wir nicht gebaut haben, und unseren Weg ohne Karte und Kompass ertasten müssen. Ein Weg, der sich erst beim Gehen erschließt, Schritt für Schritt, durch die Dunkelheit.

Moritz stand schweißgebadet auf und las den Brief noch einmal, den er an Fanny geschrieben hatte. Wieder und wieder. Doch je öfter er auf seine Handschrift starrte, desto hohler kamen ihm die Worte vor, desto unschärfer wurde sein Bild von Fanny. Was war Erinnerung und was war Einbildung? Er verlor sie.

Unfähig, einzuschlafen, stieg er aufs Dach, wo die Hitze etwas erträglicher war. Er starrte in die Ferne. Zwischen den Häusern konnte man die Lichter von Schiffen auf dem Meer sehen. Irgendwann hörte er Yasminas Schritte auf der Treppe. Barfuß und im Nachthemd erschien sie zwischen der aufgehängten Wäsche. Sie näherte sich langsam, sah ihn an, ohne zu grüßen, und stellte sich neben ihn. Keiner sprach ein Wort; ein schweigendes, verstörendes Einverständnis. Sie sah aufs Meer hinaus. Mondlicht auf ihren Locken. Er konnte ihren Duft erahnen, und es war, als stünde Victor zwischen ihnen.

Um vier Uhr morgens klopften sie an die Haustür. Nein, sie klopften nicht, sie schlugen, und noch bevor Albert hinuntergelaufen war, traten sie die Tür ein. Moritz war gerade erst eingeschlafen, als er im Bett hochfuhr. Die bellenden Stimmen, die Stiefelschritte – er hörte sofort, dass es Soldaten waren. Amerikaner.

»Verstecken Sie sich, schnell!«, flüsterte Mimi, als er aus seinem Zimmer kam. Sie lief die Treppe nach unten, den Soldaten entgegen. Yasmina riss ihre Tür auf, und noch bevor er eine Entscheidung treffen konnte, packte sie ihn am Arm und zog ihn in ihr Zimmer.

»Unters Bett, schnell!«

Moritz kroch hastig unter das Bett. Es war völlig dunkel; er konnte nichts erkennen, hörte nur ein Rascheln von Stoff und die schnellen Schritte von Yasminas nackten Füßen. Sie versteckte etwas unter ihrer Bettdecke. Dann riss ein Soldat die Tür auf, und Yasmina stieß einen Schrei aus, so schrill und durchdringend, wie Moritz noch nie jemanden hatte schreien hören. Der Schrei eines wilden Tieres. Yasmina hatte ihr Nachthemd ausgezogen, so dass der Soldat vor Scham erstarrte und in der offenen Tür stehen blieb.

»*Vattene!*«, schrie sie, »*Aïb, je vais te tuer!*«

Albert kam entsetzt herbeigelaufen.

»Haben Sie keinen Anstand? Was fällt Ihnen ein!«

Ein Offizier kam dazu, und für einen kurzen Moment wusste auch er nicht, was zu tun war. Yasmina hielt sich die Hände vor die nackten Brüste.

»*Calm down, lady!*«, sagte der Offizier und befahl dem Soldaten: »*Search the room!*«. Der Soldat war keine zwanzig Jahre alt und hatte mehr Angst als Yasmina. Sie stellte sich ihm mit stolz erhobenem Kopf in den Weg, stieß einen Fluch aus, und als er sich nicht wegstoßen ließ, ohrfeigte sie ihn. Das war der Moment, in dem der Soldat die Fassung verlor. Er packte Yas-

mina an den Haaren und zerrte sie zur Tür. Sie trat und spuckte. Albert ging dazwischen, um den in Wut geratenen Soldaten
davon abzuhalten, Yasmina etwas anzutun.

»Schämen Sie sich! Lassen Sie sofort meine Tochter los!«

Niemand sah in dem Handgemenge, ob es der Offizier oder
der Soldat war; aber einer der beiden versetzte Albert einen so
heftigen Schlag, dass er rückwärts zu Boden stürzte. Sein Kopf
schlug hart auf die Fliesen, kaum einen Meter vom Bett entfernt, unter dem Moritz kauerte. Alberts Brille fiel ihm direkt
vors Gesicht. Dann trat ein Stiefel auf die Brille, und das Glas
zerbrach. Hastig durchwühlte der Soldat das Bett.

Moritz erwartete jeden Moment, dass er ihn entdecken würde, aber stattdessen geschah etwas anderes. Yasmina hörte auf
zu schreien. Albert rührte sich nicht. Jetzt mussten auch die
Amerikaner gesehen haben, dass er reglos am Boden lag. Kein
Blut um seinen Kopf, nur Stille. Mimi stürzte ins Zimmer und
stieß einen entsetzten Schrei aus. Die Stimmen überlagerten
sich, und alles, was Moritz erkennen konnte, war, dass Mimi
und Yasmina sich zu Albert beugten und zärtlich mit den
Händen über seinen Kopf strichen, während die Amerikaner erschrocken davorstanden.

»Was steht ihr da herum?«, rief Mimi. »Holt einen Krankenwagen!«

Es dauerte unerträglich lange, bis die Ambulanz kam. Hinter
den Häusern ging bereits die Sonne auf, als zwei amerikanische
Sanitäter Albert aus dem Haus trugen. Mimi und Yasmina begleiteten ihn. Erst, als die Tür ins Schloss fiel, kletterte Moritz
mit schmerzenden Knochen aus seinem Versteck. Sie hatten
jeden Winkel durchsucht, jeden Schrank und jede Schublade
herausgerissen. »*Where's the German?*«, hatten sie gerufen, immer wieder, ohne dass Mimi und Yasmina ihn verraten hatten.
Nur unter Yasminas Bett, neben dem Albert auf dem Boden lag,

hatten sie nicht geschaut. Moritz hörte die Ambulanz und die Jeeps abfahren. Kinder riefen den Soldaten hinterher.

Plötzlich war es gespenstisch still im Haus. Moritz bemühte sich, nicht auf die Glassplitter am Boden zu treten, und bückte sich, um das verformte Gestell von Alberts Brille aufzuheben. Vorsichtig bog er das Metall auseinander. Albert war ein Mensch aus einer anderen Welt, dachte er, einer besseren. Langsam ging Moritz die Treppe hinunter.

Auch den Salon hatten sie verwüstet. Moritz starrte auf Alberts Buch, das auf dem Boden lag. Er spürte Tränen in seinen Augen aufsteigen, Tränen der Wut und der Selbstanklage. Um ihnen nicht nachzugeben, begann er, die Zerstörung zu beseitigen. Er hob die Thora vom Boden auf, stellte die umgeworfenen Stühle wieder an ihren Platz und wischte das Wasser auf, das aus der zerbrochenen Blumenvase gelaufen war. Was, verdammt nochmal, hatte er hier zu suchen?

Er wünschte sich, er wäre Victor nie begegnet. Dann hätte er den verfluchten Krieg nie in das Haus der Sarfati getragen. Albert wäre unversehrt geblieben. Ja, die SS hätte Victor hingerichtet. Aber er wäre als Held gestorben, nicht in Schande verstoßen worden. Und wer weiß, vielleicht hatte ihn auf irgendeiner sizilianischen Landstraße längst eine deutsche Kugel erwischt, so dass alles, was Moritz für ihn getan hatte und er für ihn, ohnehin völlig umsonst gewesen war.

Moritz wartete den ganzen Tag. Nachdem er die Zimmer aufgeräumt hatte, blieb er wie versteinert auf seinem Bett sitzen. Als die Sonne unterging, wagte er kein Licht anzumachen. Erst um Mitternacht hörte er einen Schlüssel in der Tür. Yasmina kam nach Hause. Sie war allein. Moritz kam die Treppe herunter.

»Wie geht es ihm?«

Yasmina setzte sich erschöpft auf das Sofa.

»Er lebt«, sagte sie. Dann brach sie in Tränen aus. Moritz setzte sich neben sie und wagte es nicht, den Arm um sie zu legen, denn er hatte kein Recht dazu; so wenig wie er jemals das Recht gehabt hatte, sich in das Leben von anderen einzumischen.

Albert hatte eine Art Schlaganfall erlitten. Yasmina erzählte von einer Ader, die beim Aufprall des Kopfes auf den Boden geplatzt sei. Das im Inneren des Schädels ausströmende Blut habe die Sauerstoffzufuhr seines Gehirns blockiert. Die Ambulanz war zu spät gekommen. Es war pures Glück, dass er überhaupt noch am Leben war. Jetzt müsse man abwarten. Die Ärzte konnten nicht sagen, ob er jemals wieder sprechen oder gehen könnte. Mimi war im Militärkrankenhaus geblieben.

Moritz war erschüttert. Sprachlos. Die Schuld lag schwer auf seinem Gewissen. Wie hatten die Amerikaner von ihm erfahren? Hatten die Nachbarn etwas bemerkt?

»Nein«, sagte Yasmina. »Es war der Fischer.«

Moritz sah Belgaçem vor seinem inneren Auge. Sein fleischiges Gesicht, die nikotingelben Zähne, die Kaltschnäuzigkeit, mit der er sich abwandte, nachdem Albert ihm gedroht hatte. Moritz wäre am liebsten zum Hafen gegangen, um ihn eigenhändig zu erwürgen. Aber auch das würde Albert nicht wieder gesund machen.

»Es tut mir sehr leid«, sagte er.

»Mamma sagt, Victor habe Papà verflucht«, sagte Yasmina. Moritz war schockiert. Glaubte Mimi tatsächlich, dass Victor und nicht er die Schuld an dem Unglück trug? Yasmina stand erschöpft auf und ging in ihr Zimmer. Sie machte ihm keinen Vorwurf, aber da war auch nichts, was er tun könnte, um sie zu trösten.

Moritz lag die ganze Nacht wach und starrte aus dem Fenster in die Dunkelheit. Das kalkweiße Haus gegenüber, jetzt blau im Mondlicht, Sterne. Sein kleiner Ausschnitt von der Ewigkeit. Albert war ihm mehr Vater gewesen, als sein eigener es je vermocht hatte. Und das war sein Dank. Was für eine Welt war das, in der die Guten bestraft und die Schlechten belohnt wurden?

Er faltete die Hände und versuchte zu beten. Aber es war, als würde er in ein leeres Haus hineinrufen, in dem niemand mehr wohnte, nicht einmal mehr Geister, höchstens die Erinnerung an sie. Ein schreckliches Gefühl der Verlassenheit machte sich breit. Über ihm der unendliche, gleichgültige Himmel.

34

MARSALA

There's a crack in everything. That's how the light gets in.

Leonard Cohen

»*Mektoub*«, sagt Joëlle. »Das sagte meine Mutter dazu. *Mektoub* sagte sie immer, wenn etwas passierte, das eigentlich unerträglich war.« Ihr Gesicht leuchtet im Schein des Feuerzeugs auf. Wir stehen nachts vor dem Hotel, sie raucht, die anderen schlafen schon. Ich mag ihr Gesicht, voller Falten und dennoch so wach. Stundenlang könnte ich dabei zusehen, wie es sich mit jedem Satz, mit jeder Erinnerung verändert, ein Wechsel der Jahreszeiten innerhalb von wenigen Augenblicken.

»Du meinst die Idee, dass alles geschrieben steht? Das vorbestimmte Schicksal?«

»Ist doch ein tröstlicher Gedanke: eine höhere Macht, die alles zum Besten für uns eingerichtet hat. Meine Mutter hat nie mit ihrem Schicksal gehadert, obwohl sie es nicht leicht hatte. Es gibt ja Menschen, die sich noch auf dem Sterbebett beklagen, wie übel ihnen mitgespielt wurde. Aber Yasmina hatte schon als Kind begriffen, dass sie keine Prinzessin war. Dass alles, was nach ihrer Adoption aus dem Waisenhaus käme, besser sein würde. Ich glaube, das Geheimnis ihrer Stärke lag darin, dass sie sich im Innersten immer als Glückskind sah. *Sie* war ausgewählt und in eine Familie aufgenommen worden, nicht die anderen. Dafür war sie ihr Leben lang dankbar. Und ich glaube, das hat Moritz angezogen.«

Mein fremder Großvater erscheint mir auf einmal näher, als ich es für möglich gehalten hatte. Schicht um Schicht hatte ich meine falschen Bilder abgetragen. Jetzt kann ich fast körperlich spüren, wie er sich damals fühlte. Die Frage nach dem Sinn im Sinnlosen. Die Verlorenheit in der Welt. Die Taubheit, nicht zu leben, während draußen das Leben vorbeizieht. Über siebzig Jahre später, in einer anderen Zeit, einem anderen Körper und aus anderem Anlass: die gleichen Gefühle. Er ist kein Fremder mehr für mich, sondern ein Teil meiner selbst. Wenn es wahr ist, dass die menschliche DNA nicht nur die äußeren Merkmale unserer Vorfahren speichert – Haarfarbe, Körperbau und Erbkrankheiten –, sondern auch ihre seelischen Erlebnisse einen Abdruck hinterlassen, dann erscheinen mir meine gegenwärtigen Empfindungen wie ein Echo aus einem anderen Leben, Schockwellen aus der Vergangenheit.

»Glaubst du an das *mektoub?*«, frage ich sie.

Joëlle sieht mich hintergründig an und schmunzelt provokant.

»Bist du religiös?«

»Nein.«

»Warum nicht?«

Ihr trockener Ton irritiert mich. Als wäre es eine Lifestyle-Entscheidung, wie der Entschluss, kein Fleisch mehr zu essen oder kein Auto zu haben.

»Weißt du, als es mir gutging, brauchte ich keinen Gott. Und als es mir schlechtging, konnte ich nirgends einen sehen. Ich vertraue Dingen, die ich berühren kann. Mit eigenen Händen. Der Rest ist Zufall.«

Sie nickt nachdenklich. Beobachtet mich.

»Und du«, hake ich nach, »denkst du, dass jemand das Buch deines Lebens längst geschrieben hat und dir Seite um Seite enthüllt, schön langsam, ohne das Ende zu verraten?«

»*Bon*, vielleicht steht es geschrieben. Aber *wer* schreibt es, das ist die Frage!« Joëlle lächelt mich verschmitzt an. »Wenn du mich fragst, brauche ich dazu keinen Gott. Ich hab selbst schreiben gelernt. Und wenn Moritz mir etwas beigebracht hat, dann das: Du bist nicht, was dir zustößt, sondern was du daraus machst. Das ist unsere einzige Freiheit.«

»Wozu war es dann gut, was damals in Tunis passiert ist?«

»Du bist ungeduldig, Schätzchen! Diese Geschichten verlaufen nie in einer geraden Linie. Sie sind ein Mosaik, wo ein Stein sich an den anderen fügt. Erst in der Gesamtschau entsteht das Bild. Du musst dir diesen Sommer in Tunis als eine allmähliche Verwandlung vorstellen. Yasmina wurde vom Mädchen zur Frau; und Moritz hörte auf, Moritz zu sein. Du kennst doch die Metamorphose der Raupe zum Schmetterling?«

»Ja. Worauf willst du …-«

»Weißt du, wie das geschieht? Es ist nicht so, dass der hässlichen Raupe rechts und links Flügel wachsen, und *voilà*, ist sie ein schöner Schmetterling. Nein, wenn sie sich in ihren Kokon verpuppt, verliert sie völlig ihre alte Gestalt! Sie verflüssigt sich, wird formlos, gärt sozusagen als Ursuppe vor sich hin … und daraus entsteht ein komplett neues Lebewesen.«

Joëlle lächelt mich verschmitzt an. Ich weiß nicht mehr, ob sie von Moritz spricht, von sich oder von mir. Ich weiß nur, wenn mein Großvater damals zu Fanny zurückgekehrt wäre, hätte ich Joëlle nie kennengelernt. Und ohne diese Wendung kann ich mir das Buch meines Lebens nicht mehr vorstellen.

In dieser Nacht schlafe ich zum ersten Mal durch. Als ich aufwache, geht gerade die Sonne auf. Ich ziehe mich an und verlasse das Hotel, in einen warmen Schal gehüllt, während alle anderen noch schlafen. Gleichgültig rollen die Wellen an den Strand. Mächtiges Meer. Ein Tier, das atmet und nie stirbt. Die Luft ist frisch, der Wind kriecht durch die Jacke. Ich ziehe meine Schuhe aus und gehe barfuß durch den feuchten Sand. Steine und Muscheln, Strandgut, Mosaike im Sand, grüne Glasscherben, geschliffen von der Brandung. Inzwischen haben sie alle Schärfe verloren, sind fast Stein geworden und blind, die Zeit heilt alle Verletzungen. Vielleicht muss man blind werden, um vergessen zu können.

Ich bin eine Überlebende. Hinter mir ein abgebranntes Haus, ein verkohltes Gerippe, eine Ruine im Wind. Ich habe geliebt. Ich lebe. Ich bin hier. Die Erinnerungen verblassen, wie ein Traum, der sich dem Zugriff des Denkens entzieht und verschwindet, sobald man die Augen öffnet. Wie Dünung nach dem Sturm, aufgewühltes Meer ohne Wind. Noch kein Gedanke an morgen.

Auf einmal frage ich mich, wohin meine Wut gegangen ist. In mir: Leere. Ich kann Gianni sehen, ohne ihn hassen zu müssen. Ich verstehe ihn noch nicht, aber ich bin nicht mehr unglücklich ohne ihn an meiner Seite. Man kann es noch nicht Glück nennen, aber es ist eine Art von Frieden, noch nicht zwischen uns, aber in mir. Etwas kommt zur Ruhe. Die gleichmäßigen Schritte, der Atem, die erste Wachheit im Kopf. Das bin ich. Niemand sonst auf dem Strand. Ich beginne wieder, meinem Körper zu trauen.

35

LÉON

Und so lang du das nicht hast,
Dieses: Stirb und werde!
Bist du nur ein trüber Gast
Auf der dunklen Erde.

Goethe

Es war Mimi, die dem jungen Leben von Maurice, das bisher nur aus einem Namen und einer Lüge bestand, die ersten Flügel verlieh. Es geschah am Shabbat nach dem Unglück, einem heißen Tag, an dem das ganze Viertel zum Strand strömte.

Albert lag noch im Militärkrankenhaus. Sein Zustand war unverändert. Er konnte Mimi und Yasmina erkennen, er konnte zuhören und sprechen, wenn auch undeutlich. Doch ein Teil seines Gesichts war gelähmt, und er konnte die Hand nicht selbst zum Mund führen, um zu essen. Es würde bald besser werden, sagten die Ärzte, man müsse Hoffnung haben. Und dann waren zwei Geheimdienstoffiziere an sein Bett gekommen, um Mimi und Yasmina nach dem Deutschen zu befragen, den sie angeblich im Haus versteckten. Mimi log, Yasmina schwieg, doch sie wussten, es war nur eine Frage der Zeit, bis die Soldaten wiederkämen. Die Amerikaner wussten erstaunlich gut Bescheid. Sein Plan, nach Sizilien überzusetzen. Sein Alter, sein Aussehen. Der Fischer hatte alles verkauft.

Albert protestierte, als Mimi ihm von ihrem Plan erzählte. Auf keinen Fall wollte er jemanden außerhalb der Familie einweihen. Aber Mimi war entschlossen, weiteres Unglück vom Haus abzuwenden. Moritz musste ausziehen. Als Moritz sich einverstanden erklärte, gab Albert widerwillig nach. Es war ein gefährlicher Plan, denn absolute Diskretion war Moritz' bester Schutz gewesen. Doch jetzt brauchten sie einen Verbündeten.

Spät nach Mitternacht ging Mimi mit Moritz zum *Ciné Théâtre* auf der Avenue de Carthage, um dort Léon Attal zu treffen. Victors alten Freund und Förderer. Ihm gehörte das Kino. Léon war einer, der wie Victor in Piccola Sicilia aufgewachsen war und es zu etwas gebracht hatte. Inzwischen hielt er auch Anteile am Casino und einem zweiten Kino in Centre Ville. Einige Jahre älter als Victor, sah er sich gern als dessen Mäzen, hatte er ihm doch mit seinen Verbindungen zum Besitzer des Majestic die ersten Konzerte dort vermittelt. Manche munkelten, Léon sei Freimaurer, aber Albert sagte, das sei nur ein dummes Gerücht, Léon habe nicht das intellektuelle Format dazu. Er hielt Abstand zu ihm, da Léon die Welt verkörperte, die seinen Sohn verführt hatte.

Léon war kein Kind von Bescheidenheit. Er fuhr ein silbernes Alfa Romeo Cabriolet, das gleiche Modell wie Mussolini, den er verachtete, und kaufte seine Anzüge in Paris. Er wirkte immer etwas zu jung für die Weste, den Hut und die Taschenuhr an der silbernen Kette; aber man verzieh ihm alles, wenn er einen innerhalb von Minuten zum besten Freund machte. Léon war mit einer der schönsten Frauen des Viertels verheiratet, der jüdischen Französin Sylvette. Man sagt, sie sei eine Sängerin gewesen, in Montmartre, wo die beiden sich so unsterblich verliebten, dass sie für ihn Paris verließ. Moritz hatte die beiden zum ersten Mal bei Victors Rückkehr gesehen, den weltläufigen Léon mit seinem feinen Schnurrbart und die hellhäutige Sylvette mit ihrem weiten Hut, dem tief ausgeschnittenen Kleid und dem französischen Parfüm. Er hatte die versteckten Blicke beobachtet, die Victor und Sylvette sich zugeworfen hatten, während Léon mit Albert über Politik diskutierte. Und er hatte bemerkt, wie Yasmina Sylvette beobachtete. Ein messerkalter Blick, wie ihn nur eifersüchtige Frauen haben. Léon hatte von alledem nichts mitbekommen.

»Das ist er?«, fragte Léon und deutete auf Moritz. Vor dem Eingang des Kinos wirbelte der Nachtwind Papierfetzen auf, die weggeworfenen Tüten der Kürbiskernverkäufer. Mimi nickte. Léon reichte Moritz die Hand.

»Bonjour, mon ami!«

Mimi hatte Léon bereits alles erzählt. Victors Rettung im Keller des Majestic und Moritz' nächtliches Auftauchen in der Medina. *È un amico*, hatte sie gesagt.

Leon sah sich um. Die Avenue war leer.

»Kommen Sie herein, Maurice. Nennen Sie mich Léon.«

Er führte die Besucher in den leeren Kinosaal und schaltete das Licht ein. Es roch nach Körperschweiß und kaltem Rauch. Dunkle Holzsessel mit roten Polstern, ein grüner Samtvorhang vor der großen Leinwand, weiße Balkone und Säulen, die faschistische Architektur der dreißiger Jahre. Der Boden war übersät von ausgespuckten Kürbiskernschalen. Hier träumte Piccola Sicilia von der anderen Seite des Meeres, von Fernandel, Jean Gabin und Katharine Hepburn.

»Victor ist wie ein Bruder für mich«, sagte Léon und musterte Moritz. »Wissen Sie, seine ersten Auftritte, in den kleinen Cafés, die habe *ich* organisiert! Er war ja völlig unbekannt, ein Junge aus den Straßen von Piccola Sicilia, so wie ich, und schauen Sie, was aus ihm geworden ist. Nicht nur ein großer Künstler, sondern auch ein großer Kämpfer für die Freiheit!«

Moritz fühlte sich etwas unwohl. Es war, als würde Léon sich bei ihm bewerben, nicht andersherum. Dabei hatte er Léon nichts zu bieten, sondern lieferte sich gerade seinem Wohlwollen aus. Léon wechselte den Ton.

»Sie wirken nicht typisch deutsch.«

»Wenn Sie darunter blonde Haare und blaue Augen verstehen ...«

»Sie sind ein guter Deutscher!« Léon klopfte Moritz auf die Schulter. »Glauben Sie nicht, wir können nicht unterscheiden, *mon ami*, nein, es gibt überall solche und solche! Die Amerikaner suchen Sie also, was?«

»Ja.«

»Ich sag Ihnen eins. Der Stadtkommandant von Tunis ist ein Freund von mir, seine Offiziere gehen in meinem Haus ein und aus. Und sie lieben das Kino. Ich spiele all ihre Filme, mit Humphrey Bogart und Bette Davis ... Kennen Sie *Casablanca*? Mit Ingrid Bergman? Nein? Interessanter Film, viele jüdische Schauspieler dabei, sie spielen sogar Nazis, auch der Regisseur ist Jude, ein Ungar! Viele haben es gerade noch geschafft, aus Europa zu fliehen, *un casino di merda*, aber jetzt lassen die Amerikaner immer weniger Juden in ihr Land, eine Schande ist das! Jedenfalls, *mon ami*, wenn es einen Ort in dieser Stadt gibt, an dem kein Amerikaner Sie vermutet, dann ist es dieser hier. Kommen Sie!«

Léon führte Moritz und die Frauen durch einen Seitenausgang hinauf zur Vorführkabine.

»Hier hat er gewirkt, der alte Giuseppe, Gott sei seiner Seele gnädig. *Che casino*, Sie müssen erst Ordnung machen, Maurice! Mimi sagte mir, Sie kennen sich mit Filmen aus? Denn Armand, der Lehrling, macht mir nur *casino;* er ist erst sechzehn, ich habe seinem Vater einen Gefallen geschuldet, Sie verstehen, aber er ist ein Nichtsnutz!«

Casino, sein Lieblingswort. Die Welt war ein einziges Chaos, aber Léon schaffte Ordnung. Er öffnete die quietschende Tür aus dunklem Holz. Moritz blickte auf das verstaubte Durcheinander von leeren Filmrollen, abgeschnittenen Filmstreifen, beschrifteten Kartons, einer schmutzigen Klebepresse und einem Monstrum von französischem Projektor, der seine beste Zeit längst hinter sich hatte. Dazwischen ein Aschenbecher, Zigarettenschachteln und Butterbrotpapier, als wäre der alte Vorführer nur kurz in die Mittagspause gegangen und nicht an Lungenentzündung gestorben. Ein glücklicher Zufall, jedenfalls für Moritz. Die Vereinbarung war bestechend einfach: Moritz würde als Filmvorführer arbeiten und unter dem Dach des Kinos wohnen dürfen, in einem fensterlosen Speicher, den niemand kannte außer Léon. Dazu würde er ein kleines Gehalt bekommen, das ihm erlaubte, in zwei, drei Monaten einen Fischer zu bezahlen, der ihn nach Italien brächte. Neapel oder Genua, möglichst weit im Norden. Bevor die Alliierten es eroberten und der Heimweg nach Deutschland versperrt wäre.

»Es ist kein Palast, aber Sie schlafen ruhig, dafür garantiere ich persönlich!«

»Ich bin Ihnen sehr zu Dank verpflichtet.«

»Victors Freunde sind meine Freunde. Morgen holen wir Ihre Sachen. Zigarre?«

Viel besaß er nicht, und alles gehörte eigentlich Victor. Moritz schlief in den Kleidern, die er gerade trug, auf einer Matratze, die der alte Giuseppe benutzt hatte, wenn er nach der Nachtvorstellung zu müde gewesen war, um nach Hause zu gehen. Die Dachkammer war heiß und stickig, vollgestellt mit Putzeimern, Ersatzteilen und kaputten Kinosesseln. Im Dunkeln hörte man die Ratten laufen.

Am nächsten Tag brachte Yasmina einen Koffer ins Kino. Ein Paar frisch gebügelte Hosen, zwei Hemden, ein Anzug, Unterwäsche, Socken. Sie hatte nicht die abgenutzten unter Victors Sachen ausgesucht, sondern schöne, kaum getragene.

»Wie gefällt es Ihnen hier?«

»Gut. Wie geht es Ihrem Vater?«

»Gut.«

Es waren höfliche, zärtliche Lügen. In dem Ungesagten zwischen ihnen lag eine Traurigkeit, die niemand vertreiben konnte. Ein Mann nach dem anderen hatte Yasminas Haus verlassen; erst Victor, dann Albert, und jetzt Moritz.

»Wann kommt Albert zurück?«, fragte Moritz.

Yasmina zuckte verloren mit den Schultern. Grußlos, weil sie Abschiede nicht ertragen konnte, drehte sie sich um und ging, bevor er etwas sagen konnte.

Moritz machte sauber. Der Vorführraum war seit Ewigkeiten nicht mehr geputzt worden, der Projektor klapperte, der Boden war übersät von Zelluloidfetzen, und auf dem verstaubten Regal lag zwischen Filmrollen eine französische Zeitschrift mit leicht bekleideten Mädchen aus dem Jahr 1938. Moritz nahm den Projektor auseinander, ölte die Mechanik und justierte die Linsen. Es tat gut, wieder eine Aufgabe zu haben, vertraute Technik in den Händen. Das Malteserkreuz, die Kohlenbogenlampe, die Umlenkrollen. Am Nachmittag ratterte die Maschine wie geschmiert. Moritz stand neben dem offenen Projektor, sah dem Filmstreifen beim präzis gespannten Lauf über die Rollen zu und wischte sich zufrieden die öligen Finger ab. Später kam Léon. Er brachte ihm ein *casse-croûte,* ein Sandwich mit Thunfisch und Harissa, sowie die Filmrollen für den Abend. Britische Propaganda im Vorprogramm, und ein amerikanischer Hauptfilm von Billy Wilder.

Niemand der fröhlich in den Zuschauerraum strömenden Menschen, Zivilisten und Uniformierte, ahnte, dass die Erfolgsmeldungen der Alliierten heute von einem Deutschen präsentiert wurden, der hoch über ihren Köpfen hinter einem winzigen Fenster verborgen blieb, aus dem er die Zuschauer sehen konnte, sie aber nicht ihn. Zwei unsichtbare Augen. Die Gazette der British Pathé hatte die Wochenschau der UFA abgelöst.

Aufputschende Marschmusik, die Kamera auf den Panzern der Sieger, die eigenen Jungs immer in Nahaufnahme, der Gegner nur als Masse von Gefangenen. Deutscher und italienischer Schrott, ausgebrannte Panzer, abgestürzte Flugzeuge, das zerschossene Hakenkreuz groß im Bild. Dann die Szenen aus den sizilianischen Dörfern. Moritz hatte in Tunis die gleichen Kameraeinstellungen benutzt: Einheimische im Spalier vor den Häusern, die fröhlich der einrückenden Armee zuwinken. Das Lächeln der Frauen und Kinder, denen der Soldat ein Stück Schokolade zusteckt.

In den Gesichtern der Zivilisten entscheidet sich das Bild der Soldaten: Befreier oder Besatzer? Die britischen Kollegen hatten gute Arbeit gemacht. Doch anders als die Zuschauer im Saal sah Moritz auch das, was nicht im Bild war. Sie zeigten Artillerie; er sah die zerfetzten Körper auf der Gegenseite. Sie zeigten ein Flugzeugwrack; er sah den toten Piloten. Und wenn sie einen Gefangenenmarsch zeigten, in der Totale gedreht, kaum einzelne Gesichter, spürte er die Demütigung der Unterlegenen, ihr Gefühl der Schande und des Versagens. Als sie die Gesichter der Sieger präsentierten, abgekämpft, aber fröhlich, drückte er sich noch näher an das kleine Fenster zum Saal. Am liebsten hätte er den Film angehalten, um sich zu vergewissern, ob er unter diesen Männern nicht den einen gesehen hatte, den er kannte. Victor.

Der Hauptfilm war »*Five Graves to Cairo*«. Der Wüstenkrieg, den Moritz erlebt und gefilmt hatte, jetzt von der anderen Seite erzählt, als Geschichte der Sieger. Regie: Billy Wilder, mit Erich von Stroheim als Rommel. Deutsche Künstler, die für die Amerikaner arbeiteten! Hätte Moritz so weit gehen können? Nein. Er war kein Rebell, der seine Überzeugungen ins Licht stellte. Sein kleiner Verrat war nur möglich gewesen, weil er im Verborgenen bleiben konnte.

Als alle Zuschauer das Kino verlassen hatten, legte er noch einmal die Filmrolle der British Pathé ein. Die Aufnahmen aus den sizilianischen Dörfern. Er starrte aus seinem kleinen Fenster, während neben ihm der Projektor ratterte, und studierte die Gesichter der Soldaten. Zweimal glaubte er, Victor zu erkennen, zweimal hielt er den Projektor an, schaltete um, ließ den Film zurück- und dann wieder vorwärtslaufen. Zweimal war es ein anderer. Dann, kurz vor dem Ende der Rolle, entdeckte er ihn. Die Kamera schwenkte über eine Piazza, rechts und links zerstörte Häuser, vorne posierten drei Soldaten auf einem Jeep; und im Hintergrund, unter der zerfetzten Markise eines Cafés, ein Mann in Zivil, helles Jackett und Hut, Zigaretten an Sizilianer verteilend – war er das? Diese lässige Körperhaltung eines jungen Gottes, der weiß, dass er einer ist, aber so tut, als wisse er es nicht; ein Sieger auf Augenhöhe mit den Einheimischen, fast wie einer von ihnen, aber unmissverständlich der *primus inter pares*: Das war Victor! Oder?

Elektrisiert schaltete Moritz in den Rückwärtslauf, doch er tat es zu ruckartig, so dass das Räderwerk blockierte; der Film blieb stehen, und als Moritz den Projektor öffnete, um den Stau zu beseitigen, war es schon zu spät: Die Hitze der Kohlenbogenlampe fraß sich durch das Zelluloid; hundertfach vergrößert schmolz und verbrannte das Bild auf der Leinwand ... bis der Film riss. Die Spulen drehten ins Leere, das Filmende flatterte und schlug in Fetzen, stinkender Qualm drang aus dem Gehäuse. Hastig, aber zu spät schaltete Moritz die Lampe aus.

Er verfluchte seine Unachtsamkeit und nahm die Filmrolle aus dem Projektor. Sorgfältig säuberte er die verbrannten Enden, schnitt und klebte sie wieder zusammen, jedes noch zu rettende Einzelbild vom Schwenk über die Piazza. Dann legte er die Rolle wieder ein und projizierte auf die Leinwand, was von der Einstellung übrig war. Der Beginn des Schwenks, bis im Hintergrund der Mann ins Bild kam, dann der abrupte Schnitt, und nach der verlorenen Stelle war der Mann schon fast nicht mehr zu sehen; die Kamera schwenkte weiter. Unzählige Male hielt Moritz den Projektor an, spulte zurück und sah sich jedes Detail der verstümmelten Szene noch einmal an. Der Mann im Hintergrund trug keine Uniform. Und ein Sizilianer konnte es nicht sein, da er Zigaretten verteilte, so wie es die Alliierten taten, um die Einheimischen für sich zu gewinnen.

Am nächsten Tag zeigte Moritz Léon die Szene. Léon grübelte, ungewöhnlich schweigsam. Dann fuhr er mit seinem Cabrio zum Haus der Sarfati und hupte.

»Wir haben Victor gefunden«, rief er, als Yasmina aus der Tür kam. »Komm!« Yasmina schlug die Hände vor dem Kopf zusammen, rannte zum Auto und fuhr mit Léon zum Kino.

Sie setzte sich mit ihm in die erste Reihe, und Moritz startete den Projektor. Beim ersten Mal sah Yasmina nichts. Dann spulte er die Szene zurück und ließ sie noch mal laufen: der Platz in dem sizilianischen Dorf, der Kameraschwenk, die Ahnung von Victor und der Riss in der Zeit. Yasmina sprang auf.

»Victor!«

Sie wirbelte herum und winkte hoch zu Moritz, der aus seinem Fenster schaute.

»Er ist es! Er lebt!«

Sie umarmte Léon, glücklich wie ein Kind, das seine verlorenen Eltern wiedergefunden hatte. Jetzt war auch Moritz überzeugt. Die Aufnahme stammte, wie der Sprecher sagte, aus Avola, einem Dorf im Südosten der Insel. Das war der Abschnitt, in dem die Briten gelandet waren. Die Gegend war in den ersten Tagen erobert worden. Daraus ergaben sich zwei Rückschlüsse: Da er Zivil trug, hatten sie ihn vermutlich als Aufklärer hingeschickt. Zweitens, zwischen der Filmaufnahme und dem Ende der Schlacht um Sizilien lagen mehrere Wochen. Und Tausende von Toten. Die Aufnahme bewies, dass er sich in Avola aufgehalten hatte, aber nicht, dass er jetzt noch lebte.

Diesen Gedanken behielt Moritz für sich, als er in den Saal hinunterging, wo Yasmina ihm entgegenlief, um den Hals fiel und überschwänglich dankte. Es war ihre erste Umarmung, ganz plötzlich und ganz nah, nachdem sie im Haus der Eltern jede Berührung vermieden hatten. Yasmina trug ein leichtes Sommerkleid, durch das er ihre Brüste spürte, die unerwartete Wärme und den schwangeren Bauch. Die Explosion ihrer Gefühle in seinen Armen verwirrte ihn, galt sie doch nicht ihm, sondern Victor.

»Nichts zu danken, ich habe doch nichts gemacht«, stammelte Moritz.

»Doch. Sie haben mir die Hoffnung zurückgegeben! Darf ich ihn mitnehmen?«

»Wen?«

»Victor.«

Moritz blickte fragend zu Léon.

»Alles was du willst, *carissima*.«

Moritz schnitt die Einstellung aus dem Film, rollte das Zelluloid vorsichtig zusammen, legte es in eine Filmdose und gab es Yasmina. Sechs Sekunden Hoffnung.

Am 8. September 1943 um 18.30 Uhr verkündete General Eisenhower auf Radio Alger den Waffenstillstand zwischen Italien und den Alliierten. Die Britische Achte Armee hatte die Straße von Messina überquert, um das italienische Festland zu erobern. Hitler schickte sofort seine Truppen über die Alpen und ernannte Rommel zum Kommandeur von Norditalien. Die Deutschen besetzten alle Städte und entwaffneten ihre ehemaligen Verbündeten. Der Krieg, der die halbe Welt in Flammen gesetzt hatte, kehrte zurück nach Europa.

Am selben Tag wurde Albert aus dem Krankenhaus entlassen. Er kam mit dem Taxi, unangekündigt, denn er wollte die Blicke der Nachbarn meiden. Mimi und Yasmina stützten ihn auf dem

Weg zur Haustür, doch er tat so, als könne er es alleine schaffen, während die Nachbarn unvermeidlich aus ihren Häusern kamen und ihn mit großem Mitgefühl begrüßten. Albert mochte seinen geraden Gang verloren haben, aber er achtete penibel darauf, dass Dottor Sarfati nicht sein Gesicht verlor. Grüßte die Nachbarn freundlich, umarmte sie mit einem Arm, da der andere gelähmt war, fragte sie nach ihrem Befinden und ihren kleinen Wehwehchen, als wären sie die Patienten und nicht er. Denn was auch immer geschah, er war zuallererst Arzt, dann Vater, aber nie jemand, der einen anderen um einen Gefallen bitten musste. Mimi wimmelte die Nachbarn ab, die ins Haus drängten. Später, rief sie, später, lasst ihn erst mal ausruhen! Und als er drinnen angekommen war, dankbar, wieder zu Hause zu sein, führten sie ihn auf die Couch, wo er den ganzen Tag und die nächsten Tage lang sitzen bleiben würde.

Moritz kam sofort zum Haus, als er von Alberts Rückkehr hörte. Er brachte Blumen, die er mit seinem ersten Lohn gekauft hatte, und bat Albert in aller Form um Entschuldigung.

»Wofür?«, fragte Albert, als hätte er nichts von der verhängnisvollen Nacht mitbekommen.

»Ich hätte nicht so lange im Haus bleiben dürfen«, sagte Moritz.

»Warum?«, fragte Albert und versuchte, die Kürbiskerne zu knacken, die Yasmina in einer Schale vor ihn gestellt hatte, was ihm nicht gelang. Die anderen übersahen es, um ihm die Würde zu lassen. »Es gibt keinen Grund zur Besorgnis.« Statt auf die Schuldfrage einzugehen, schilderte er Moritz die medizinische Besonderheit seines Falles: entgegen der ersten Diagnose habe der Sturz keine innere Blutung ausgelöst, sondern eine Dissektion der Arterie an der Halswirbelsäule. Die Innenhaut habe sich abgelöst und das Gefäß verstopft, dessen Durchmesser bereits, erblich bedingt, verkleinert gewesen sei, so vermute er jedenfalls, da sein Vater an einem Schlaganfall gestorben sei.

Mit der Neugier eines Forschers, als handle es sich nicht um ihn selbst, sondern einen kuriosen Patienten, erklärte Albert, welche Hirnregionen für Sprache, Koordination und Gleichgewicht zuständig waren, welche Vergleichsfälle es gab und wie die Prognosen der Heilung standen. Eine Katastrophe, unfassbar eigentlich, in Zahlen gefasst, die die Angst vor dem Unbekannten in etwas Beherrschbares verwandelten. In zwanzig Prozent der Fälle führe die Rehabilitationsgymnastik, dreimal pro Woche, zu einem fünfundsiebzigprozentigen Rückgang der Lähmungserscheinungen.

Albert sagte es voller Optimismus, als wäre es selbstverständlich, dass er zu den glücklichen zwanzig Prozent gehörte, auch wenn die Prognose, nüchtern betrachtet, bedeutete, dass er für immer auf die Hilfe anderer angewiesen sein würde. Mimi wusste das, und als Erste von allen hatte sie sich in ihrem bewundernswerten Pragmatismus darauf eingestellt. Sie hatte bereits im Krankenhaus gelernt, ihrem Mann die Hand mit der Gabel zum Mund zu führen, ihm die Wäsche zu wechseln und die Krümel von der Brust zu wischen. Es würde jeden Tag ein wenig besser werden, aber nie wieder so gut wie zuvor. Mimi beklagte sich nicht, sondern nahm es als Notwendigkeit an, mit ihrer zähen und unbeirrbaren Lebenskraft, die noch niemand kleinbekommen hatte.

Yasmina dagegen fiel es schwer, zuzusehen, wie ihr Vater unbeholfen das Glas zum Mund führte, die letzte Strecke mit Mimis Hilfe, wie sein sonst so leichter Körper nun träge in den Polstern lehnte, wie er auf manche Fragen antwortete, andere aber nicht zu hören schien. Kein starker Beschützer mehr, sondern ein gestürzter Gigant. Wenn es noch einen letzten Stoß gebraucht hätte, um sie endgültig aus dem Traumreich ihrer Kindheit ins Erwachsenenleben zu werfen, dann war es das.

Seit der verhängnisvollen Nacht war nicht nur der alte Albert verschwunden, der gütige Papà, den sie liebte, Dottor Sarfati, den alle respektierten, sondern es war auch eine Welt zusammengebrochen, die er verkörperte. Albert war nie ein Vater gewesen, der seine Familie mit der Kraft seiner Muskeln beschützte, aber erst jetzt wurde allen bewusst, wie sehr sein Geist ihnen Geborgenheit gegeben hatte – sein beharrlicher Glaube an das Gute, sein bockiger Anstand, seine weltfremde Vernunft. Als Yasmina Moritz zur Tür begleitete und verabschiedete – »A domani«, hatte Albert beiläufig gesagt, als würden sie sich wie immer wiedersehen, um über die Avenue de Carthage zu schlendern und eine Anisette zu trinken –, schwieg sie, und ihm fehlten die Worte, um sie aufzumuntern. Lange, viel zu lang, weil schon die Nachbarn zusahen, standen sie in der offenen Tür, wie in einer offenen Frage. Dann sagte Yasmina leise: »Jetzt müssen Sie uns beschützen, Maurice.«

Ohne seine Antwort abzuwarten, ging sie zurück ins Haus, wandte sich noch einmal kurz um und schloss dann die Tür. Moritz blieb zerrissen zurück, im Wissen, dass seine Abwesenheit der beste Schutz war, den er ihr geben konnte.

36

JOËLLE

»Das Leben ist ein Zug, der an keinem Bahnhof hält.
Entweder springst du an Bord oder siehst zu, wie er vorbeifährt.«

Yasmina Khadra

Ende September, als die Tage kürzer und die Nächte kühler wurden, sah Moritz den ersten Storch auf dem Minarett landen. Im Oktober, als die ersten Herbststürme das Meer aufwühlten, marschierten die Amerikaner in Neapel ein, Italien erklärte Deutschland den Krieg; und als Moritz endlich genug Geld gespart hatte, fand er kein Boot mehr, das die weite Reise nach Genua wagte. Im November, als der Regen einsetzte, konnte Albert wieder selbständig gehen. Von Victor kam immer noch kein Lebenszeichen. Und Moritz saß immer noch in seiner dunklen Kabine, während das Publikum über Buster Keaton lachte, über Laurel, Hardy und die Marx Brothers. Und im Dezember, genauer gesagt am einundzwanzigsten, als Mimi die erste Hanukkah-Kerze auf dem Tischleuchter anzündete, brach Yasmina, die Moritz gerade einen Korb mit Essen vorbeibrachte, in der Vorführkabine des *Ciné Théâtre* zusammen. Moritz hatte soeben die erste Rolle des Hauptfilms eingelegt, als Yasmina sich vor Schmerzen krümmte und einen unterdrückten Schrei ausstieß.

»Ich rufe einen Arzt!«

»Nein. Laufen Sie zu meinem Vater!«, keuchte sie. Moritz zögerte.

»Schnell!«, rief sie. »Er soll mich ins Krankenhaus bringen!«
»Warten Sie hier.«

Die erste Filmrolle würde noch fünfundzwanzig Minuten laufen, bis dahin wäre er wieder zurück. Dieser Gedanke schoss ihm durch den Kopf, als er an der verdutzten Kassiererin vorbei aus dem Kino rannte, hinaus in den Dezemberregen auf die Avenue de Carthage, wo die Autos schon ihre Scheinwerfer angeschaltet hatten, in die dunkle Rue de la Poste, bis er atemlos und durchnässt an der Tür des Hauses ankam, in dem Mimi und Albert am gedeckten Tisch saßen und auf ihre Tochter warteten. Als Mimi öffnete und Moritz' Gesicht sah, wusste sie sofort, was passiert war.

»Albert! Schnell!«

Albert stand verstört vom Tisch auf, viel zu hastig, und warf dabei den Leuchter um. Er war noch lange nicht gesund; sein unruhiger Geist war in einem Körper gefangen, der ihm nur zur Hälfte gehorchte. Zwar konnte er wieder alleine gehen, doch die rechte Körperhälfte blieb immer noch leicht gelähmt, von der Schulter bis hinunter zu den Zehen. Das Bein zog er nach, den Arm konnte er zu einem gewissen Grad bewegen, doch fehlte ihm die Kraft und Präzision von früher. Ohne sich die Mühe zu machen, einen Mantel anzuziehen, griff er mit der Linken nach dem Autoschlüssel.

»Wo ist sie?«, fragte er, ohne Moritz zu bitten, mitzufahren. Es war Mimi, die Moritz mit einem diskreten Blick signalisierte, dass er gebraucht würde. »Setzen Sie sich nach vorn, Maurice!«, sagte sie, lief durch den Regen zum Auto und stieg hinten ein.

Albert hielt sich mit der Linken am Lenkrad fest und hatte Mühe, mit der Rechten den Zündschlüssel zu drehen. Moritz bot an, ihm zu helfen, doch Albert ignorierte sein Angebot, hätte es doch bedeutet, seine Schwäche einzugestehen. Endlich startete der Motor, die Karosserie schüttelte sich, und Albert löste mit der Linken die Handbremse.

»Willst du nicht Maurice fahren lassen?«, fragte Mimi.

Albert gab ruckartig Gas, ohne zu antworten. Umständlich wechselte er mit der Linken den Gang, wobei er das Lenkrad loslassen musste, und immer wenn er einkuppelte und Gas gab, machte der Wagen einen Satz nach vorn, weil er den Gasfuß nicht dosieren konnte. Er raste die dunkle Straße hinunter, auf die Avenue de Carthage zu, das Gesicht dicht an der Scheibe, um besser durch den Regen sehen zu können, aber ohne das Licht und die Scheibenwischer einzuschalten. Moritz griff ans Armaturenbrett und machte die Scheinwerfer an. Albert tat so, als hätte er es nicht bemerkt. Er bremste scharf und bog in den Abendverkehr auf der Avenue ein.

Die Lichter der entgegenkommenden Autos, verschwommene Sterne auf der Scheibe. Moritz suchte nach dem Scheibenwischer. Endlich schaltete Albert ihn ein. Noch ging alles gut, fast hatte Albert den Wagen im Griff; doch als er an der Ecke vor dem Kino um die Kurve biegen wollte, um zu parken, glitt ihm das Lenkrad aus der Hand. Der Citroën schlingerte geradeaus, Mimi schrie auf, und bevor Moritz das Lenkrad zu fassen bekam, krachte der Kühler gegen eine Palme. Dahinter standen zwei Jugendliche, denen der Schreck ins Gesicht geschrieben stand. Plötzlich war es still. Der Regen prasselte aufs Blech, die Wischer fuhren wild über die Scheibe. Albert griff nach dem Rückwärtsgang.

»*Basta!*«, rief Mimi. »Du bringst uns noch alle um!«

»Hilf mir lieber, unsere Tochter zu holen!«

»Du bleibst hier sitzen. Maurice und ich holen sie.«

Mimi hatte einen Tonfall, dem man besser nicht widersprach. Obwohl er sich schämte, die Augen der Passanten auf sich gerichtet zu sehen, gehorchte Albert. Er schaltete den Scheibenwischer aus und machte den Leuten ein Zeichen, dass alles in Ordnung sei. Mimi und Moritz rannten ins Kino. Die Passanten hoben das Auto an und schoben es zurück auf die

Straße. Albert versuchte zu starten. Obwohl der Kühler schwer verbogen war, sprang der Motor an. Mimi riss die Wagentür auf. Yasmina stöhnte vor Schmerzen, als sie, gestützt von Moritz, auf die Rückbank kletterte. Albert sah sie zärtlich an.

»*Dai, via!*«, rief Mimi. Albert löste mit der linken die Handbremse und wollte starten, doch Moritz öffnete die Fahrertür und gab ihm ein diskretes, aber entschlossenes Zeichen, auf den Beifahrerplatz zu rutschen.

»Machen Sie sich keine Sorgen«, sagte Albert. »Sie müssen Ihren Film zeigen, nicht wahr?«

Mimi hielt es nicht mehr aus und begann, mit Albert zu zanken, der stur sitzen blieb, umso sturer, als er sich von Mimi in aller Öffentlichkeit bloßgestellt fühlte. Auch Moritz konnte ihn nicht umstimmen. Bis auf einmal Yasmina wütend schrie: »Papà, *basta*!!!«

Er erschrak, begriff seine Dummheit und rutschte wortlos nach rechts. Moritz stieg ein, legte den Gang ein und raste los. Im *Ciné Théâtre* lief die erste Rolle des Spielfilms aus, und die Leinwand wurde weiß, gerade als der Ehemann mit der Pistole ins Haus kam, um seine Frau mit ihrem Liebhaber zu stellen.

Moritz steuerte den schwarzen Citroën mit hohem Tempo in die Stadt. Er überholte Lastwagen mit Schafen auf der Ladefläche, Motorräder und sogar einen Krankenwagen. Dass die Geburt im Krankenhaus stattfinden sollte und nicht, wie es in Piccola Sicilia üblich war, zu Hause mit einer Hebamme, war Alberts Wunsch gewesen. Wenn er dieses Kind schon nicht verhindern konnte, sollte es wenigstens in *seiner* Welt und auf *seine* Weise geboren werden. Yasmina erfüllte ihres Vaters Wunsch ohne Widerspruch, auch wenn ihr die Hebamme lieber gewesen wäre.

Die ganze Zeit über hatte Albert das Kind in ihrem Bauch nie Kind genannt, sondern eher als einen medizinischen Fall behandelt, fast wie eine Krankheit. Er hatte doziert, Medikamente verschrieben, Gymnastik empfohlen, aber dass es sein eigenes Enkelkind war, für das er Gefühle haben könnte, und sei es auch nur Wut, hatte er keine Sekunde lang gezeigt. Albert Sarfati hatte sich ganz hinter Dottor Sarfati versteckt.

Mimi hatte eine ambivalente Position zwischen den beiden eingenommen; moralisch auf der Seite ihres Mannes, aber insgeheim mit dem Herzen bei ihrer Tochter, die Yasmina trotz aller Schande war. Wahrscheinlich hatte Yasmina es allein der Schwangerschaft zu verdanken, dass Mimi sie nicht verstieß. Dafür, dass sie ihren über alles geliebten Sohn verführt hatte, verdiente sie die härteste Strafe. Aber Mimi hatte irgendwann eingesehen, dass alle Strafen der Welt nichts an der Wirklichkeit ändern würden, und zu der Größe gefunden, Yasmina als schwangere Frau zu behandeln, die ihr Mitgefühl und ihre Unterstützung verdiente. Ohne dass sie es sich eingestand, entwickelte sie zärtliche Gefühle für das ungeborene Kind – war es doch das Einzige, was von Victor übrig geblieben war.

Moritz stand allein auf dem Gang des *Hôpital Civil Français*. Mimi und Albert waren bei Yasmina im Kreißsaal, entgegen den Bestimmungen, aber auf Alberts ausdrücklichen Wunsch. Moritz rauchte und sah den anderen Vätern zu, die warteten, alle umgeben von ihren Geschwistern, Müttern und Großeltern. Vor dem Fenster rauschten die Palmen im Regen. Moritz genoss die Stille der Nacht. Wie immer in einem öffentlichen Raum hielt er vorsichtig Ausschau nach Uniformen, aber niemand schien ihn zu beachten, nicht einmal die hübsche französische Krankenschwester, die achtlos an ihm vorbeiging. Er musste nichts mehr tun, um unsichtbar zu werden; er trug längst einen Mantel aus Asche.

Moritz sah der Krankenschwester nach, drückte seine Zigarette aus und wanderte unruhig durch die leeren Flure. Im

Waschraum erschrak er über den Mann im Spiegel. Der Vollbart, die langen Haare, die dunklen Schatten unter den fiebrigen Augen. Eine leere Hülle. Ein lebender Toter. Nachts auf der Straße hätte er Angst vor sich selbst gehabt. Er stand bewegungslos da und erkannte sich nicht mehr. Dann wusch er sein Gesicht, ohne noch einmal in den Spiegel zu sehen.

Yasmina kämpfte. Niemand hatte sie darauf vorbereitet, wie unerträglich die Schmerzen waren. Sie schrie gegen die Wellen an, die ihren Körper überrollten; jedes Mal glaubte sie, daran zu sterben, und staunte, wenn sie es doch überlebt hatte. Die Schwester gab ihr ein Tuch, um darauf zu beißen. Schwere Tropfen prasselten gegen die Fenster. Der Regen schwoll zu einem Gewittersturm an, als habe sich das Meer gegen die Stadt verschworen.

»Man könnte meinen, der Himmel weint«, sagte Mimi. Es donnerte. »Oder er zürnt«, setzte sie nach.

»Hör auf mit dem Unsinn«, grummelte Albert.

Nein, dachte Yasmina, der Himmel beschützt mich. Er legt einen undurchsichtigen Schleier um uns, einen rauschenden Wasserwall zwischen das Kind und die allzu neugierigen Augen der Welt. Was waren das für Wesen, die bei Blitz und Donner in die Welt kamen? Drachenkinder, Feuersbrut, Unruhestifter. Eine viel zu große Seele in einem viel zu kleinen Körper.

»Warum tun Sie nicht endlich was? Sehen Sie nicht, wie sie leidet?«, rief Albert dem Geburtsarzt zu.

»Der Muttermund ist noch kaum geöffnet. Sie wird noch eine Weile weitermachen müssen.«

»Hör auf, dagegen anzukämpfen!«, ermutigte Albert Yasmina.

Nur einer von uns beiden wird das überleben, dachte Yasmina. Das Kind oder ich. Sie verfluchte Victor, weil er sie im Stich gelassen hatte, Mimi, weil sie ihm das Leben geschenkt hatte, und Albert, weil er sie damals in sein Haus geholt hatte. Und sie verfluchte sich selbst dafür, dass sie ihnen kein Glück gebracht hatte.

In der Atempause zwischen den Wehen schloss Yasmina die Augen, um Alberts hilflose Unruhe nicht ertragen zu müssen, und konzentrierte sich auf Mimis Stimme. Mimi rezitierte Psalmen, jene Verse, die nach der Tradition eigentlich der Ehemann bei der Geburt lesen sollte. Yasmina verstand nur das eine oder andere der hebräischen Worte, aber ihr Klang beruhigte sie, feierlich und so alt wie die Welt.

Als die nächste Wehe kam, gab sie den Kampf gegen den Schmerz auf, wie eine Ertrinkende, die endlich versinkt und eins wird mit dem verschlingenden Strudel. Sie riss die Augen auf und erschrak über den taghellen Himmel hinter den Fenstern. Ein Blitz durchzuckte die Nacht. Auf einmal fiel ihr Moritz ein. Sie sah sein Gesicht hinter dem kleinen Fenster der Scheune, in dem Moment, als Joëlle gezeugt wurde. Sie erinnerte sich, wie sie ihren Blick nicht von den ruhigen Augen des Fremden hatte lösen können, dem sie auf unheimliche Weise vertraute, während Victor sich in ihr bewegte und ihr Körper vor Lust brannte. So, als würde sie diese überwältigende Flut aus Puls und Licht nicht nur im Schoß, sondern ebenso durch die Augen empfangen. Vor dem Krankenhausfenster rauschte dunkel der Regen, genau wie in jener Nacht. *Mektoub,* dachte sie, dieses Kind hat zwei Väter, einen im Fleisch und einen im Geist. In diesem Moment setzte eine gewaltige Wehe ein. Sie schrie laut auf. Der Schmerz war so unerträglich, dass sie das Bewusstsein verlor.

Moritz sah Joëlle zum ersten Mal im Säuglingszimmer, in das man sie gebracht hatte. Sie hatten das Kind schließlich per Kaiserschnitt geholt; anderenfalls hätte es nicht überlebt.

Moritz war Albert in den Raum mit den kleinen weißen Bettchen gefolgt. Vor den Fenstern ging die Sonne auf, es war ein strahlend klarer Morgen. Man konnte die Neugeborenen kaum unterscheiden. Albert suchte die Schilder nach dem Namen ab. Moritz ließ den Blick über die kleinen Bettchen schweifen. Wie eigenartig, dachte er. Ein paar Minuten, nachdem wir auf die Welt kommen, geben sie uns einen Namen, eine Nationalität und eine Religion. Und dann verbringen wir den Rest unseres Lebens damit, etwas zu sein, das wir nie gewählt haben. Wir bilden uns etwas darauf ein und verteidigen es bis aufs Blut. Doch wer wären wir, wenn wir die Wahl hätten? Ist ein Kind nur ein weißes Blatt, auf das die Eltern ihre Wünsche schreiben? Oder ist es eine bereits ausgeprägte Persönlichkeit, und das Leben besteht darin, all die Wünsche der anderen wieder abzustreifen, sobald wir der Kindheit entkommen, um wieder zum Ursprung zurückzufinden?

Eine Krankenschwester kam ins Zimmer und fragte die beiden Männer: »Les Messieurs Sarfati?«

»Ja«, sagte Albert.

Die Schwester ging zu dem Bettchen und lächelte Moritz zu.

»Sie haben eine besonders hübsche Tochter, Gratulation. Möchten Sie sie sehen?«

Moritz erschrak und zögerte. Was dachte Albert? Der schwieg. Moritz nickte. Nur nicht auffallen. Die Schwester nahm das Neugeborene aus seinem Bettchen und hielt es ihm ihn.

»Schau, *ma petite,* das ist dein Papa.« Albert griff nicht ein. Die Kleine sah Moritz mit staunenden Augen an. Er nahm ihr winziges Händchen. Sie umklammerte seinen Finger, als wollte sie ihn nie mehr loslassen. Er war froh, dass Yasmina nicht dabei war. Er hatte eine Linie überschritten. Er durfte hier nicht sein.

»Sie mag Sie«, sagte die Schwester. Er konnte nicht verstehen, wie sie zu jemandem wie ihm, diesem Gespenst aus dem Spiegel, so freundlich sein konnte.

»Ihr erstes?«

»Ja.«

»Gratuliere.«

»Danke.« Er war überrascht, wie mühelos ihm die Lüge über die Lippen kam. Albert sah verlegen weg. Jetzt verstand Moritz, warum Albert der Schwester nicht widersprach: Die Frage, wer, wenn nicht Moritz, der Vater sei, hätte ihn zutiefst beschämt. Moritz lächelte der Schwester zu, und sie legte das Kind zurück in sein Bett.

37

Das erste Jahr mit Joëlle war eine jener Zeiten, die man als unglücklich empfindet, während man sie durchlebt, die einem aber im Nachhinein als die besten Momente des Lebens vorkommen. Das Glück war längst da. Yasmina hatte es nur nicht bemerkt. Joëlle war ein außergewöhnlich sonniges Kind. Nichts in ihrem Wesen erinnerte an die Gewitternacht ihrer Geburt. Ihren Namen bekam sie, weil jeder darin etwas finden konnte, das ihm gefiel: Albert mochte, dass er sowohl im Französischen, Italienischen, Englischen und Hebräischen existierte, also wahrhaft universell war. Mimi mochte die hebräische Bedeutung, nämlich »Jahwe ist der Mächtige« oder »Gott will es«, denn wenn niemand sonst dieses Kind gewollt hatte, dann musste der Allmächtige seine Hand im Spiel gehabt haben. Und für Yasmina klang er einfach schön, so wie *»gioa«* und *»gioiello«*, die Freude und das Juwel.

Dass alle sich auf einen Namen einigen konnten, schien ein gutes Omen zu sein – wenn nicht das giftige Gerede der Nachbarn die Freude getrübt hätte. Traditionell ging der Vater mit dem Neugeborenen in die Synagoge, um den Segensspruch der Gemeinde zu erhalten. Hier aber gab es keinen, so dass Großmutter und Mutter sich mit der kleinen Tochter in die Abteilung der Frauen stellten und den *HaGomel* sprachen, während Albert und die männlichen Gemeindemitglieder ihn bezeugten.

Gesegnet sei Gott und Dank sei ihm, der die Mutter beschützt hat. Möge er dem Kind, während es wächst an Körper und Geist, Worte der Wahrheit auf die Lippen und Gerechtigkeit ins Herz legen!

Kaum war die Zeremonie vorbei und hatten alle dem Kind ihre guten Wünsche mitgegeben, ging die Tuschelei los. Wo waren die Eltern des mysteriösen Vaters? War er am Ende doch kein Jude? Oder war es, worauf einige immer noch beharrten, doch dieser undurchsichtige Maurice? Hatte man den zuletzt nicht wieder zu Besuch bei den Sarfatis gesehen?

In der jüdischen Tradition durfte niemand in Gegenwart eines Neugeborenen ein zorniges Wort äußern, damit keine schlechten Gedanken die ungeschützte Seele erreichen. Ein Vorsatz, der in den Familien von Piccola Sicilia, wo man schnell aufbrauste und sich ebenso schnell wieder versöhnte, natürlich zum Scheitern verurteilt war. Wenn dazu aber noch das gehässige Geschwätz der Straße ums Haus schwirrte, war das in Sünde gezeugte Kind nicht mehr sicher. So sehr Mimi es anfangs abgelehnt hatte, nahm sie es jetzt, wo es unwiderruflich da war, gegen die Außenwelt in Schutz. In der nächsten Nacht, als Albert vor dem Radio eingeschlafen war, schlich sie mit Yasmina und der kleinen Joëlle aus dem Haus, um die Cucinotta zu besuchen. Yasmina schmiegte das schlafende Kind eng an ihren Körper, in ein warmes Tuch gewickelt.

»Bitte schützen Sie es, Signora! So klein und schon dem Bösen Blick ausgesetzt, haben Sie Mitleid mit diesem unschuldigen Wesen!«

Die Cucinotta mochte Katholikin sein, aber ihr Zauber gegen den Bösen Blick war auch unter Juden und Muslimen unbestritten. Messias hin oder her, von all den Kartenlegerinnen, Seherinnen und Kräuterweibern im Viertel war sie einfach die Beste. Die Signora saß unter ihrem dunklen sizilianischen Holzkreuz an der Wand und richtete das Kerzenlicht auf die kleine Hand der Neugeborenen. Die Flamme spiegelte sich in ihren dicken Brillengläsern.

»Geben Sie ihr was gegen den Bösen Blick, Signora, ich bitte Sie!«, insistierte Mimi.

Die alten, ledernen Finger der Cucinotta fuhren über die Linien der winzigen Hand. Dann murmelte sie: »Ein rebellischer, rastloser Geist, und eine ehrliche Freundin. Sie hat viel Energie, ein optimistisches Gemüt, oh, und sie mag das Abenteuer. Das Wichtigste aber: Für ihre Liebsten ist sie wie ein Schutzengel.«

Mimi und Yasmina saßen in ihre Mäntel gehüllt vor der Cucinotta und saugten jedes Wort begierig auf. Die Luft in dem dunklen, vollgestopften Zimmer war so kalt, dass man den Atem vorm Mund sehen konnte. Die kleine Joëlle blieb ganz still und sah die Cucinotta mit staunenden Augen an. Mimi rutschte unruhig auf dem alten Stuhl herum.

»Aber ...«

»Was, Signora?«

»Das sind alles nur gute Dinge. Gibt es keinen Fluch?«

»Mamma!« Yasmina stieß sie mit dem Ellbogen in die Seite.

»Wissen Sie«, setzte Mimi nach, »es ist ein, wie soll ich sagen, spezielles Kind. Der Vater ... ist nicht hier.«

»Woher wollen Sie das wissen?«

Mimi sah die Cucinotta verunsichert an.

»Der Vater ist nicht fort«, sagte die Alte. »Er ist hier.«

»Wo?«

»Unter uns.«

»Unmöglich«, sagte Mimi. »Vielleicht irren Sie sich, vielleicht könnten Sie noch mal nachschauen, wo er sich aufhält, es heißt, auf Sizilien, aber ...«

»Signora, Sie haben mich bezahlt, um dem Kind einen Schutz zu geben. Jetzt fragen sie mich nach seinem Papa, das kostet extra. Also, was wollen Sie?«

Yasmina legte ihrer Mutter die Hand auf das Bein. Wenn die Cucinotta sehen würde, wer der Vater ist, wüsste es bald das ganze Viertel.

»Es ist nicht wichtig«, warf sie schnell ein. »Sagen sie uns lieber noch was über mein Kind.«

»*Va bene*, Signorina«. Die Cucinotta schloss die Augen. Mimi warf Yasmina einen strafenden Blick zu. Sie mochte es nicht, wenn ihr die Kontrolle aus der Hand genommen wurde. Die Cucinotta atmete tief aus, dann sagte sie mit geschlossenen Augen: »Sie hat kein Haus.«

»Was soll das bedeuten?«

»Sie ist ein Kind der Liebe. Aber es ist eine Liebe, die auf dieser Welt kein Zuhause findet.«

»Wir haben ein Haus!«, protestierte Mimi. Yasmina jedoch schwieg. Sie ahnte, was die Cucinotta meinte. Vielleicht weil sie besser als jede andere wusste, was eine unbehauste Seele war.

Signora Cucinotta dachte nach, dann kramte sie in der Schublade ihres alten Tisches herum und zog ein silbernes Kettchen hervor. Sie legte es Joëlle um den Hals. Viel zu groß war es, der Silberschmied würde es kürzen müssen, aber wichtig war allein der Anhänger: eine silberne Khamsa. Doch in der Handfläche befand sich kein Davidstern, wie in der Khamsa, die Yasmina um den Hals trug, sondern ein Fisch, das Symbol für Glück. Dazu murmelte sie eine Fürbitte an die Madonna von Trapani. Mimi rutschte unruhig auf ihrem Stuhl herum. Sie bezahlte die Cucinotta, ohne sich wie sonst zu bedanken.

Als sie die Schneiderei verließen, sagte sie zu Yasmina: »Jetzt können sie sich das Maul zerreißen, soviel sie wollen, die neidischen Schlangen!«

Yasmina schwieg und schmiegte Joëlles Köpfchen eng an ihren Körper. Sie war sich nicht sicher, ob die Hand der Fatma stark genug war, um das Kind vor dem Schicksal zu schützen, das ihm in die Wiege gelegt wurde. Aber solange sie lebte, würde ihr Herz ihm ein Zuhause geben.

In dieser Nacht lag Yasmina lange wach, obwohl das Baby friedlich schlief. Die Worte der Cucinotta wanderten wie unruhige Geister durch das dunkle Zimmer, und ihr Echo hallte von den Wänden: »Der Vater ist nicht fort. Er ist hier.« Die Vorhersagen der Cucinotta waren nie falsch gewesen; sie besaß wirklich das dritte Auge. Aber wie konnte es sein, dass Victor hier war, ohne ihr ein Zeichen zu geben? Und hatte Moritz ihn nicht eindeutig auf dem Film entdeckt?

»Nein«, sagte Moritz, als sie ihn besuchte und von der Cucinotta erzählte. »Die ganze Armee ist nach Norden weitergezogen. Er kann da nicht einfach aussteigen und zurückgehen. Das wäre Desertation. Wie in meinem Fall – er käme vors Kriegsgericht.«

»Aber vielleicht ist das der Grund, warum er sich nicht bei mir meldet. Er versteckt sich.«

»Warum? Victor ist kein Feigling. Er hat darauf gebrannt, zu kämpfen. Ein Idealist wie er – und ich kenne diese Leute – kämpft bis zum Sieg oder stirbt.«

Yasminas Blick senkte sich zu Boden. Sie saßen in Moritz' Kabuff neben dem Filmprojektor. Sie hatte die kleine Joëlle im Arm; er aß von dem Teller auf seinen Knien. Yasmina hatte ihm ein Couscous mitgebracht, heute *à la Sfaxienne*, mit Fisch und Gemüse. Als er die Wirkung seiner Worte auf sie spürte, taten sie ihm leid.

»Yasmina, er wird zurückkommen. Wenn der Krieg vorbei ist. Ich bin mir sicher.«

»Wie können Sie sich so sicher sein? Können Sie hellsehen?«

»Nein, natürlich n... –«

»Die Cucinotta hat sich noch nie geirrt!«

Joëlle fing an zu schreien. Yasmina versuchte, sie zu beruhigen, aber es gelang ihr nicht; sie war selbst viel zu aufgewühlt. Moritz legte den Teller weg.

»Darf ich sie mal halten?«

Yasmina war kurz überrascht. Dann, mehr überrumpelt als überzeugt, reichte sie ihm das Kind. Joëlle schrie weiter, bis Moritz sie schaukelte und leise anfing, ein Lied zu singen, das Yasmina nicht kannte.

»Guter Mond, du gehst so stille in den Abendwolken hin,
bist so ruhig, und ich fühle, dass ich ohne Ruhe bin.«
Yasmina verstand die Worte nicht, aber ihr Klang löste in ihr
etwas aus, das sie beruhigte.

»Traurig folgen meine Blicke deiner stillen, heitern Bahn.
O wie hart ist mein Geschicke, dass ich dir nicht folgen kann.«
Wie anders Moritz' Stimme in seiner Muttersprache klang,
tiefer, selbstsicherer, gemütvoller. Und wie anders die Sprache
der Feinde klang, wenn sie aus Moritz' Mund kam, so viel inner-
licher als das »Achtung!«, »Halt!« und »Raus!« der Soldaten.

Joëlle hörte auf zu schreien. Mit großen Augen sah sie ihre
Mutter an, während die ruhigen Schwingungen von Moritz'
Stimme sich auf ihren Körper übertrugen. Yasmina hatte auf
einmal das Gefühl, etwas Verbotenes zu tun. Verwirrt nahm sie
das Kind aus Moritz' Armen, etwas zu heftig, was ihn verunsicherte. Einen Moment lang waren sie beide verlegen.

»Bald sind Sie wieder zu Hause«, sagte sie, um die Stille zu
überbrücken. »Sind Sie glücklich, Fanny wiederzusehen?«

Sie hatte sich ihren Namen gemerkt. Obwohl er ihn kaum
erwähnt hatte.

»Ja. Aber Sie werden mir fehlen.« Schnell fügte er hinzu: »Ihr
alle werdet mir fehlen.«

»Sie werden uns vergessen, Maurice. Sie haben ein schönes
Leben vor sich. Fanny ist eine *donna fortunata*. Im Hotel habe ich
viele ausländische Männer kennengelernt. Sie sind anders. Ich
hoffe, Fanny weiß Sie zu schätzen.«

Sie wickelte Joëlle in ihr Tragetuch. Moritz wollte ihr helfen,
aber er hielt sich zurück, weil er nicht wollte, dass sie die Berührung als unsittlich empfand.

»Nein, ich hab nichts Besonderes gemacht in meinem Leben.
Aber ich hoffe, dass Victor zurückkommt. Er ist ein besonderer
Mann. Und Sie sind eine *donna fortunata*.«

»Nein, ich bin *sfortunata*.«

Sie sah ihn ruhig an. Weder war es ironisch gemeint noch als Klage.

»Selbst wenn er zurückkommt. Mit ihm werde ich immer unglücklich sein. Aber das ist mein Schicksal.«

»Ich wünsche Ihnen, dass Sie miteinander glücklich werden.«

Es klang hohl, dachte er im selben Moment, als er es aussprach. Weil er eigentlich etwas anderes sagen wollte, etwas, das er nicht sagen durfte. Dass es keine Frage des Schicksals war, sondern ihre Entscheidung. Sie hatte immer noch eine Wahl.

»Ich glaube, Sie haben noch nie wirklich geliebt, Maurice.«

Der Satz traf ihn.

»Wenn man nur die helle Seite der Liebe hat, hat man nur die halbe Liebe. Wir leben hier in einem Land des Lichts, aber unsere Leidenschaften blühen nur im Dunkeln.«

Sie stand entschlossen auf, um zu gehen. Eine Eidechse flitzte über den Boden. Ruckartig blieb sie stehen und starrte unbeweglich nach oben.

»Manche Dinge dürfen nicht sein«, sagte Yasmina und sah ihm dabei fest in die Augen. »Es ist *mektoub*. Verstehen Sie das?«

»Nein. Ich sehe keinen Sinn in alledem.«

»Sie leben noch. Genügt Ihnen das nicht?«

Was soll ich mit diesem Leben anfangen, dachte er. Sie schien seine Gedanken lesen zu können.

»Wenn Fanny nicht mehr lebte, würden Sie ... hierbleiben?«

Sie vermied es, ihn anzusehen, als sie das fragte. Sie hatte schon zu viel verraten. Ihre Augen verfolgten die Eidechse, die in einem Wandloch verschwand.

»Was würden *Sie* tun«, fragte Moritz zurück, »wenn Victor nicht mehr lebte?«

»Sagen Sie das nicht, *porta sfortuna*.« Sie fasste an ihre Halskette mit der Hand der Fatma und flüsterte etwas auf Arabisch. »Er lebt. *Buona notte,* Maurice.«

Als sie die Tür der Vorführkabine hinter sich schloss, wünschte sie sich, es gäbe auch in ihrem Herzen solche Türen, die sie nach Belieben auf- und zuschließen könnte, um nicht von den dunklen Gefühlen, die dahinter wohnten, in einem unüberlegten Moment überrascht zu werden.

38

MARSALA

Es ist nie zu spät für eine glückliche Kindheit.

Milton H. Erickson

»Ich habe nie Deutsch gelernt«, sagt Joëlle, »aber wenn ich heute dieses Wiegenlied höre, muss ich an ihn denken.«

Mich fröstelt. Wir sitzen, in Decken gehüllt, auf der Veranda unseres verlassenen Strandbades; der Wind hat aufgefrischt, und die Kühle der Abenddämmerung holt uns zurück in die Gegenwart. Auf einmal kann ich ihr nicht mehr folgen, und ich weiß nicht warum. Gerade jetzt, wo es mehr für sie ist als eine Geschichte aus zweiter Hand; ihre Erzählung wird zur eigenen Erinnerung. Aber in mir sperrt sich etwas.

»Was ist?« Sie spürt mein Unbehagen.

»Nichts.«

Joëlle lässt mich in ihr Leben, macht ihre Türe weit auf – aber ich stehe wie gelähmt davor. Ich spüre, dass es sie verletzt. Die ausgestreckte Hand, nicht angenommen. Was ist los mit mir? Dann sehe ich sie auf einmal nicht als ältere Frau, sondern als Kind auf Moritz' Schoß, und ich beginne zu begreifen.

»Wann war das?«, frage ich sie.

»Kurz nach meiner Geburt, also im Winter oder Frühling 1944.«

Ein Stich in meinem Herzen. Einfach nur, weil sie ein Datum nennt. Wie verrückt ist das.

»Meine Mutter kam im August '43 auf die Welt«, sage ich.

Jetzt beginnt auch Joëlle zu verstehen. Ich erzähle ihr, was meine Mutter mir erzählt hat. Die Bombennächte im Bunker, die Angst und Schutzlosigkeit, eine Kindheit in Trümmern. Währenddessen saß ihr Vater im sonnigen Tunis, mit einem fremden Kind auf dem Schoß.

»Aber er wusste doch nicht, dass er schon Vater ist.«

Ich weiß. Es geht nicht darum, ob er es wusste. Es geht darum, dass er nicht da war.

»Was hätte er denn tun sollen? Kämpfen und sein Land verteidigen?«

Ich schüttle den Kopf.

»Zurückkehren und als Deserteur verhaftet werden?«

Sie beschützen, denke ich, ganz einfach. Aber ich traue es mich nicht zu sagen, wissend, wie naiv es klingen würde.

»Wenn sie ihn nicht zum Tode verurteilt hätten, hätten sie ihn sofort wieder losgeschickt, nach Russland wahrscheinlich, und in ein paar Wochen wäre er in einem Sarg zurückgekommen. Wem hätte das geholfen?«

Ich weiß, Joëlle, ich weiß. Aber warum bin ich dann so durcheinander? An der Stelle der Erzählung, wo er nur noch Mensch ist, ohne Uniform, ein Mann mit einem Kind auf dem Arm, empfinde ich plötzlich Wut auf ihn. Wie paradox ist das, und wie ungerecht!

Ich will Joëlle nicht zeigen, dass ich sie auf einmal nicht mehr als eine Frau sehe, die mir meinen Großvater nähergebracht hat, sondern als eine, die ihn uns gestohlen hat. Uns, das sind meine Großmutter, meine Mutter und ich. Auf einmal sitzen wir Joëlle zu dritt gegenüber. Und sie spürt es. Sie greift sich eine Zigarette aus ihrer Schachtel und steht auf, um zu rauchen. Ich starre auf die zerknitterte Packung auf der Veranda. Die hebräische Schrift. Wir schweigen eine Weile. Nicht miteinander, sondern aneinander vorbei.

»Wo habt ihr gelebt, nach dem Krieg?«, frage ich.

»Das ist nicht fair«, entgegnet sie. »Ich rede die ganze Zeit, und du erzählst nichts von euch. Erzähl mir von deiner Mutter!«

»Nicht jetzt. Es ist spät.«

Ich weiche aus, ja. Etwas in mir hat das Gefühl, meine Mutter zu verraten, wenn ich jetzt von ihr erzähle. Warum? Es gibt nichts zu verbergen. Während ich noch nach einer Antwort suche, oder besser: einer Ausrede, begreife ich, dass es in meiner Familie noch eine unausgesprochene Übereinkunft gab: nicht über unsere Gefühle zu sprechen. Es war nicht diese Art von Verschwiegenheit, in der man untereinander streitet, aber nach außen zusammenhält. So war Giannis Familie. Nein, wir haben auch untereinander nicht über uns gesprochen. Alles konnte das Thema sein; die Nachbarn, die Katzen, der Krieg irgendwo auf der Welt – nur nicht das Nächstliegende.

Beim Abendessen im Hotel sitze ich bei den anderen Angehörigen und frage mich, wo Joëlle bleibt. »Ich brauche ein bisschen Zeit für mich«, hatte ich ihr gesagt. In dem Moment, wo ich es aussprach, klang es schon falsch. So hatte es auch mit Gianni angefangen. Er brauchte mal ein bisschen Zeit für sich. Und jetzt, ohne Joëlle, fühle ich mich allein. Die anderen sind nett, sicher, aber ihre belanglosen Gespräche erreichen mich nicht. Die Atmosphäre am Tisch ist genau wie damals: Zu Hause ist da, wo wir nicht über uns sprechen.

Joëlle steht vor dem Hoteleingang und telefoniert auf Hebräisch. Ringsherum ist es still, nur die vertrocknete Palme rauscht im Wind. Als ich zu ihr gehe, legt sie auf.

»Störe ich?«

»Nein.«

Es tut mir leid, dass ich sie verletzt habe. Man kann sich für Worte entschuldigen, die gefallen sind; aber wie soll man sich für etwas Unausgesprochenes entschuldigen, das man selbst kaum versteht?

»Was willst du über meine Mutter wissen?«, frage ich.

Sie bietet mir eine Zigarette an. Ich lehne ab. Sie zündet sich eine an.

»Alles. Ich hab mich immer gefragt, was sie für eine Frau ist. Meine Schwester.«

Halbschwester, möchte ich erwidern. Oder eigentlich: Halb-Adoptivschwester. Nie gesehen. Also eigentlich: Nicht-Schwester. Joëlle spürt meine Gedanken.

»Manchmal fühlt man sich jemandem viel näher, mit dem man gar nicht verwandt ist. Findest du nicht?«

»Das könnte jetzt von meiner Mom stammen.«

Ich grinse sarkastisch. Joëlle lacht.

»Siehst du?«

»Sie hat's nicht lange ausgehalten zu Hause. Ihr war das alles zu schwer. Und dann noch Berlin, der Mauerbau ... Sie wollte raus aus dem Muff, reisen, andere Leute sehen. Also ist sie geworden, was damals alle Mädels werden wollten. Stewardess. Damals hieß das noch so.«

»Und als du auf die Welt kamst?«

»Ist sie weiter geflogen. Das war ihr Ding. Sie hat's nie lange am Boden ausgehalten. Alles Schwere war ihr zuwider. Sie konnte mit Handgepäck nach New York reisen. Hat ihr nichts ausgemacht.«

»Ich hab sie mir immer schlank und schön vorgestellt. Hast du ein Foto dabei?«

»Nein. Aber ja, sie war sehr attraktiv. Viel essen war auch nicht ihr Ding. Und sie hatte viele Freundinnen. Alles Stewardessen.«

»Was hat ihre Mutter dazu gesagt?«

»Die fand das natürlich nicht gut. Kein Beruf für ein anständiges Mädchen.«

»Und, war sie unanständig?«

»Sie hat's ziemlich krachen lassen. Auch mit meinem Vater hat sie's nicht lang ausgehalten. Das hat meine Großmutter ihr nie verziehen – obwohl sie meinen Vater nicht mochte! Sie sagte immer: »Es gibt nur eine große Liebe im Leben.«

»Aber du hast deinen Vater gekannt, oder?«

»Ja. Er war Pilot bei der Pan Am. Ging dann zurück nach Amerika. Wir haben Kontakt, aber er fehlt mir nicht. Komisch, was?«

»Hat deine Großmutter wieder geheiratet?«

»Nein.«

»Und sonst, keine Männer?«

»Nicht dass ich wüsste.« Joëlle bläst erstaunt den Rauch aus.

»Weißt du, wenn sie sagte: *Es gibt nur eine Liebe im Leben,* dann meinte sie in Wahrheit: *Männer verschwinden. Du kannst dich nur auf dich selbst verlassen.* Es war weniger, was sie sagte, sondern wie sie es sagte. Dieser stumme Groll. Das Gefühl, nichts machen zu können. Ihre Liebe war nicht spürbar. Was sie ausstrahlte, war Enttäuschung.«

»Und das hat sich bei deiner Mutter eingeprägt.«

»Nein, die hatte viel Spaß.«

»Ich meine, dass auf die Männer kein Verlass ist.«

Ich stutze. So hatte ich das noch nie gesehen. Meine Mutter wollte immer anders sein als ihre Mutter. Aber tatsächlich, wenn man's genau betrachtet, hatte sie zwar viele Männer, aber eigentlich keinen. Immer wenn's ernst wurde, ist sie abgehauen.

Die Tür geht auf. Patrice kommt zu uns raus.

»Ah, da bist du. Sie fragen nach dir. *Ça va, Madame?*«

Er ist jetzt ausgesprochen höflich zu Joëlle, was sie fast ein wenig zu amüsieren scheint.

»*Ça va, et vous?*«

»Das Wetter macht mir Sorgen.«

Er steht etwas unschlüssig da und wendet sich dann an mich.

»Hör zu, morgen ist es vielleicht zu windig. Wir wissen es noch nicht. Wenn wir nicht tauchen, könnten wir einen kleinen Ausflug machen. Kennst du Favignana?«

»Die Insel? Nein.«

»Es ist nicht weit, aber sehr schön. Wenn du willst, fahren wir mit dem Schlauchboot rüber. Man kann in die Höhlen reinfahren. Da gibt es die *grotta dei sospiri*. Der Eingang ist wie eine Windorgel. Du hörst Seufzer, wie von Geistern.«

»Nur wir zwei?«

»Wir und die Geister. Aber die beißen nicht.«

In seinen Augen blitzt der alte Schalk auf. Ich bin hin- und hergerissen. Ich weiche aus. Vielleicht. Kein augenzwinkerndes Vielleicht, sondern ein höfliches Eigentlich-heißt-das-nein-Vielleicht. Patrice versteht die Botschaft und geht wieder nach drinnen. Ich ärgere mich, nicht aus meiner Haut zu können. Ich, die Vernünftige. Die Beständige. Die Treue. Er: alles andere. Wie viel Ungelebtes, wie viel Wildes und Verrücktes ist in mir, von dem ich noch nichts weiß?

»Wo ist das Problem?«, fragt Joëlle und lächelt verwundert.

»Ich weiß nicht. Patrice ... in jedem Hafen eine andere ...«

»Na und? Ein kleines Abenteuer, das bringt dich auf andere Gedanken.«

»Ich habe das verlernt. Ich hätte immer noch das Gefühl, Gianni zu betrügen. Ist das nicht verrückt?«

»Hast du ihn mal betrogen?«

»Ich? Nie.«

»Warum nicht?«

Es klingt so nonchalant, als würde sie sagen: *Warum hast du noch nie Wasser getrunken?*

»Das bin ich einfach nicht.«

»Wer sagt das, du oder deine Großmutter?«

Sie lächelt mich vielsagend an.

»Wieso meine Großmutter?«

»Hast du doch vorhin erzählt.«

»Ich hab von meiner Mutter gesprochen.«

Und dann dämmert es mir. Was Männer angeht, hatte ich mich nie mit meiner Großmutter verglichen, die war zu weit weg. Sondern mit meiner Mutter. Ich habe mir immer vorgenommen, es anders zu machen als sie. Nicht schon wieder ein Scheidungskind produzieren. *Ich hab dich gewarnt, das geht nicht gut,* waren die Worte meiner Großmutter zu meiner Mutter, als wir nach der Trennung zurück in ihre Wohnung zogen. Ich hasste es, die Telefonate mit meinem Vater, die Geburtstagsgeschenke aus dem Off, dieses Kommen und Gehen von Klaus und Henning und wie sie alle hießen. Der eine machte auf Ersatzpapa, der andere interessierte sich nicht für mich. Das ist Mist, wenn man Kind ist. Ich wollte, dass mal einer bleibt.

Und während meine Mutter viele, aber eigentlich keinen Mann hatte, war meine persönliche Antwort auf Großmutters Mantra die frühe Heirat. Wenn ich eine Mauer um uns baute, eine schützende, wärmende Burg, dann könnte uns nichts passieren. Dann würde er bleiben. Und vielleicht war gerade diese Mauer das, was Gianni eingeengt hat. Was er sprengen musste.

»Alle gehen fremd«, sagt Joëlle schulterzuckend. »Ich bin betrogen worden und habe betrogen. Soll doch jeder nach seiner Fasson glücklich werden. Wenn einer mal jemand anderen anziehend findet, warum soll ich's ihm verbieten, wenn's ihn glücklich macht? Solange er mich liebt, kommt er eh wieder zurück. Das ganze Schlamassel beginnt, wenn einer dem anderen sagt, wie er zu sein hat. Man nennt es Liebe, aber tatsächlich ist es Tyrannei. So, Schätzchen, und jetzt gehen wir ins Bett. Du siehst aus, als könntest du ein bisschen Schlaf gebrauchen.«

Ihre Umarmung tut gut in meiner Verwirrung. *Buona notte,* Joëlle, gute Nacht und danke für deine Begleitung. Du bist leicht verrückt, aber ein guter Geist hat dich geschickt. Ich wünschte, meine Mutter hätte dich noch kennengelernt. Vielleicht wäre sie dann noch ein wenig geblieben.

Vor dem Einschlafen hole ich die Scheidungspapiere aus dem Koffer und lese sie noch einmal durch. Die Liste der Gegenstände, jeder säuberlich mit Zeitwert versehen. Ich kann noch genau sagen, wer was gekauft hat. Wann. Und wo. All das unnütze Zeug! Ein vollgestopftes Ehemuseum, das jetzt niemand mehr braucht. Eine Ehe ohne Kinder ist eine Sackgasse. Man hortet Dinge, aber am Ende kann man nichts davon mitnehmen. Nichts geht weiter.

Wenn ich ganz ehrlich bin, war ich die Erste, die unsere Vereinbarung in Frage gestellt hat. Nicht die Treue, sondern die Kinderlosigkeit. Auf einmal, kurz bevor es unumkehrbar war, erschien es mir falsch. Zutiefst falsch. Woher kam plötzlich diese Angst, dieses Drängen? War es wirklich ich selbst, die auf den letzten Metern noch eine Familie wollte, oder war es das Echo eines Wunsches meiner Großmutter, an dem schon meine Mutter gescheitert war? Warum reichte mir nicht, was wir hatten? Wollte ich ein Kind, um ihm meine Liebe zu geben, oder wollte ich es nur, um die Familie zu haben, die ich nie hatte?

Jetzt, wo alles vorbei ist, ist der Wunsch verstummt, als hätte er nie diese Heftigkeit besessen. Natürlich braucht man keine Kinder, um glücklich zu sein. *Ich wollte dich nicht einsperren, Gianni. Das Herz ist kein Gefängnis. Ich hatte einfach nur Angst. Oder: Eine andere in mir hatte Angst.*

Am Morgen ist das Wetter gerade noch so gut, dass Patrice mit den anderen rausfahren kann. Ich bin insgeheim froh darüber. Wir frühstücken spät, Joëlle und ich, bis sie ihre erste Zigarette rauchen muss. Dann schlendern wir zum Strand.

»Und du, bist du verheiratet?«, will ich wissen.

»Seh ich so aus?«

»Nein.«

»Also.«

»Na komm, erzähl schon.«

»Nein. Aber ich hab jeden geliebt.«

»Hast du Kinder?«

»Ich hab meine Schülerinnen.«

»Also hat sich die Vorhersage bewahrheitet? Dass du kein Haus hast?«

»Ja. Ich bin der Traum jeder Umzugsfirma. Immer wenn ich irgendwo bleiben wollte, musste ich wieder gehen. Mal brannte das Haus ab, mal warf der Vermieter mich raus. Komisches Karma. Aber mit den Männern war's immer schön.«

»Und keiner blieb?«

Sie zieht an ihrer Zigarette und lächelt.

»Keine Beziehung ist für die Ewigkeit. Man liebt sich, streitet sich, lernt etwas. Und wenn die Liebe verglüht, muss man weiterziehen.«

Sie sieht mir an, dass dieser Hippie-Spirit bei mir nicht zieht. *Beziehung ist Arbeit. In guten und in schlechten Zeiten. Es gibt im Leben nur eine große Liebe.* Okay, vielleicht zwei. Maximal drei.

»Das einzig Konstante im Leben«, sagt sie, »ist doch, dass alles sich ändert. Das Problem sind nur unsere Vorstellungen, wie die Dinge zu laufen haben. Daran halten die Leute fest, selbst wenn ringsherum die Welt untergeht. Die Kunst ist es, die Veränderungen zuzulassen und sich trotzdem zu lieben. Sonst bleiben nur zwei leblose Masken übrig.«

»Klingt gut in der Theorie. Aber zeig mir einen, der das in der Praxis schafft.«

»Du findest also, Moritz hätte zu deiner Großmutter zurückkehren sollen, selbst wenn es nicht gut für ihn war?«

»Woher willst du wissen, was gut für ihn war?«

»Du hörst nicht gerne Geschichten von verheirateten Männern, die sich in andere Frauen verlieben, was?«

»Nein.«

Wir grinsen uns an.

»Hör zu, Schätzchen. Ich erzähl dir, wie es weiterging, damals, und dann sagst du mir, ob dein Großvater das Richtige oder das Falsche getan hat.«

»Wer hat sich eigentlich zuerst verliebt?«, frage ich. »Moritz oder Yasmina?«

»Yasmina war in ihn verliebt, ohne es zu wissen. Moritz wusste, dass er verliebt war, aber er zeigte es nicht. Und dann kam Sylvette.«

39

SYLVETTE

»Die Hölle, das sind die anderen.«
Jean-Paul Sartre

Das Kino, das Kabuff, ein Kokon. Sein Versteck war dunkel und eng, aber sicher. Und es hatte ein Fenster zur Welt. Ein winziges Viereck, durch das Moritz die Weiden von Arizona und die Wolkenkratzer von New York sah. Er verbrachte seine Abende mit Cowboys und Stepptänzern, die Nachmittage mit Donald Duck und Mickey Mouse, und die Nächte mit den Ratten, die im Dunkeln durch seine Dachkammer flitzten.

An guten Tagen kam Yasmina mit dem Kind im Tragetuch und einem Korb, aus dem es nach Couscous duftete, nach gegrilltem Fisch oder Shakshuka. Am liebsten kam sie, wenn ein Zeichentrickfilm lief. Bei Bambi weinte sie, als hätte sie selbst die Mutter verloren, und bei Pinocchio lachte sie wie ein Kind. Moritz stand neben ihr vor dem Fenster zum Kinosaal, fasziniert davon, wie unmittelbar sie auf alles reagierte, was ihre Augen erreichte. Die meisten Menschen hatten sich in einen schützenden Mantel gehüllt, durch den die Welt nur gefiltert und in Maßen ihr Inneres erreichte. Aber wenn Yasmina bei ihm war und sich in einem Film verlor, legte sie ihren Mantel ab wie einen flüchtigen Gedanken und wurde wieder eins mit der Welt. Keine Haut, nur ein Vorhang aus Glas schien sie zu umgeben, so dünn, dass Moritz manchmal Angst hatte, die Stimme zu erheben, um sie nicht zu erschrecken. Denn dieses zarte Wesen konnte ebenso wild aufbrausen, wenn die Welt ihm feindlich erschien. Und wenn es etwas gab, worauf man sich in diesen Tagen nicht verlassen konnte, dann war es die Welt. Alle Pläne waren auf die Zukunft verschoben, und während sie darauf warteten, wieder ein normales Leben zu führen, füllte sich die Wartezeit, ohne dass sie es bemerkten, mit dem, was eigentlich ihr Leben war. Etwas Größeres, das sich anfangs nur im Kleinen äußerte, fast unsichtbar, aber unaufhaltsam.

Ihre Köpfe berührten sich, wenn sie durch das kleine Fenster in die Welt der Träume schauten. Dabei erzählten sie sich Dinge, die sie sonst niemandem anvertrauten und auch einander nie anvertrauen würden, wenn sie sich bei Tageslicht und nicht im magischen Dunkel des Kinos träfen. Die Leerstellen, welche die Filme – von denen sie nur die Bilder, nicht aber die Sprache verstanden, da es in der Kabine keinen Lautsprecher gab – in ihren Köpfen offenließen, füllten sie mit ihrer eigenen Phantasie. Sie erzählten sich, was sie zu verstehen glaubten, deuteten das Geschehen um, dichteten Eigenes dazu und ließen weg, was ihnen nicht gefiel. Sie wussten, warum Clark Gable oder Ava Gardner taten, was sie tun mussten. Selten nur wunderte Yasmina sich darüber, wie die Menschen auf der Leinwand sich in ihr Unglück stürzten; für jeden ihrer falschen Schritte hatte sie Mitgefühl, mehr als Moritz, der nicht aufschrie, wenn etwas Schlimmes geschah, und nicht vor Freude weinte, wenn die Liebenden sich am Ende doch noch fanden.

»Sie sind seltsam, Maurice. Wie können Sie nur so gleichgültig sein? Sie, der Sie selbst Filme gemacht haben?«

»Ich bin nicht gleichgültig. Der Film ist sehr interessant.«

»Interessant?« Yasmina schüttelte den Kopf. »Sie schauen auf die Welt, wie man auf ein Tier im Zoo schaut.«

»Wie schaut man denn auf ein Tier im Zoo?«

»Ein bisschen neugierig, aber immer überlegen: Das ist ja nur ein Affe, und ich bin ein Mensch!«

»Yasmina, es ist nur ein Film, nicht die Wirklichkeit.«

»Manchmal«, sagte Yasmina, »sind die Gefühle, die ich bei einem Film habe, echter als im wirklichen Leben. Weil man sich vor einem Film nicht verstellen muss. Im Leben muss man immer darauf achten, wie die anderen einen sehen. Das ist so anstrengend, Maurice. Aber die Stunden mit Ihnen sind gut. Denn Sie sind vielleicht ein bisschen seltsam, aber ... Auch wenn Sie nicht weinen und nicht viel lachen, haben Sie mir nie gesagt: Hör auf, reiß dich zusammen, benimm dich!«

Natürlich nicht, dachte er. *Ich* mag *Sie genau so, wie Sie sind. Gerade wenn Sie lachen und weinen!* Aber das sagte er nicht, so wie er vieles nicht sagte, was er fühlte, aus Angst, ihre zerbrechliche Nähe zu zerstören. Er wollte, dass sie wiederkam, am nächsten Tag. Es schien ihm, als könne er die Außenwelt, vor der sein Inneres sich in die Unsichtbarkeit zurückgezogen hatte, nur durch ihre Gefühle spüren. Ohne ihr Lachen und ihre Tränen war er nur ein Schatten.

Auch Yasmina wartete den ganzen Tag lang auf die kostbare Zeit in Moritz' Versteck; gerade so viel Zeit, um bei ihren Eltern kein Misstrauen zu erregen. So still Moritz auch schien, er hörte ihr wirklich zu, nicht nur aus Höflichkeit wie andere, die beim Zuhören nur auf ein Stichwort warten, um von sich selbst zu erzählen.

Nein, Moritz erzählte fast nie von sich selbst; er schien nur aus Augen zu bestehen, die sie sahen, wirklich sahen, manchmal staunend, aber nicht eine einzige Sekunde lang verurteilend. Wenn er sie ansah, spürte sie, wie jeder Muskel ihres Körpers sich entspannte. Mit ihm musste sie nichts *tun*, konnte einfach nur *sein*.

Irgendwann vergaß sie, ihm von dem Film zu erzählen, der neben ihr durch den Projektor rauschte, und erzählte stattdessen von ihrem Traum der letzten Nacht.

»Können Sie bei Vollmond schlafen, Maurice? Ich nicht, ganz

lange liege ich wach, und irgendwann weiß ich nicht mehr, ob ich schon im Traum oder noch hier bin. Ich habe Victor gesehen.«

»Victor? Im Traum, meinen Sie?«

»Es war so wirklich, als hätte er neben mir gestanden.«

»Und ... was hat er getan?«

»Er hat sich neben mich gesetzt, auf den Bettrand ... und dann hat er Briefe aus seinem Koffer gezogen. Viele Briefe. Und dann hat er mir aus den Briefen vorgelesen.«

»Welche Briefe?«

»Na, seine. Aus Italien.«

Moritz brauchte etwas Zeit, um ihr zu folgen. Dann nickte er, offen wie immer, als wäre das alles nichts Ungewöhnliches.

»Und was hat er geschrieben?«

Yasmina rückte etwas näher und senkte ihre Stimme. Dann erzählte sie von dem Farmhaus mit den drei Zypressen, in dem er sich versteckt hatte, als die Deutschen über den Berg kamen. Von den Kugeln, die durch die Fensterscheiben schlugen, von seiner Flucht und der Kugel, die seinen Oberschenkel durchschlug. Jedes Detail beschrieb sie, als wäre sie selbst dabei gewesen. Und von der Krankenschwester erzählte sie, die ihn pflegte, diese hübsche Italienerin mit dem Kreuz um den Hals, Maria hieß sie, und dann erzählte sie, was nachts passierte, wenn niemand zusah, zwischen Victor und Maria; die Stellen an seinem Körper, die sie küsste, die Narben, die sie fand und vermied zu berühren, um ihm keine Schmerzen zuzufügen. Sie erzählte es, als wäre sie selbst diese Maria, ohne jeden Anflug von Eifersucht, sondern mit fast unverhohlener Lust.

Sie lächelte.

»Sie kennen ihn doch, nicht wahr? So ist er eben.«

»Aber ...« Moritz suchte nach Worten. »Glauben Sie, er liebt Sie nicht mehr?«

»Aber natürlich liebt er mich!«, rief sie, mit selbstverständlicher Überzeugung. Moritz schwieg. Er wollte sie nicht verletzen. Es schien, als könnte sie seine Gedanken lesen.

»Maurice, man kann mehr als einen Menschen lieben.«

»Können Sie das auch?«

Sie sah ihn verwundert an. Für sie hatte es immer nur einen gegeben. Sie suchte in seinen Augen nach einer versteckten Bedeutung. Dann sagte sie: »Er wird immer wieder zu mir zurückkommen.«

»Was macht Sie so sicher?«

»Ich weiß es einfach. Es gibt geheime Bänder, die Menschen verbinden, über Länder, über Zeiten hinweg. Bänder, die keiner sieht und versteht und lösen kann. Und wenn er dort im Krieg ein bisschen Zärtlichkeit erfährt ... das hilft ihm zu überleben.«

»Dass er zurückkehrt ... hat das die Cucinotta gesagt?«

»Nein. Ich gehe nicht mehr zur Cucinotta.«

»Warum?«

»Wenn ich sie nach Victor frage, wird sie sehen, dass er der Vater ist. Dann weiß es bald das ganze Viertel. Und ich brauche mich hier nicht mehr blicken zu lassen. Nein, die Vorhersage ...«

Sie machte eine Pause und sah ihn prüfend an. »Es gibt auch andere Seherinnen. Nicht nur die katholischen. Und ich meine nicht die Allatini mit ihrer Kabbala – ein großes Plappermaul! Kein Geheimnis ist bei ihr sicher. Nein, ich bin ... aber Sie dürfen es niemandem weitersagen, ja?«

»Gut.«

»Versprechen Sie es.«

»Ich verspreche es.«

»Schwören Sie es.«

»Ich schwöre es.«

»Gut. Also, ich bin mit Rifka, die war eine Kollegin im Majestic, eine Muslima, zu Sidi Mahrez gegangen.«

»Wer ist das?«

»Der Beschützer der Juden.«

Moritz hatte Schwierigkeiten, ihr zu folgen.

»Der Stadtpatron von Tunis. Er hat das jüdische Viertel gegründet. Ein muslimischer Heiliger.«

»Ach so, er ist schon verstorben?«

»Seit tausend Jahren. Aber zugleich lebt er, verstehen Sie?«

Moritz nickte, obwohl er es nicht verstand. Dann erzählte sie ihm von dem Mausoleum in der Medina, am Rand des jüdischen Viertels; von den vielen Frauen, die dort den ganzen Tag in dem majestätischen Gewölbe sitzen und im Halbdunkel Koransuren rezitieren; von den Zetteln, die sie in das Gitter vor seinem Sarg stecken, und von den ekstatischen Tänzen, die die Frauen nachts im Nebenraum aufführen, wenn keine Männer dabei sind, im Weihrauchnebel, in der Trance der Trommeln. Sie hatte mit ihnen getanzt, wie damals auf den Hochzeiten, die ganze Nacht hindurch, bis sie erschöpft auf den Boden fiel. Und dann hatten die Frauen einen alten Liebeszauber für sie zelebriert, einen Bann über alle Grenzen der Länder und Zeiten hinweg, so dass Victor den Krieg überleben würde.

Yasmina atmete durch, aufgewühlt von ihrer Erzählung. Sie sah ihn durchdringend an, als würde sie überlegen, ob sie ihm die ganze Wahrheit zumuten konnte. Dann raunte sie: »Und dass er keine andere Frau lieben kann. Er muss immer zu mir zurückkehren!«

Moritz lief ein Schauer über den Rücken. In ihren Augen funkelte ein dunkles Glühen. Neben ihm begann der Filmprojektor zu knattern; die Rolle lief aus. Schnell stand er auf, um die zweite Rolle einzulegen. Unten im Kino wurde es hell; die Zuschauer nutzten die Zeit, um aufzustehen, zu rauchen und zu diskutieren, bis die zweite Hälfte begann und wieder Ruhe einkehrte.

»Was wollen Sie tun, wenn er zurückkommt?«, fragte Moritz. »Ihre Mutter will ihn doch verheiraten.«

»Ich werde mit ihm weggehen, nach Paris. Dort kann er groß

Karriere machen. Das war immer sein Traum. Hier bei den Eltern ersticke ich. Das ist verbrannte Erde. Wenn nur der verfluchte Krieg zu Ende geht!«

Moritz schwieg. Dann schauten sie weiter den Film an. Ihre Arme berührten sich dabei. Sie ließ es geschehen; ja sie schien es sogar zu genießen.

Nachts, als er allein in seiner Dachkammer lag und ihn nur das leise Trommeln der Rattenfüße in der Dunkelheit umgab, dachte er an Yasmina. Er stellte sich vor, wie sie jetzt ebenfalls in ihrem Bett lag und an Victor dachte. Er stellte sich vor, wie Victor ihr Zimmer betrat – Victor, den nur sie sehen konnte. Und dann stellte er sich vor, wie Victor sich über sie beugte und sie ihn mit ihren Armen umschlang. Ihre langen schwarzen Locken, ihre dunkle Haut im Mondlicht. Er sah sie nie allein, wenn er die Augen schloss, er sah sie nie mit sich, immer nur mit ihm, und er kehrte jede Nacht zu dieser Phantasie zurück, um zu sehen, ob sich etwas änderte; ob sie ihn weniger liebte oder er sie nicht mehr begehrte. Aber nie gestattete er sich, nicht einmal in der Phantasie, Victors Platz einzunehmen.

Doch wollte Victor sie überhaupt? Was, wenn er nicht zurückkehrte? War es wirklich seine Seele, die sie mit ihrem Zauber fesselte, oder in Wahrheit ihre eigene, weil sie daran glaubte und deshalb ewig auf ihn warten würde?

Moritz ertappte sich bei dem Wunsch, Victor würde nie wieder zurückkommen, wäre tot und begraben. Eine einzige deutsche Kugel, und der Bann wäre gebrochen. Sofort schämte er sich dafür und verscheuchte den unerhörten Gedanken. Doch noch bevor es draußen hell wurde, kehrte der Gedanke zurück, heftiger und maßloser als zuvor. Etwas in ihm rüttelte an den Stäben seines Käfigs, drängte ans Licht, sehnte sich nach Yasminas Duft und ihrem Körper. Er wollte lieben und geliebt werden, die Taubheit durchbrechen und das Leben in seiner ganzen überströmenden Fülle spüren. Der verdammte Krieg hatte Asche auf sein Herz gelegt. Selbst als er das Korsett seiner Befehlskette durchbrochen hatte, um Victor zu helfen, war sein Beweggrund die Moral gewesen, nicht ein Ausbruch der Gefühle.

Mit Yasmina aber war es anders. Wenn er sie mit Joëlle sah, riss es sein Herz auf. Da war so viel Liebe und Zärtlichkeit, wie sie nur eine gute Mutter ihrem Kind geben kann. Eine Liebe, aus der er ausgeschlossen war, schon lange bevor der Krieg begonnen hatte, verbannt in ein Exil männlicher Einsamkeit.

Und dann kam Sylvette. Sie tauchte unerwartet auf wie der Frühling auf der Avenue de Carthage, der mit einem Mal aus den Bäumen spross und die windigen, unentschlossenen Apriltage vertrieb. Sie kam mit Léon, der wie jeden Freitagnachmittag die Einnahmen der Woche abholte. Er bewahrte sie in einem Safe auf, den er in Moritz' Dachkammer hatte bringen lassen, denn dort wusste er sein Geld in Sicherheit. Auf die Mädchen an der Kasse war nie wirklich Verlass, sie zweigten gerne mal ein, zwei Francs ab, aber dem Deutschen unterm Dach vertraute Léon.

»Warum gerade ich?«, hatte Moritz gefragt.

»Weil Sie Deutscher sind«, hatte Léon lachend geantwortet. »Auf Ihr Wort ist Verlass!« Doch Moritz ahnte natürlich den wahren Grund: Er konnte sich nicht erlauben, seinen Schutzpatron zu betrügen.

An diesem Freitag Ende April kam Léon nicht wie sonst alleine zum Kino, sondern in Begleitung seiner Frau. Es war einer dieser Frühlingstage, an denen die Sonne plötzlich mit einer solchen Kraft schien, als hätte die Natur eine Jahreszeit übersprungen und sich, unschlüssig zwischen Winterende und Frühlingsanfang, gleich für den Sommer entschieden. Mit ihrem großen blauen Hut und der schwarzen Sonnenbrille saß Sylvette wie eine Leinwandgöttin auf dem Beifahrersitz des Alfa

Romeo. Die Blicke der Männer schien sie nicht zu beachten. Alle drehten sich nach ihr um und hätten sofort laut gepfiffen, wenn sie nicht die Frau von Léon gewesen wäre, mit dem man sich besser nicht anlegte.

Moritz stand im Schatten des Eingangs und unterhielt sich mit der Kassiererin. Hier war der Rand seines täglichen Bewegungsradius, hier konnte er frei atmen, immer mit wachsamem Auge auf die Avenue, ob ein Polizist oder Soldat vorbeikam.

Léon begrüßte ihn und ging nach oben, um das Geld zu holen. Er war spät dran, in zwei Stunden begann der Shabbat, und seine Frau wollte noch Sommerschuhe kaufen. Moritz winkte ihr schüchtern zu. Erst schien sie seine Geste gar nicht bemerkt zu haben, doch dann, als er bereits wieder weggesehen hatte, stieg Sylvette aus dem Wagen und schlenderte zu ihm. Alles an ihr schien sich zu langweilen. Dennoch war nichts an ihr träge oder desinteressiert, im Gegenteil: Sie war eine Frau, die darauf wartete, dass etwas passierte. Und seit Victors Verschwinden war nicht viel passiert in ihrem Leben.

»Ça va?«, sagte sie, ohne ihn beim Namen zu nennen, als würde sie eigentlich nur an ihm vorbeigehen wollen. Ihr schwebender Gang war der einer Tänzerin im Sommer.

»Oui, Madame, bonjour«, erwiderte Moritz höflich. Sylvette musterte ihn. Dann wechselte sie ins Italienische und tauschte ein paar belanglose Worte mit der Kassiererin, Moritz ignorierend. Er schwieg, wie immer, wenn er jemandem gegenüberstand, der seine wahre Identität nicht kannte. Léon hatte geschworen, dass er nicht einmal seiner Frau erzählen würde, wer Maurice wirklich war. Den Frauen sei nicht zu trauen, hatte er gesagt, sie liebten solche Geschichten viel zu sehr, um sie nicht mit ihren Freundinnen zu teilen.

»Wie geht es Albert?«, fragte sie ihn schließlich.

Moritz nahm sich vor, so wenig wie möglich zu antworten.

»Er macht Fortschritte. Jeden Tag ein bisschen besser.«

Ihrem Blick nach zu schließen, der trotz seiner Antwort nicht zufrieden schien, galt nur ein Teil ihres Interesses Albert. Was sie eigentlich wissen wollte, war, in welchem Verhältnis er zu ihm stand.

»Wenn Victor nur wieder zurückkäme«, seufzte sie, »das würde ihn gesund machen, den guten Albert. Gesundheit kommt vom Herzen. Ich kenne Leute, die sind aus Kummer gestorben, obwohl ihrem Körper nichts fehlte.«

Moritz nickte.

»Und Sie, Maurice, wie gefällt es Ihnen in der Mansarde? Ist es nicht ein bisschen einsam dort oben?«

»Nein, es geht schon, danke.«

»Aha.«

Er versuchte ein Lächeln. Ihr Parfüm verwirrte ihn. Rosen und Moschus.

»Und Ihre Familie, vermissen Sie die nicht?«

»Doch, natürlich.«

»Triest, nicht wahr?«

»Ja.«

»Aha.«

Selten hatte er eine Frau erlebt, die gleichzeitig so neugierig fragen und gelangweilt schauen konnte.

»Haben Sie keine Kinder?«

»Nein, Signora.«

»Sie sollten sich hier umsehen. Hübschere Frauen finden Sie nirgends auf der Welt.« Sie machte eine kurze Pause, dann setzte sie nach. »Sie sehen gar nicht so italienisch aus.«

»So?«

»Léon sagte, ihr Vater komme aus Polen.«

»Ja.«

»Aha.«

Sie musterte ihn auf eine Weise, dass er sich auf einmal nicht mehr sicher war, ob Léon sie vielleicht doch eingeweiht hatte.

Jede ihrer Fragen schien eine leise Provokation zu sein, und in ihrem Lächeln lag etwas Spöttisches, Ungläubiges, das ihn verunsicherte – was vermutlich ihre Absicht war.

Tatsächlich war Léon ein Mann, der zu gerne mit seinen Taten prahlte, um alle Geheimnisse für sich zu behalten. Doch er beherrschte die Kunst, von einer Geschichte nur solche Teile preiszugeben, die ihm zur Ehre gereichten. Und keine von Sylvettes Anspielungen bezogen sich auf die Deutschen. Vielmehr fragte sie ihn über seine Freundschaft zu Victor aus, als schien sie zu ahnen, dass ihn ein Geheimnis mit ihm verband. Und je mehr er sie durch seine Antworten auf Distanz hielt, desto intensiver spürte sie ihm nach. Dann kam Léon aus dem Foyer, mit einer ledernen Aktentasche unterm Arm, die voller Geldscheine sein musste.

»Kommst du, *chérie? Au revoir,* Maurice. *Shabbat shalom!*«

Sylvette blieb eine Sekunde zu lange stehen, bevor sie ihrem Mann zum Auto folgte.

»Waren Sie schon im Meer baden, Maurice?«

»Nein, Signora.«

»Eine ausgezeichnete Idee!«, unterbrach León. »Wir machen einen Ausflug ans Meer! Ich kenne einen sensationellen Strand! *Ciao, a prestissimo!*«

Ohne einen Zeitpunkt zu nennen, stieg er ins Auto, ließ den Motor an und fuhr los. Sylvettes Augen blieben an Moritz hängen, bis das silberne Cabrio in der tiefstehenden Sonne verschwand. In ihren hellen Augen war eine dunkle, machtvolle Sehnsucht gelegen, die Moritz bis in die Nacht begleitete. Er hätte zu gerne seine Kamera gehabt, um diesen letzten Blick von ihr festzuhalten. Ihr Blick, der ihn nicht übersehen hatte, so sehr er auch versucht hatte, ihm auszuweichen. Der ihn mit dem aufwühlenden Gefühl zurückgelassen hatte, nach einem Winter der Unsichtbarkeit wieder zu existieren.

Um Mitternacht, nachdem die letzten Gäste das Kino verlassen hatten, trat Moritz vor das Kino, sog die frische Nachtluft ein und spürte das Blut durch seine Adern strömen. Ein Frühlingsschauer war heruntergegangen; das Licht der Laternen spiegelte sich auf dem nassen Asphalt der Avenue. Die Luft war warm und erfüllt vom Jasminduft. Moritz überquerte die Straße, begann schneller zu laufen und sprang durch die Pfützen wie ein übermütiges Kind. Hinter den Häusern ging ein schwerer, roter Mond auf. Moritz blieb stehen. Wenn es nachts einen Regenbogen gäbe, würde er jetzt am Himmel stehen.

Als er Yasmina am nächsten Nachmittag von Sylvettes eigenartigem Auftritt erzählte, verengten sich ihre Augen zu dunklen Schlitzen. Dann sagte sie, scheinbar gleichgültig, während sie das Couscous aus dem Korb nahm: »Sie sollten sie nicht zurückweisen.«

Moritz stutzte.

»Sylvette würde es Ihnen übelnehmen.«

»Verzeihung, aber ... sie ist Léons Frau.«

»Ihre Ehe ist *sfortunato,* unglücklich«, sagte Yasmina, »Sylvette schenkt ihm keine Kinder. Also sucht er seine *fortuna* woanders. Wussten Sie das nicht?«

»Das geht mich nun wirklich nichts an.«

»Sie macht doch nur das, was er auch macht. Sie ist hübsch, nicht wahr?«

Moritz war irritiert. Warum sagte sie das? Wollte sie ihn testen?

»Welcher Film läuft heute?«, fragte Yasmina, um das Gespräch auf ein anderes Thema zu lenken. Dann begann Moritz, etwas zu ahnen.

»War Sylvette Victors Geliebte?«, fragte er.

Yasmina schaute durch das Fenster in den Kinosaal.

»Sie bildet sich was darauf ein. Aber für ihn war sie nur eine von vielen«, sagte sie beiläufig. Moritz spürte die Glut unter ihrer zur Schau gestellten Gleichgültigkeit. Und dann begriff er, warum sie Gefallen daran fand, dass Sylvette ihm schöne Augen machte. Es ging nicht um ihn. Es ging um Victor. Wenn Sylvette sich in einen anderen Mann verliebte, hätte Yasmina eine Konkurrentin weniger. Er, Moritz, war in diesem Spiel austauschbar.

»Wie schmeckt Ihnen das Couscous?«

»Gut, danke.«

Eine Weile lang schwiegen sie, während neben ihnen der Projektor ratterte. Dann fragte er, wie es Albert gehe. Die Antwort fiel ihr schwer.

»Papà sitzt den ganzen Tag auf seinem Sessel neben dem Radio. Er hört eine Nachrichtensendung nach der anderen. Alles andere interessiert ihn nicht. Er isst, er trinkt, er grüßt mich, aber er ist nicht mehr wie früher.«

Es tat Moritz weh, das zu hören. Er hatte ein schlechtes Gewissen, weil er ihn so lange nicht mehr besucht hatte. Aber er hatte nicht mehr das Gefühl, willkommen zu sein. Als er zum letzten Mal bei den Sarfatis gewesen war, hatte er Albert als Geschenk ein altes deutsches Radio mitgebracht, das er in der Vorführkabine gefunden hatte. In der Hoffnung, ihm eine Freude zu machen. Albert hatte sich knapp bedankt, die BBC eingeschaltet und stundenlang das französische Programm gehört. Ein paar freundliche Floskeln als Antwort auf Moritz' Fragen: Ja, es gehe ihm gut; ja, er könne bald wieder arbeiten; nein, er brauche nichts. Und Moritz hatte neben ihm gesessen und sich überflüssig gefühlt, mehr noch, schuldig an Alberts Tragödie, aber hilflos, etwas daran zu ändern.

»Und Ihre Mutter? Wie geht's ihr?«

Yasminas Körper spannte sich an. Als müsse sie sich gegen eine Bedrohung schützen, die allein durch ihre Erwähnung im Raum stand.

»Sie hasst mich.«

Yasmina starrte weiter durch das Fenster. Dann spürte sie Moritz' betroffenes Schweigen im Rücken und wandte sich um.

»Sie liebt das Kind. Aber mich behandelt sie wie eine Dienstbotin, nein, schlimmer, wie eine Hündin, nein, schlimmer noch, wie eine Aussätzige! Wenn Papà nicht wäre, hätte sie mich längst fortgeschickt. Aber er kann mich nicht mehr beschützen. Also lässt sie keine Gelegenheit aus, um mich zu bestrafen. Um mir zu zeigen, wer ich bin. Eine schamlose Hure.«

Moritz sah sie sprachlos an.

»Eine echte Mutter würde ihr Kind nie so behandeln.«

»Aber nein, das dürfen Sie n...–«

»Sie hat ja recht. Ich habe sie enttäuscht. Statt dankbar zu sein, habe ich Schande über ihre Familie gebracht. Ich bin es nicht wert, eine Sarfati zu sein.«

Moritz erschrak über den Abgrund, der sich unter ihren Worten auftat. Er empfand Mitleid mit ihr. Aber sie wollte kein Mitleid. Es schien eher, als habe sie sich entschlossen, die Strafe ihrer Mutter mit einer schrecklichen Mischung aus Stolz und Selbsthass zu ertragen. Weil sie glaubte, sie verdient zu haben. Als sie spürte, dass Moritz auf sie zugehen wollte, wandte Yasmina sich ab, um aufzubrechen.

»Sie warten auf mich. *Buona notte.*«

»Nein. Bleiben Sie.«

Yasmina hielt inne. Moritz kam zu ihr und legte vorsichtig, ganz vorsichtig, seinen Arm um sie. Yasminas Körper zog sich zusammen, aber sie wehrte sich nicht. Er blieb einfach vor ihr stehen und hielt seine Arme um sie wie einen schützenden Wall gegen die Welt dort draußen. Er hielt sie nicht fest; er umgab sie nur mit dem, was in seinem Herzen an Wärme übrig geblieben war. Sie ließ es geschehen. Dann, ganz langsam, entspannte sich etwas in ihr. Sie legte ihren Kopf an seine Schulter. Er bewegte sich nicht. Plötzlich rollten leise Zuckungen durch ihren Körper, heftige Wellen, die immer stärker wurden und sie schüttelten, bis sich alles in ihr aufbäumte, als sie den Kampf gegen die Tränen verlor, die ihr aus den Augen schossen. Sie weinte wie ein Kind.

»Was wollen Sie jetzt tun, Yasmina?«

»Abhauen. Sobald Victor zurückkommt.«

Und wenn nicht, dachte Moritz, aber wagte es nicht auszusprechen. Sie baute ihre Zukunft auf eine allzu brüchige Hoffnung.

Sylvette kam bald zurück, und das nicht nur einmal. Mal brachte sie Kuchen, mal eine italienische Zeitschrift, mal gar nichts. Aber immer trug sie ein hübsches Kleid, jedes Mal ein anderes, und immer war es einen Hauch zu freizügig, am Knie oder an den Schultern, doch nur, wenn man genau hinsah. Und jedes Mal fragte sie ihn aus, sehr geschickt übrigens, indem sie erst von sich erzählte, um dann das Thema auf die dunklen Stellen zu lenken, die er vor ihr verbarg.

»Mein Mann ist immer so beschäftigt, deshalb habe ich nachmittags Zeit zum Spazierengehen. Ist der Frühling nicht herrlich, Maurice? Warum heißen Sie eigentlich nicht Maurizio, Sie kommen doch aus Triest, nicht wahr?«

»Meine Mutter liebte Frankreich«, log er.

»Ach wissen Sie, früher war Léon nur mit Geldverdienen beschäftigt, heute gehört seine Leidenschaft der Politik. All seine wichtigen Treffen mit seinen Freunden ... Ich verstehe ja wenig davon, aber Sie scheinen ein Mann von Welt zu sein; Sie sind sicher auch dabei in seinen Männerrunden ...«

»Nein, Madame, wovon sprechen Sie?«

»Na, seine geheimen Treffen mit Jacques Boccara, Émile Cohen und den anderen, die kennen Sie doch?«

»Nein, Madame.«

»Ah bon? Aber er erzählt Ihnen doch sicher von seinen Überzeugungen; deshalb hat er Sie ja auch aufgenommen, aus Überzeugung, nicht wahr?«

Es war ein heikler Seiltanz. Moritz musste darauf achten, seine wirkliche Identität nicht preiszugeben, und gleichzeitig herausfinden, bis zu welchem Grad Léon etwas davon verraten hatte, um nicht als Lügner entlarvt zu werden. Soweit er es erahnen konnte, sah Sylvette in ihm einen jüdischen Widerstandskämpfer, der aus Italien vor den Nazis geflohen war und zu einer geheimen Gruppe gehörte, die Juden aus Europa herausschmuggelte. Léons Legende. Was er aber nicht herausfand, war, ob Sylvettes Fragen über seine Herkunft und politischen Überzeugungen nur Koketterie waren oder ob die gewagten Ausschnitte und kurzen Röcke dem Zweck dienten, ihn auf charmante Weise über seine Identität auszuhorchen.

Auf Yasminas Hilfe konnte er nicht vertrauen, da sie Sylvette gegenüber voreingenommen war und ihre eigenen verborgenen Fäden spann. Moritz beschloss, Albert und Mimi zu besuchen, um mehr über Léon und Sylvette zu erfahren.

An einem Nachmittag unter der Woche ging er zu ihnen, mit dem gefälschten Ausweis in der Tasche, doch er kam unbehelligt von Gendarmen durch. Soldaten waren kaum mehr zu sehen; die Alliierten hatten alle Kräfte an die Front geschafft, die sich immer weiter nach Norden schob.

Albert saß in seinem Sessel neben dem deutschen Radio und erwiderte Moritz' Gruß knapp, aber freundlich. Moritz beugte sich zu ihm und umarmte ihn mit zwei Küssen auf die Wange, wie es hier unter Verwandten üblich war. Albert schien sich über den Besuch zu freuen, aber sobald Moritz sich neben ihn aufs Sofa gesetzt und sie ein paar Freundlichkeiten ausgetauscht hatten, schwieg er wieder, vertieft in die Nachrichten von Radio Alger. Mimi begrüßte Moritz herzlich, fast liebevoller als Albert. Sie schien ihm verziehen zu haben; oder vielleicht wog einfach das Unglück, welches Yasmina über die Familie gebracht hatte, schwerer als seine Schuld gegenüber Albert. Sie brachte sizilianische Mandeltorte und ging in die Küche, um Kaffee zu kochen. Yasmina war mit Joëlle beim Kinderarzt.

»Impfung sollte verpflichtend sein«, sagte Albert. »Nur so lassen sich gewisse Krankheiten für immer eliminieren. Sind Sie geimpft, Maurice?«

»Ja, wir wurden alle gegen Tropenkrankheiten geimpft.«

»Sehr gut«, sagte Albert und wandte seine Aufmerksamkeit wieder dem Radio zu. Moritz fühlte sich fehl am Platz.

»Wie geht's, Albert?«, fragte er schließlich; etwas zu persönlich, wie ihm schien, was ihn verlegen machte.

»Gut, danke, alles gut.«

»Ein Stück Gebäck?«, fragte Moritz.

Albert nickte, ohne Interesse. Moritz reichte ihm einen Teller mit einem Stück Mandeltorte. Albert nahm ihn und biss geistesabwesend ein Stück von dem Kuchen ab. Das Essen gelang ihm wieder gut. Auf den ersten Blick sah man ihm seinen Schlaganfall nicht an. Aber etwas fehlte. Die Freundschaft, die Moritz mit ihm verbunden hatte, schien nur noch eine Hülle zu sein. Moritz fragte sich, was in Albert vorging. Ob er ihm etwas verheimlichte, einen Groll oder ein Misstrauen, oder ob einfach etwas in seinem Gehirn erloschen war, unwiederbringlich verloren wie eine Münze, die in einen Brunnen gefallen war. Das Leben ist kurz, dachte Moritz, und jede Minute, die man mit Freunden teilt, ist kostbarer, als man denkt.

»Können Sie wieder arbeiten?«

»Ja, am Monatsanfang gehe ich zurück in die Klinik.«

Dasselbe würde er auch nächsten Monat sagen, im Monat darauf und noch in einem Jahr. Aber es half ihm, sein Selbstbild aufrechtzuerhalten. Albert war Arzt, kein Patient.

Eine Weile saßen sie still nebeneinander, während der Radiosprecher ein Fußballmatch kommentierte und Albert interessiert zuhörte, als ginge es um die Front gegen Hitler. Als Mimi mit dem Kaffee kam, wagte Moritz zu fragen, was er wissen wollte. Hatte Léon mehr über ihn erzählt, als er zugab; und welche politische Gruppe traf er heimlich?

Mimi wusste es nicht. Sie schien Léon gegenüber ein gespaltenes Verhältnis zu haben. Einerseits bewunderte sie ihn für seinen Erfolg und das, was er für die jüdische Gemeinschaft tat – er hatte viel Geld gespendet, um die Wachen in den Arbeitslagern zu bestechen und Zwangsarbeiter herauszuschmuggeln. Anderseits hatte er Victor zu einem Lebensstil verführt, der ihn von seinen anständigen Wurzeln entfernte. Victors Schande war in ihren Augen auch Léons Schuld. Mimi war eine Meisterin darin, allen anderen als ihrem Sohn die Verantwortung für dessen Verhalten zu geben. Und am wenigsten sich selbst.

»Wenn Sie mich fragen, Léon ist Freimaurer«, sagte sie. »Was meinst du, Albert?«

»Ach, Unsinn. Er ist in der zionistischen Bewegung.«

Moritz hatte das Wort schon einmal gehört, konnte es aber nicht einordnen.

»Das ist die neue Mode. Vor den Nazis war das eine Träumerei von ein paar jungen Leuten, aber jetzt ist es eine große Sache.«

Er nahm seine Brille ab und putzte sie.

»Was will diese Bewegung?«

»Einen eigenen Staat. Für die Juden. In Palästina.«

Moritz begann zu begreifen. Deshalb seine Geheimnistuerei vor den Alliierten. Palästina war britisches Mandatsgebiet. Wer dort einen jüdischen Staat gründen wollte, hatte nicht nur die arabische Bevölkerung, sondern auch die britische Regierung als Gegner. Albert setzte seine Brille wieder auf und lauschte dem Radio, scheinbar einem anderen Gedankenstrom folgend, dann sagte er: »Anfang des Jahres haben zionistische Gruppen die Revolte ausgerufen. Sie legen Bomben. Haben Sie von den Anschlägen auf die Einwanderungsbehörden gehört?

»In Tunis?«

»Nein, in Haifa, in Tel Aviv und Jerusalem. Jetzt begrenzen die Briten die Einwanderung von Juden. Gerade jetzt! Es ist schrecklich.«

»Und was halten Sie von der Idee? Ein Staat für die Juden? Würden Sie dorthin gehen?«

Albert schüttelte den Kopf. »Meine Heimat ist hier.«

Mimi bot Moritz an, zum Abendessen zu bleiben, aber er musste zurück; die erste Vorstellung begann. Als er das Haus verließ, beschlich ihn das Gefühl, dass jenseits des Ufers, an dem er gestrandet war, längst eine neue Welt im Entstehen begriffen war, während die alte noch nicht untergehen wollte. Und er war von alledem ausgeschlossen. Nicht nur er hatte sich der Welt entzogen; die Welt hatte sich auch ihm entzogen. Er fühlte sich einsamer denn je.

40

Sylvettes dunkelblonde Haare im Wind. Sie trug eine riesige Sonnenbrille und ein weißes Kleid, das wie eine Fahne flatterte, als sie ihren unbedeckten Arm aus dem offenen Wagen hielt. Die andere Hand lag auf dem Oberschenkel, um den hochfliegenden Stoff festzuhalten, der den Blick auf ihre Knie freigab. Moritz saß auf der Rücksitzbank, mit Sonnenschirm und Picknickkorb zwischen den Beinen, und versuchte, nicht hinzusehen. Neben ihm saß Joëlle auf Yasminas Schoß und staunte, während die Alleebäume vorbeiflitzten. Léon beschleunigte.

»Was, Sie waren noch nie am Strand, Maurice? Was sind Sie für ein Italiener!«, lachte Sylvette.

»Sie werden sehen, das Meer dort ist *meraviglioso!*«, rief Léon.

»Fahr nicht so schnell!«

Léon sah Sylvette belustigt an, ohne vom Gas zu gehen. Wie ein Kind, das niemand ernst nehmen musste. Yasmina presste die kleine Joëlle eng an ihren Körper. Es war ein prächtiger Junitag, die Sonne schien schon vormittags heiß. Die Küste leuchtete. Sie fuhren auf der Landstraße aus der Stadt heraus, rechts blitzte zwischen weißen Villen das türkisfarbene Meer auf. Die Ruinen von Carthago. Antike Säulen, mitten im Nichts, überwuchert von Gestrüpp.

»Das war das Zentrum des Mittelmeers!«, rief Léon gegen den Fahrtwind. »Bevor die Römer es dem Erdboden gleichgemacht haben! Wissen Sie, wer es gegründet hat?«

»Nein«, sagte Maurice.

»Eine Frau! Da staunen Sie, was? Die schöne Prinzessin Dido! Eine Phönizierin! Ihr Bruder Pygmalion tötete ihren Mann, stellen Sie sich vor, der eigene Bruder! Also floh sie übers Mittelmeer, und als sie am Golf von Tunis landete, bat sie den Berberkönig Iarbas um Asyl. Der Geizhals sagte: Du kannst so viel Land haben, wie auf eine Kuhhaut passt! Da nahm Dido eine Kuhhaut und schnitt sie in lauter kleine Streifen. Mit denen umspannte sie ein großes Stück Land, hier an der Küste, genau hier, Maurice, und darauf baute sie die Burg von Carthago. Schlaues Weib, was? So sind die Menschen hier; wir haben keinen Eiffelturm, kein Empire State Building, aber wir haben Köpfchen! Und was machte Iarbas, der Berber? Wollte sie unbedingt haben, die schöne Dido! Machte ihr den Hof, schmeichelte und drohte ihr, aber sie blieb stur. Am Ende verbrannte sie sich lieber selbst, als sich ihm hinzugeben! *Eh oui*, das sind wir auch, Maurice, stolz wie die Löwen! Eher verlieren wir unser Leben als unsere Ehre!«

»*Attento!*«, schrie Sylvette.

Léon bremste den Alfa Romeo ab. Am Ausgang von Carthago standen zwei Jeeps und ein Panzer auf der Straße. Eine alliierte Straßensperre. Moritz bekam Angst. Er hatte es geahnt, aber León hatte abgewiegelt – solange er mit ihm unterwegs sei, könne ihm nichts passieren.

»Gebt mir eure Ausweise!«

Moritz fischte Victors Ausweis aus seiner Hemdtasche und reichte ihn nach vorne. Kurz blickte er zu Yasmina – auch sie hatte Angst. Léon brachte den Wagen neben den Soldaten zum Stehen. Zwei Briten. Sie kauten Kaugummi. Normalerweise erkannte man daran die Amerikaner. Léon tippte die Hand an die Stirn und grüßte auf Englisch. Er kannte einen der Männer. Woher, konnte Moritz nicht herausfinden, dazu reichte sein Englisch nicht. Léon hingegen sprach es mühelos, stieg aus, plauderte mit ihnen über den schnellen Wagen und bot ihnen von seinen Zigaretten an. Es wechselten auch noch andere kleine Dinge, die Moritz und Yasmina nicht erkennen konnten, den Besitzer. Nebenbei blätterten die Soldaten durch die Ausweise, gaben sie ihm zurück, und nach einer Zigarettenlänge stieg Léon wieder ein, ohne dass Moritz ein Wort hatte sagen müssen.

Léon startete den Motor, gab Gas und verteilte Kaugummis an alle. So war er: kannte alle, hatte ein großes, vereinnahmendes Herz und beherrschte die Kunst, jedem das Gefühl zu geben, er stünde auf seiner Seite. Aber man wusste nie, wer wirklich sein Freund oder sein Feind war.

Yasmina zog schnell ihre Sandalen aus und jauchzte vor Glück. Der Sand unter ihren Füßen war warm, der Strand unendlich weit und menschenleer. Hier kam nur hin, wer ein Auto und Abenteuergeist hatte. Schaumkronen auf den Wellen, strahlendes Blau, ein Schiffswrack in der Brandung. Das Licht war so hell, dass es schmerzte.

»Maurice, worauf warten Sie?«, fragte Sylvette, die längst barfuß war. »Niemand sieht Sie hier!« Moritz zögerte. Seit El Alamein wusste er, dass unter jedem Stein ein Skorpion lauern konnte.

»Lass ihn«, sagte Léon, der mit weißen Tennisschuhen über den Sand ging. »Gib mir die Kleine!«, rief er zu Yasmina und setzte Joëlle auf seine Schultern. Sie gluckste im Auf und Ab seiner großen Schritte.

»Siehst du, sie liebt mich! Na, Maurice, was sagen Sie? Die meisten Menschen brauchen Strandliegen, Kebab-Buden und Eisverkäufer. Wir sind nicht gern allein, wir sind Familientiere. Aber manchmal muss ich raus. Hier kann ich frei atmen!«

Moritz hörte nur mit einem Ohr zu. Seine Augen verfolgten Yasmina, die zum Wasser lief. Wenn sie lachte, schien sie nur aus Licht zu bestehen. Licht, das nicht von dieser Welt kam und sich in ihren Locken verfing, um dort zu bleiben, umhüllt von Dunkelheit.

»Mögen Sie das Meer nicht, Maurice? Triest liegt doch am Meer?«

»Doch, ja, natürlich.« Sylvettes Fragen zu beantworten war wie ein Gang über Treibsand. Jedes Wort eine Falle. Dagegen Yasmina zuzusehen, wie sie über den Strand lief, mit ausgestreckten Armen, leicht wie ein Drachen im Wind, erfüllte ihn mit purer Freude. Wenn sie der Beobachtung ihres Elternhauses entfliehen konnte, verwandelte sie sich in das übermütige Kind, das sie nie hatte sein dürfen. Sie sprang herum, lachte und schlug ein Rad auf den Händen. Wenn sie nur alleine gewesen wären, hätte Moritz sie jetzt in seinen Armen aufgefangen. Und am liebsten nie mehr losgelassen.

Léon rammte seinen roten Sonnenschirm in den Sand.

»Woran denken Sie, Maurice?« Sylvette zwickte ihn in die Hüfte. »Sie sind immer so ernst! Es ist Sommer!« Instinktiv blickte Moritz zu Léon. Er fühlte sich ertappt.

»Nichts. Ich denke an nichts.«

»Ah, man kann doch unmöglich an nichts denken! Ich denke dauernd an irgendetwas! Wetten, er denkt an eine Frau? Eine Italienerin?«, sagte sie in Richtung ihres Mannes, der die bunten Strohmatten auf dem Sand ausrollte.

»Lass ihn doch! Maurice, ein Schlückchen Wein?«

»Nein, danke!«

»Ach, jetzt zieren Sie sich nicht!« Léon schraubte den Korkenzieher in die erste von drei Flaschen, die er mitgebracht hatte. Die kleine Joëlle saß auf der Matte, ließ sich fallen und griff in den Sand. »Sylvette, gib ihm ein Glas!«

Sylvette zog ihr Sommerkleid aus. Darunter trug sie einen Badeanzug, bunt und modisch geschnitten. Sie stand direkt zwischen Moritz und dem Meer, auf das er schaute. Erst dann ging sie zum Picknickkorb und verteilte die Gläser.

»Ich weiß, woran Sie denken. An Ihre Liebste in Triest! Oder haben Sie in Wahrheit gar keine *fidanzata*? Geben Sie's zu!«

Moritz wusste nicht, was besser war: die halbe Wahrheit oder eine ganze Lüge.

»Ich habe keine.«

Im selben Moment kam ihm die Lüge wirklicher vor als die Wahrheit. Fanny war so weit weg. Er hätte ihren Duft nicht mehr beschreiben können.

»Aber warum? Sie sind doch ein attraktiver Mann. Oder, Yasmina, er ist ein attraktiver Mann, nicht wahr?«

Yasmina sah verstört zu Boden. Jeder Satz ein Minenfeld, auch für sie. Instinktiv nahm sie Joëlle in den Arm, wie um sie zu beschützen. Sylvette trank ein Glas Wein und schoss weiter ihre Pfeile ab.

»Glauben Sie an die Liebe, Maurice?«

Und dann: »Glauben Sie, man kann mehr als einen Menschen lieben?«

Dabei fuhr ihre Hand selbstvergessen durchs Haar, als würde sie in Wahrheit fragen: *Könnten Sie mich lieben?*

Wollte sie ihn benutzen, um Léon eifersüchtig zu machen? Um sich für seine Affären zu rächen? Waren seine geheimen politischen Treffen nur der Vorwand für eine Affäre – oder war eine Affäre die Tarnung für ein politisches Treffen? Alles hatte hier einen doppelten Boden; nichts war, wie es schien. Und anders als in Deutschland wussten das die Menschen. Nie nahmen sie eine Aussage für bare Münze; alles hielten sie für die Camouflage von etwas anderem. Er müsste einfach behaupten, dass er Deutscher sei, dachte Moritz, und niemand würde ihm glauben!

»Lass uns ins Wasser gehen«, rief Léon, der seine Badehose angezogen hatte. Er nahm Sylvette die Weinflasche aus der Hand. Doch sie hörte nicht auf.

»Warum verlieben Sie sich nicht in eine Frau von hier? Es sind die hübschesten weit und breit.«

Ein verschmitzter Blick in Richtung Yasmina. Ahnte sie seine Gefühle für sie? Wollte sie ihn in Yasminas Arme treiben, um sie von Victor zu trennen?

»Und warum gehen Sie nicht einfach zurück nach Italien?«

Moritz konnte nicht antworten: Weil die Alliierten mich dort gefangen nehmen würden.

Léon sprang ihm zur Hilfe. »Weil er Jude ist! Glaubst du, die Italiener lieben uns auf einmal, nur weil sie die Seiten gewechselt haben? Ganz Europa ist vergiftet, *c'est fini! Dai, andiamo!*«

Er nahm Sylvette an der Hand und stapfte mit ihr zum Meer. Im Gehen wandte sie lachend ihren Kopf herum und rief: »Kommt mit!«

Yasmina sah Moritz herausfordernd an.

»Sie sollten sich die Gelegenheit nicht entgehen lassen«, sagte sie leise. »Verführen Sie Sylvette.«

Dann zog sie ihr Kleid aus, unter dem sie einen Badeanzug trug, schwarz und dezenter geschnitten als der von Sylvette. Sie nahm Joëlle auf den Arm und ging den anderen hinterher. Moritz sah ihr nach. Sie war wunderschön. Ihre dunkle Haut, ihr stolzer Gang, so viel Würde in diesem kleinen Körper. Er zögerte. Wollte seine weiße Haut nicht zeigen. Gesicht und Hände waren schon etwas braun geworden, aber der Rest hätte seine Legende vom Italiener Lügen gestraft. Schließlich folgte er, ohne sich ausgezogen zu haben.

»Aber Maurice! Wollen Sie so ins Wasser gehen? Genieren Sie sich vor uns?«

Sylvette stand schon in der Brandung. Er wäre zu gern ins Meer gesprungen.

»Ich passe auf Joëlle auf«, sagte er zu Yasmina. »So können Sie ins Wasser gehen.« Ohne ihre Antwort abzuwarten, nahm er das Kind in seine Arme. Yasmina wollte protestieren, doch dann sah sie, dass Joëlle sich bei ihm wohl fühlte. Joëlle lächelte ihre Mutter an, als wollte sie sagen: *Ist schon gut, Mama!*

»Was ist los, ihr beiden, kommt ihr?«

Yasmina lief ins Wasser. Und Moritz sah den dreien zu, die ihre Körper in die Brandung warfen. Pralle Sonne auf der Haut,

Glück im Überfluss. Er hielt Joëlle fest und schirmte ihren Kopf gegen den Wind ab. Ihr winziger Körper in seinen Armen und seine stille Freude, ein paar geliehene Minuten lang für sie da sein zu dürfen. Joëlles kleine Hand strich ihm über die Wange. Für jemanden da sein, das bedeutete: ganz hier zu sein. Man existiert erst durch die anderen, dachte er. Und es gibt keine echtere Liebe als die Liebe eines Kindes, rein und unverstellt. Die einzige Liebe vielleicht, auf die Verlass war.

Er ging dorthin, wo die auslaufenden Wellen Schlangenlinien in den nassen Sand zeichneten, und hielt Joëlles Hände fest, als ihre Füße das Wasser berührten. Sie jauchzte und strampelte, und ihre Freude griff auf ihn über. Er kniete sich vor sie, hielt sie fest und ließ sich lachend mit ihr nach hinten fallen, legte sich mit dem Rücken in die auslaufende Brandung und streckte sie hoch in den Himmel. Joëlle strahlte. Ihr Glück gegen die gleißende Sonne. Wieder eines der Fotos, die nie gemacht wurden, sich jedoch für immer ins Gedächtnis einbrannten. Es war an diesem Junitag, als sie es zum ersten Mal spürten, beide, das unerklärliche Band bedingungsloser Liebe, wie es nur zwischen Eltern und Kindern besteht.

Sylvette ließ Moritz links liegen, als sie aus dem Wasser kam. Er gab Joëlle zurück in die Arme ihrer Mutter. Einen Augenblick lang standen sie voreinander, ohne die leuchtende Stille zwischen ihnen mit Worten zu überspielen. Er spürte Sylvettes stechenden Blick im Rücken. Léon schwamm noch draußen in den Wellen, winkte herüber, und Sylvette ging allein zu den Strohmatten im Sand.

Yasmina und Moritz blieben noch eine Weile mit Joëlle am Wasser. Als sie zurück zum Sonnenschirm kamen, hatte Sylvette Moritz' Ausweis in der Hand, den sie aus Léons Sakko gefischt hatte. Sie fixierte ihn mit einer Mischung aus Triumph und Misstrauen.

»Victor Sarfati?«

Yasmina und Moritz stockte der Atem.

»Das ist Ihr Foto! Léon, wusstest du das?«

Léon, der nass über den Sand gelaufen kam, sah sofort, was geschehen war. Er griff nach dem Ausweis.

»Gib ihn sofort her! Das geht dich nichts an!«

Sie zog ihre Hand weg. »Sie heißen gar nicht Maurice, nicht wahr? Und Sie sind auch kein Jude. Geben Sie's doch zu! Wer sind Sie wirklich?«

Léon fasste sie fest am Arm und entwand ihr den Ausweis.

»Das sind Dinge, von denen du nichts verstehst! Es geht um Wichtigeres als um deine kleinen Koketterien! Zieh dich an, los!« Er packte sie so hart am Arm, dass sie vor Schmerz und Wut schrie.

Auf dem Rückweg zum Auto ging sie zehn Schritte vor ihm. Léon gab Moritz den Ausweis zurück und flüsterte: »Wir lassen einen neuen machen. Victor ist zu bekannt. Sie brauchen einen eigenen Namen. Und keinen Ausweis, sondern einen Pass, mit dem Sie das Land verlassen können!«

Er sagte es so resolut, mit bedrohlichem Unterton, dass Moritz die doppelte Botschaft heraushörte. Unter Léons Flügeln war er nicht mehr sicher.

Sylvette kam nicht mehr ins Kino. Moritz ahnte, dass sich etwas zusammenbraute. Etwas, das außerhalb seiner Kontrolle lag. Eines Nachts tauchte Léon auf, unangemeldet, nach der letzten Vorstellung.

»Haben Sie die Passfotos?«

»Ja.«

»Kommen Sie mit.«

Moritz steckte die beiden Abzüge ein, die noch von seinen Ausweisbildern übrig waren, und folgte Léon nach unten.

Schweigend fuhren sie mit geschlossenem Verdeck durch das

schlafende Viertel. Die letzten Bars und Restaurants schlossen gerade die Türen. Ohne die Nachtschwärmer wirkte Piccola Sicilia eigenartig leer, fast bedrohlich. Moritz wagte nicht zu fragen, wie es Sylvette ging, und Léon erwähnte sie nicht.

Er parkte in der Rue de l'Avenir. Sie stiegen aus, und Léon klopfte an den rostigen Rolladen. Irgendwo bellte ein Hund. Es dauerte eine Weile, dann rüttelte jemand von innen am Schloss und schob den Rolladen ein Stück nach oben. Fahles Licht fiel auf die Schuhe der Wartenden. Moritz' zerschlissene Schnürsenkel neben Léons glänzenden Gamaschen. Sie bückten sich und schlüpften leise nach drinnen.

»*Shalom*«.

Ein kleiner bärtiger Mann, weder jung noch alt, schloss das Tor wieder, ohne die beiden anzusehen. Sein abgetragener Anzug schlotterte über den dünnen Armen. Er machte ihnen ein Zeichen, ihm zu folgen. Léon schob Moritz nach vorn, und sie gingen durch die enge, vollgestellte Werkstatt. An den Wänden türmten sich Radios, vom Boden bis zur Decke; alte und neue, große und kleine, kaputte und reparierte. Eines von ihnen lief, aber man konnte nicht sagen welches, da mehrere im schummrigen Licht glühten. Dann bemerkte Moritz, dass tatsächlich *zwei* Radios liefen, ein englischer Armeesender und einer mit französischen Chansons.

»Das ist er also?«, fragte der kleine Mann und ließ seinen fiebrigen Blick über Moritz' Gesicht huschen. Distanziert, aber nicht ohne Sympathie.

»Das ist er«, sagte Léon.

»*Shalom,* Monsieur Lévy«, grüßte Moritz.

»Ich will Ihren Namen nicht wissen«, sagte Lévy, noch bevor Moritz ihm die Hand reichen konnte. Er schraubte die Skala von einem großen Radio ab und murmelte ins Nichts hinein: »Hast du gehört, die Briten haben wieder ein Schiff zurückgeschickt. Haifa, Jaffa, Gaza, alles dicht. Sie sagen, sie sind unsere Freunde, aber wer solche Freunde hat, braucht keine Feinde mehr ...«

Er griff in das Radio hinein und holte eine Handvoll Pässe heraus. Französische, italienische, britische ... Er blätterte durch, und zog einen heraus. *Regno d'Italia.*

»Sie sind *fortunato,* dass Sie es bis hierher geschafft haben.«

»Ja«, antwortete Moritz. Nur nicht zu viel sagen, hatte Léon ihm eingeschärft. Lévy gab ihm den Pass noch nicht.

»Waren Sie in einem Lager?«

Moritz zögerte.

»Nein«, warf Léon ein. »Er hat sich bei Freunden versteckt. Bis die aufgeflogen sind.«

Monsieur Lévy nahm das Foto entgegen, das Moritz ihm reichte. Er hielt es nah vor die Augen, dann setzte er sich an die kleine Werkbank und beträufelte die Rückseite des Fotos mit Klebstoff. Moritz und Léon warteten. Moritz starrte auf das Passbild. Der Bart, die gebräunte Haut, Staub in den Haaren, die Augen voll Sonnenlicht. Ein Fremder. *Sie sind ein Jude aus Trieste,* hatte Léon ihm eingeschärft, *Sie grüßen mit Shalom, ansonsten halten Sie die Klappe. Sie sind nur auf der Durchreise nach Palästina.*

»Den Pass brauchen Sie nur für den Transit«, sagte Lévy. »Ins Land selbst kommen Sie nicht legal. Aber Sie werden sehen, die Briten werden bald verschwinden. Genau wie in Ägypten, im Irak ... sogar die Inder werden Ihre Majestät rauswerfen, *a mon avis.*«

Dann kramte er in einer Schublade voller Stempel nach dem passenden.

»Über Palermo?«

»Ja«, sagte Léon.

»Besser so«, murmelte Lévy. »Wenn der Krieg vorbei ist, wandere ich auch aus. Die Franzosen haben uns fallenlassen. Die Araber erheben ihre nationale Stimme. Und wir werden auch bald unseren eigenen Pass haben.«

»Wenn wir es wollen, ist es nicht nur ein Traum«, sagte Léon.

Lévy drückte Moritz seinen Pass in die Hand.

»Viel Glück in Eretz Israel!«

Es war das erste Mal, dass er diesen Ausdruck für ein Land hörte, nicht für ein Volk. Israel, nicht Palästina. Dieser Mann gab einem Land einen Namen, den es auf der Karte nicht hatte, *noch nicht*, außer in seinem Kopf. Er sagte es mit einer bemerkenswerten Selbstverständlichkeit – nicht als Wunsch, nicht als eine von vielen Möglichkeiten, sondern so, als wäre es längst Wirklichkeit. Moritz hielt seinen Pass in den Händen und schlug ihn auf. Maurice Sarfati, geboren am 17. Oktober 1917 in Trieste.

»Sie haben mich älter gemacht.«

»Ich mag die Zahl. 1917 war das Jahr, als der englische Außenminister uns Eretz Israel versprochen hat.«

Moritz las seinen neuen Namen, wiederholte ihn im Geiste und fragte sich, wie oft er ihn wiederholen musste, bis er tatsächlich Maurice Sarfati geworden war. Wer bestimmte darüber, wer er war? Die anderen oder er selbst? War er derjenige, der er bisher zu sein glaubte, oder derjenige, der er sein wollte? Identität als eine Sache der Entscheidung. Der Gedanke erregte ihn auf eine ähnliche Weise, wie es ihn früher berauscht hatte, die Wirklichkeit im Film nicht einzufangen, sondern zu erschaffen.

Auf dem Rückweg gerieten sie in einen warmen Platzregen, der vom Meer heraufzog. Als Moritz vor dem Kino ausstieg, ging er nicht sofort hinein, sondern wartete, bis Léon verschwunden war, und sah dem Regen zu, der immer stärker wurde. Die tanzenden Tropfen auf dem Asphalt, die leere Avenue im Schein der Straßenlaternen; er war der einzige Mensch auf der Welt. Als der Regen nachließ, ging er über die nasse Straße zum Strand. Die zugeklappten Sonnenschirme standen wie Zinnsoldaten im Sand. Die Lichter der Bucht glitzerten über dem dunklen Meer.

In diesem Moment brannte er darauf, tatsächlich ein Schiff nach Palermo zu besteigen und sich durchzuschlagen bis zur Reichsgrenze, dort den falschen Pass wegzuwerfen und seinen Wehrmachtsausweis vorzuzeigen. Irgendeine Geschichte musste er sich ausdenken, aber alles wäre besser, als hier in diesem Gestrüpp aus Lügen zu bleiben. Er hatte die Geheimnisse satt, die doppelten Botschaften, und vor allem die Abhängigkeit. Wenn er das alles hinter sich ließ, würde er auch Yasmina vergessen können, so wie Fanny ihm einst fremd geworden war, Fanny, die er jetzt vermisste, denn Fanny war Heimat, also der Ort, wo er sein konnte, wer er war, ohne Versteckspiel und Verwirrung, ohne Regeln, die er nicht durchschaute, klar und unverstellt.

Er würde mit ihr durch die Wälder streifen – der Duft von Harz, Moos und Tannenzapfen –, sie würden im Wannsee baden und Schwarzbrot mit Butter und Honig essen, sie würden eine Wohnung mieten, Nachbarn haben und ein Namensschild vor der Tür, seinen richtigen Namen. Moritz wüsste wieder, wer er war, und niemand könnte es ihm nehmen. Moritz stand dort, bis die Sonne aufging, und genoss die Unschuld des Morgens. Als er sich umdrehte zu den weißen Häusern hinter dem Strand, empfand er einen heftigen Widerwillen, sich wieder hineinzubegeben in das Dickicht der Blicke, das Labyrinth der Lügen, das falsche Leben am falschen Ort. Die Farben strahlten in der Morgensonne – das Blau der Fensterläden und das Gelb der Türen –, aber was fehlte, war Grün. Wenn seine Heimat eine Farbe hätte, wäre es Grün. Moritz griff in die Tasche – der feste Einband des Passes, sein einziger Besitz, die Nabelschnur zu *seiner* Seite des Meeres.

Aber dann, abends im Kino, der Schock. Er hatte sich längst an die britische Wochenschau gewöhnt, die Siegesmeldungen, die grinsenden Soldaten und ihren stoischen Optimismus. Aber was sie heute zeigten, war etwas anderes. Sie flogen in Schwärmen über Deutschland. Moritz sah seine Heimat von oben, ein Flammenmeer in der Nacht. Sie radierten ganze Städte aus, *carpet bombing*, Teppiche aus Feuer über Frauen und Kinder. Wie konnte der Kameramann mit ruhiger Hand aus dem Bombenschacht filmen, während unter ihm die Hölle losbrach? Empfand er nichts für die Menschen, die in den Feuerwalzen verbrannten und in den Kellern erstickten?

Moritz dachte an Fanny. Die Bomber erreichten jetzt Berlin. Die Stadt, die er so sehr geliebt hatte, die ihn Kunst und Sprachen gelehrt hatte, versank im Chaos. Der Krieg war verloren, jeder wusste das; es war nur noch eine Frage der Zeit. Und jeden Tag starben sinnlos Tausende mehr. Das Land, in das er zurückkehren würde, wäre nicht mehr das Deutschland, das er verlassen hatte. Die Alliierten hatten beschlossen, es so gründlich zu zerstören, dass es sich nie mehr aus der Asche erheben könnte. Wenn Fanny die Bombennächte überstand, wovon sollten sie leben? Moritz hatte sein altes Ich losgelassen in der Annahme, es würde von selbst zurückkommen, sobald er zu Hause wäre; wie ein gefangener Fisch, der wieder schwimmt, sobald man ihn zurück ins Wasser wirft. Aber was uns ausmacht, spürte er jetzt, ist auch das, was uns umgibt: unsere Liebsten, die Sprache, die uns als Kind umarmte, das Haus, in dem wir laufen lernten, der Duft von Apfelkuchen aus der Küche und der Ahorn im Garten, durch den die Jahreszeiten gehen, Winterstürme und Sommertage, ohne ihn jemals an einen anderen Platz zu versetzen. Heimat, ein fester Rahmen für die Seele. Moritz starrte auf die Leinwand wie ein Ertrinkender auf sein sinkendes Schiff. Kein Boden, keine Balken, kein fester Halt mehr.

41

MARSALA

Was bleibt von einem Menschen übrig, wenn seine Innenwelt sich auflöst und seine Außenwelt verbrennt? Alles, womit wir uns identifizieren – unser Körper, unser Besitz, unsere Beziehungen –, kann sich von heute auf morgen ändern. Was wir für unsere Persönlichkeit halten, ist möglicherweise nur eine von verschiedenen Personen, die in uns leben und, je nachdem, wohin das Leben uns verschlägt, ins Licht treten oder im Schatten schlummern. Vielleicht sollten wir uns alle nicht so ernst nehmen, vielleicht sollten wir die anderen nicht verurteilen, wenn es tatsächlich nur eine Laune des Schicksals ist, die uns davon trennt, ihr Leben zu führen statt jenem, das wir für unseres halten. In Wahrheit ist unser Ich ist nur ein Haus aus alten Geschichten, das beim nächsten Sturm zusammenfällt. Aber was bleibt am Ende; wer sind wir wirklich? Vielleicht werden wir es nie erfahren, weil jedes neue Ich uns wieder aus den Händen gleitet, sobald wir es festhalten wollen. Stattdessen bleibt uns nur die Frage: »Wer *werde* ich?«

Das Wetter schlägt um; schwere Wolken ziehen übers Meer herauf, die Temperatur fällt. Ein böiger Wind zeichnet Wellenmuster auf den Sand. Joëlle und ich hüllen uns fest in unsere Schals und gehen zurück zum Hotel. Es beginnt zu nieseln. Der gerade noch sommerliche Spätherbst riecht plötzlich nach Winter. Draußen sehen wir Patrice' kleines Schiff, das in den Hafen einläuft. Es wird früh dunkel.

Was steht zwischen mir und der Frau, die ich sein könnte? Eine Geschichte. Aus Erlebnissen werden Gefühle, aus Gefühlen werden Gedanken, und aus Gedanken werden Geschichten. Man erzählt sie sich immer wieder, gewöhnt sich an sie wie an einen alten Pullover, den man liebgewonnen hat, selbst im Unglück, weil es vertrautes Unglück ist. Man muss lernen, diesen Weg rückwärtszugehen. In den versteckten Räumen zwischen den Gedanken zu leben, dort, wo noch nichts entschieden ist, wo alles auch anders werden könnte.

»Schreib dein Leben um«, sagt Joëlle. »Meine Gesangslehrerin erzählte mir mal eine Geschichte; frag mich nicht, ob sie wahr ist. Zwei Kaufleute kamen in ein fremdes Land, um dort Schuhe zu verkaufen. Beide hatten einen großen Koffer voller Schuhe dabei. Der eine rief am ersten Tag seine Frau an und sagte entsetzt: ›Hier tragen die Menschen überhaupt keine Schuhe! Niemand versteht mich! Gleich morgen komme ich zurück!‹ Der zweite rief seine Frau an und sagte: ›Stell dir vor, was für ein Glück! Hier hat noch niemand Schuhe! Ich werde Tausende verkaufen!‹«

Joëlles Augen blitzen. Ich weiß, was sie sagen will. Dieselbe Wirklichkeit, nur ein anderer Standpunkt. Moritz' Geschichte kann man als die eines Verrats erzählen: Das sagt Fanny. Oder die eines Hochverrats: Das sagt die Wehrmacht. Oder die einer unverhofften Liebe: Das sagt Joëlle. Er selbst hat sie vielleicht als großen Verlust erlebt. Wer entscheidet, welche Fassung am Ende Gültigkeit besitzt? Man kann ein- und demselben Menschen drei verschiedene Lebensläufe schreiben; jeder stimmt in sich, aber es erscheinen drei verschiedene Personen. Je nachdem, was du weglässt, bist du ein Gewinner oder ein Verlierer, ein Glückspilz oder ein Pechvogel, ein Opfer oder ein Täter.

»Die Geschichte, die du dir erzählst«, sagt Joëlle, »ist ziemlich trist, wenn du mich fragst. *Er hat mich verlassen.* Wie wär's mit: *Ich bin endlich frei zu leben, wie ich will?*«

»Klingt gut, aber ganz ehrlich: Das Leben, das ich jetzt habe, wollte ich nie.«

»Ein anderes hast du nicht, oder hast du ein Reserveleben in der Tasche?«

»Weißt du, ich glaube nicht, dass ich Anspruch auf ein glückliches Leben habe, nur weil ich's mir so vorstelle und beim Universum den Traumprinzen bestelle. So läuft das nicht.«

»Das Leben ist weder gut noch schlecht«, sagt Joëlle. »Es ist einfach das, was wir haben. Du musst es nicht ändern. Mach's andersrum. Nimm dein Leben so, wie es ist, und erzähl dir eine passende Geschichte dazu.«

Vor dem Hotel fliegen Plastikstühle über den Rasen. Die Palme schüttelt sich in den Böen, die Eingangstür schlägt auf und zu. Es kommt mir vor, als würde das billig gebaute Hotel gleich in sich zusammenfallen wie ein Kartenhaus und über den Strand geweht werden.

Wir setzen uns in den Frühstücksraum, wo niemand Kaffee macht und der Regen schwer an die Scheiben schlägt. Irgendwann kommen die anderen vom Hafen, durchfroren und durchnässt. *Die Taucher mussten abbrechen,* sagen sie. *Wir müssen warten.*

Patrice bringt frischen Fisch mit; die Köchin kann heute nicht kommen, irgendwas mit den Kindern, wir dürfen selbst in die Küche. Ich beobachte seine Hände, die den Fisch ausnehmen und mit dem Messer schuppen, seine schnellen Bewegungen, die kein Zögern kennen, sinnlich und unkompliziert. Ich mag das. Gianni war ein Mann der Worte, nicht der Tat, der jede Entscheidung hundertmal abwog. Ein Ästhet, ein Mensch der Reiseführer, der alles wusste, während Patrice sich die Welt im Gehen erschließt. Für ihn existiert nur das Greifbare. Ich mag seine Begeisterung für die Dinge, seine ungefilterte Beziehung zur Welt. Er kann sich in etwas verlieben, den Geschmack einer frischen Tomate vom Markt oder den Duft aus dem Ofen, und im nächsten Moment erregt wieder etwas anderes seine Aufmerksamkeit. Heute widmet er sich ganz dir, morgen wird er sich in eine andere verlieben. Aber alles, was er tut, macht er mit Hingabe.

»Steht dein Angebot mit der Insel noch?«, frage ich plötzlich. Mehr als Patrice überrasche ich mich selbst.

»Morgen bleibt das Schiff im Hafen. Ich bin frei.«

»Können wir bei dem Wetter mit dem Schlauchboot übersetzen?«

»Nein. Aber wir können das Tragflügelboot um acht nehmen. Falls es fährt. Wenn der Sturm nicht zu stark wird. Wir schauen einfach morgen früh, ja?«

»Ja.«

So einfach geht das. Dann holt er den Fisch aus dem Ofen und tischt ihn auf. Ich erwische mich bei dem geheimen Wunsch, dass die Fähre morgen nicht geht. *Mi dispiace, Signora,* höre ich den Mann am Schalter sagen. *Das Schiff fährt heute nicht. C'è mare brutto.* Und dann verscheuche ich den Gedanken wieder, der mir diese Geschichte weismachen will, noch bevor sie geschehen konnte.

42

SFORTUNA

Wenn du einmal angefangen hast zu lügen, dann bleibe auch dabei.

Joseph Goebbels

Auf einmal stand sie in seiner Tür. Die Sommerhitze war vergangen, ohne dass Sylvette aufgetaucht war. Sie schien verschwunden, Léon erwähnte sie nicht einmal; Moritz hoffte, sie hätte sich einem anderen Abenteuer zugewandt. Doch dann verreiste Léon für ein paar Tage, niemand wusste wohin; und eines Nachmittags, als Moritz gerade die Filmrolle für den Abend einfädelte, roch er ihr Parfüm. Er drehte sich um und sah Sylvettes Silhouette in der offenen Tür. Sie trug ein helles Sommerkleid und einen großen Hut, den sie tief ins Gesicht gezogen hatte. Irgendetwas an ihr war anders, das spürte Moritz sofort. Etwas Dunkles, Verschattetes lag in ihren Augen.

»*Ça va, Maurice?*«

Ihre Stimme klang leise, fast ein wenig zerbrechlich, ohne aber an Entschlossenheit verloren zu haben.

»*Bonjour, Madame.*«

Sie blieb stehen, als würde sie auf seine Einladung warten, was gar nicht ihre Art war. Moritz holte einen Stuhl hinter dem Projektor hervor.

»Bitte, setzen Sie sich.«

»Danke.«

Sie setzte sich, aber behielt ihren Hut an, so dass Maurice ihre Augen kaum sehen konnte. Der Schatten der Glühbirne, die von der Decke baumelte, fiel über ihre rubinrot geschminkten Lippen.

»Wie geht es Ihnen, Maurice?«

»Danke, gut ... und Ihnen, Madame?«

Sie ließ sich Zeit. Und dann antwortete sie nicht.

»Und wie geht's Albert?«, fragte sie.

»Er sagt, gut, aber ...«

»Ah.« Sie nickte und sah sich im Raum um.

»Wie geht es Ihrem Mann?«

»Er ist verreist.«

»Wohin?«

»Wer weiß das schon.«

Etwas in ihrem Tonfall gab ihm ein ungutes Gefühl. Was wollte sie?

»Darf ich kurz ...?«

»Natürlich.«

Er fädelte die Filmrolle ein. Spürte ihren Blick im Rücken. Sie beobachtete seine Finger. Als er sich wieder zu ihr drehte, hatte sie den Hut abgenommen. Jetzt sah er es, nur mühsam mit Schminke überdeckt. Sylvette sah, dass er es sah, und wahrscheinlich wollte sie es auch.

»Was ist passiert?«

»Nichts. Ich bin die Treppe heruntergefallen.« Sie sagte es so tonlos, dass er ihre Lüge sofort durchschaute. Und sie bemerkte es. Wandte sich verschämt ab.

»Das tut mir leid.« Er fühlte sich schuldig, denn wenn Léon sie geschlagen hatte, dann wegen dem, was am Strand geschehen war.

»Es ist nicht das erste Mal«, sagte sie leise. »Sie können nichts dafür, Maurice.«

Er wusste nicht, was er tun sollte. Sie musste seine Verlegenheit bemerkt haben, denn sie stand auf und ging zu ihm. Jetzt sah er aus nächster Nähe die Spuren in ihrem Gesicht.

»Es ist schon viel besser.« Sie hielt seinen Blick aus, dann wandte sie sich ab. Er sah, dass sie mit den Tränen kämpfte. Würde er ein Taschentuch besitzen, hätte er es ihr jetzt gereicht. Auf einmal fuhr sie herum.

»Deshalb konnte ich das Haus nicht verlassen. Wenn Sie wüssten, wie ich ausgesehen habe. Er schlägt mich nicht dorthin, wo niemand es sieht, nein, er schlägt mich ins Gesicht; er weiß, was er tut. Er ist ein Monster. Ich sollte Ihnen das nicht sagen, Sie sind ein guter Mann, Maurice, eine Frau spürt das.«

Jetzt sah er die wilde Verzweiflung in ihren Augen.

»Wenn er zurückkommt von seiner Geliebten, wird er mich wieder einsperren.«

Sie ging einen Schritt auf ihn zu. Und als er sich nicht bewegte, weil er weder wagte, sie zu umarmen noch zurückzuweisen, kam sie so nah an ihn heran, dass ihr Duft ihn überwältigte. Er hielt den Atem an.

»Du bist besser als die Piaf, hat er gesagt, du hast Klasse, hat er gesagt. Ich hol dich hier raus. Pah! Er ist meine Falle, Maurice, ich bin ihm auf den Leim gegangen wie eine Fliege auf einem Fliegenfänger. Es schmeckt süß, aber einmal gefangen, kommst du nicht mehr los. Und du stirbst langsam. Ich will zurück nach Paris, Maurice, wenn nur endlich dieser verdammte Krieg zu Ende wäre! Victor ist dort, er befreit mein Paris von den *boches*. Er hasst die *boches*, Sie nicht auch?«

Sie fuhr mit ihren Fingern zart über seinen Arm.

»Retten Sie mich, Maurice.«

Er wusste nicht, was er darauf antworten sollte. Sie lehnte ihren Kopf an seine Schulter.

»Geben Sie mir nur ein wenig Wärme, das ist alles. Halten Sie mich fest.«

Er war unfähig, sich ihrem Wunsch zu widersetzen. Zögernd nahm er sie in den Arm. Sie schmiegte sich an ihn wie eine Katze an einen Fremden, erst vorsichtig, dann immer verspielter.

Dann spürte er, dass ihr Körper brannte. Schlagartig wachte etwas in ihm auf. Etwas, das ihn völlig unvorbereitet traf. Sylvette war nicht nur sehr schön, sondern betörend und sinnlich auf eine Art, die ihn verwirrte und erregte. Ihre Lippen suchten die seinen. Er zögerte.

»Mögen Sie keine Französinnen, Maurice?«, flüsterte sie lächelnd in sein Ohr.

»Doch, aber ...«

»*Alors*, worauf warten Sie, Maurice? Sie sind doch nicht verheiratet, Sie sind ein freier Mann ...«

Wenn er jetzt das Unvermeidbare zuließ und sie es Léon erzählte, würde er ihn verstoßen. Wenn nicht, würde er sie kränken, und sie könnte ihn verraten. Was er auch täte, es wäre das Falsche.

»Sylvette, ich bin verlobt«, stieß er hervor. Sie schien nur kurz überrascht. Dann lächelte sie.

»In Trieste?« Sie sagte es mit leichter Ironie, als wollte sie damit ausdrücken: *Ich weiß, dass Sie lügen.* Hatte Léon ihr gesagt, dass er Deutscher war? Sie nutzte seine Verwirrung wie einen offenen Spalt in der Tür, schlang ihre Arme um seinen Nacken und schmiegte ihren ganzen Körper an ihn.

»Tun Sie einfach so, als liebten Sie mich, Maurice. Lieber eine süße Lüge als die bittere Wahrheit. Lügen Sie mich an, *je vous en supplie!*«

Er hatte verlernt zu lügen. Alles, was er bei der Propaganda-Kompanie gelernt hatte, die Ablenkung, die Rhetorik, die Unverfrorenheit, war weg. Und plötzlich schoss ihm, mitten in der Verwirrung seiner Sinne, ein klarer Gedanke durch den Kopf: Was ihn davon zurückhielt, sie zu küssen, war nicht Léon, auch nicht Fanny in Berlin, nein – der einzige Mensch, an den er in diesem Moment denken musste, war Yasmina. Dann spürte er Sylvettes Lippen auf seinen. Zart, begehrend, immer heftiger.

Er stieß sie zurück.

Sylvette erschrak. Sie öffnete die Augen.

»Es tut mir leid ...«, stammelte er.

Und dann sah sie es. Es musste in seinen Augen gestanden haben, unübersehbar.

»Sie haben keine Verlobte. Es ist wegen Yasmina.«

Es war halb eine Feststellung, halb eine Frage. Vielleicht hätte er es in diesem Moment noch leugnen können. Aber er schwieg. Jetzt wusste sie es. Sie taumelte einen Schritt zurück, wie ein verwundetes Tier, dann gewann sie ihre Fassung zurück.

»Was wollen Sie mit der? Das ist keine Frau für Sie.«

»Sylvette, ich ...«

»Haben Sie Mitleid mit ihr? Eine Frau ohne Ehre, eine Frau, die lügt, und alle schauen weg, nur aus Respekt vor Dottor Sarfati! Wer weiß, welcher Nichtsnutz ihr den Balg angedreht hat.«

Moritz ging auf sie zu, um sie zum Schweigen zu bringen. Sylvette fasste ihm in den Schritt.

»Yasmina hat Sie verhext«, zischte sie. »Wie Victor. Sie sind kein Mann mehr.«

Moritz zuckte zusammen. Sie ließ ihn los und sah ihn kühl an. Ein abschätziges Lächeln huschte über ihr Gesicht.

»Sie bringt Ihnen *sfortuna*. Yasmina ist ein Pechvogel, neidisch und gierig; sie hat jedem Mann Unglück gebracht, ihrem Bruder, ihrem Vater ... Die Sarfatis haben alles für sie getan, aber in ihren Adern fließt das Blut der *indigènes*; die waren immer so, die Eingeborenen, wie die Araber, verschlagen und hinterlistig! Sie sind zu naiv, Maurice, Sie laufen in Ihr Unglück.«

Sylvette griff nach ihrem Hut und ging zur Tür.

»Warten Sie. Sylvette!«

»Folgen Sie mir nicht. Sprechen Sie nicht mit mir. Nie mehr.«

Sie warf die Tür hinter sich zu. Moritz ahnte ein schreckliches Unglück. *Machen Sie sich keine Sorgen wegen meiner Frau,* hatte

Léon gesagt. *Ich habe alles im Griff.* Aber es gibt nichts Gefährlicheres als eine stolze Frau, deren Liebe zurückgewiesen wird.

Moritz erzählte niemandem von dem Vorfall. Wie auch immer er es darstellte, es würde ein schlechtes Licht auf ihn werfen, und Yasmina wäre zutiefst verletzt. Das würde den abgründigen Hass zwischen den beiden Frauen nur noch weiter anfachen. Allein Victor könnte ein Machtwort sprechen. Wie immer drehte sich alles um ihn; selbst, wenn er nicht hier war, selbst, wenn er vielleicht schon tot war. Léon kam wenige Tage später zurück, und alles schien wie immer; er erwähnte Sylvette mit keinem Wort. Aber die Stille war trügerisch, wie die Sekunden vor einem Sandsturm, wenn die Luft den Atem anhielt und man die elektrische Ladung auf der Haut spürte, bevor kurz darauf die Hölle losbrach.

Ende August feierten sie die Befreiung von Paris, und im September Jom Kippur. Je weiter die Alliierten auf Deutschland vorrückten, desto besser wurde die Stimmung. Léon lud zum Fastenbrechen in seine Villa am Strand ein.

»Natürlich sind Sie auch dabei, Maurice! Machen Sie sich keine Gedanken, wir sind unter Freunden, die Sarfatis kommen auch! Und ziehen Sie sich eine Krawatte an, es ist ein hoher Feiertag!«

Sylvette musste die Gästeliste gemacht haben. Es waren immer die Frauen, die entschieden, wer ein- und wer ausgeladen war. Moritz hatte eine ungute Vorahnung. Was führte sie im Schilde?

Die untergehende Sonne tauchte die Bucht in ein fast surreales, magentafarbenes Licht. Die Schwalben flogen hoch, die Wolken schienen zu leuchten, und ein leichter Abendwind rauschte in den Eukalyptusbäumen. Léons Villa lag direkt am Strand; durch die offenen Fenster hörte man die Brandung so nah, als stünde man mitten im Meer. Alles in diesem Haus zeigte, dass die Besitzer sich eigentlich auf der anderen Seite des Meeres zu Hause fühlten: Jugendstilplakate aus Paris, Sofas aus grünem Samt, ein goldener Kronleuchter. Französische Magazine auf dem Couchtisch zeigten blonde Frauen im Café. Am Grammophon standen Schallplatten von Maurice Chevalier und Yves Montand.

Moritz trat auf die Terrasse und sog den spektakulären Blick über den Golf von Tunis ein. Das Leben war unverschämt leicht und schön, während zur selben Zeit Bremen, Darmstadt und Stuttgart unter den Bomben versanken. Sylvette reichte Citronnade und Mandelgebäck. Sie lächelte, als wäre nichts geschehen, ganz die schöne Gastgeberin an der Seite ihres Mannes. Sie richtete kein Wort an Moritz, war aber sehr freundlich zu Albert und Mimi, und ausgesprochen reizend zu Yasmina und der kleinen Joëlle.

Yasmina konnte ihr Misstrauen gegenüber Sylvette nur schwer verbergen. Sie ließ nicht zu, dass sie Joëlle auf den Arm nahm, und setzte sich an die andere Seite des großen Tisches. Bei solchen gesellschaftlichen Anlässen, wo alle außer ihr die Kunst der Konversation beherrschten, zog sie sich immer in sich selbst zurück. Moritz beobachtete sie unauffällig. Léon prostete allen mit Anisette zu.

»*Amici! À la victoire!*«

Anders als bei den Sarfatis waren hier nur jüdische Gäste eingeladen, auch Rabbi Jacob. Ob es an den Gastgebern lag oder die Zeiten sich geändert hatten, wusste Moritz nicht zu sagen. In die Synagoge hatten sie ihn nicht mitgenommen, um kein Aufsehen zu erregen. Für den kleinen, eingeweihten Freundeskreis war er weiterhin Maurice, der geflohene Jude aus Trieste. Sylvette ging zum Grammophon und legte eine Schallplatte auf.

Aman aman yalmani.

Yasminas Lieblingslied. Der deutsche Soldat und die Frau,

die er zurückgelassen hatte. Moritz erschrak. Sylvette warf ihm einen kurzen Blick zu, den er nicht zu deuten vermochte. Yasmina ahnte noch nichts Böses, bis Sylvette in die Runde fragte: »Wisst ihr, dass dieses Lied auf einer wahren Geschichte beruht?«

»Ein deutscher Soldat und eine Tunesierin? Nein!«

»Angeblich, so erzählt man, hatte die Sängerin was mit einem *boche*! So entstand dieses Lied.«

»*Che vergogna!* So eine Schande!«

»Sie ist Muslima. Und sie ist nicht die Einzige; auch so manche Französin konnte nicht widerstehen!

»Aber doch keine Jüdin?«

»Nein, Gott bewahre!«

»In Centre Ville hört man Dutzende solcher Geschichten. Eine soll sogar ein Kind bekommen haben!«

»Möge Gott ihr *sfortuna* bringen!«

Yasmina warf einen Blick zu Moritz, wie um zu fragen: Was soll das? Was weiß sie? Moritz war wie gelähmt.

»Wer ist diese Sängerin eigentlich? Woher kommt sie auf einmal? Ist sie eine Kollaborateurin wie die Piaf?«

Der Rabbi unterbrach das Gespräch.

»Hört auf, euch das Maul über die anderen zu zerreißen. Das könnt ihr morgen wieder tun, doch heute ist der Tag, um auf unsere eigenen Fehler zu schauen!«

An Jom Kippur, dem Tag der Reue und Versöhnung, war jeder dazu angehalten, in sich zu gehen und sich seiner Fehler bewusst zu werden, um es zukünftig besser zu machen. In den jüdischen Familien wurde für jede Frau ein Huhn und für jeden Mann ein Hahn geschlachtet, ebenso für jedes Kind. Mit dem rituellen Opfer tötete man symbolisch die eigenen Sünden. Zur seelischen Reinigung wurde dann fünfundzwanzig Stunden lang gefastet. Moritz hatte es auch getan, um nicht essend gesehen zu werden. Und dank der hungrigen Mägen fand die

Runde schnell zurück zu einem unverfänglichen Gesprächsstoff, der den ganzen Abend lang nicht ausging: das Essen.

Die Köchin, eine ältere einheimische Jüdin, tischte das Menü auf: *stoufadou*, ein Ragout aus Geflügelleber auf Zwiebeln, Tomaten und Petersilie, dazu Hühnersuppe mit Sellerie und Kurkuma sowie gebratene Hühnerschenkel auf grünen Erbsen, Knoblauch und Zimt. Als Dessert wurde *bouscoutou* gereicht, Orangenkuchen mit Quittenmarmelade und Dattelschnaps.

Sylvette blickte kein einziges Mal hinüber zu Moritz. Später, als die Männer am Tisch Zigaretten rauchten, trat Moritz auf die Terrasse, um frische Luft zu schnappen. Die Brandung rollte sanft auf dem Strand aus. Weiße Streifen auf dem dunklen Meer, nur vom Licht der Fenster erhellt. Ringsherum zirpten Zikaden. Er bemerkte sie, noch bevor er sich umdrehte. Sylvette trat durch die Vorhänge nach draußen. Ihr weißes Kleid im Nachtwind, das Glas in ihrer Hand. Sie war etwas betrunken, aber gefasst.

»Genießen Sie das milde Klima? Ich könnte nie woanders leben als am Mittelmeer.«

Sylvette trat neben ihn an die Brüstung und blickte hinaus aufs Meer. Dann drehte sie sich um. Sie sah aber nicht ihn an, sondern schaute in den Salon, zu Léon und den anderen.

»Entschuldigen Sie. Vergessen Sie alles, was ich gesagt habe. Ich war nicht ich selbst. Sie sind ein *uomo onesto*. Ein anständiger Mann.«

Moritz überhörte nicht den leicht ironischen Unterton.

»Ich bin Ihnen nicht böse, Madame. Ich bitte Sie nur …«

»Keine Sorge, ich werde Sie niemandem verraten. Victor würde es mir nicht verzeihen. Immerhin verdankt er Ihnen das Leben. Amüsieren Sie sich noch … Maurice.«

Sie drehte sich um und ging nach drinnen. Nur für einen Augenblick lang war Moritz erleichtert, aber dann spürte er den Stachel in ihren Worten. Die Art, wie sie »Maurice« sagte. Mit unsichtbaren Anführungszeichen. Sie wusste, dass er Victor gerettet hatte. Also wusste sie, dass er Deutscher war. Léon musste es ihr verraten haben. Was sie ihm eigentlich sagen wollte, war: *Nimm dich in Acht, ya almani, ich hab dich in der Hand!* Ein kühler Wind zog vom Meer herauf.

Später, als alle Gäste sich verabschiedeten, ging Yasmina hinauf ins Schlafzimmer. Joëlle lag friedlich auf dem fürstlichen Ehebett, wo ihre Mutter sie zum Schlafen hingelegt hatte. Es war dunkel im Zimmer, nur der Mond schien durch die hohen Fenster zum Meer. Yasmina fühlte sich an die Zimmer des Majestic erinnert. Das französische Flair, luxuriös und ein bisschen frivol; die inneren Bilder, die sie ansprangen, wenn sie sich Sylvette in diesem Bett vorstellte; ihr Schamgefühl, ein verbotenes Reich zu betreten. Gerade als sie Joëlle auf den Arm nahm, kam Sylvette ins Zimmer. Sie zog die Tür hinter sich zu. Yasminas Herz begann, heftig zu schlagen.

»Ich wollte mich bei dir entschuldigen«, sagte Sylvette. »Immerhin ist heute Jom Kippur, nicht wahr?«

Yasmina sah sie überrascht an.

»Entschuldigen wofür?«

»Hast du bemerkt, wie auch heute alle über Victor geredet haben? Alle lieben ihn.«

Sie machte eine Pause, um Yasminas Unsicherheit auszukosten.

»Ich war, das muss ich zugeben, immer ein bisschen neidisch auf euch. Die Kindheit, das kann niemand ersetzen, nicht wahr? Der große Bruder, der beste Freund ... ich hatte das nicht. Gut, ich hatte anderes, ich war frei ...«

»Sylvette, meine Eltern warten.«

Sylvette blieb vor der geschlossenen Tür stehen, als hätte sie es überhört.

»Vielleicht habe ich ihn zu spät kennengelernt. Aber gut, ich mag keine unsicheren Jungs, sondern Männer mit Erfahrung. Wie auch immer, das ist alles vergangen, und heute möchte ich mich bei dir entschuldigen. Ich war eifersüchtig.«

Yasmina wusste nicht, was sie antworten sollte.

»Danke, Sylvette ...«

»Das war dumm, Yasmina. Und völlig unnötig. Victor hat es mir ja selbst gesagt: *Sylvette, hör auf mit diesen kindischen Gedanken! Ich mag Yasmina, ich habe Mitleid mit ihr, du musst verstehen, wo sie herkommt. Aber ich liebe sie nicht. Das verrate ich nur dir, Sylvette, in meiner Familie darf ich das niemandem sagen, aber sie hängt an mir wie ein kleines Kind. Ich bin nett zu ihr, ja, aber in Wahrheit verachte ich sie.*«

Yasmina fühlte, wie der Boden unter ihren Füßen schwankte. Sie presste Joëlle fest an ihre Brust. Sie schlief, sie verstand kein Wort, aber wie konnte Sylvette die Unverfrorenheit haben, so vor ihrem Kind zu sprechen?

»Er hat noch andere Dinge gesagt, die ich dir lieber ersparen will. Aber jetzt bist du ja Mutter geworden, *sahaleik*, Glückwunsch, du wirst erwachsen!«

Sylvette drückte Joëlle einen Kuss auf die Wange, dann öffnete sie die Tür. Yasmina starrte sie wie gelähmt an.

»Ich weiß, es tut weh«, sagte Sylvette leise. »Die Leute lügen, um einander zu schonen. Aber am Ende ist nichts befreiender als die Wahrheit, nicht wahr?«

Yasmina lief aus dem Zimmer, so schnell sie konnte, die Treppe hinunter, als wäre der Teufel hinter ihr her. Sie hatte Tränen in den Augen, als Moritz sich von ihr verabschieden wollte. Sie wartete nicht einmal auf ihre verwunderten Eltern, sondern lief mit ihrem Kind nach Hause.

»Was ist passiert?«, fragte Albert verwundert.

»Ich weiß nicht«, sagte Sylvette. »Wissen Sie's vielleicht, Maurice?«

Die Demütigung hatte Yasmina unvorbereitet getroffen. Sie konnte das Getuschel der Nachbarn ertragen, die Strafen ihrer Mutter und sogar die Sticheleien von Sylvette. Ihr fester Glaube an Victor trug sie über alles hinweg. Aber dass Victor selbst sie verraten hatte – allein die Vorstellung –, zog ihr den Boden unter den Füßen weg. Unmöglich, sagte sie sich, Sylvette muss gelogen haben, schamlos, wie sie war. Sie stellte sich vor, Victor würde zurückkehren und Hand in Hand mit ihr zu Sylvette gehen und sie zwingen, sich zu entschuldigen. Doch nur der Gedanke daran, was Victor wirklich gesagt hatte, ob Sylvette ihn missverstanden oder nur die halbe Wahrheit gesagt hatte, vergiftete Yasminas Herz. Selbst wenn nur die Hälfte davon stimmte, wäre es ein unfassbarer Verrat.

Wenn ein geliebter Mensch uns verlässt, bleibt eine schreckliche Leerstelle, und das Schlimmste ist nicht die Einsamkeit, also das Zuwenig vom anderen, sondern das Zuviel vom Ich: unser eigener Geist, der versucht, diese Leerstelle zu füllen, mit imaginären Zwiegesprächen, Phantasien und – dem Tückischsten von allem: Erklärungen. *Warum hat er mich verlassen?* In jedem von uns gibt es eine dunkle Stelle, in der sich diese Erklärungen verfangen, wo sie genährt werden wie ein Geschwür, eine monströse Pflanze, die aus dem Schlamm wächst, eine Schlange, der du einen Kopf abschlägst, und sofort wachsen zwei neue nach. Und während es Menschen gibt, solche wie Victor, die diese dunkle Stelle vor allen verbergen können, sogar vor sich selbst, riss sie in Yasmina einen bodenlosen Abgrund auf, eine klaffende Wunde, eine Selbstanklage. *Du musst verstehen, wo sie herkommt. Sie hängt an mir wie ein kleines Kind.* War sie ihm zu lästig geworden mit ihrer Liebe, die so groß war, dass kein Mensch sie erwidern konnte? Sonst wäre er doch längst zu ihr zurückgekehrt.

Sylvettes vergiftete Worte verfolgten Yasmina bis in ihre Träume hinein. *Ich habe Mitleid mit ihr. Aber ich liebe sie nicht. Ich verachte sie.* Ob er es tatsächlich gesagt hatte oder nicht, spielte keine Rolle mehr. Yasmina versuchte, die Worte zu verscheuchen, so wie man einen Schwarm Mücken abwehren will, verzweifelt um sich schlagend, vergeblich. Die Stiche kamen durch. Der Einzige, der diese Worte wieder ungesagt machen könnte, wäre Victor selbst. War seine Abwesenheit nicht der beste Beweis dafür, dass Sylvette die Wahrheit sagte?

Sie schlief nicht mehr, aß nicht mehr, ging nicht aus dem Haus. Und niemand wusste, warum. Auch Albert drang nicht mehr zu ihr durch. Er vermutete eine Krankheit, aber konnte sich keinen Reim auf die Symptome machen. Mimi versuchte es mit Drohungen, dann mit Zärtlichkeit, dann gab sie auf. Sie fragten Moritz, aber auch er wusste keinen Grund und kein Heilmittel gegen das unheimliche Gift, das Yasmina von innen auffraß. Als er sie sah, bleich und abgemagert, ein Gespenst mit einem Kind auf dem Arm, erschrak er.

»Kann ich etwas für Sie tun?«, fragte er.

»Nein«, sagte sie, und als ihre Eltern sie nicht hörten, flüsterte sie in sein Ohr: »Bringen Sie mir Victor zurück.«

»Aber wie denn?«

»Sie sind sein Schutzengel. Sie können ihn finden. Ich flehe Sie an.«

Als Mimi mit einem Teller voller *manicotti* aus der Küche kam, verschwand Yasmina wieder in ihrem Zimmer, ihrem Schweigen, ihrem Inneren. Es gibt Menschen, die in ihrer Seele einen Brunnen haben, aus dem sie trinken, wenn sie sich in die Stille zurückziehen, um dann erfrischt wiederaufzutauchen. Yasminas Seele aber hatte einen Riss, aus dem das Lebenswasser herauslief, still und unbemerkt. Und da niemand es sah, konnte niemand ihr helfen. Sie vertrocknete. Vorher war es Victors Liebe, die sie aufrechtgehalten hatte; jetzt tobte ein Hass in ihr, der alles zerstörte. Hass auf Sylvette, die sie ins Unglück gestoßen hatte; Hass auf Victor, der sie dort alleine ließ; und Hass auf sich selbst, weil sie es nicht schaffte, sich aus diesem Strudel zu befreien.

Die Einzige, die sie rund um die Uhr bei sich haben wollte, nicht eine Sekunde aus den Augen verlor und mit Zähnen und Klauen gegen Mimi verteidigte, war Joëlle. Wenn sie nachts nebeneinander in Yasminas Bett lagen, sang sie ihr Victors Chansons vor. *Mon légionnaire* von der Piaf, die er verehrte – bevor sie mit den Deutschen nach Berlin gefahren war.

Je ne sais pas son nom, je ne sais rien de lui.
Il m'a aimée toute la nuit ...

Joëlle liebte diese Lieder. Sie schlief nie mehr ohne Chansons ein, und immer wenn eines zu Ende war, wollte sie es noch mal hören. Je trauriger, desto besser. Bei den traurigen lächelte sie und langweilte sich bei den lustigen. Vielleicht, weil sie bei den traurigen ihre Mutter stärker spürte. Yasmina zog dann die Decke über ihre beiden Köpfe, und das Licht der Nachttischlampe war nur noch eine ferne Sonne, die durch das Laken schien wie durch ein Zelt aus Nebel.

Bonheur perdu, bonheur enfui,
Toujours je pense à cette nuit.

Wir müssen jetzt stark sein, flüsterte Yasmina, du darfst niemandem glauben außer deiner Mutter, hörst du, *amore*? Dort draußen gibt es Menschen, die uns nicht mögen, sie wollen uns etwas Böses antun, aber ich werde das nicht zulassen! Du wirst ein glückliches Kind sein, mit deiner Mama immer an deiner Seite, und mit deinem Papa. Er wird kommen, glaub mir, er wird uns beschützen gegen diese Menschen, er wird uns weit, weit wegbringen, an einen schönen Ort, wo wir sicher sind!

Je rêvais pourtant que le destin
Me ramènerait un bon matin
Mon légionnaire.

Er ist ein wunderbarer Mann, schau, das ist dein Papà auf diesem Foto. Und hier, da waren wir noch klein, siehst du? Wenn du seine Stimme hören könntest! Sie haben nie eine Schallplatte von ihm aufgenommen, wie dumm von ihnen, sie dachten, er würde ewig leben. Aber hab keine Angst, er wird zurückkommen. Die *nonna* betet, aber Gebete wirken nicht. Es ist allein die Liebe, die einen Menschen zurückholen kann. Wir müssen fest an ihn denken, so sehr, dass sein Herz es spürt, denn unsere Herzen sind verbunden, über das Meer hinweg schlagen sie im gleichen Takt!

Qu'on s'en irait seuls tous les deux
Dans quelque pays merveilleux
Plein de lumière!

Am schlimmsten waren die Nächte mit Regen. Wenn Joëlle schon längst eingeschlafen war und die dicken Tropfen ans Fenster schlugen, stieg eine monströse Angst in ihr auf. Im Dunkeln sah sie wieder die Geister aus dem Waisenhaus, die sie doch glaubte besiegt zu haben. Dabei durfte sie jetzt keine Angst haben. Sie war kein Kind mehr, sondern Mutter, sie musste Joëlle die Angst nehmen! Aber in diesen Nächten vermisste sie Victor so sehr, dass ihr ganzer Körper vor Schmerz brannte. Einmal hielt sie es nicht mehr aus, ließ Joëlle schlafend liegen, zog sich einen langen Mantel über das Nachthemd und lief durch den Regen über die leergefegten Straßen bis zum Ciné Théâtre, wo sie Moritz fand, der noch wach war in seiner Dachkammer und erschrak, sie mit völlig durchnässten Haaren zu sehen.

»Yasmina!«

Sie ging auf ihn zu, zitternd vor Kälte, und blieb vor ihm stehen, so nah, dass er ihren Atem spüren konnte. Er nahm ihr den nassen Mantel ab und legte ihn über einen Stuhl.

»Was ist passiert?«

»Halten Sie mich fest. Bitte.«

Sie stand vor ihm und wartete, bis er einen Schritt auf sie zukam und seine Arme um sie legte. Sie schloss die Augen und lehnte sich an seine warme Brust.

Das war alles. Er hielt sie.

Nicht mehr, aber auch nicht weniger.

Und weil er sie nicht gehen ließ, als sie gehen wollte, erzählte sie es ihm. Sylvettes Worte und die Verheerung, die sie in ihr angerichtet hatten. Moritz war schockiert und wütend.

»Ich gehe morgen zu ihr und ...«

»Nein, auf gar keinen Fall!«

»Aber das ist doch unverschämt. Es ist ...«

Er wollte ihr sagen, dass es nicht wahr war. Dass Victor sie liebte. Aber dann war er sich selbst nicht mehr so sicher.

»Sie wären froh, wenn es wahr wäre«, sagte sie plötzlich hart.

»Aber .... nein, warum?«

Sie sah ihn durchdringend an. Augen, die brannten.

»Sie wären sogar froh, wenn er tot wäre. Schämen Sie sich nicht?«

»Aber Yasmina, wie können Sie so etwas ...–«

»Alle reden über uns. Alle.«

Moritz erschrak. Mit einem Mal hatte sie das Visier heruntergelassen. Anstatt es ihr gleichzutun, zwang seine Scham ihn, auszuweichen.

»Aber ... ich, nein Yasmina, es ist nicht, wie Sie denken.«

»Sie fühlen also nichts, wenn Sie mich sehen?«

»Ich ... würde niemals ...«

Ihre Augen verengten sich zu Schlitzen.

»Warum haben Sie keine Freundin? Es gibt so viele hübsche Frauen hier. Und Sie verstecken sich in Ihrem Loch. Nicht einmal Sylvette wollten Sie. Ihr Herz ist kalt, Maurice.«

Sie wandte sich ab, um zu gehen. Er fasste ihr an die Schulter.

»Warten Sie.«

Sie blieb stehen. Jetzt sah er, dass sie Tränen in den Augen hatte. Sie war völlig aufgewühlt.

»Entschuldigen Sie«, sagte sie verschämt. »Manchmal wünsche ich mir selbst, er wäre tot. Damit die Ungewissheit aufhört. Das ist das Schlimmste. Die Witwen können trauern, die anderen können feiern. Ich lebe wie ein Schatten. Sie sollten mich meiden. Lassen Sie mich los. Ich bringe Ihnen kein Glück.«

»Yasmina ...« Er konnte nichts sagen. Aber er zog sie sanft zu sich. Ihr Körper versteifte sich, doch dann spürte sie, dass er es gut meinte, dass es eine liebevolle Umarmung war, nicht mehr, nicht weniger; und ihre Muskeln entspannten sich, wie ein aufgewühltes Meer, über dem der Wind sich legt. Sie spürte sein Herz schlagen, aber sein Körper blieb still.

»Maurice, Sie sind zu gut für die Liebe.«

»Was meinen Sie damit?«

»Sie sind ein anständiger Mann. Aber die Liebe ist nicht anständig. Sie frisst das Herz auf, sie ist gierig, schamlos und grausam. Sie haben das alles nicht nötig, und wenn der Krieg vorbei ist, gehen Sie zurück in ihre geordnete Welt zu ihrer treuen Frau. Aber kann man lieben, ohne verrückt zu werden? Wer nur die helle Seite der Liebe schätzt, wird vielleicht ein ruhiges Leben haben, aber es wird eintönig sein, wie ein Jahr ohne Jahreszeiten. Wer die dunkle Seite der Liebe nicht kennt, der hat nicht wirklich gelebt.«

»Es gibt keine geordnete Welt mehr, Yasmina. Wenn ich zurückgehe, dann in eine Trümmerwüste.« Jetzt fand er seine Worte wieder. Es war einfach. Er musste nur sagen, was er dachte. »Und wer weiß, ob Fanny noch lebt. Ob sie einen anderen hat. Ob sie mich vergessen hat. Liebe ist nicht von Dauer. So schön das auch klingen mag; in dieser Welt hat sie keinen Bestand. Wir versuchen alle nur zu überleben. Und wir können von Glück sprechen, wenn uns wenigstens das gelingt.«

Yasmina löste sich von ihm und sah ihm in die Augen. Dann sagte sie etwas, das ihn verstörte.

»Sie machen sich kleiner, als Sie sind, Maurice.«

Ohne ein weiteres Wort wandte sie sich ab und ging. Er blieb aufgewühlt zurück, als wäre ein Sturm durchs Zimmer gefahren.

Alle Taubheit war verflogen und wich der verwirrenden Gewissheit: Er liebte. Aber was nützt eine Liebe, die nicht leben darf? Er musste einen Weg aus der Unsichtbarkeit finden.

Am nächsten Morgen ging Moritz, ohne Yasmina davon zu erzählen, zu Sylvette. Er konnte nicht zulassen, dass Yasmina litt. Er empfand Wut auf Sylvette; ein Gefühl, das er lange nicht mehr gespürt hatte, so unbändig stark, dass es seinen Mantel der Unsichtbarkeit zu sprengen drohte. Léons Alfa Romeo stand nicht vor der Villa. Die Eukalyptusbäume rauschten im kühlen Herbstwind. Moritz ging direkt zum Eingang. Er griff den schweren Eisenring an der Tür und klopfte. Sylvette musste ihn durch die Vorhänge beobachtet haben, denn als sie die Tür einen Spalt weit öffnete, schien sie kaum überrascht.

»Maurice. Sie hier?«

Sie trug ein hauchdünnes Négligée, und darüber einen Hausmantel, den sie in der Hüfte zuband.

»Guten Tag, Madame. Darf ich reinkommen?«

Sylvette öffnete die Tür etwas weiter und vergewisserte sich, dass kein Nachbar sie sah. Dann trat sie zur Seite und ließ Moritz ins Haus.

»Wenn Léon das wüsste ...«

»Bitte geben Sie mir nur eine Minute, Madame, ich bin gleich wieder weg.«

Auf einmal, mitten im Salon vor Sylvette, die keine Anstalten machte, ihm einen Platz auf dem Sofa anzubieten, fühlte er sich schrecklich ... sichtbar. Die Kunst der Unsichtbarkeit beruhte darauf, nichts zu wollen außer dem eigenen Verschwinden. Man durfte kein Anliegen haben, nichts von den anderen wollen, außer dass sie einen übersahen. Wer etwas wollte, musste sich zeigen. Es fiel ihm unfassbar schwer, die richtigen Worte zu finden.

»Was ist, Maurice? Fühlen Sie sich nicht gut?«

»Doch, doch, ich ...«

Seine Kehle war staubtrocken. Er räusperte sich.

»Ich möchte Sie um etwas bitten.«

»Ja?«

»Was Sie Yasmina gesagt haben. Ich weiß, dass es nicht wahr ist.«

Sylvettes Miene verhärtete sich. Eine Maske.

»Es hat sie sehr verletzt. Bitte sagen Sie ihr, dass es nicht wahr ist.«

Sylvettes Mund verzog sich zu einem amüsierten Lächeln, während ihre Augen kühl blieben. Sphinxhaft, wie Marmor.

»Sie lieben Yasmina!«

Moritz suchte nach Worten der Erwiderung, nach einem Schutzschild für seine Gefühle, die er nicht zeigen wollte.

»Sie waren nicht nett zu mir, Maurice«, sagte Sylvette, »und wenn ich wollte, säßen Sie morgen in einem britischen Gefängnis. Aber das kann ich Victor nicht antun. Sie werden nie verstehen, was Victor für mich bedeutet. Er hat mich erkannt. Er hat an mich geglaubt. Er hat mir Mut gemacht!«

Er sah etwas in ihren Augen aufflackern, das sofort wieder erlosch.

»Am Abend vor seinem Verschwinden kam er zu mir, während Léon im Haus der Sarfati auf ihn wartete.« Sie lachte kurz auf. »Wir haben uns geliebt. Eine Frau spürt es, ob ein Mann nur ihren Körper begehrt oder ihre Seele liebt.«

Moritz erinnerte sich. Wie Victor betrunken nach Hause kam. Was zum Teufel erzählte sie von Seele und Liebe?

»Was zwischen Yasmina und Victor steht«, sagte sie, »bin nicht ich. Auch nicht das Tabu. Er liebt sie einfach nicht. *C'est tout.*«

»Woher wollen Sie das wissen?«

»Hat er's Ihnen nicht erzählt?«

»Nein.«

Sie suchte in seinen Augen nach einer Unsicherheit, einem Zwinkern, einer Verlegenheit. Er hielt ihrem Blick stand.

»Sagen Sie mir nur eines, Maurice ... Yasminas Kind, ist das Ihres?«

»Nein.«

»Sie lügen, Maurice. Jeder ahnt es. Alle reden darüber. Sie tauchten zur gleichen Zeit auf, als sie schwanger wurde.«

»Nein. Das weiß ich sicher.«

Seine Ruhe irritierte Sylvette.

»Ach, woher sind Sie so sicher? Kennen Sie den Vater?«

»Ja.« Im selben Augenblick, als er es aussprach, bereute er es. Aber Worte sind wie Gewehrkugeln. Einmal abgeschossen, kann man sie nicht mehr zurücknehmen. Sylvette starrte ihn an. Ihr Kiefer begann, unmerklich zu zittern. Sie sah weg und suchte nach einem Halt im Raum.

»Ist *er* der Vater?«

»Nein«, sagte Moritz hastig. Zu hastig. Sylvette wurde schwindlig. Sie ging zum Sofa, hielt sich an der Lehne fest und setzte sich.

»Sie sind ein schlechter Lügner, Maurice«, sagte sie, während etwas in ihr zerbrach. Es schnürte ihm die Kehle zu.

»Sie haben ein zu weiches Herz.«

»Ich ...«

»*Au revoir,* Maurice«, sagte sie leise, aber fest.

»Madame, Sie dürfen nicht ...«

»Hauen Sie ab!«, schrie sie, so scharf, dass Moritz das Blut in den Adern gefror.

»Ich bitte Sie …«

Sylvette stand auf und stieß ihn heftig weg. Nicht wütend, sondern hasserfüllt. Wenn er sich widersetzte, würde sie so laut schreien, dass die Nachbarn kämen. Und niemand würde ihm glauben. Er wäre verloren. Die Tür spie ihn aus und krachte ins Schloss. Es wusste, er würde dieses Haus nie wieder betreten.

Moritz war wie gelähmt. Wie hatte er nur so dumm sein können, freiwillig ins Nest der Schlange zu steigen? Zu glauben, er könnte irgendetwas wiedergutmachen? Stattdessen hatte er alles nur noch schlimmer gemacht. Er hätte sich nie in das Leben der anderen einmischen sollen, er hätte den Mantel der Gleichgültigkeit nie ablegen dürfen. Dann wäre er längst wieder unter den Seinen, hätte sich nicht im Dickicht der Fremden und ihrer Lügen verstrickt. Als er sich noch hinter seiner Kamera verstecken konnte, hatte er niemanden belügen müssen. Sicher, seine Bilder selbst waren Lügen gewesen, aber das war nichts Persönliches. Die Notwendigkeit zu lügen war erst dadurch entstanden, dass er Mitgefühl für einen anderen Menschen entwickelt, aus dem Schatten getreten und Haltung gezeigt hatte. Und nur, weil sein Herz für Yasmina schlug, hatte er Sylvette die Stirn geboten, statt den Dingen ihren Lauf zu lassen. Sobald du in einer korrumpierten Welt für jemanden eintrittst, bist du gezwungen, für ihn zu lügen. Und die Lüge macht dich ebenso angreifbar wie die Wahrheit. Der einzige Weg, unbehelligt zu bleiben, wäre, sich für nichts und niemanden einzusetzen. Aber diese Schwelle hatte er längst überschritten, war schon zu tief verstrickt in die Lügen der anderen, um dort ungeschoren wieder herauszukommen. Tatsächlich hatte Sylvette recht: Sein Herz war zu weich. Sie hatte seine Lüge durchschaut, weil er ein schlechter Lügner war. Nur die Kaltschnäuzigen kamen durch.

Was würde Sylvette jetzt tun, wo sie im Besitz der nieder-schmetternden Wahrheit war? Wie weit würde sie gehen, um Victor für sich zu behalten? Oder würde sie ihn endlich fallen-lassen?

Das Schlimmste waren aber nicht Moritz' rasende Gedan-ken über Sylvette, sondern dass er Yasmina anlügen musste. Sie durfte nie erfahren, dass er es war, ausgerechnet er, der ihr Geheimnis verraten hatte. An ihre ärgste Feindin. Sie würde es ihm niemals verzeihen. Und sie schien es zu ahnen, so wie Tiere ein Erdbeben spürten, noch bevor es begann.

Als sie sich wiedersahen, mied sie ihn. Moritz war Yasmina heimlich und mit fiebriger Unruhe zum Markt gefolgt. Er wollte sie warnen, wusste aber nicht, wie, ohne seinen Verrat zu of-fenbaren. Sie schob den Kinderwagen mit Joëlle. Moritz kreuzte ihren Weg und tat, als würde er sie zufällig treffen. Seine Freu-de, sie zu sehen, war echt. Umso mehr traf ihn ihre Kühle. Sie tat, als hätte es ihre letzte Begegnung nie gegeben. Warum ver-schloss sie sich gerade jetzt, wo er aus sich herauskam? Weil sie mit ihm nicht gesehen werden wollte? Oder hatte er sich nur eingebildet, dass sie dasselbe empfand wie er?

Er war zu unerfahren in der Liebe, um zu verstehen, dass sie nicht trotz, sondern *wegen* ihrer Gefühle für ihn so verschlossen war. Zwar ahnte er, dass es mit dem Gift von Sylvettes Worten zu tun hatte, das ihr Herz zerfraß; aber ihr tiefstes Geheimnis, das unerlöste Kind in ihr, das tatsächlich glaubte, nicht liebens-wert zu sein, blieb ihm verschlossen. Sie schob den Kinder-wagen weg von den Marktständen, auf die Uferstraße. Er ging neben ihr und suchte verstohlen ihre Nähe. Sie ging schneller.

»Was auch immer geschieht«, sagte Yasmina leise, aber ener-gisch, »und was auch immer die Leute sagen: Sie dürfen nie er-zählen, wer Joëlles Vater ist. Niemals!«

Moritz blickte zu Joëlle, die ihn aus dem Kinderwagen heraus anlächelte. Ihr erstes Lebensjahr war so schnell vergangen. Wie der Sommer. Der Wind wehte Sand über den dezemberleeren Strand.

»Versprochen.«

»Schwören Sie.«

»Ich schwöre.«

Er hasste seine Worte in dem Moment, als sie seinen Mund verließen. So wie die Wahrheit die Herzen öffnete, war die Lüge ein Balken, der sie verschloss.

»*Au revoir*, Maurice.«

Sie bog in die Rue de la Poste ab. Er ließ sie gehen. Jetzt spürte er, was sie mit der dunklen Seite der Liebe gemeint hatte. Wir streben zum Licht und werden doch immer in die Nacht zurückgeworfen, aus der wir kommen.

43

Der Winter verging unendlich zäh. Unter den böigen Schauern, die über das graue Meer heranzogen, wanden sich die Palmen wie nasse Katzen. Yasmina und Sylvette zogen sich zurück wie zwei verwundete Tiere. Moritz fragte sich, wer als Erster die Nerven verlieren und sich an der anderen rächen würde. »Nein, lieber sterbe ich«, sagte Yasmina, »als mit ihr zu sprechen. Es gibt nichts zu verzeihen. Und Sie sollten das auch nicht tun. Wenn Sie ihr zufällig begegnen, seien Sie freundlich zu ihr, aber lassen Sie Ihr Herz schweigen. Die Rache ist ein Gericht, das heiß gekocht und kalt serviert wird.«

Moritz war körperlich anwesend, während seine Seele weder hier noch dort war. Lange Nachmittage saß er neben Albert vor dem Radio, in beklommenes Schweigen versunken. Auf den Straßen fürchtete er nicht mehr, entdeckt zu werden; ein, zwei beiläufige Ausweiskontrollen, das war's; es schien eher so, als habe die Welt ihn vergessen. Alle Augen waren auf Deutschland gerichtet, wo die Schlinge sich immer weiter zuzog. Am südlichen Ufer des Mittelmeeres sah man zu, wie die Bestie sich wand und aufbäumte, wie sie sich weigerte zu verrecken. Sie schossen Berlin in Trümmer. Wer sollte das überleben?

Weihnachten war der eigenartigste Tag von allen. Moritz stand auf den Stufen der Kirche von Piccola Sicilia und hörte durch die geschlossene Tür die Gemeinde singen.

O sanctissima, o piissima
dulcis Virgo Maria!

Die Melodie war dieselbe wie »O du Fröhliche«. Sie zog ihn unwiderstehlich nach drinnen, aber er wagte nicht, hineinzugehen und gesehen zu werden. Wer ihn kannte, kannte ihn als Juden; was hatte er dort zu suchen? Der Wind wirbelte Staub und Blätter über den Platz; Sonne, Wolken und Schauer wechselten sich ab, strahlendes Licht und die Schatten dunkler Wolken.

Mater amata, intemerata
Ora, ora pro nobis.

Er dachte an Fanny. Wo war sie jetzt? Lebte sie noch? Würde sie ihn wiedererkennen?

Er setzte sich auf die nassen Stufen, schloss die Augen, und ohne die Hände zu falten, betete er, zum ersten Mal seit langem; ein stummer Schrei aus tiefster Seele, zu welchem Gott auch immer, dass er Fanny lebend wiedersehen würde. Er war verloren zwischen den Welten, und wenn er sie nur sehen, berühren und riechen könnte, würde er endlich wissen, wohin er gehörte.

Und dann war es auf einmal vorbei. In seinen Filmen war der Sieg immer ein Paukenschlag gewesen. Die große Geste, der heroische Triumph. Jetzt war es einfach: Stille. Ungläubige Stille. Totenstille.

»*C'est fini!*«, titelten die Zeitungen am Morgen. Die Menschen gingen währenddessen wie gewohnt zur Arbeit, zur Schule, zum Markt. Moritz, der vor dem Kino stand und auf die Avenue de Carthage schaute, wollte den Menschen am liebsten zurufen: *Hört ihr es nicht? Die Waffen schweigen!*

Dann erklang der erste Schrei. Moritz sah die Frau nicht; ihr trällernder Jubel kam aus einer Seitenstraße. Dann eine Antwort, ein zweites Trällern, dann hallte ein drittes von den Häuserwänden, und der flirrende, hohe Ton erreichte die Avenue. Niemand hatte es organisiert, sie liefen einfach aus ihren Häusern und begannen zu trällern. Die Männer kamen dazu, sangen ein arabisches Lied, klatschten im Takt und begannen zu tanzen. Als wäre Piccola Sicilia ein einziges Hochzeitsfest.

Moritz lief durch die tanzende Menge zum Haus der Sarfatis. Mimi und Yasmina standen vor dem Haus und trällerten mit den Nachbarinnen um die Wette, ohne Unterschiede zwischen Juden, Muslimen und Christen. Selbst die alten Mussolini-Anhänger waren erleichtert, dass der Albtraum endlich zu Ende war. Heute war die ganze Welt eins. Bis auf Deutschland. Wie ging es Fanny? Ihren Eltern? Seinem Vater? Moritz dachte an seine Kameraden und ihre sinnlosen Opfer. Und die Millionen Toten.

Yasmina fasste ihn an der Hand und riss ihn aus seinen Gedanken.

»*Vai, su,* Maurice, tanzen Sie! Was stehen Sie da rum?«

Sie hatte ein leichtes Blumenkleid angezogen, trug Lippenstift und Kayal um die Augen, als würde sie erwarten, dass Victor heute noch die Straße herunterkäme, lachend seine Uniformjacke auszöge und sie umarmte. Ihren zarten Körper, der nur noch so viel wog wie eine Feder. Sie glaubte fest daran, denn was immer geschehen sein mochte, ihre Liebe zu ihm war ungebrochen – und allein die entschied darüber, ob er lebte. Der einzige Riss in Yasminas Herz war die quälende Frage, ob seine Liebe genauso stark war.

Moritz versuchte ein paar Schritte. Er kam sich schrecklich steif vor. Wie betäubt. Ein Schatten ohne Körper. Yasmina ließ seine Hand los und tanzte mit den anderen. Albert kam aus dem Haus, verwundert, langsam, wie ein Maulwurf blinzelte er in die Sonne.

»Albert! *Vieni!*«

Mimi zog ihn in den Kreis der Frauen. Er stolperte leicht, hielt sich die Brille fest, aber tanzte mit, und mit jedem Schritt schüttelte er die Starre ab, die seinen Körper befallen hatte, den langen, kalten Winter, der dieser Krieg gewesen war, wurde einen glücklichen Moment lang wieder jung und lebendig, fast wie früher.

»Maurice, tanzen Sie!«, rief Mimi. »Freuen Sie sich nicht?«

»Doch, natürlich. Mehr als Sie denken.«

Moritz stand wie benommen halb in, halb neben dem anschwellenden Freudentaumel, umgeben vom Geträller der Frauen und dem Klatschen der Männer. Er verstand nicht, was sie sangen, es musste Arabisch sein; plötzlich ein Stich in der Seite, jemand traf ihn mit dem Ellbogen, ohne ihn zu bemerken; die Tanzenden vergaßen ihn, als wäre er unsichtbar, ihm wurde schwindlig, er spürte Schweiß auf der Stirn, seine Knie gaben nach. Zu lange nichts mehr gegessen. Zu lange nicht mehr gelebt.

Er murmelte eine Entschuldigung, suchte Deckung vor den Blicken und ging ins Haus. Im Salon war es kühl. Er sank auf die weiche Couch, müde bis in die Knochen. Er schloss die Augen. Plötzlich begann sein Körper zu zittern, etwas in ihm verkrampfte, schüttelte und löste sich; und ohne dass er es verhindern konnte, begann er leise zu weinen, bis es seinen ganzen Körper erfasste und er laut schluchzte. Albert kam zur Tür herein und setzte sich neben ihn. Moritz schämte sich, aber konnte nicht aufhören. Albert sagte nichts. Irgendwann spürte Moritz seine warme Hand auf seiner Schulter. Er öffnete die Augen und sah Alberts gütiges Lächeln. Sein vor der Zeit gealtertes Gesicht.

»Sie haben es geschafft. Sie leben«, sagte Albert.

Ja, er hatte überlebt. Er war ein freier Mann. Aber um welchen Preis.

Und Victor?, dachte Moritz, ohne es zu sagen. Albert schien seine Gedanken zu erraten.

»Sie sind nicht mehr für Victor verantwortlich. Und ich auch nicht.«

Wenn er nicht zurückkommt, war alles sinnlos.

»Können Sie ihm verzeihen, Albert?«

Im selben Moment kam Joëlle von draußen herein. Sie hatte gerade laufen gelernt, tapste auf die Männer zu und strahlte sie an. Unverstellt und unberührt von dem Abgrund, der sie umgab. Moritz reichte ihr die Hand. Ihre kleine Hand in seiner. Sie schien mehr Kraft zu haben als er.

Als Moritz mit Joëlle an der Hand vor die Haustür trat, traf sein Blick Yasmina. Mitten im Tanz auf der Straße hielt sie inne und schaute zu ihnen. Erst überrascht, aber dann begann sie zu lächeln. Als würde es ihr gefallen – wie Vater und Tochter. Ein Windstoß wirbelte Staub und Blüten von der Straße auf. Yasmina stand zwischen den Tanzenden wie eine Ellipse in der Zeit, unbewegt inmitten der Bewegung; eine schöne, dunkle Frau mit der Selbstvergessenheit eines Kindes. Moritz wünschte, er hätte Worte, um ihr zu sagen, was er für sie empfand. Gesten, Berührungen, Verrücktheiten.

Und wenn er tatsächlich nicht zurückkommt?

Er musste weg, dachte er, so schnell wie möglich. Nicht wegen Fanny, sondern weil er Yasmina vergessen musste.

Sie feierten bis tief in die Nacht. Vor den Restaurants zischten die Grills, aus den Cafés dröhnte Musik, Girlanden von Glühbirnen erhellten die Avenue. Frauen und Männer waren auf den Beinen, Kinder und Alte, alle mit Jasminblüten hinterm Ohr. Tatschlich aber feierte jeder einen anderen Sieg: Die Franzosen hatten ihren gebrochenen Stolz wiedergefunden, die Italiener ihre Einheit, und sei es auch nur für einen Tag, die Juden hatten ihr nacktes Leben gerettet. Nur den Arabern fehlte der Grund zur Freude; ihre Unabhängigkeit lag heute so fern wie vor dem Krieg. Aber sie feierten mit, weil alle feierten. Vielleicht war diese Nacht das letzte Mal, an dem alle wie ein einziger Körper durch die Straßen tanzten, bevor ihre Wege sich trennen sollten.

Yasmina zückte ihren Dolch, als niemand es erwartete. Der Stich musste schnell, kalt und tödlich sein. Sie hatte jedes Wort geplant, jede Antwort auf jede mögliche Frage; selbst den Moment, in dem sie zu Léon gehen würde, hatte sie in ihrer

Vorstellung exakt so gesehen, wie er sich jetzt ergab: Mitten im Fest, als Sylvette mit einem Fremden tanzte und Léon für einen kurzen Moment aus den Augen verlor, trat Yasmina aus der Menge und löste ihn sanft, aber entschlossen aus seinem Tanz mit einer anderen Frau. Erst war er überrascht, sogar ein wenig verärgert, doch dann fand er Gefallen an ihrer Umarmung. Und als er gerade freier und ausgelassener tanzte, verlangsamte sie ihre Bewegungen und blieb stehen. Niemand, weder Albert noch Mimi noch Moritz, die nur wenige Schritte entfernt standen, ahnte, was sie Léon ins Ohr flüsterte. Sie hatte das Geheimnis jahrelang bewahrt und auf den richtigen Moment gewartet. Es waren nur wenige Worte, aber entscheidend war nicht die Anzahl, sondern die Wucht, mit der sie Léon trafen, unvorbereitet, mitten ins Herz, und die blinde Wut, die sie dort entfesselten.

Erst lachte er sie aus. Dann schüttelte er den Kopf. *Impossibile.* Dann blieb er unbeweglich stehen. Mitten im Lärm. Er starrte Yasmina an. Sie hielt seinem Blick stand. Und er wusste, dass sie die Wahrheit sagte. Sie wartete ruhig, bis in seinen Augen die Bestie erschien, dann drehte sie sich um und überließ Sylvette ihrem Schicksal.

Niemand war Zeuge. Man sah Léon nur das Fest verlassen, Sylvettes Arm fest in der Hand, und ihren verstörten letzten Blick zurück. Niemand hörte, was in der Villa geschah. Die Musik auf der Straße war viel zu laut. Erst am Morgen sickerte langsam das Gerücht durch. Nur dass es diesmal kein Gerücht war, sondern die Wahrheit.

In Piccola Sicilia gab es Männer, die ihren Frauen verziehen, fremdgegangen zu sein, unter der Bedingung, dass sie niemandem davon erzählte. Das Schlimmste waren nicht die Hörner, die sie ihm aufgesetzt hatte, sondern die Schande und Schwäche in den Augen der anderen. Léon war anders. Wer loyal zu ihm war, den beschützte er wie seine eigene Familie, aber wenn jemand seine Loyalität missbrauchte, verstieß er ihn für immer. Er ließ Sylvette ohne jede Rücksicht fallen, so tief, dass sie nie mehr auf die Beine kommen würde. Sollte sie doch allen erzählen, dass sie Victor verführt hatte; es war ihm egal, sie existierte für ihn nicht mehr. Er warf sie raus und verschloss die Tür. Sie hatte nichts am Leib als das Kleid, das sie auf dem Fest getragen hatte. Ohne Geld, ohne Schlüssel schlich sie geduckt durch die Gassen. Ihre blauen Flecken trug sie wie ein Schandmal. Und jeder, bei dem sie anklopfte, wusste, dass es für Léon nur zwei Kategorien von Menschen gab: Freund oder Feind. Wer ihr half, stand auf der falschen Seite.

Und auf einmal galt das auch für Victors Freunde. Sie mussten sich entscheiden zwischen Léon, der ihnen Arbeit gab und Gefallen tat, und Victor, dem Abwesenden. Yasmina wusste, dass ihm der Rückweg verbaut war. Léons Verbindungen reichten so weit, dass niemand in dieser Stadt Victor noch engagieren würde. Er würde fortgehen müssen, mit ihr, wenn er nicht wie Sylvette in der Welt der Schatten enden wollte. Einer sagte, er habe sie am Strand schlafen gesehen. Ein anderer erkannte sie auf dem Markt, wo sie in einen Schleier gehüllt über den Platz huschte, um Reste vom Boden aufzusammeln, faule Kartoffeln und Orangenschalen. Die Alten warnten die Kinder, die Ehrlose zu meiden; ein böser Geist habe Besitz von ihr ergriffen.

Sylvette tat Moritz leid. Was auch immer sie getan hatte, sie hatte es nicht verdient, wie eine Aussätzige behandelt zu werden. Während Yasmina den Fall der Rivalin mit stiller Genugtuung verfolgte, machte Moritz sich Sorgen. Weniger um Sylvette, sondern mehr um Yasmina. Er selbst hatte Sylvette den letzten Trumpf gereicht, mit dem sie Yasmina zerstören konnte. Er traf sie heimlich am Strand, nachts nach der letzten Vorführung, und brachte ihr einen Teil seines Essens. Mal ein Couscous, mal eine Shakshuka oder eine Fischsuppe, die Yasmina gekocht hatte. Sylvette nahm es dankbar an. Wenn er sie fand. Manchmal blieb sie tagelang verschwunden, dann war sie auf einmal wieder da. Sie lebte vom Erbarmen fremder Menschen.

»Bitte, Sylvette, sagen Sie niemandem, wer Joëlles Vater ist.«

»Warum sollte ich sie schützen? Die kleine Schlange!«

»Tun Sie es für Victor.«

»Oh, Victor! Er hat uns alle im Stich gelassen.«

»Ich flehe Sie an, Sylvette.«

»Gute Nacht, Maurice. Bis morgen. Sie kommen doch wieder, nicht wahr?«

»Ja. Natürlich.«

44

Während Sylvettes Stern in Dunkelheit versank, wehte ein Wind der Erleichterung durch das Viertel. Alle atmeten auf, mehr noch, sie fieberten einer neuen Zukunft entgegen. Die Befreiung, die Europas Völker sich erkämpft hatten, war für die Araber bislang unerreicht geblieben, und der Funke des Nationalismus, der Europa gerade an den Abgrund getrieben hatte, sprang jetzt über das Meer.

Der 8. Mai 1945 hatte nicht nur Sylvettes Leben, sondern auch das Nachbarland in Brand gesetzt. Alle Augen, die jahrelang nach Norden gestarrt hatten, richteten sich jetzt gen Westen, nach Algerien.

Sétif. Alle sprachen von Sétif, in einem Ton, der anfangs ein verschwörerisches Murmeln war und dann anschwoll zu einem Schrei der Empörung. Bei den Siegesfeiern hatte ein Algerier in der Stadt Sétif, nicht weit entfernt von der Grenze, eine weißgrüne Flagge mit rotem Stern und Halbmond geschwenkt. Ein einziger Mann in der Menge. Ein französischer Gendarm erschoss ihn. Wütend marschierten zehntausend Algerier auf das Europäerviertel zu. Was mit dem Ruf nach Gleichheit und Unabhängigkeit begonnen hatte, artete in ein Gemetzel aus. Die Araber töteten Dutzende Europäer, die sie zufällig antrafen. Französische Zivilisten schossen von den Balkonen in die Menge. Ein Blutrausch.

Die Unruhen breiteten sich auf die gesamte Provinz aus; die Einheimischen ermordeten französische Siedler, die Armee bombardierte arabische Dörfer. Tausende, Zehntausende starben, täglich wurden es mehr. Niemand kannte die genaue Zahl. Die Armee schlug den Aufstand mit Gewalt nieder. Sie zwangen die Rebellen, sich vor der französischen Fahne niederzuwerfen und zu rufen: »Wir sind Hunde! *Vive la France!*« Die Siedler standen daneben und brüllten: »Hunde seid ihr! Schlimmer noch: Juden!« Dann griffen sie einige der Gefangenen wahllos heraus und erschossen sie.

In Piccola Sicilia begegnete man sich immer noch freundlich auf dem Markt, am Strand und in den Cafés. Aber die Wut, die Ohnmacht und die Angst fraßen sich wie Gift in die Herzen der Menschen. Wie schnell können Nachbarn zu Bestien werden, die sich gegenseitig töten? Auf einmal patrouillierten bewaffnete Gendarmen über die Avenue. In den Cafés saßen Spitzel. Und in den Häusern gärte es. Die Familien rotteten sich zusammen und tuschelten. Die Europäer diskutierten über die Bildung einer Bürgerwehr. Die Muslime hatten es satt, als Bürger zweiter Klasse behandelt zu werden. Sie erkannten, dass die Mithilfe der Kolonialvölker beim Sieg über die Nazis – all die gefallenen Araber, Afrikaner und Inder in den Uniformen der Alliierten – nicht belohnt wurde. Und die Juden, getrennt in zwei Klassen, die Einheimischen und die Europäer, wussten nicht mehr, wem sie trauen konnten. Der Schutzmacht Frankreich, die mit den Nazis kollaboriert hatte, oder den Muslimen, deren Bey sie nicht hatte schützen können. Die Häuser waren wiederaufgebaut, das Meer war blau wie immer, doch die *innere* Heimat, das Gefühl von Geborgenheit und Zugehörigkeit, war zerbrochen. Und noch hatte niemand die Millionen Toten gezählt.

»Wann reisen Sie ab?«

Léon blieb freundlich, aber machte kein Hehl daraus, dass Moritz' Zeit abgelaufen war. Es war nicht persönlich gemeint; es hatte nur mit Victor zu tun, genauso wie er ihm damals nur geholfen hatte, weil er *amico di Victor* war. Und Victors Freunde waren jetzt Léons Feinde.

»Am Sonntag kommt Bernard. Netter Junge, gute Familie. Weisen Sie ihn ein. *The show must go on,* nicht wahr, Maurice?«

Der neue Vorführer. Léon zückte sein Portemonnaie und gab Moritz seinen Lohn, korrekt bis auf den Centime.

»Freuen Sie sich auf zu Hause?«

Zu Hause. Eine Trümmerwüste.

»Kann ich hier noch ein paar Tage schlafen?«

»Natürlich. Sagen Sie mir, wann Ihr Schiff geht. Ich fahre Sie zum Hafen.«

Was ihn in Deutschland erwartete, wusste er nicht. Wo das überhaupt noch war, *zu Hause,* wusste er auch nicht. Pommern war verloren, und die Siegermächte teilten Berlin unter sich auf. Er packte die Kleidung von Victor, die er Yasmina zurückgeben wollte, in einen Koffer und erkundigte sich nach den Schiffen. Dann schrieb er einen Brief an Fanny.

Meine liebe Fanny,

ich lebe. Ich komme nach Hause.

In Liebe
Dein Moritz

Ihre Berliner Adresse wusste er auswendig. Aber nicht, ob das Haus noch stand. Er brachte den Brief zum Postamt. Luftpost.

»*Le spediteur, Monsieur?*«

Der Absender! Er zögerte. Ohne Absender nahmen sie den Brief nicht an. Der Postbeamte reichte ihm einen Stift. Sollte er seinen alten oder seinen neuen Namen angeben? Er entschied sich für die Initialen M.S.

»*L'adresse?*«

Er kritzelte hin: *Cinéma Théâtre, Avenue de Carthage, Tunis.*

Am selben Tag brachte der Postbote die neue Rolle der *British Pathé* – die Nachrichten der Sieger – aus London. Moritz wies gerade seinen Nachfolger ein. Bernard war gerade mal sechzehn Jahre alt. Ein schüchterner, aber freundlicher Junge, der etwas zurückgeblieben schien. Schwerer Körper, schwere Zunge. Moritz nahm die Rolle aus dem Karton und zeigte ihm, wie man mit einer einzigen flüssigen Bewegung das Zelluloid über die Umlenkrollen einfädelte. Dann startete er den Projektor.

Die Nachmittagsvorstellung. Als Hauptfilm würde *The Three Caballeros* mit Donald Duck laufen. Ganz in das Gespräch über die Technik vertieft, achtete Moritz nicht auf den Film. Doch als er durchs Fenster blickte, um den Bildstrich einzustellen, sah er, dass diese Wochenschau keine übliche war.

Fachwerkhäuser. Deutsche Dörfer, scheinbar unversehrt, wie vor dem Krieg, nur ohne die Fahnen und Hakenkreuze. Der Kameramann filmte von einem Jeep herunter, der durch die Gassen fuhr, vorbei an Frauen, Kindern und alten Männern vor ihren Häusern. Ein Spalier des Staunens. Unsicherheit in den Gesichtern, zögernde Neugier, manchmal sogar Freude. Die Erleichterung, dass es endlich vorbei war. Moritz musste an seine Bilder beim Einmarsch in Tunis denken: Besatzer oder Befreier? Die Antwort lag in den Augen der Zivilisten. Dann die üblichen Szenen mit Kaugummis und Schokoriegeln für die Kinder. Doch etwas unterschied diese Aufnahmen von den Befreiungsszenen aus Neapel, Rom und Paris. Da lag etwas in der Luft, das selbst Moritz, der auf seine alte Heimat starrte, fremdartig vorkam. Er hatte ein Land im Jubel verlassen und fand es jetzt, durch die Augen der britischen Soldaten gesehen, in gespenstischer Stille wieder. Da war die Demütigung in den Augen der Besiegten, im Gegensatz zur Euphorie der Italiener. Aber da war noch etwas anderes, das er kaum greifen konnte, das sich an keinem einzelnen Bild festmachen ließ, sondern an einer Atmosphäre, einem beklemmenden Unwohlsein. Trotz der Frühlingssonne, der Frauen auf dem Marktplatz, der schweigenden Waffen. Und plötzlich wusste Moritz, wo er dieses Gefühl verorten konnte: in den Gesichtern der Befreier. Diese jungen Männer, die auf ihren Jeeps in die deutschen Dörfer rollten, sahen die Zivilisten mit anderen Augen, als sie es in Italien getan hatten. Dort war es Freude, Sympathie, Verbrüderung. Hier war es eine eigenartige Mischung aus Abscheu und Furcht. Ein Gefühl, das sich auf die Zuschauer übertrug.

Unten im Saal wurde es ganz still. Selbst die Kinder, die sonst während des Vorfilms herumliefen, saßen stumm auf ihren Sesseln. Deutschland durch die Augen der ersten Alliierten, das war ein Land, in dem die Kirschbäume blühten, aber ein unsichtbares Gift in der Luft lag, ein Hauch des Bösen. Wie ein Ort, an dem die Pest gewütet hatte. Dann sah man die ersten Leichen. Zwei junge Männer in Wehrmachtsuniform, kaum zwanzig, die an einem Baum erhängt worden waren. *Deserteure,* schoss es Moritz durch den Kopf. Noch in den letzten Stunden hatten sie die jungen Kerle, die das einzig Vernünftige taten, nämlich die Waffen wegzuwerfen und nach Hause zu gehen, vors Standgericht gestellt. Die Abscheu in den Gesichtern der britischen Soldaten griff jetzt auch auf Moritz über. In diesem Land war etwas geschehen, das alles übertraf, was sie bisher gesehen hatten.

In England und Amerika herrschte innerer Frieden, während der Krieg gegen den Feind jenseits der Grenzen geführt wurde. Aber in Deutschland hatte auch im Inneren Krieg geherrscht. Ein Krieg gegen das eigene Volk.

Oder war das alles Propaganda? Was verschwiegen sie? Moritz rang mit sich. Hinterfragte den Schnitt und die Bildauswahl. Welcher Teil der Wahrheit lag im Off?

Und dann sah er, an der Seite des schweigenden Bernard, Bilder, auf die ihn niemand vorbereitet hatte. Es waren die Bilder, die wir alle sehen würden, noch Generationen später, jedes Kind in Deutschland und der ganzen Welt. Jeder erinnert sich an den Moment, an dem er sie zum ersten Mal gesehen hat. Den Schock, die Beklemmung, das Grauen, das sich für immer ins Gedächtnis einprägte. Was Moritz damals empfand, war so unmöglich in Worte zu fassen wie das Unvorstellbare, das dort geschehen war, mitten in Deutschland, hinter Wachtürmen und Stacheldrähten.

Jetzt, an einem sonnigen Frühlingstag, öffneten die Alliierten die Tore, und ihre Kameraleute gingen als Erste mit hinein. Die Männer hielten sich die Hand vors Gesicht, um den Gestank ertragen zu können. Und sie sahen die Überreste der Hölle. Berge von Brillen, Schuhen, Koffern. Relikte von Menschen, die mitten aus dem Leben gerissen wurden. Namen, die zu Nummern wurden, Frauenhaar zu Filzdecken, Schädelknochen zu Dünger, die Asche der Toten auf den Kohlfeldern am Zaun. Die Kamera hielt alles erbarmungslos fest. Sie ließ keinen Raum mehr für Zweifel. Moritz' Verstand rang mit den Bildern, suchte nach einem Fehler, irgendeinem Trick in der Montage. Die falschen Duschen, die verschlossenen Türen, das Zyklon B. *Das kann nicht wahr sein.* Jedes Bild, das sie zeigten, führte eine Stufe zu weit, und dennoch ging es immer noch eine Stufe weiter, unerbittlich, bis Moritz aufgab, dagegen anzukämpfen. Keine Propaganda der Welt konnte so teuflisch sein, sich diese Hölle auf Erden auszudenken. Die Krematorien, die ausgemergelten Leichen, aufeinandergeschichtet wie Holzscheite. Grotesk verdrehte Gliedmaßen; Augen, die gesehen hatten, was niemand sehen sollte. Alles sauber verzeichnet in Namenslisten und Transportberichten. Die Buchhaltung des Unfassbaren. *Muss alles seine Richtigkeit haben.*

Und dann sah die Kamera den Überlebenden ins Gesicht. Hohle Augen hinter dem Zaun, zu erschöpft, um anzuklagen, ihre unfassbar abgemagerten Körper. Lebende Tote vor den Zeugen, die niemand vorbereitet hatte. Junge Männer aus Tennessee und Birmingham, die geglaubt hatten, auf dem

Schlachtfeld alle Abgründe des Kriegs gesehen zu haben, und jetzt nicht fassen konnten, zu welcher Grausamkeit die Nazis in ihrer Heimat fähig gewesen waren. Die Kamera ging nah an ihre Gesichter heran. Ihr Entsetzen. Ihre Wut. Einer wischte sich die Tränen aus dem Gesicht. Moritz konnte ihren Ekel körperlich spüren. Es blieb kein Zweifel mehr.

Er sah hinunter in den Saal. Kinder weinten. Mütter trugen sie nach draußen. Männer, die sonst lautstark johlten, saßen starr in den Sesseln. Sollte er den Projektor anhalten? Er warf einen Blick zu Bernard. Der Junge sah ihn verstört an. Er konnte das Gesehene nicht begreifen.

Der Film lief aus, die Rolle drehte durch. Es wurde hell im Saal. Moritz schaltete den Projektor aus. Plötzlich Stille. Er spürte, wie ihm übel wurde. Er stieß die Tür auf, ging nach draußen, taumelte die Treppe hinunter zum Ausgang, rang nach frischer Luft. Auf der Avenue ging das Leben seinen gewohnten Gang. Die Menschen gingen ihren Geschäften nach. Er stützte sich an die Hauswand und übergab sich.

»*Ça va, Monsieur?*« Ein älterer Herr im schwarzen Anzug blieb neben ihm stehen. Sein besorgter, großväterlicher Blick. Schwarzer Fes auf dem Kopf. Ein Jude.

Ihn hätten sie auch getötet.

Moritz wandte sich ab und verschwand in der Seitenstraße. Niemand sollte ihm in die Augen sehen. Ihm wurde schwindlig. Kalter Schweiß auf der Stirn. Er blieb stehen und lehnte sich an die Wand. Seine Muskeln gaben nach. Er fiel mehr, als dass er sich setzte. Ekel stieg in ihm auf, und abgrundtiefe Scham. Er hatte davon gewusst. All die Menschen, die man ausgesondert hatte. Erst nur mit Worten. Dann mit Enteignungsbefehlen, Sammelzügen und Stacheldraht. *Aus dem Volkskörper entfernt.* Aber das war erst der Anfang gewesen.

»*Vous allez bien, Monsieur?*«

Eine Frau mit rosa Hut stand vor ihm, mit einem Jungen an

der Hand. Ihre Stimme war von ausgesuchter Liebenswürdigkeit. Sie reichte ihm die Hand. Eine Europäerin. Um ihren Hals eine silberne Kette mit einem Kreuz. Keine Jüdin, schoss es ihm durch den Kopf, fast war er erleichtert darüber, und zugleich hasste er sich für diesen Gedanken. Auch sie hätte es treffen können. Jeden, der anders dachte, hatten sie ausgesondert, eingesperrt und umgebracht – nur weil er zur falschen Zeit etwas Richtiges gesagt hatte.

»Maurice? Sind Sie nicht Maurice, der Freund von Léon?«

Sie wissen, wer du bist. Du musst verschwinden.

Er richtete sich auf, murmelte etwas und lief fort. Hinter sich hörte er den Jungen eine Frage an seine Mutter richten. Auf der Avenue gingen die Passanten vorbei.

Sie wissen es noch nicht.

Er lief weiter, nur weg, den Blick gesenkt.

Bis heute Abend wird es sich herumsprechen. Bis zu Léon. Bis zu Albert. Bis zu Yasmina.

Ein Auto hupte. Er sprang zurück aufs Trottoir. Der Fahrer beschimpfte ihn laut. Um ein Haar hätte er ihn erwischt. Moritz wandte sich ab und ging weiter. Versuchte, seine Gedanken zu ordnen.

Wie hatten wir das zulassen können? Mitten unter uns?

Es war nicht schwer gewesen. Man hatte nicht einmal in der Partei sein müssen. Es hatte gereicht zu schweigen. Es betraf ja nur die anderen. Doch für Moritz, der längst einer der anderen geworden war, gab es diese Unterscheidung nicht mehr. Jetzt, wo er die Welt von beiden Seiten sehen konnte, begriff er, was dieser Satz bedeutete: *Was du dem Geringsten meiner Brüder angetan hast, hast du mir angetan.*

Er hatte sich nicht einmischen wollen, aber er war längst ein Rad im Getriebe geworden.

Den Beruf hinter der Kamera hatte er gewählt, weil er neugierig auf die Welt war. Um genauer zu sehen, wie sie ist. Aber dann hatte er das Gegenteil getan: Er hatte sie dargestellt, wie sie nicht ist. Jedes Foto, das etwas anderes zeigte als diese Hölle, war ein Teil des Verbrechens. Nicht nur die Propaganda-Kompanie, auch seine Kollegen aus Babelsberg mit ihren kitschigen Heimatfilmen hatten sich schuldig gemacht. Jedes Bild war schuldig, das der Bestie nicht in den Rachen blickte.

Nicht nur die Sadisten von der SS, die Andersgläubigen, Andersdenkenden, Andersaussehenden eine Kugel in den Nacken schossen, nein, auch die, die wegschauten, hatten alles verraten, was ihnen einmal heilig gewesen war. Und er war ein Teil davon. Seine Bilder hatten die Menschen abgelenkt von dem Verbrechen in ihrer Mitte. Der Verrat war so abgrundtief, dass er nicht wusste, wie er je wieder vor der Welt stehen und sagen konnte: Ich bin Deutscher.

Was machen Sie mit dir, wenn sie es erfahren?

Dann tat er etwas, das er lange nicht mehr getan hatte. Er ging hinüber zur Kirche, öffnete das Portal und ging durch die leeren Reihen nach vorne, bis zur Madonna di Trapani. Er kniete sich auf den Boden und betete. Er geriet ins Stocken. Er hatte den Wortlaut des Vaterunsers vergessen. *Vergib uns unsere Sünden,* daran erinnerte er sich. Und im selben Moment dachte er: *Sie werden uns nie vergeben können. Nur eine übermenschliche Liebe kann das.* Die Madonna blickte stumm auf ihn herab. Sie hatte ihn nicht gehört. Er stand auf und wandte sein Gesicht ab. Das Gebet konnte ihm keine Erleichterung verschaffen.

Er ging zurück nach draußen auf die Piazza, in die gleißende Sonne. Er konnte unmöglich hierbleiben. Aber auf einmal schien der Gedanke an die Rückkehr genauso unvorstellbar. Das Deutschland, das er verlassen hatte, gab es nicht mehr. Nicht nur die Häuser waren zerstört, sondern auch die Seelen. Das Land war verseucht. Ein verfluchter Friedhof. Und – es war besetzt: Was werden die Alliierten mit den Deutschen machen?

In ihren Augen sind wir keine Menschen.

45

MARSALA

Wenn du hervorbringst, was in dir ist,
wird das, was du hervorbringst, dich retten.
Wenn du nicht hervorbringst, was in dir ist,
wird das, was in dir ist, dich zerstören.

Thomas-Evangelium 45, 30–33

Der Mantel der Unsichtbarkeit war, ohne dass Moritz sich dessen bewusst war, sein Büßergewand gewesen. Mein Großvater hatte sich versteckt, weil er den anderen nicht mehr in die Augen sehen konnte nach dem Verrat, den sein Volk an ihnen begangen hatte. Victors Rettung war eine Gnade des Zufalls gewesen, eine Gelegenheit, die er ergriff wie ein Ertrinkender das rettende Seil. Der letzte Funken Leben in einer erkaltenden Seele, die letzte Ausfahrt auf dem Weg zur Hölle. Aber eine einzige gute Tat machte nicht alle anderen Taten ungeschehen.

Als ich das begreife, schießt mir ein zweiter Gedanke in den Kopf: Ich trage ihn auch, diesen Mantel. In meinem fensterlosen, verstaubten Büro zwischen den ägyptischen Totenmasken und vergilbten Fotos – Howard Carter und Hugo Winckler, verstorbene Idole, die nach verstorbenen Idolen gruben. Ich war unsichtbar in meiner Ehe, in der ich zunehmend verschwand. Ich bin unsichtbar auch nach der Trennung, immer noch in einen schwarzen Schleier gehüllt, nicht über dem Körper, sondern über der Seele. Ich verstecke mich vor den Lebenden.

Schuld will gesühnt werden. Ungesühnte Schuld bleibt bestehen. Schulden werden vererbt. Meine Mutter war vor dieser Last einfach weggelaufen. Vielleicht war es damals nicht anders auszuhalten gewesen. Was hätte sie tun sollen? Ihr Vater war nicht da. Ein Gespräch fand nicht statt. Weder über ihn noch mit ihm. Aber wenn ein Gespräch nicht stattfindet, bedeutet das nicht, dass wir nicht kommunizieren. Nichts geht je verloren, jeder Strom sucht seinen Weg zum Meer, es gibt Katakomben der Seele, durch die geheime Botschaften überbracht werden. Die Unerlösten leben in uns weiter. Wir träumen die Toten.

Ich trage es für ihn.

»Was hast du, Nina?« Joëlle nimmt meine Hand. Wir sitzen allein im leeren Frühstücksraum. Alle anderen sind schon schlafen gegangen. Ich wünschte, ich könnte es ihr erklären, aber in diesem Moment überwältigt es mich. Es fühlt sich an wie damals, mit meiner Großmutter: der Nebel, der mir die Sprache raubt. Ich muss raus, an die Luft, sonst ersticke ich.

Der Regen peitscht mir ins Gesicht. Vor mir das aufgewühlte Nachtmeer. Ich stehe vor seiner rohen Gewalt, ich atme mit der Brandung und starre in den Sturm, bis ich völlig durchnässt bin.

Die Taucher bleiben heute im Hafen. Wie betrunken tanzen die vertäuten Boote auf den Wellen, ihre Takelage klirrt im Wind. Nasse Fischer im Ölzeug drängen sich in die kleine Bar, um sich zu wärmen.

»Fährt heute das Tragflügelboot nach Favignana?«

»Ja, *Signora*, Sie haben Glück. Einfach oder hin und zurück?«

»Hin und zurück. Zwei Personen.«

Wir legen tatsächlich ab. Das Boot zittert, ächzt und poltert, als es Fahrt aufnimmt und durch die Wellen pflügt. Es stampft und schwankt, Gischt spritzt ans Fenster; wir können die Stelle sehen, an der gestern noch unser Schiff lag. Ein Kind schreit, die Matrosen verteilen Papiertüten. Patrice liebt den Ritt über die Wellen, ich weniger. Mir wird flau im Magen. Dann nimmt er meine Hand, rät mir, auf den Horizont zu schauen, und es wird besser. Nach dreißig Minuten wird die See auf einmal ruhig, wir erreichen den Windschatten der Insel. Das Boot senkt seine Flügel ins Wasser und legt im Hafen von Favignana an.

Sizilien in der Nachsaison ist ein einsamer Ort. Aber diese winzige Insel vor der Insel lässt die Einsamkeit auf einmal leuchten; man vermisst die Welt nicht mehr, sie fällt von einem ab, sobald man vom Schiff steigt, und etwas tief im Inneren lässt los. Wir sind nicht mehr einsam, sondern allein mit uns.

Patrice fragt herum, aber keiner der Fischer will uns heute zur Höhle der Seufzer bringen. Zu gefährlich, sagen sie, bei dem Wellengang. *Sorry,* sagt Patrice. Aber mir macht es nichts aus. Ich bin nicht hier, um in eine Höhle zu fahren. Ich bin hier, um hier zu sein. Wir spazieren ins Dorf, wir sind die einzigen Besucher; die kleine Piazza ist wie leergefegt. Vor den Cafés stehen keine Tische mehr, Markisen flattern wild im Wind. Papier und Kartons wirbeln übers Pflaster.

Bei dem einzig offenen Verleih mieten wir eine Vespa und fahren aus dem Dorf, ohne Plan und Ziel. Die Straße glänzt vor Nässe, aber es regnet nicht. Hohe Wolken türmen sich über unseren Köpfen, die Insel duckt sich unter dem Wind. Schiefe Bäume und moosbewachsene Steinmauern; eine Landschaft der Abwesenheit. Anemonen am Wegrand, türkisfarbenes Wasser und gelber Tuffstein, dazwischen schwarze Felsen. Die Luft schmeckt nach Meer und Kräutern, jeder Atemzug klärt den Kopf. Ich schmiege mich an Patrice' warmen Körper; in jeder Kurve spüre ich die Bewegungen seiner Rückenmuskeln.

Die Felder am Straßenrand sind durchsetzt von riesigen Kratern, wie Ausgrabungsstätten; die ganze Insel ist ein Schweizer Käse, aber die Löcher sind quadratisch, als hätte jemand gigantische Würfel in den Boden gerammt. Das waren keine Archäologen, erklärt Patrice; die Insulaner schlagen den Tuffstein als Quader aus dem Fels und verkaufen ihn. Eines Tages werden sie keinen Boden mehr unter den Füßen haben. Auf einem Kliff stellen wir die Vespa an einer alten Mauer ab und klettern hinunter zum Strand, den Wind in den Haaren. Die Steilküste ist durchsetzt von Tuffsteinhöhlen, riesige Schlünder im Fels, davor liegen verbrannte Holzscheite. An den Eingängen haben Liebespaare sich im gelben Stein verewigt: *Marina + Carlo, Gina + Luca*, Teenager, die sich wahrscheinlich längst wieder vergessen haben. Colaflaschen liegen auf den Kieseln, irgendjemand hat ein Autowrack über die Felsen geworfen. Piratenpfade zu leeren Buchten, ein verlassener Leuchtturm; wir wandern ziellos durch die Wildnis unter dem endlosen Himmel.

Am Nachmittag kommt kein Tragflügelboot. Der Hafen ist leer. *Mi dispiace, Signora, non parte. C'è mare brutto.* Zu starker Wind. Die Insulaner nehmen es schulterzuckend hin; es ist Herbst, fast Winter. Uns bleibt nichts anderes übrig, als hier zu übernachten und abzuwarten, bis der Sturm abflaut. Aber es macht mir nichts aus, eigenartigerweise. Die Welt kann warten. Wir gehen von einem Hotel zum anderen, aber alle sind schon geschlossen. *Fuori stagione.* Es pfeift von den Dächern, die Rollläden und Gitter klappern, Papier rauscht über den Asphalt. Man fürchtet, von irgendetwas erschlagen zu werden.

Als es schon dunkel ist, werden wir endlich fündig. Der Mann vom Vespa-Verleih sperrt uns eine Ferienwohnung auf. Die einfachen Möbel und der modrige Geruch erinnern mich schlagartig an meine Kindheit. Meine Mutter mietete immer kleine Ferienwohnungen statt Hotels, weil sie billiger waren. Sie konnte zwar nicht gut kochen, aber irgendeine Pizzeria gab es immer.

Patrice öffnet ein Fenster, und der Sturm bläst den Muff aus den Zimmern. Der Vermieter trägt einen Gasofen herein und zeigt uns, wo das Bettzeug liegt. Es gibt ein Doppelbett und ein Schlafsofa im Wohnzimmer. Er hält uns für ein Paar. Patrice und ich lassen das so stehen, ohne zu widersprechen. Eine unausgesprochene Komplizenschaft. Ich versuche, den Ofen zum Laufen zu bringen. Der Vermieter bringt uns Pasta, Zwiebeln und ein paar Tomaten. Öl und Salz sind in der Küche; wir finden sogar eine Dose Thunfisch und eine Flasche Rotwein.

Dann kochen wir zusammen, es fühlt sich an wie in Studentenzeiten. WG-Spaghetti am Küchentisch, Wein aus Wassergläsern und der bollernde Gasofen als Heizung. Wir erzählen uns Geschichten von früher, seine Frauen seit damals und seine ironische Frage, ob ich's denn bereue, den Falschen geheiratet zu haben. Meine Gegenfrage, ob er bereue, nie geheiratet zu haben, und seine überraschende Antwort: Ja, jetzt zum ersten Mal. Als er im Krankenhaus lag, nachdem er fast ertrunken wäre. Die erschreckende Frage, wen es überhaupt stören würde, wenn er stürbe. Und der Wunsch nach einem Menschen an seiner Seite, um gemeinsam durchs Leben zu gehen. Ich staune; er meint es ernst. Dann fragen wir uns, was gewesen wäre, wenn wir uns damals anders entschieden hätten, füreinander. Wer weiß. Sicher ist nur: wären wir damals ein Paar geworden, säßen wir heute nicht hier. Wir hätten dauernd gestritten und würden uns jetzt nicht mehr ausstehen können.

Und dann geht alles ganz einfach. Es fällt leicht, seine Hand zu nehmen, ich weiß nicht einmal, wer zuerst die Hand des anderen genommen hat. Es ist ganz selbstverständlich und aufregend zugleich. Wir sind schon so alt, und es fühlt sich an wie beim ersten Mal.

Patrice steht auf und zieht mich zu sich, zärtlich, aber ohne zu zögern. Hände, die wissen, was sie tun, Lippen, die sich finden, ohne suchen zu müssen. Ich schließe die Augen. Patrice fasst meine Hüften und presst mich gegen den Tisch. Draußen fällt ein Ziegel vom Dach, der Sturm heult ums Haus, und mir rauschen tausend Gedanken durch den Kopf. Welche Geschichte beginnt hier gerade, wie wird sie enden? Wie lange kann ich einfach nur fühlen, im Moment aufgehen, ohne Gedanken daranzuhängen. Gedanken, die sich unweigerlich zu Geschichten formen, mit Anfang und Ende und festgelegten Rollen? Ich will, solange es nur geht, den Gedanken entkommen. Nicht Teil einer Geschichte werden. Einfach nur strömen und verschmelzen und leuchten im Dunkel. Seine Haut riecht nach Sonne und Salz, er nimmt mich ein, ich liefere mich aus, bin Puls und Rausch und Gegenwart, sonst nichts.

Als wir aufwachen, ist alles neu. Draußen ist es still wie am ersten Tag; ein Vogel, eine Kirchturmuhr, plötzliche Sonne im Zimmer. Neben mir liegt Patrice und schläft. Seine Haut an meiner, ungewohnt, aber gut. Ich fühle mich erlöst, als wäre ein alter Bann gebrochen. Langsam stehe ich auf, öffne die Balkontür und trete hinaus. Der Wind hat nachgelassen, die Luft riecht feucht und frisch. Ich drehe mich um und sehe Patrice, der sich streckt und aufwacht und ins Licht blinzelt. Er ist noch derselbe, aber wir blicken uns auf eine andere Weise an. Ich beobachte ihn nicht mehr. Ich lasse mich sehen. Alles bewegt sich, nichts ist sicher, aber ich bin da.

Joëlle stellt keine Fragen. Sie freut sich einfach nur, mich zu sehen. Es gibt keine Geschichte zu erzählen; was auf der Insel geschehen ist, war vielleicht nur der Anfang oder schon das Ende, wer weiß. Weder bereue ich es, noch hänge ich eine Erwartung daran. Es ist, was es ist. Patrice fährt heute wieder raus, der Wind hat sich gelegt, und ich gehe mit Joëlle zum Strandbad. Wir setzen uns auf unsere Veranda, und dann führt sie mich zum letzten Mal zurück auf die andere Seite des Meeres ...

46

SICILIA

Wer die Wahrheit spricht, sollte besser einen Fuß im Steigbügel haben.
Arabisches Sprichwort

Alle hatten gedacht, mit dem Ende des Krieges würde die Welt
wieder heil werden. In Wahrheit löste sie sich auf. Alles, was sie
einmal zusammengehalten hatte, war aus den Verankerungen
gerissen. Der Abgrund schloss sich nicht. Das Vertrauen kehrte nicht zurück. Der Mensch hatte in den Spiegel geblickt und
eine Bestie gesehen.

Yasmina stand am Ende des langen Piers, mehr *im* Meer als
am Meer, und hielt Joëlles Hand. Sie zeigte auf die einlaufenden
Schiffe, die in der Ferne erst kaum zu erkennen waren, aber
dann, wenn sie in den Kanal zum Hafen einliefen, riesig groß
wurden. Rostig, müde und schwer zogen sie vorbei. An der Reling winkten Soldaten. Joëlle winkte fröhlich zurück. Yasmina
hatte alle Geduld verloren, das Warten war zu einer fiebrigen
Unruhe geworden. Mit jedem Tag, an dem die Schiffe die müden
Männer ausspuckten, aber nicht *ihn*, wuchs ihre Angst. Später
am Nachmittag würden sie wieder die Freudentriller aus den
Nachbarhäusern hören, und während Joëlle mit den anderen
Kindern tanzte, würde Yasmina stumm danebenstehen. Sie würde die Männer fragen, ob sie irgendwo in Italien ihren Bruder
gesehen hatten, in Paris vielleicht, oder sogar in Deutschland,
und immer wieder würden die Männer den Kopf schütteln.

Ihre Zeit mit Victor war stehengeblieben wie eine kaputte

Uhr, die niemand reparieren konnte. Bald würde auch Maurice nicht mehr da sein. Der Einzige, dem sie sich noch anvertraute. Maurice, der eigenartige, schweigsame Deutsche, der kein Deutscher mehr war, der keiner gewesen sein konnte, denn die Deutschen waren Monster. Jeder redete darüber, jeder hatte die Bilder gesehen, in der Zeitung, im Kino, nur Yasmina nicht. Sie *wollte* sie nicht sehen. Aus Angst, irgendwo unter den Toten Victor zu entdecken. Nein, solange sie daran glaubte, lebte er. *Du musst nur fest genug an ihn denken,* sagte sie zu Joëlle, *dann kommt Papà zurück!* Nur hier draußen auf der Pier wagte sie es auszusprechen, das verbotene Wort. *Papà.* Zu Hause war Papà der Mann, den auch Mama so nannte; der Mann mit der Brille und der Zeitung, auf dessen Schoß sie so gerne saß, bis jemand kam und sie herunternahm, denn Papà war krank.

Yasmina drehte sich um und blickte auf die weißen Häuser von Piccola Sicilia. Die Spuren der Winterstürme an den feuchten Mauern, die verwitterten blauen Fensterläden, spielende Kinder am Strand. So klein wirkte alles von hier, so fern und auf einmal so fremd. Dasselbe Haus, das ihr als Kind Schutz gegeben hatte, erstickte sie heute. Auf die Gassen, die ihr damals die Freiheit geschenkt hatten, hatte sich ein Netz aus tausend Augen gelegt. Das Getuschel hinter vergitterten Fenstern, das falsche Lächeln, die vergifteten Fragen. Wann denn der Liebste wiederkäme. Monsieur Alain von den Forces Françaises Libres, aha, soso. Die Leute rochen die Lüge, weil sie ihre Kraft verlor, so wie sie auf dem Markt den Fisch von gestern am Geruch erkannten.

Niemand wusste genau, wann die Stimmung gekippt war. Irgendwann lag in den Blicken der Nachbarn, wenn Yasmina durch die Straßen ging, noch etwas anderes als die übliche Lust an Klatsch und Intrigen. Etwas Düsteres, Abgründiges, als hätten sie auf einmal Angst, dass sich ihre Blicke mit Yasminas Augen kreuzten und damit etwas Böses von ihr auf sie überspringen konnte. Ein Vater scheuchte seine Kinder von der Straße in den Hof, als sie vorbeiging; eine Mutter wollte nicht mehr, dass Joëlle mit ihren Kindern spielte. Und dann hörten es auch die Sarfatis. Erst waren es befreundete Nachbarn, die sie vor dem Gerücht warnten – *natürlich ist das nicht wahr, was für ein schrecklicher Tratsch; wer kann nur so gehässig sein, so etwas in die Welt zu setzen?* –, dann kam das Schweigen beim Bäcker, sobald einer von ihnen den Laden betrat, Gesichter, die sich abwandten, und die ersten indiskreten Fragen.

Habt ihr gehört? Es gibt gar keinen Alain von den Forces Libres. Und auch Maurice, der Unbekannte aus Triest, ist nicht der Vater. Nein, es ist viel unerhörter, Gott beschütze mich, wenn ich es ausspreche. Aber es erklärt alles! Warum Victor nicht zurückkommt. Er ist nicht gefallen, nein, er flieht vor der Schande!

Das Gerücht war nicht zu stoppen, weil niemand wusste, woher Sylvette, die im Dunkeln hauste, ihr Gift verstreute. Ein einziger Tropfen vergorene Milch genügt, um ein ganzes Glas zu verderben. Mimi bekämpfte das Gerücht mit aller Kraft. *Wie könnt ihr das glauben? Das ist die infame Lüge einer unehrenhaften, gehässigen Frau, einer eifersüchtigen Geliebten,* poverina, maledetta! *Wisst ihr nicht, dass sie gar keine Sängerin war in Montmartre, sondern eine Hure?*

Ja, Signora, natürlich, wir kennen uns gut, die Ehre Ihrer Familie ist über jeden Zweifel erhaben. Aber kaum hatte Mimi die eine Freundin wieder auf ihre Seite gebracht, fand das Gerücht einen Weg ins nächste Haus. Es war wie Wasser, das in ein Schiff lief, weil niemand das Leck fand. Es füllte jede Gasse des Viertels; eine anschwellende Flut von Gehässigkeiten, die Yasmina den Atem raubte. Und die besonders Frommen hatten immer eine Lösung parat. *Aber wir meinen es doch nur gut mit euch. Sfortuna hat euer Haus erreicht!*

»Kümmert euch um euer eigenes Haus!«, keifte Mimi zurück. Doch das Gerücht wucherte so mächtig, dass jedes Abstreiten es nur verstärkte. Seltsamerweise empfand Yasmina im Gegensatz zu Mimi keinen Hass auf Sylvette, sondern Mitgefühl. Sie wusste zu gut, dass die Ausgeschlossenen nicht von Natur aus böse waren, sondern dass das Ausgeschlossensein sie verbitterte. *Du bist ein böses Mädchen!* Nein, das Mädchen *wurde* erst böse, wie alles, was aus der Mitte gedrängt wird.

Irgendwann verloren sie den Kampf. Mimis Freundinnen wandten sich ab, die Nachbarinnen grüßten Yasmina nicht mehr, und die letzten treuen Patienten suchten sich einen anderen Arzt. *Sie müssen verstehen, Dottore, ich habe nichts gegen Sie, im Gegenteil, aber die Leute reden darüber, wer zu Ihnen kommt, Sie verstehen?* In Piccola Sicilia zählte nicht so sehr, was in den Häusern geschah, sondern was nach außen drang.

Nein, ich verstehe nicht. Aber ich muss jetzt gehen. Au revoir.

Als Yasmina ihren Vater eingefallen auf seinem Stuhl sitzen sah, in Schweigen versunken, ohne das übliche Buch, ohne Zeitung, ohne Radio, brach es ihr das Herz. Die Gehässigkeiten auf der Straße hörte sie nicht mehr; ihre Ohren schalteten einfach ab, wie ein überlastetes Gerät, das nur noch einen Pfeifton von sich gab. Aber Papà durch ihre eigene Schuld leiden zu sehen, das konnte sie nicht geschehen lassen. Es gab nur einen, der die Leute zum Schweigen bringen konnte. Victor.

Sie stellte sich vor den Spiegel in ihrem Zimmer, kämmte ihr Haar, schminkte die Lippen, zog einen tiefschwarzen Kajalstrich um ihre Augen, ging in Victors Zimmer, nahm die Parfümflasche aus seiner Schublade, benetzte damit ihren Hals, zog ihr feinstes Kostüm an, ganz in Weiß, dazu ihre höchsten Absätze. Dann zog sie Joëlle ihr schönstes Kleid an und setzte sie in den Kinderwagen. *Wir sind von Feinden umgeben*, sagte Yasmina. *Aber ich bringe uns hier raus.*

Dann verließ sie das Haus. Sie ging nicht auf der schattigen Straßenseite, sie mied nicht mehr die Menschen, sondern zeigte sich mitten auf der Avenue de Carthage. Mit erhobenem Haupt ging sie an den Cafés vorbei, wo die Männer sich nach ihr umdrehten. Sollten sie doch reden. Sollten sie doch wissen, zu wem sie ging. Wussten sie in Wahrheit doch nichts von ihr.

»Was machen Sie da, Maurice?«

Er stand im Unterhemd in seiner Kammer und bückte sich über Victors alten Koffer. Er war unrasiert, die Luft stand stickig unter dem Dach. Alle Kleider lagen fein säuberlich gefaltet auf dem Bett. Er hatte sie nicht erwartet.

»Yasmina. *Buongiorno* ...«

Ihre Schönheit überwältigte ihn.

»Ich brauche die Kleider nicht mehr. Sagen Sie Victor ... danke.«

Yasmina stand reglos in der Tür und hielt Joëlle davon ab, zu Moritz zu laufen.

»Victor kommt nicht mehr.«

Moritz war nicht überrascht darüber, was sie sagte. Nur *dass* sie es sagte. Dass sie es endlich begriffen hatte.

»Nehmen Sie mich mit, Maurice.«

Moritz stutzte. Er ging langsam auf sie zu, um sich zu vergewissern, dass er nichts falsch verstanden hatte.

»Sie fahren doch über Palermo?«

»Ja ...«

»Und dann durch Italien.«

»Ja.«

»Ich muss Victor finden.«

Er hatte es falsch verstanden. Er blickte verlegen weg, um ihr seine Enttäuschung nicht zu zeigen. Sie spürte es dennoch.

»Wir fahren ein Stück zusammen, bis wir ihn finden, und dann können Sie nach Hause zu ihrer Verlobten.«

»Aber ... Yasmina ... wo in Italien wollen Sie ...«

Sie fasste ihn am Ärmel, so fest, dass er erschrak.

»Maurice! Sie reden wie mein Papà. *Ich muss vernünftig sein.*
Ja! Aber ich weiß, dass er lebt. Ich weiß es einfach! Und weil er
nicht mehr zurückkommen will, habe ich hier nichts mehr verloren. Verstehen Sie? Das ist verbrannte Erde. Was soll ich denn
machen, alleine, mit dem Kind?«

Joëlle begann zu weinen. Sie spürte, dass es um sie ging, aber
warum ihre Mutter so aufgeregt war, verstand sie nicht. Yasmina nahm sie auf den Arm.

»Helfen Sie mir. Alleine lässt mein Vater mich nie gehen.«

»Aber wo soll ich ihn denn finden? Alles, was wir wissen, ist,
in welchem Dorf auf Sizilien er war. Vor zwei Jahren!«

»Machen Sie sich keine Gedanken. Ich finde ihn überall. Sie
verstehen das nicht. Sein Herz schlägt in mir, und meins in
ihm.«

»Yasmina, das ist doch Unsinn!«

»Sie meinen, weil wir so verschieden sind? Das weiß ich gut,
und gerade deshalb gehören wir zusammen!«

Er wollte etwas ganz anderes sagen; die praktische Frage, wo
sie zu suchen beginnen sollten; die ernüchternde Tatsache, dass
die alliierten Gefangenen längst befreit waren; die verschwin-
dend geringe Wahrscheinlichkeit, ihn lebendig zu finden.

Yasmina berührte seinen Arm. Zärtlich fast.

»Als wir Kinder waren, im Sommer, am Strand, mit der
ganzen Familie, habe ich mich einmal verlaufen. Es wimmelte
von Menschen. Plötzlich sah ich lauter Fremde um mich herum. Ich bekam Panik. Aber ich traute mich nicht zu schreien.
Also schloss ich die Augen und redete mit Victor. Man kann
mit jemandem sprechen, ohne etwas zu sagen; vielleicht verstehen Sie das nicht, aber diese Worte sind sogar stärker, denn
man verliert sie nicht. Denken Sie nicht, dass ich verrückt bin,
Maurice. Denn auf einmal stand er vor mir. Einfach so. Unsere

Eltern hatten auf der falschen Seite des Strandes gesucht. Aber er und ich, wir haben uns einfach gefunden. Unter Hunderten von Menschen. Und so war das immer. Er kann mich hören!«

Moritz wollte zuerst nichts antworten, um ihren Traum nicht zu zerstören. Aber dann platzte es aus ihm heraus.

»Yasmina, als Kind hatte ich auch solche Phantasien. Aber inzwischen habe ich Kameraden mit abgerissenen Beinen gesehen, die nach ihrer Mutter schrien und jämmerlich verreckten. Man kann sich viel wünschen, Yasmina, aber der Wille allein kann einen Toten nicht wieder lebendig machen!«

Im selben Moment spürte er, dass er zu weit gegangen war. Er verlor sie. Sie wandte sich ab.

»Sie wissen nicht, was Liebe ist«, sagte sie. »Komm, Joëlle.«

»Und Sie lieben ein Phantom.«

»Vielleicht bin ich verrückt, vielleicht ist das alles verboten, aber die Liebe war immer echt. Ich habe geliebt, seit ich ein Kind war. Was haben Sie gemacht, als Sie klein waren?«

Ich habe mich versteckt, dachte er, ohne es zu sagen.

»Dann gehe ich ohne Sie.«

Sie wandte sich ab.

»Yasmina! Wir müssen Ihre Eltern um Erlaubnis fragen.«

Am Abend saßen sie mit Mimi und Albert am Tisch. Yasmina trug ihren Plan ohne Zögern, aber auch ohne Überschwang vor. Ihre nüchterne Entschlossenheit imponierte Moritz und schockierte die Eltern. Ihre Tochter war erwachsen geworden.

Albert bäumte sich auf, als hätte er nie die Hälfte seiner Kraft eingebüßt. Er hatte seinen Sohn verloren und würde niemals zulassen, auch noch die Tochter zu verlieren.

»*Impossibile!* Das ist zu gefährlich! Habt ihr die Bilder aus Europa gesehen? Wie viele dort auf den Straßen unterwegs sind, unter freiem Himmel schlafen, nicht wissen, wo sie hingehen sollen?«

»Einer von ihnen ist Victor. Was, wenn er Hilfe braucht?«

Albert ignorierte ihre Frage. Victors Name wurde nicht erwähnt. Daran hielt er fest, auch wenn er wusste, dass es falsch war.

»Warum arbeitest du nicht wieder im Majestic? Die Amerikaner sind ausgezogen!«

»Ich war dort. Es ist gespenstisch leer. Kein Europäer denkt jetzt an Urlaub. Sie entlassen Personal. Und es ist mir egal, Papà. Wenn ihr Victor nicht suchen geht, muss ich es tun.«

Mimi hielt sich verdächtig zurück. Sie wusste, dass die Zeit stehenbleiben würde, solange Victor nicht zurückkehrte. Lebendig oder in einem Sarg. Die einen hatten *fortuna*, die anderen *sfortuna*. Schlimmer aber als die Trauer war die Ungewissheit, da sie kein Ende fand.

»Warten wir doch auf Léons Rückkehr«, schlug Mimi vor. »Er hat mir versprochen, dort nach Victor Ausschau zu halten.«

»Léon war nur höflich zu dir«, warf Albert mürrisch ein. Alle wussten, dass er recht hatte. Auch für Léon war Victor gestorben.

»Maurice«, sagte Albert, »warten Sie noch, bis die Lage sicher ist. Sie reisen in ein besetztes Land.«

»Ich weiß. Aber ich muss nach Hause.«

Yasmina sah trotzig schweigend zu, wie die Argumente der Eltern in sich zusammenfielen. Sie setzte auf Mimi, die niemanden sonst hatte, der ihr ihren Sohn zurückbringen konnte. Sie durfte ihren Mann nicht alleine lassen.

»Hör zu, Yasmina«, sagte Albert. »Du musst jetzt stark sein. Wir sollten auf alles gefasst sein. Mit jedem Tag sinkt die Wahrscheinlichkeit ...–«

»Ich weiß, dass er lebt!«

Albert wandte sich verzweifelt an seine Frau. »Sie kann nicht unverheiratet mit einem Mann reisen. Was sollen die Leute sagen?«

Mimi stand auf und räumte die Teller ab. »Alles, was sie sagen könnten, haben sie schon längst gesagt.«

Albert weigerte sich tagelang, sein Einverständnis zu geben. Schließlich aber musste er sich eingestehen, dass die Frauen stärker waren als er. Mimi wollte ihren Sohn zurück. Und Yasmina würde früher oder später alleine aufbrechen. Wie sollte er sie aufhalten, mit seinem Körper, der ihm nur noch zur Hälfte gehorchte?

Am Shabbat nahm er nach dem Gottesdienst Rabbi Jacob beiseite, um mit ihm unter vier Augen zu sprechen. Niemand erfuhr, was er dem Rabbi erzählte. Aber als er nach Hause kam, rief er Yasmina und Mimi zu sich. Er erklärte, dass er der Reise zustimmte – unter einer Bedingung: Er würde persönlich mitkommen. Um den Anstand zu wahren. Und wenn sie Victor tatsächlich fänden, würde er ihm die Hand reichen. Wenn Albert ihm nicht verziehe, wäre Victor zu ewigem Exil verdammt. Und das könnte Albert sich selbst nicht verzeihen.

Yasmina umarmte ihn und hatte Tränen in den Augen. Papà hatte seine alte Größe wiedergefunden.

»Danke, Papà.«

»Schon gut, *amore*. Jetzt geh zu Maurice und sag es ihm. Ihr werdet mehr auf deinen alten Vater aufpassen müssen als er auf euch.«

Anstandslos setzte der Beamte seinen Ausreisestempel in Moritz' Pass. Ein dumpfer Schlag und kein »*Au revoir*«. Der Beamte reichte ihm das Dokument und griff nach dem nächsten. Als wäre es ihm ganz recht, wenn all die Ausländer, die den Krieg in sein Land getragen hatten, endlich verschwanden. In der Halle war es heiß und stickig. Hinter den schmutzigen Fenstern konnte man die rostigen Bullaugen des italienischen Dampfers erkennen. Albert und Yasmina standen weiter hinten in der Schlange, damit sie, falls es Probleme mit Moritz' Pass gäbe, nicht mit verhaftet würden. Joëlle ging an Yasminas Hand. *Eine Reise*, hatte Yasmina ihr gesagt, *wir machen eine schöne Sommerreise, wie die feinen Leute.* Mimi hatte angeboten, auf sie aufzupassen, aber Yasmina hatte sich geweigert, sie der *nonna* zu überlassen. Zwischen ihnen war das Band zerrissen.

Albert trug seinen besten Anzug, einen italienischen Hut und braune Budapester, die Mimi blitzblank gewienert hatte. Den Gehstock hatte er abgelehnt. Doch hier, außerhalb des Hauses, fiel es stärker auf, dass er sein rechtes Bein leicht nachzog, sosehr er sich auch bemühte, keine Schwäche zu zeigen. Yasmina hatte ein langes Kleid in unauffälligem Grau gewählt. Ihren neuen Pass hielt sie aufgeregt in der Hand, wie einen magischen Schlüssel, der ihr die Tür zur Welt öffnete. Und um den Hals trug sie Victors silberne Khamsa mit dem Davidstern. Sie atmeten auf, als sie Moritz durch die Kontrolle gehen sahen.

»Maurice!«

Moritz drehte sich um. In der Menge der Reisenden und Kofferträger stand ein kleines Männchen im zu großen Anzug, mit Zigarette im Mund und einer Liste in der Hand.

»*Mazel tov* in Eretz Israel!«

Der Mann mit den Radios. Monsieur Lévy.

»Danke«, sagte Moritz und steckte seinen Pass in die Tasche. Hinten in der Schlange wandte Yasmina ihr Gesicht ab, um von Monsieur Lévy nicht entdeckt zu werden.

Auf dem Schiff trat sie nicht an die Reling. Albert stand dort und winkte mit seiner linken Hand Mimi zu, die unten auf dem Kai stand. Yasmina saß allein auf einer Bank und blickte hoch in die Wolken, als wäre sie schon weit fort. Moritz ging mit Joëlle an der Hand zu Albert und nahm sie auf den Arm, damit sie der *nonna* zuwinken konnte.

»Sind Sie froh, Ihre Verlobte wiederzusehen, Maurice?«

»Ich weiß nicht einmal, ob sie noch lebt. Und ob mich ein Verhör erwartet. Oder ein amerikanisches Gefängnis.«

»Sie tragen keine Schuld.«

»Mein Name war auf allen Fotos, im Vorspann der Filme, auf der Gehaltsliste des Ministeriums. Ich war ein Teil der Maschine. Und die Geschichte wird von den Siegern geschrieben.«

Ein Zittern ging durchs Schiff. Das Horn blies so laut, dass alle Gespräche verstummten. Die Matrosen holten die Leinen ein, und ganz langsam, fast unmerklich, verschoben sich die Häuser hinter dem Hafen. Moritz spürte ein sanftes Schwanken unter den Füßen.

Vor fast drei Jahren war er als Moritz Reincke, Sonderführer der Propaganda-Kompanie im Deutschen Afrika-Korps über das Meer gekommen. Jetzt fuhr er als Niemand zurück.

47

Die Überfahrt dauerte nicht lange, aber Yasmina kam sie endlos vor. Seekrank verbrachte sie die Reise unter Deck, wo sie sich auf eine Holzbank kauerte wie eine Katze, die sich zum Sterben zurückzieht. Albert saß dabei und gab ihr Tabletten, die nichts halfen. Ringsherum schepperte das Blech und ächzte der Stahl, ein unheimliches Zittern und Stampfen drang durch die Eingeweide des Dampfers. Der alte Truppentransporter stank nach Rost, Öl und verstopften Toiletten; ein Seelenverkäufer, der längst verschrottet gehörte.

Moritz wanderte mit Joëlle auf dem Deck hin und her. Ihr gefiel das Schaukeln, die segelnden Möwen, der Wind in ihren Haaren. Moritz fühlte sich auf einmal verletzlich. Der Himmel ohne Häuser. Nach all den Monaten zwischen Mauern herausgerissen in die grenzenlose Weite des Meeres. Ohne festen Boden, endlich unterwegs, endlich die Gelegenheit, Yasmina ganz nah zu sein. Aber statt sie zusammenzuführen, ging diese Reise einer Trennung entgegen. Er musste an den Abschied von Fanny denken. Die Herbstblätter auf dem Wannsee. Das letzte Aufleuchten der Bäume. Die Liebe ist flüchtig, dachte er, hoch und kurz wie der Sommer. Kaum will man sie festhalten, vergeht sie schon wieder. Wie viele Abschiede hält ein Herz aus, ohne zu brechen? Wie oft kann man noch einmal von vorn anfangen? Waren die Begegnungen und Abschiede nichts als Zufall, oder gab es ein *mektoub* in alledem?

Insgeheim hoffte er, sie würden Victor nie finden, um den Moment der Trennung ewig hinauszuzögern. Sofort verscheuchte er den Gedanken wieder. Er war jetzt frei zu gehen, wohin er wollte, und zu sein, wer er wollte. Aber statt ihn zu beflügeln, bedrückte ihn dieser Gedanke, und er begann, die Menschen zu beneiden, die fest an ihr Haus und ihre Liebsten gebunden waren, an einen Namen, eine Adresse und einen Alltag, neben dem es kein zweites Leben gab, nicht einmal in ihren Träumen.

Nach Einbruch der Dunkelheit zogen die Lichter von Trapani an Steuerbord vorbei. Der Flugplatz, wo Moritz zur letzten Etappe nach Tunis gestartet war. Wohin die Maschine geflogen war, die ihn hätte nach Hause bringen sollen. Dass sie nie angekommen war und seine belichteten Filme auf dem Meeresgrund lagen, nur wenige Meilen entfernt, wusste er nicht.

Das Schiff umrundete Sizilien und erreichte um vier Uhr morgens den Hafen von Palermo. Als die Sonne hinter den rostigen Kränen aufging, sahen sie Schiffswracks, die wie gestrandete Wale vor den Kais lagen. Palermo war eine verwundete Stadt, nicht anders als Tunis. Moritz trug die schlafende Joëlle auf dem Arm, als sie von Bord gingen. Im Chaos auf dem Kai suchten sie ihre Koffer. Vor der Passkontrolle trennten sie sich wieder, aber ihre Angst war unbegründet. Maurice Sarfati gelangte ohne Beanstandung durch. *Benvenuto, Signore.*

Danke, Monsieur Lévy, gute Arbeit.

Palermo sang, Palermo stank, Palermo schwitzte schon am Morgen. Die Menschen hungerten, der Schwarzmarkt blühte. In Tunis gab es mehr zu essen als hier. Trümmer am Straßenrand, Pappe in den zerborstenen Fenstern, ausgebombte Häuser neben antiken Säulen. Die Sizilianer hatten den Krieg nicht weggeräumt, sondern einfach stehen gelassen, so wie alle anderen Relikte vergangener Zeiten, und weitergelebt. Sie waren es gewohnt, erobert und wieder vergessen zu werden. Schuhputzer umringten die Passagiere, die aus dem Hafen in die Stadt kamen, Kinder mit verfilzten Locken, kaum zehn Jahre alt.

Moritz trug die Koffer, während Yasmina Joëlle an der Hand

hielt. Albert humpelte hinterher. Da waren sie nun und wussten nichts. Eine vor Liebe Blinde, ein halb Gelähmter und ein Niemand, auf der Suche nach einer Wolke. Alles, was sie hatten, war der Name eines Dorfes irgendwo im Osten.

»Ich hab einen Talisman, wisst ihr das?«, sagte Yasmina. Ihre Seekrankheit war verflogen, sie sprühte vor Elan. Moritz dachte zuerst an die Hand der Fatma, die sie um ihren Hals trug. Aber dann zog sie den Filmschnipsel aus der Tasche, den sie aus der britischen Wochenschau gestohlen hatten.

»So können wir die Leute nach ihm fragen!«

»Aber Yasmina! Ohne Projektor können wir den Film nicht zeigen. Auf dem Negativ ist Victor so klein wie ein Sandkorn.«

»Dann suchen wir eben einen Projektor.«

»Aber wir können das Bild nicht anhalten. Dann verbrennt es.«

»Sie sagen immer *aber!* Hören Sie auf, so deutsch zu sein!«

Yasmina warf ihm ein Lachen zu und sprang über ein Loch im Asphalt.

Woher nahm sie die Zuversicht, dass es ihr bessergehen sollte als den unzähligen Frauen, die in der Hitze vor dem alten Palazzo standen? Das Alliierte Oberkommando im Stadtzentrum war schwer bewacht: Jeeps, Panzer und Soldaten mit Maschinengewehren. Sie hatten keine Angst vor Anschlägen, sondern vor dem Hunger der Sizilianer. Viele ihrer Soldaten hatten Namen wie Salvatore oder Antonio und sprachen sizilianischen Dialekt mit amerikanischem Akzent. Man musste warten, Nummern ziehen, Pässe zeigen, am nächsten Tag wiederkommen; man war niemand, nur eine weitere lästige Frau unter Hunderten von wartenden Müttern. Die langen Flure, die unzähligen mit Bleistift bekritzelten Wandzettel mit den Namen der Vermissten. Die offiziellen Listen der Lebenden und der Toten, mit Schreibmaschine getippt. Die Geldscheine, die unterm Tisch verschwanden und die heimlichen Verabredungen mit den hübschen Mädchen.

Yasmina sah, dass sie nicht die Einzige war, die ein Recht einforderte, das niemand besaß. Der Krieg hatte Tausende Männer verschluckt und noch nicht wieder ausgespuckt, nein, Hunderttausende, nein, Millionen. Doch sie wollte sich nicht in die trostlose Riege der Witwen einreihen. Sie lief durch die langen Flure und zeigte jedem ein Foto von Victor. Jeder schickte sie weiter.

A Frenchman? Wir hatten keine Franzosen auf Sizilien. Erst später, im Norden. Go to Rome!

Nein, Mister, er war hier! In Avola, auf der Piazza! Kennen Sie Avola? Vielleicht war er Aufklärer oder Spion. Weil er doch Italiener ist, eigentlich. Nein, er hat nicht für die Faschisten gekämpft, Mister, sondern mit Ihnen! Nein, wir wissen nicht, in welcher Division. Er ist Jude, vielleicht hilft Ihnen das weiter?

Gab 'ne Menge Juden, die mit uns gekämpft haben. Moslems, Sikhs, Hindus, the whole goddamn world. What's the difference? Wenn sie sterben, schreien sie alle nach ihrer Mutter.

Gehen Sie nach Siracusa! Dort haben sie die Toten begraben und die Verletzten versorgt.

No, Mister, wir suchen ihn nicht unter den Toten. Victor liebt das Leben viel zu sehr, um zu sterben. Und was noch mehr zählt: Das Leben liebt ihn!

He must be a lucky man.

Siracusa lag an der Ostküste, nicht weit von Avola, wo sie Victor auf dem Film gesehen hatten. Wo die Briten gelandet waren. *Avola.* Yasmina wiederholte den Namen, als hätte er magische Kräfte, sie sang und summte ihn im Rhythmus der Räder auf den Schienen. *Avola, Avola, Avola.* Auf der Landkarte lag es auf dem gleichen Breitengrad wie Piccola Sicilia.

»Das ist ein Zeichen, Maurice, finden Sie nicht? Wissen Sie, warum wir ihn finden werden? Weil Sie ihn gerettet haben. Sie wurden uns geschickt. Sie sind unser Engel. Es wäre sonst doch alles sinnlos gewesen, nicht wahr?«

Als der Zug aus der Stadt dampfte, sah alles wieder aus wie vor hundert Jahren. Mandel- und Zitronenbäume, rote Sommererde und Olivenhaine bis zum Horizont. Schafherden, die wie Wolkenschatten über die Hügel zogen. Frauen in den Weizenfeldern, Erntezeit und Hitze des sizilianischen Sommers. In den Dörfern trugen sie lange schwarze Kleider, Witwen und misstrauische Matronen, zahnlos. Zwischendurch ausgebrannte Panzer auf den Feldern.

Yasmina lehnte ihren Kopf aus dem Fenster und ließ ihre Locken im Fahrtwind tanzen. Sie sog die Sommerhitze ein, schloss ihre Augen und genoss den Rausch der Geschwindigkeit. Moritz stand neben ihr im Gang und sah sie an. Yasmina im Licht. Silber und Gold in ihren Haaren. So erwachsen und plötzlich, für Sekunden nur, wieder ein Kind. Yasmina, die keinen anderen Mann als ihren Bruder kannte. Yasmina, die vielleicht in ihr Verderben fuhr. Der heiße Wind durchs Fenster, der Geruch von trockener Erde und Heu. Weiße Dampfwolken wirbelten vorbei, ihr wilder Tanz verlor sich in den Feldern. Es könnte ewig so weitergehen, dachte er. Die schönsten Momente der Reise waren die, in denen sie für kurze Zeit ihr Ziel aus den Augen verloren, in denen sie einfach nur unterwegs waren, miteinander. Yasmina zog den Kopf zurück. Ihre Haare würden nach Ruß stinken, und sie wollte gut riechen, wenn sie Victor fand.

»Ich habe von ihm geträumt«, sagte sie. »Er hat gesagt, ich soll mir keine Sorgen machen. Es geht ihm gut.«

Moritz widersprach ihr nicht. Er staunte nur. Sie träumte von ihm, also lebte er, ganz einfach. Sie suchte nicht nach Victor, nein, sie fieberte ihm entgegen; er war schon da, und sie machte sich bereit für ihn. Für Moritz waren Träume etwas, aus dem man aufschreckte, wenn man schlecht schlief. Yasminas Träume waren der Ort, an dem ihre Seele verankert war. Sie trug ihre Träume mit sich herum wie eine Schnecke ihr Haus. Die Wirklichkeit war für sie nur ein vorübergehender Ort, nichts Bleibendes. Wenn sie zu grausam wurde, hatte sie immer einen Platz, an dem sie sich verstecken konnte. Moritz beneidete sie darum, sicher, aber er machte sich vor allem Sorgen: Das Haus ihrer Träume war auf den Fels eines anderen gebaut. Was würde sie tun, wenn sie ihn nicht fänden? Oder wenn es wahr wäre, was Sylvette gesagt hatte? Was, wenn er nicht gefunden werden *wollte?*

Für den Schaffner und die anderen Fahrgäste waren Moritz und Yasmina *Signor e Signora Sarfati,* die mit ihrem Vater und der gemeinsamen Tochter reisten. Yasmina und Albert war diese Verwechslung durchaus recht, sie verhinderte Indiskretionen, doch Moritz tat sich schwer mit dem Spiel. Es gab Momente, in denen er Lüge und Wahrheit nicht mehr unterscheiden konnte. Wenn sie es aussprachen, schien es so leicht und vertraut: dass sie ein Paar waren. Aber danach blieb die Frage in ihm zurück, ob sie das genauso empfand wie er. Yasmina spielte das Spiel vor den anderen, aber sie gab Moritz kein Zeichen, dass sie wirklich meinte, was sie sagte, kein heimliches Einverständnis. Es schien, als wäre Victor immer bei ihr, wie ein unsichtbarer Gefährte, den sie so nah spürte wie den eigenen Puls. Aber was empfand sie für den Mann, der tatsächlich an ihrer Seite stand, der ihr Kind und ihren Koffer trug und ihre Hand hielt, wenn sie stolperte?

In dem imaginären Haus, das Yasmina mit sich trug, war jedes Zimmer mit ihrem Geliebten besetzt. In Wahrheit war es aber längst ein Geisterhaus. Leere Stühle, leere Betten und zerbrochene Fenster, durch die der Wind fuhr. Risse in den Wänden, offenes Dach. Doch das durfte niemand wissen. Sie breitete ihre Zuversicht wie ein Tuch über das Haus, damit niemand sah, dass es jeden Moment einstürzen könnte.

In der kleinen Pension in Palermo hatte sie Moritz heimlich beobachtet, als er mit Joëlle auf dem Schoß an dem verstimmten Klavier im Salon saß. Geduldig hatte er ihre Hände auf die Tasten geführt und sie die Töne nachsingen lassen. Niemand hatte so mit Yasmina gespielt, als sie klein war. Aber Moritz war besonders. Er nahm Joëlle ernst, so dass sie sich aufgehoben fühlte. Er sah sie nicht als unfertigen Menschen, den man zurechtweisen und formen musste, sondern als die, die sie bereits war. So zögerlich er manchmal gegenüber Erwachsenen wirkte, mit Joëlle war er ganz bei sich. Wenn sie auf seinem Schoß saß, umgab die beiden eine schöne Stille. Als hätten sie von Anfang an zusammengehört. Könnte man doch aus zwei Männern einen machen!

Avola war eine Enttäuschung. Das Dorf aus dem Film war in Wahrheit eine kleine Stadt mit mehr als nur einer Piazza, aber keine von ihnen ähnelte dem Dorfplatz aus dem Film. Der englische Kameramann musste sie woanders aufgenommen haben, und der Kommentator in London hatte Avola daraus gemacht. Vielleicht weil es besser klang. Wen interessierte das schon? Yasmina war außer sich über diese Lüge. Moritz musste ihr erklären, dass Filme, noch dazu solche aus dem Propagandaministerium, nicht wie Landkarten zu lesen waren. Yasmina war tatsächlich überzeugt, dass es genügen würde, in die Bar an der Piazza zu spazieren und Victors Foto zu zeigen, um seine Spur aufzunehmen. Als hätte er codierte Botschaften hinterlassen, die nur sie verstünde.

Die Mittagssonne brannte herunter, alle Geschäfte waren geschlossen. Joëlle weinte ungeduldig. Yasmina zeigte das Foto jedem, dem sie begegneten. Niemand erkannte ihn, und noch schlimmer, niemand wollte helfen. Denn er hatte nicht für die *nostri* gekämpft, sondern für den Feind. Und die Fremden, die nach ihm fragten, mochten Italienisch sprechen und italienische

Pässe haben, aber auch sie waren keine *nostri*. Die misstrauischen Blicke der Männer in der verrauchten Bar, das Flüstern der alten Weiber vor den Häusern. Die Bilder des Duce an den Wänden waren verschwunden, aber die Angst, etwas Falsches zu sagen, war geblieben. Nur eine alte Nonne, der Yasmina das Foto zeigte, redete mit ihnen.

»Sie kommen zu spät«, sagte sie. »Die Soldaten sind längst alle fort. Aber wenn Sie das gesehen hätten, mein Gott, hier vor der Kirche lagen Berge von Leichen.«

Am Strand von Avola waren viele tote Soldaten angespült worden, erzählte sie, schon am ersten Tag. Fallschirmspringer, Aufklärer, die der Sturm abgetrieben hatte, hinaus aufs Meer.

»So jung, fast noch Kinder. Wir zogen sie aus dem Wasser. Dann haben sie die Toten auf Lastwagen geladen und nach Siracusa gebracht, ins Krankenhaus. Sie lagen ja an der ganzen Küste herum, auf den Straßen und Plätzen, in der Sommerhitze. Dann begruben sie die Männer auf dem Friedhof und zogen weiter nach Norden.«

»Und die Verletzten?«

»Brachten sie auch nach Siracusa. Aber im Krankenhaus finden sie keinen mehr. Sicher weiß man's nur auf dem Friedhof. Dort stehen die Namen auf den Gräbern.«

Albert beschloss, dass sie nach Siracusa fahren sollten.

»Nein!«, rief Yasmina. »Du darfst das nicht einmal denken!«

»Sei doch vernünftig. Wir dürfen keine Möglichkeit ausschließen!«

»Ich gehe nicht auf den Friedhof!«

Ihre Stimme zitterte vor Wut. Albert redete liebevoll auf sie ein, wie auf ein trotziges Kind. Yasmina wollte lieber jedes Dorf in Sizilien nach der Piazza vom Film absuchen. Vergeblich versuchte Albert, ihr die Sinnlosigkeit dieses Vorhabens vor Augen zu führen.

»Wir fragen zuerst im Krankenhaus. Vielleicht war er nur verletzt. Sie haben sicher noch die Krankenkarteien.«

»Nein! Ich weiß einfach, dass er nicht dort ist! Warum glaubt ihr mir nicht?«

Moritz bewunderte Alberts Geduld. Und er fragte sich, was in Yasmina vorging. Woher kam ihre Verzweiflung? War es die Angst vor einer schlechten Nachricht oder die Wut darüber, dass Albert ihr nicht glaubte?

Der wahre Grund, den sie niemandem verriet, war jedoch ein anderer: Sie, die nur aus Ahnungen bestand, fand sich in der Welt nicht mehr zurecht. Nicht, weil niemand Victor gesehen hatte, sondern weil sie seine Stimme nicht mehr hörte. Ihre Träume waren verstummt.

Am Abend nahmen sie den letzten Bus nach Siracusa. Yasmina sprach kein Wort mehr mit ihrem Vater. Moritz hielt die erschöpfte Joëlle auf seinem Schoß. Irgendwann unterwegs, als die Sonne unterging, lehnte Yasmina ihren Kopf an Moritz' Schulter und schloss die Augen. Moritz blickte fragend zu Albert, und der gab mit einem Nicken seine Erlaubnis.

Sie fanden eine Pension in der Altstadt, direkt am Ufer. Yasmina weigerte sich, etwas zu essen, und verschwand mit Joëlle in ihrem Zimmer. Moritz und Albert war jetzt auch nicht mehr nach Essen. Sie gingen auf ihr Zimmer und teilten sich die letzten Zigaretten. Durchs offene Fenster hörte man die Brandung hinter der Ufermauer, die steil zu den Felsen herabfiel, aber man sah nichts als Schwarz; Himmel und Meer waren eins.

»Sie sind gut zu meiner Tochter, Maurice.«

Moritz wich Alberts ernstem Blick aus. Er wusste nicht, ob der Satz eine versteckte Botschaft enthielt. Ein Angebot oder eine Warnung, sich von ihr fernzuhalten.

»Ich weiß, Sie wollen sie schützen. Aber man kann niemanden vor dem Leben schützen. Man kann die Kinder nur darauf vorbereiten. Ich habe es nicht geschafft. Ich war für meine Patienten da, aber nicht für meine eigenen Kinder. Ich hätte es sehen müssen. Einschreiten. Das Unglück verhindern. Es war meine Verantwortung, und deshalb bin ich es, der sich bei Victor entschuldigen muss.«

»Sie hätten es nicht verhindern können.«

»Sie sucht etwas in Victor, was er nicht ist, verstehen Sie? Er wird sie nur unglücklich machen. Es gibt Morphiumsüchtige, die sterben lieber an ihrer täglichen Dosis Gift, als die Gewohnheit aufzugeben. Aber der Schmerz, den Yasmina betäuben will, ist ein älterer, tieferer Schmerz. Victor kann ihn nicht heilen. Im Gegenteil: Er reißt immer wieder die Wunde auf. Victor ist das Gift, an dem sie sterben wird. Verstehen Sie?«

»Ihre Diagnose ist bestechend. Aber welche Medizin würden Sie verschreiben?«

»Ich dachte, ein Haus und eine Familie. Aber da ist etwas Wildes in ihr; ein Feuer, das nicht zur Ruhe kommt, das ausbrechen und seinen eigenen Weg gehen will. Selbst wenn sie dabei verbrennt. Ich gestehe Ihnen, Maurice, letztendlich kenne ich meine Tochter nicht. Wir können den Körper eines Menschen aufschneiden, aber wer wir wirklich sind, bleibt ein Geheimnis. Für die anderen, und sogar für uns selbst.«

Albert setzte sich auf sein Bett. »Haben Sie Khalil Gibran gelesen?«

»Nein, wer ist das?«

»Ein libanesischer Dichter. Er schreibt: *Eure Kinder sind nicht eure Kinder. Sie sind Söhne und Töchter der Sehnsucht des Lebens nach sich selbst. Ihr dürft ihren Körpern ein Zuhause geben, aber nicht ihren Seelen. Denn ihre Seelen wohnen im Haus von morgen, das ihr nicht besuchen könnt, nicht einmal in euren Träumen.*«

»Das ist sehr schön«, sagte Moritz.

»Nein, es ist traurig. Aber wahr. Ich kann Yasmina nicht vor den Erfahrungen schützen, die sie machen muss. Solange ich lebe, kann ich nur da sein, um sie aufzufangen, wenn sie fällt.«

Albert knöpfte mit der linken Hand sein Hemd auf. Moritz half ihm, es auszuziehen.

»Danke, Maurice. Sie können das Fenster gerne offen lassen. Ich mag den Klang des Meeres.«

Dann legten sie sich in ihre Betten, und Moritz löschte die Nachttischlampe.

»Und wenn wir ihn tatsächlich finden, Albert, wenn er lebt – was werden Sie ihm sagen?«, fragte Moritz.

»Ich werde ihn bitten, zurückzukommen.«

»Werden Sie einer Heirat zustimmen?«

»Niemals.«

»Dann wird sie mit ihm weggehen. Und Sie verlieren beide Kinder.«

»Ich weiß. Um ehrlich zu sein, Maurice, ich habe Angst vor dem Tag, an dem wir ihn finden. Und zugleich wünsche ich mir nichts mehr als das. Ich will nicht sterben, ohne ihm vergeben zu haben. Selbst wenn das, was er getan hat, unverzeihlich ist. Aber wie kann man weiterleben, ohne zu verzeihen?«

Am Morgen kam Yasmina strahlend in das Zimmer der Männer gelaufen. Sie hatte von Victor geträumt, und die Welt war wieder im Lot.

»Er lebte mit mir, in einer Stadt am Meer. Wir und Joëlle, in unserer Wohnung! Sie war schon viel älter, fast erwachsen. *Che bello, Papà!*«

Sie umarmte ihn vorsichtig. Er wagte nicht zu widersprechen.

»Wo war diese Stadt?«

»Ich weiß nicht. Das Meer war wie unseres, aber die Stadt war fremd.«

»Welche Sprache haben die Menschen gesprochen?«

»Ich weiß nicht. Eine schöne.«

48

Sie fanden seinen Namen in keiner Kartei. Hunderte von britischen Soldaten waren im Krankenhaus von Siracusa erfasst worden: Bauchschuss, Beinbruch, Schädelbasisbruch, alle im Juli 1943 eingeliefert, manche bald wieder entlassen, manche verstorben. Verrückte Tage waren das, sagten die Ärzte, erst brachten sie *i nostri,* dann die Ausländer. Auch *tedeschi* waren dabei; die lagen noch hier, als wir die *inglesi* schon neben sie schoben. Aber ein Victor Sarfati? Zeigen Sie noch mal das Foto, *no, Signore, mi dispiace,* an den kann ich mich nicht erinnern. Ich habe auch einen Sohn verloren in diesem Krieg, ich verstehe Ihren Schmerz, ich wünschte, ich könnte Ihnen helfen; bitte entschuldigen Sie, meine Patienten warten.

In diesem Moment, als Albert alle Hoffnung verlor, begegnete Yasmina der Krankenschwester. Sie hieß Maria, hatte kurze Haare, helle Haut und rosige Wangen, und Yasmina wusste selbst nicht, warum sie gerade *sie* ansprach. Vielleicht, weil sie genau Victors Typ war. Etwas älter als er, hübsch, ein wenig kokett, aber nie vulgär, eine ungehorsame Tochter aus gutem Hause. Yasmina brauchte nicht einmal seinen Namen zu erwähnen, sondern zeigte ihr nur sein Foto. Und Maria hörte nicht auf, es anzusehen.

»Victor. Natürlich erinnere ich mich.«

Er hatte auf einer anderen Station gelegen. Er hatte keinen Schuss abbekommen. Nur den Stich einer winzigen Mücke, die ihn mit dem Malariavirus infiziert hatte. Fast wäre er zu spät ins Krankenhaus gekommen, mit über vierzig Grad Fieber. Drei Tage lang hatten sie um sein Leben gekämpft, dann war er wieder zu Bewusstsein gekommen.

Er hat noch einen zweiten Engel, dachte Yasmina. *Und sieben Leben, wie die Katze.*

»Ich wusste es, Maria! Sogar Sie habe ich im Traum gesehen.«

Sie rannte los, um Albert und Moritz zu holen.

»Das ist mein Vater, Dottor Sarfati. Mein Mann, Maurice ... unsere Tochter ...«

Maria machte einen Knicks vor Albert, als sie begriff, dass er Arzt war. Yasmina stellte sie vor.

»Und das ist Maria, die *amica* von Victor.«

»Nein, Signora, ich bitte Sie! Nicht, dass Sie mich missverstehen. Ich war nicht seine ... Freundin.«

Yasmina glaubte es nicht.

»Verzeihen Sie, Signora Maria«, sagte Albert. »Es geht uns auch nichts an. Wir möchten nur ...«

»Kommen Sie nach draußen. Da können wir reden.«

Sie führte die Gäste über eine Treppe in den Hof. Sie setzten sich auf eine kaputte Bank unter einen Kastanienbaum. Die Zikaden zirpten in der trockenen Mittagshitze, die Fensterläden waren verschlossen. Joëlle spielte mit den Katzen. Maria sprach leise.

»Victor hatte keine Freundin. Er war nicht wie die anderen. Das, was ihnen Freude machte, langweilte ihn.«

Sie klang ehrlich. Yasmina war überrascht.

»Aber er hatte einen Freund«, sagte Maria.

»Einen Freund? Was für einen Freund?«

»Uri Warschawski. Auch Malaria. Sie saßen oft hier und rauchten und redeten, wenn alle anderen schon schliefen. Die beiden waren unzertrennlich, immer zusammen. Wir nannten sie *Victuri.*«

»Worüber redeten sie?«

»Über die Juden. Ich verstehe nichts davon, Signora, ich bin Katholikin.«

»War Uri auch Jude?«

Maria nickte.

»Ein tunesischer Jude?«

»Nein, ein palästinensischer.«

Yasmina blickte fragend zu Albert.

»Das ist möglich«, sagte er. »Einige Tausend von ihnen kämpften bei den Briten. So wie unsere mit den Franzosen kämpften.«

»Wie lange war er hier?«, fragte Yasmina.

»Ein, zwei Monate. Er brauchte Zeit, um wieder zu Kräften zu kommen. Und, um ehrlich zu sein, Signora, Ihnen kann ich es ja sagen, sie zögerten ihre Entlassung hinaus. Er und Uri. Am Ende gingen sie gemeinsam.«

»Wohin?«

»An die Front. Zu ihren Regimentern.«

Moritz hatte einen Verdacht.

»In ihren Uniformen?«

Maria zögerte. Moritz hakte nach. »Oder könnte es sein, dass sie zivile Kleidung trugen?«

Maria blickte vorsichtig von einem zum anderen.

»Keine Angst«, sagte Moritz, »wir erzählen es niemandem. Wir hoffen nur, dass er noch lebt.«

Maria senkte ihren Blick und flüsterte: »Vielleicht trugen sie auch zivil.«

Yasmina begriff die Tragweite noch nicht ganz, aber Moritz und Albert ahnten, was das bedeuten konnte: Fahnenflucht. Aber wohin?

»Haben Sie noch mal von ihm gehört?«

»Leider nicht. Nur ...« Maria sah Albert unsicher an.

»Sie können uns vertrauen, Maria. Wir sind doch seine Familie.«

»Sie schrieben mir einen Brief. Nach Hause.«

»Von wo?«

»Aus dem Lager.«

Sie benutzte das deutsche Wort. *Lager*.

»Welches Lager?«

»Na, drüben, in Italien.«

Am Abend begleiteten sie Maria nach Hause, zu ihrer Familie, die in einem Dorf in der Nähe wohnte. Am Küchentisch, im Schein der schwachen Lampe, öffnete Yasmina das braune Kuvert und faltete den Brief auf.

Liebe Maria,
wir denken oft an Dich und danken Dir von ganzem Herzen.
Es geht uns gut. Vergiss uns nicht, heirate bald, und wenn Du
wieder jüdische Patienten hast, schick sie nach Ferramonti.
Sie sind dort willkommen.
Gott sei mit Dir!
Victuria

Keine Unterschrift, aber wer den Spitznamen kannte, wusste es. Als Absender stand nur »Ugo V., Italia« auf dem Kuvert.

»Das ist seine Schrift!«, rief Yasmina. »*È vivo!* Er lebt!« Sie sprang von ihrem Stuhl auf und umarmte Moritz so überschwänglich, dass er fast umfiel. Es war das erste Mal, dass sie ihn vor anderen Leuten umarmte, aber Maria störte es nicht, denn er war ja ihr Mann. Und Albert wusste zu schweigen. Yasmina las den Brief noch einmal, jedes Wort ließ sie sich auf der Zunge zergehen.

»Ferramonti! Wir müssen nach Ferramonti!«

»Wo ist das?«, fragte Moritz.

»Drüben, in Kalabrien«, sagte Maria. »Das Lager.«

»Ein Konzentrationslager?«

»Ja.«

»Waren Sie dort?«

»Ich war noch nie auf dem Festland, Signore.«

Maria holte Wein aus der *cantina*. Albert faltete umständlich seine Landkarte auf und studierte sie.

»Es liegt auf Ihrem Weg nach Hause, Maurice. Wenn es Ihnen nichts ausmacht, begleiten wir Sie noch ein Stückchen.«

Moritz war erleichtert, den Abschied noch ein Stück weiter hinauszuzögern. Einfach nur mit ihr weiterfahren, nie ankommen, denn ankommen hieße, sich entscheiden zu müssen, und jede Entscheidung wäre ein Verlust. Er wusste nicht, wie er Yasmina loslassen sollte, gerade jetzt, wo sie vor Glück strahlte. Er kannte niemanden außer ihr, der zu einer so bedingungslosen Liebe fähig war. In der Nähe dieser Liebe zu sein – das war der einzige Ort auf der Welt, an dem er sein wollte. Aber jeder Kilometer, den sie sich dem anderen näherten, dessen Kleider er trug und dem ihre Liebe galt, verkürzte die Zeit, die ihnen blieb.

Sie reisten auf Lastwagen, die als Sammeltaxis dienten, setzten mit der Fähre an der Meerenge von Messina über und fuhren, als das Geld knapp wurde, per Autostopp weiter nach Norden. Dass Victor sich für keine Frau interessiert hatte, beflügelte Yasmina. *Er hat sich geändert*, sagte sie zu Albert, und zu Joëlle sagte sie: *Du hast ihn verändert!* Moritz aber ahnte einen anderen Grund. Er ahnte, dass Yasmina sich selbst eine Geschichte erzählte, die sie aus Fragmenten der Wirklichkeit zusammenbaute, ohne zu wissen, dass sie nur die Stücke aufhob, die in ihr Bild von Victor passten, und übersah, was aus dem Rahmen fiel. In ihrer Welt war er ein Held, der sich für den Kampf gegen das Böse aufopferte, ein verwundeter Soldat, der durch die Pflege einer Frau gesund wurde, ein treuer Geliebter, der nur auf sie wartete.

Doch Moritz sah auch die Stücke, die nicht dazu passten; und als sie das Lager von Ferramonti betraten, begriff er den größeren Zusammenhang.

Das Lager sah nicht aus wie ein Lager. Jedenfalls nicht wie die aus den Filmen. Es gab zwar Baracken, aber keine Wachtürme, keinen Stacheldraht und keinen Schornstein. Ringsherum eine glühende Sommerlandschaft, Schafweiden, Weiler und Olivenfelder. Tausende Juden hatten hier gelebt, und jetzt war es eine Geisterstadt. Das Tor stand offen; dahinter lag ein Gemüsegarten, in dem ein britischer Soldat und ein alter Mann mit weißem Bart und gebeugtem Rücken standen. Sie reparierten einen kaputten Bienenstock. Das Gewehr des Soldaten lehnte am Zaun. Er war nicht überrascht, die Gäste zu sehen. Juden auf der Durchreise, das Land war voll davon. »Wir machen bald alles dicht«, sagte er. »Aber Sie können hier schlafen, wenn Sie wollen.« Nach der Befreiung 1943 hatten die Alliierten das Konzentrationslager zum Flüchtlingslager umgewandelt. Die Insassen blieben dieselben, und neue kamen dazu. Wo waren sie jetzt alle?

»Die sind alle nach Hause gegangen«, sagte der Engländer, und der Alte murmelte spöttisch: »Nach Hause?« Er musterte die Fremden aus seinen dicken Brillengläsern, und Yasmina erzählte ihm ihr Anliegen.

»Victor Sarfati?«

Der Alte grübelte. Ohne eine Antwort zu geben, bat er die Gäste in die Baracke. Er sprach einen eigenartigen Akzent, irgendetwas Osteuropäisches. Aber er nannte seinen Namen nicht.

Der Alte führte die Gäste in einen Raum, der mit Büchern vollgestopft war. Mangels Regalen waren sie vom Boden bis zur Decke gestapelt, in allen Sprachen und Schriften, lateinisch, kyrillisch, hebräisch. In der Ecke stand ein alter Samowar. Der Alte schenkte Tee ein.

»Oh, wir waren viele«, sagte er und lächelte, wobei man seine kaputten Zähne sah, »die vereinten Nationen. Wir hatten Griechen, Jugoslawen, Albaner, Franzosen, Polen, Tschechoslowaken, Russen, sogar ein paar Chinesen hatten wir. Professoren,

Lehrer, Schreiner, ein richtiges schönes Schtetl.« Er lachte und hustete. »Der Kommandant war eine gute Seele, müssen Sie wissen; er hatte seine Befehle aus Rom, aber er ignorierte sie einfach.«

Yasmina legte das Foto von Victor auf den Tisch.

»War er hier?«

Das alte Männchen kniff die Augen hinter seiner kaputten Brille zusammen.

»Es tut mir leid, Signora, aber ich glaube, den Signor nicht gesehen zu haben.«

»Vielleicht trug er einen Bart?«

»Hm ... Ich bin nicht sicher. Es waren so viele, wissen Sie?«

»Und Uri? Kennen Sie seinen Freund Uri Warschawski?«

Die Augen des Männchens hellten sich auf.

»Uri! Natürlich! *È un amico!*«

»Er war Victors Freund.«

»Uri war Freund mit jedem!«

»Wo ist er jetzt?«

»Oh, er ist immer unterwegs, von Lager zu Lager, sie helfen den Menschen, sie sind gute Leute, die Leute vom Mossad.«

»Mossad?«

»Der Mossad le Alija Bet, gibt es den nicht in Ihrem Land?«

»Doch, sicher«, sagte Albert. Moritz sah ihn überrascht an.

»Léon«, sagte Albert. »Und Monsieur Lévy.«

Moritz war verwirrt.

»Natürlich haben die kein Schild an der Tür. Mossad, das bedeutet auf Hebräisch Organisation. Und Alija Bet heißt ›der zweite Aufstieg‹. Die Einwanderung nach Palästina.«

Jetzt fiel Moritz zum ersten Mal die Flagge auf, die an der Wand hing: ein blauer Davidstern auf weißem Grund. Und er begriff, wohin all die Menschen gegangen waren.

»Italien ist das Tor zu Zion«, sagte das Männchen. »Vielleicht ist Ihr Bruder schon in Eretz Israel, Signora.«

Yasmina erschrak.

»Wie können wir Uri finden? Wo ist das italienische Büro des Mossad?«

»In jedem Lager, Signor. Es existiert nicht, aber es existiert doch, verstehen Sie? Fragen Sie einfach nach Uri. Und grüßen Sie ihn von mir, bitte. Signor Abramczyk der Name, Igor Abramczyk.«

Sie verabschiedeten sich am Tor.

»Und Sie?« fragte Albert. »Wollen Sie auch auswandern?«

»Ich weiß nicht«, sagte der alte Jude traurig und kratzte sich am Kopf. »Ich hatte ein Zoogeschäft in Krakau. Ein Bekannter hat es übernommen. Ich möchte schon wieder zurück. Aber man hört unschöne Geschichten, wissen Sie?«

Sie zogen weiter nach Norden, von einem Lager zum anderen. Reggio Calabria, Eboli, Bari, Barletta. Vor jedem Tor das gleiche Schild: UNRRA DISPLACED PERSONS CAMP. Es waren Barackensiedlungen, Klöster und Bauernhöfe, in denen die Verstreuten strandeten, improvisierte Schtetl und Kibbuzim. Die Überlebenden aus Deutschland und Polen strömten über die Alpen, die Überlebenden aus Jugoslawien und Russland kamen über die Adria, Abertausende von *displaced persons;* das war ihr gemeinsamer Name geworden, so unterschiedlich auch ihre Herkunft war.

Sie pflanzten ihr eigenes Gemüse an, organisierten Konzerte und Kampfübungen und bereiteten sich auf die Ausreise vor. Noch nie waren so viele Europäer nach Palästina gegangen. Das Meer war die Brücke. *Wir haben hier nichts mehr verloren. Wir haben alles verloren. Wir haben nichts mehr zu verlieren.*

Wir, das waren nun Menschen, die sich vor der Katastrophe nie begegnet wären, Russen und Griechen, Wissenschaftler, Kaufleute und Handwerker, viele mit einer Nummer auf dem Unterarm. All die Entwurzelten, denen man alles genommen hatte, die nichts als ein paar Kleider, einen Koffer voller Erinnerungen oder nur das nackte Leben aus dem Feuer gerettet hatten, das ihre Häuser und Synagogen verschlungen hatte. Ihre Eltern und Geschwister – verloren.

Wir sind ein Volk aus gefällten Bäumen, sagten sie, Birken, Buchen und Zedern, Bäume die wandern, können Bäume wandern? Niemand hat es ihnen beigebracht, aber es gibt Zeiten, in denen sie das tun müssen, auch wenn sie nicht wissen, wie. Sie wandern durch die Nacht, wenn niemand sie sieht, Bäume auf der Suche nach einer neuen Erde. Wir sind wie der Tausendfüßler. Auch er weiß nicht, wie seine Füße sich bewegen, und wenn er darüber nachdächte, würde er über seine eigenen Füße stolpern. Wir setzen einfach einen Fuß vor den anderen, und selbst wenn wir nicht wissen, wohin unser Weg uns führt, gehen wir ihn.

Und dann sehen wir auf einmal, dass wir nicht allein sind. Von überallher kommen andere auf unserem Weg, alle gehen sie durch die Dunkelheit, immer weiter. Und wenn wir aufhören, allein zu sein, beginnen wir, uns tragen zu lassen, wie Regentropfen, die vom Himmel in einen Fluss fallen, Tausende, Millionen. Wir hören auf, Tropfen zu sein, wir werden zu einem einzigen großen Strom, und jeder Strom fließt ins Meer.

Der Mossad le Alija Bet bezahlte die Überfahrt nach Palästina. Die Spenden kamen aus Amerika, hörte man, vielleicht auch aus Paris, niemand wusste Genaues. Aber es war gut zu wissen, dass jemand sich kümmerte. Dass sie nicht vergessen waren. Doch auch wenn das Meer offen war, die Häfen waren verschlossen. Die britische Mandatsmacht versuchte, die Flüchtlingswelle mit strengen Quoten einzudämmen, so dass aus legalen Auswanderern illegale Einwanderer wurden. Doch der Strom ließ sich nicht aufhalten. In jedem Lager hing die Flagge mit dem Davidstern, die Kinder sangen die Hatikwa zum Morgenappell, einmal begrüßte man die Besucher am Tor mit »Willkommen in Israel!« Und überall lagen Bücher herum, Berge von herrenlosen Büchern.

»*Lasst die Bücher hier*, haben sie uns gesagt. Wir brauchen keine Leseratten, wir brauchen Bauern und Soldaten. Wir werden uns nie wieder abschlachten lassen wie die Lämmer. Ab jetzt kämpfen wir. Sie trainierten uns, die Männer von der Hagana; erst gaben sie uns Stöcke, dann richtige Gewehre. Das ist natürlich verboten, aber die Amerikaner drückten ein Auge zu. Sie wissen, was die Nazis mit uns gemacht haben. Sie wissen alles.«

»Haben Sie diesen Mann gesehen? Er ist mein Bruder.«

»Nein, aber hängen sie das Foto an die Wand zu all den anderen. Es sucht doch jeder irgendwen.«

Tausende Zettel an den Wänden, Gerüchte in allen Sprachen, falsche Fährten und Hoffnungsschimmer. Gerade genug, um zu hoffen, und zu wenig, um ihn zu finden. Moritz, Yasmina, Albert und Joëlle schliefen auf Strohmatratzen in Baracken, teilten das karge Essen mit den anderen, zogen weiter und fanden nichts als Nebel. Manchmal tauchte Victors Gesicht darin auf, manchmal verschwand es wieder.

Ja, ich kenne ihn, Signor, nein ich kenne ihn nicht, Signora. Ja, er hat gesungen, dort auf der Bühne, französische Chansons! Nein, ich habe keine Adresse von ihm, wer hat schon eine Adresse heutzutage? Ja, Victor und Uri, die haben uns Essen besorgt, als wir nichts mehr zu beißen hatten, Corned Beef und Erdnussbutter haben sie stibitzt. Nein, dann haben sie Uri erwischt und eingebuchtet. Als sie Waffen geklaut haben. Ja, er war bei den Männern, die uns zum Schiff bringen sollten, aber dann entdeckten uns die Alliierten, und alles wurde wieder abgeblasen. Nein, er kam nicht wieder, vielleicht haben sie ihn verhaftet; sie mögen uns nicht, auch wenn sie so tun, wir können uns auf keinen verlassen als uns selbst. Ja, er war bei den Männern des Palmach, die uns das Schießen beigebracht haben, gute Männer, starke Männer, die für unseren Staat kämpfen. Nein, ganz sicher bin ich mir nicht, Madame, man sieht so viele kommen und gehen.

Das Eigenartigste an der Sache war, dass keine einzige Frau sich an ihn erinnerte, nur Männer. Als wäre er nicht mehr der

Victor, den sie kannten. Je näher sie ihm kamen, desto weiter entfernte er sich.

Was hat dieser Krieg nur aus uns gemacht?, fragte sich Moritz. Ein Verschwundener auf der Spur eines Verschwundenen. *Displaced persons*. Wenn er die Zahlen hörte, wurde ihm schwindlig. Es waren ja nicht nur Juden, ein ganzer Kontinent war unterwegs. Das Deutsche Rote Kreuz sprach von zwanzig Millionen Vermissten. Eine Armee von Heimatlosen. Vielleicht konnte nur einer, der selbst dieses Schicksal teilte, erahnen, was tatsächlich mit Victor geschehen war. Yasmina bewunderte ihn als Helden, der gegen das Böse kämpfte. Aber Moritz sah einen herumirrenden Fremden, der mit sich haderte und den Weg nach Hause nicht mehr fand. Der in eine Wirklichkeit geworfen wurde, die noch grausamer war als seine schlimmsten Träume. Der am Rande dieser verbrannten Welt von etwas Größerem als sich selbst ergriffen wurde. Ein verlorenes Sandkorn, das sich unverhofft inmitten von anderen Sandkörnern fand, die der Wind hierhergetragen hatte. Irgendwo hier im Niemandsland der Lager musste Victor erkannt haben, dass er trotz aller Liebschaften immer allein gewesen war; dass es aber eine neue Familie gab, die ihn bereitwillig aufnahm, weil sie alle, so wie er, ihr Zuhause verlassen hatten. Wir finden unser Leben nicht, dachte Moritz. Es findet uns. Zu einem Zeitpunkt, den wir nicht bestimmen, in einem Moment der Schutzlosigkeit. Man muss sich selbst nicht suchen, man braucht sich nur zu verlieren. Alles ist schon da.

Albert wurde immer stiller. Man konnte ihm mit jedem Tag beim Altern zusehen. Die Begegnungen in den Camps entfremdeten ihn nicht nur von seinem Sohn, sondern stellten sein ganzes Selbstverständnis in Frage. Jude zu sein war für ihn immer Privatsache gewesen; eine Identität, die sich nicht an einer Fahne und einer Nation festmachte, sondern an der Art, Geburten zu feiern und die Toten zu bestatten. Er war immer mit ganzem Herzen Franzose gewesen, und hätte er zwischen Rousseau und der Thora wählen müssen, hätte er sich immer für die Aufklärer entschieden. Dass die Nazis die Juden separierten, dass sie alles, was sie waren, auf ihr Jüdischsein reduzierten, hatte ihn tief erschüttert. Seine Hoffnung war gewesen, dass alles wieder zum Zustand vor dem Krieg zurückkehrte. Dass sich nun aber die Juden selbst von den Nationen, in denen sie lebten, trennen wollten, verstörte ihn.

»Die Assimiliation ist gescheitert«, sagten sie in den Camps. »Wir haben in ihren Armeen gedient und unser Blut für ihre Länder gegeben. Wir haben uns angepasst bis zur Selbstverleugnung. Aber gehörten wir je wirklich dazu?«

»Der Bey von Tunesien hat immer gesagt, die Juden sind meine Kinder.«

»Wer ist dieser Bey? Konnte er seine Kinder beschützen?«

Je weiter sie nach Norden kamen, desto mehr erschrak Albert darüber, dass er, der überzeugte Europäer, von seinen europäischen Brüdern nicht als einer von ihnen wahrgenommen wurde. Er hatte nur seinen Sohn verloren, sie dagegen hatten alles verloren.

»Ich kann sie hören«, sagte Yasmina eines Nachts zu Moritz. »Sie sind noch hier.«

»Wer?«

Niemand glaubte ihr, doch sie sah die Seelen der Ermordeten, Millionen, die immer noch auf der Erde herumirrten, und sie hörte, wie sie den Überlebenden zuflüsterten: *Macht euch auf und nehmt uns mit, vergesst uns nicht! Bringt uns ins Land der Väter, vereinigt, was die anderen getrennt haben, lasst aufleben, was die anderen töten wollten, besteigt die Schiffe, werft die Asche ins Meer, fahrt bis zum anderen Ufer und erzählt unsere Geschichte noch einmal von vorn!*

Dann bemerkten sie, dass jemand ihnen folgte. Sie wussten nicht, wo sie ihn zuerst gesehen hatten, den blonden Mann, der in Italien sofort als Ausländer auffiel. Vielleicht in einem Camp, vielleicht in einem Bus, auf einmal war er da, immer ein paar Schritte hinter ihnen, und wenn man sich umdrehte, verschwand er in der Menge.

Er war kräftig, hatte blaue Augen und bewegte sich geschmeidig wie eine Katze im Dschungel. Moritz war überzeugt, dass er Deutscher war. Sie schlugen Haken, sprangen in abfahrende Züge, und als sie Neapel erreichten, glaubten sie ihn abgeschüttelt zu haben. Das Flüchtlingslager befand sich in Bagnoli, einer Vorstadt am Meer, und es war voller Kinder. Früher war es ein faschistisches Jugendheim gewesen, später ein Waisenhaus und jetzt ein überfülltes Camp, in dem die Tuberkulose grassierte. Schon am Tor wurden sie abgewiesen. Zu voll. Zu gefährlich. Fahrt weiter, nach Rom. Unschlüssig standen sie in der Mittagshitze vor der Schranke und überlegten, was sie tun sollten – als plötzlich der blonde Mann auftauchte.

»Sie suchen Victor? Victor Sarfati?«

Sie stutzten. Er sprach gebrochen Italienisch mit eigenartigem Akzent, annähernd deutsch, aber nicht wirklich.

»Wer sind Sie?«, fragte Albert zurück.

»*Un amico.*«

»Ein Freund von Victor?«

»Ja.«

»Woher wissen Sie, wer ich bin?«

»Das ist nicht wichtig. Nur wichtig ist, dass ich weiß, wo Victor ist.«

Yasmina stieß einen Schrei aus und hielt sich sofort die Hand vor den Mund.

»Es tut mir leid, Signora.«

»Was?«

Seine blauen Augen musterten sie, um zu sehen, ob sie die

Wahrheit verkraften würde. Offenbar kam er zu dem Schluss, dass es nicht so sei, denn auf die Frage, wo er war, blieb er die Antwort schuldig.

»Ich bringe Sie zu ihm, wenn Sie möchten.«

Schubladen aus Stein. Endlos aufgereiht und aufeinandergestapelt, weiße Chrysanthemen davor, Namen und Daten, das war's, Schubladen voller Knochen. Auf dem Feld dahinter standen die Holzkreuze, improvisiert und durcheinander – wer bezahlt schon Grabsteine für Soldaten aus fremden Ländern, wenn die Einheimischen nicht mal genug zu essen hatten? Yasmina hielt Alberts Hand, und Moritz trug die müde Joëlle durch die Mittagshitze, als sie dem blonden Mann folgten. Eine Verwechslung, sicher nur eine Verwechslung. Da lagen Engländer, Kanadier, Neuseeländer, Südafrikaner, Australier. Und dann die Unbekannten. Kreuze ohne Namen.

Noch weiter draußen lagen die Protestanten, und dahinter stand eine kleine Moschee inmitten von Zypressen. Muslime, Juden und Selbstmörder, der *cimetero acattolico*. Halbmonde und Davidsterne auf den Grabsteinen, Namen wie Sam Tyler, Khaled Messaoud, Jaimal Singh. Der blonde Mann blieb stehen.

Yasmina musste zweimal hinsehen.

Victor Sarfati.

Erst die Taubheit im Kopf, wie Watte im Gehirn; man sieht etwas, ohne es zu fühlen. Der Name gehört nicht hierher. Er ist es nicht. Er ist woanders. Es ist eine Verwechslung. Er steht sicher drüben auf dem Hügel und winkt uns zu.

22.10.1917, Tunis.

Sein Geburtsdatum. Es lag kein Stein auf dem Grab, bei den anderen Juden schon. Sein Grab ist jung, kein Moos, keine Risse.

12.4.1945, Napoli.

Yasmina begann zu zittern. Erst ihre Hände, dann die Beine,

bis ihr ganzer Körper von einer stummen Panik ergriffen wurde. Es gab nur einen Victor Sarfati, der an diesem Tag in Tunis geboren wurde – wie sonst hätte sein Name auf diesen Stein kommen können, weit weg von seiner Heimat.

»Er ist nicht durch eine feindliche Kugel gestorben. Er ist unbesiegt, wie sein Name.«

»Aber ...«

»Er ist ertrunken, Signora. Es war ein tragischer Unfall. Eine stürmische Nacht, er trug ein Kind auf seinen Schultern, zu einem unserer Boote, es war dunkel, draußen wartete das Schiff, aber er erreichte das Boot nicht, wir suchten den ganzen Strand ab, und am Morgen fanden wir seine Leiche. Das Kind wurde nie mehr gesehen.«

Albert fasste nach Yasminas Hand. Er griff ins Leere. Sie sank auf die Knie, begann zu schluchzen, erst leise, dann schrie sie Victors Namen und kratzte mit bloßen Händen die Erde auf. Als Moritz sie davon abhalten wollte, schlug sie ihm ins Gesicht und prügelte auf ihn ein, grub weiter in den harten Boden hinein, der sich ihr verwehrte, bis sie weinend zusammensank und von Krämpfen geschüttelt wurde, wie ein verblutendes Tier im Todeskampf.

Albert beugte sich hinunter, kauerte sich neben sie und streichelte sie mit aller Zärtlichkeit, die ihm blieb, während er stumm weinte. Yasmina bäumte sich auf, riss sich die Kette mit der Khamsa vom Hals und schleuderte sie gegen den Grabstein. Moritz stand bewegungslos daneben. Ihm schwand die Kraft in den Armen, um Joëlle zu halten, die sich an ihn klammerte, ohne zu verstehen, was gerade geschah. Er fiel auf die Knie und hielt das Kind, so fest er konnte. Er hatte sich noch nie so verloren gefühlt, so nackt und machtlos gegenüber dem Universum, dessen Planeten gleichgültig weiterkreisten, während hier unten die Zeit stehenblieb.

49

MARSALA

Nicht der Anblick ist erschreckend, sondern die Geräusche. Als das Flugzeug noch unter den Wellen schwebte, ein riesiger toter Fisch, schwieg es. Jetzt, als der Kran es langsam durch die Wasseroberfläche hebt, beginnt der rostige Rumpf in seinen Gurten zu stöhnen wie ein gequältes Tier. Ein gefesselter Gulliver, ein Monster aus der Tiefe im späten Licht. Wir hätten seine Ruhe nicht stören dürfen. Es ist kein Flugzeug mehr, es ist ein Sarg, ein muschelbewachsenes Gerippe mit ausgebreiteten Schwingen und bizarr verbogenen Propellern. Die Männer halten es schwimmend auf den Wellen, die eigentlich schon zu hoch sind. Wir bräuchten ruhige See, aber schon morgen soll es wieder stürmen, also heute oder nie.

Die Taucher klettern auf die Tragflächen, prüfen den Sitz der Gurte und die Spannung im Rumpf. Sie müssen ihn auf den Ponton neben dem Schiff heben, um ihn sicher in den Hafen zu bringen. Das ist der schwierigste Part von allen; nur ein paar Meter, aber jetzt über Wasser; ohne Auftrieb ist das verrottete Flugzeug Kräften ausgesetzt, von denen niemand weiß, ob es ihnen standhalten wird. Die Luft ist nicht mehr sein Element.

Zentimeter um Zentimeter zieht der Kran es höher. Jetzt können wir alles sehen, auch den silbernen Bauch; gleich wird es sich ganz aus dem Wasser lösen. Es tropft und beginnt zu schweben, da hören wir ein grässliches Knarzen, etwas bricht, und Patrice schreit: *Runterlassen! Zurück!* Der Kran stoppt, und ein Ruck geht durch den Rumpf. *Der Motor!* schreit jemand, und jetzt sehen wir es auch: Der rechte Motor senkt sich, langsam erst, dann platzt eine Naht am Flügel auf, und das schwere Aggregat bricht durch. Die rechte Tragfläche richtet sich auf, die linke taucht tief in die Wellen, der Rumpf knirscht furchtbar in seinen Verbänden, einer schreit, Patrice springt auf den Flügel, um den Gurt festzuzurren, der verrutscht ist. *Bist du verrückt*, rufen sie, und wir sehen, dass die Außenhaut in der Mitte aufreißt, erst wie in Zeitlupe ... – bis der Riesenkörper mit einem schrecklichen Knirschen auseinanderbricht.

Patrice rutscht ab und stürzt ins Wasser. Was immer es noch zusammengehalten hatte – jetzt zerberst das Ungetüm in seine Einzelteile, sie gleiten aus den Gurten, kippen vorn und hinten ins Wasser und richten sich noch ein letztes Mal auf, um dann zischend und gurgelnd zu versinken. Wir werfen Patrice eine Leine zu und ziehen ihn an Bord. Erst brüllen sich die Männer noch Befehle zu, dann verstummen sie. Nur noch die leeren Gurte hängen tropfend am Kran. Alle wissen, was niemand auszusprechen wagt: Was auch immer in diesem zerborstenen Gerippe war, taumelt jetzt vierundfünfzig Meter durchs Wasser nach unten; Strömung und Zufall werden alles auf den Grund verstreuen, die größeren Teile werden vielleicht zerbrechen, die kleinen im Sand versinken. Die Erkennungsmarken, die Stiefel und die sechs verrosteten Kisten, von denen niemand weiß, ob sie auseinanderfallen und wo sie unten aufschlagen.

Patrice schweigt auf der Rückfahrt. Niemand wagt, ihn anzusprechen. Wir ziehen den leeren Ponton hinter dem Schiff her; die Sonne geht unter, eine kalte Brise weht von Westen, und der Wetterbericht sagt Sturm voraus.

50

YOUKALI

Bis zur Stunde der Trennung kennt die Liebe ihre eigene Tiefe nicht.

Khalil Gibran

Wenn eine große Liebe stirbt, verlieren wir nicht nur einen Menschen, sondern das Vertrauen in die Existenz. Unter Yasminas Füßen riss ein Abgrund auf. Das Haus in ihrem Inneren, dessen Dach und Wände schon voller Risse gewesen waren, stürzte in sich zusammen. Sie kniete auf der staubigen Erde vor Victors Grab, und eine schreckliche Leere breitete sich in ihr aus.

Moritz und Albert umarmten sie von beiden Seiten, ohne den Trost spenden zu können, der ihnen selbst fehlte. Jeder war allein mit seiner Geschichte, die an diesem Ort endete. Welchen Sinn hatte es, fragte sich Moritz, ein Leben zu retten, wenn es kurz darauf erlischt? *Mektoub,* stieß Yasmina aus, sie schrie es mehr, als sie es sagte; *mektoub,* es stand geschrieben, dass er sterben würde. In Tunis oder in Neapel, was machte das schon für einen Unterschied? *Mektoub,* und wir sind machtlos dagegen. Das einzig Gute, das Moritz in diesem Krieg getan hatte, war am Ende eine nutzlose Geste gewesen. Victor hatte nicht einmal die Kapitulation der Nazis miterleben dürfen. Als sie im Mai in Tunis tanzten, lag er schon unter der Erde. Albert, der als Einziger immer mit Victors Tod gerechnet hatte, konnte jetzt nicht damit umgehen. Er zog Yasmina mit seinem linken Arm an sich heran, aber neben der verlorenen Kraft seines Körpers fehlten ihm jetzt auch die Worte.

Wenn etwas keinen Sinn ergibt, flüchtet man sich in Erklärungen. Zumindest beantwortete Victors Grab die offenen Fragen darüber, was er nach seinem Verschwinden getan hatte. Der blonde Mann half ihnen, die losen Fäden zu verknüpfen.

Ja, er hatte als Aufklärer für die Briten gearbeitet, aber nicht in der regulären Armee, sondern als *Special Agent* im Auftrag des *Secret Service*. Da er nie offiziell angemustert wurde, gab es bei den Alliierten keine Liste, auf der er geführt wurde, und keinen Eintrag, der ihn für gefallen erklärte. Die Begegnung mit Uri im Krankenhaus von Siracusa hatte ihm die Tür zu einer neuen Welt geöffnet. Dort war er einer Armee begegnet, die für ein Volk kämpfte, das tatsächlich seines war. Nicht gespalten wie die Franzosen und unentschieden wie die Italiener, sondern einig und entschlossen zu überleben. Ein Volk ohne Staat, das Victor, bevor die Nazis es entwurzelten, nie als sein Volk bezeichnet hatte – *die Seinen,* das waren einmal Charles Trenet, Tino Rossi und Maurice Chevalier gewesen, die nicht von Rasse oder Religion sangen, sondern von der Liebe in all ihren Schattierungen.

All das schien ihm jedoch, nachdem er knapp dem Tod entkommen war, entsetzlich banal. Und als er das ganze Ausmaß der Barbarei gegenüber seinem Volk erfuhr, erinnerte er sich an seinen Vater und fühlte, dass Albert recht gehabt hatte mit dem Vorwurf, er würde sein Leben verschwenden.

Victor schloss sich den Männern der Hagana an, die bei den Briten dienten und parallel ihre eigenen Ziele verfolgten: möglichst viele Juden aus Europa nach Palästina zu bringen, um dort einen jüdischen Staat aufzubauen. Bei ihnen lernte Victor die Kunst der Täuschung durch eine falsche Identität, wie man einen Menschen mit bloßen Händen tötet und wie man achtundvierzig Stunden Folter aushält. Bei ihnen fand er seine neue Familie. Männer wie Uri. Der blonde Mann, der erst zum Abschied seinen Namen preisgab und ebenso lautlos verschwand, wie er aufgetaucht war.

»Er war ein *Mentsch*«, sagte er zum Abschied über Victor. Er benutzte das jiddische Wort. Es klang wie ein fernes Echo.

»*Sheyanuach bashalom al mishekavu*«, antwortete Albert. Gott sei seiner Seele gnädig.

Was machst du mit einem, den du nicht verabschieden kannst, weil er bereits begraben wurde? Du trägst ihn weiter mit dir herum. Die siebentägige Schiwa, das Zusammensitzen im Haus, die gemurmelten Gebete der Alten, die Kerzen und verhüllten Spiegel – all das fehlte jetzt. Man sagt, diese Rituale dienen dazu, der verstorbenen Seele zu helfen, ihren Heimweg zu finden. Aber sie spenden auch den Zurückgebliebenen Trost. Ohne den Halt dieser Traditionen fühlte Yasmina sich verloren wie ein Schiff ohne Kompass. Ihr Fixstern war verschwunden. Der heiße Scirocco fegte durch die Straßen, und der Himmel wurde milchig gelb vom feinen Sand, den er aus der Wüste herantrug.

Sie suchten eine Pension am Lungomare, versteinert und verstummt, während Neapel voller Lärm und Leben war.

Als der Mann am Empfang ihnen zwei schöne Zimmer mit Blick aufs Meer anpries, lehnte Albert sie ab. Nicht, weil er kein Geld mehr hatte, sondern weil er es nicht mehr sehen wollte, dieses verfluchte Meer, das ihm seinen Sohn geraubt hatte.

Um drei Uhr morgens wachte Moritz auf. Nebenan weinte Joëlle. Hätte sie es nicht getan, wäre alles anders gekommen. Aber sie schrie, und während Albert wie versteinert schlief, stand Moritz auf, ging über den Gang zu Yasminas Zimmer, klopfte, öffnete die unverschlossene Tür und sah, dass sie nicht in ihrem Bett lag. Der Wind rüttelte an den Fensterläden. Er nahm die verstörte Joëlle, die noch halb im Traum war, in seine Arme und strich ihr über das verschwitzte Haar, bis sie aufhörte, vor Angst zu schluchzen.

»*Mamma*«, sagte sie.

Moritz hielt sie im Arm und stieg die Treppe hinunter. Er öffnete die Tür zur Toilette und schaute in den leeren Frühstücksraum. Er ging zur Rezeption, wo niemand saß, und öffnete die Tür zur Straße. Eine Bö schlug ihm ins Gesicht. Gegenüber das aufgepeitschte Meer und das gelbe Licht der schwankenden Laternen. Joëlle klammerte sich fest an ihn. In diesem Moment spürte er, dass er keine Zeit verlieren durfte. Er lief die Treppe nach oben und weckte Albert. Er war sofort wach und griff nach seiner Brille auf dem Nachttisch.

»Ich komme mit.«

»Nein. Sie müssen auf Joëlle aufpassen.«

Moritz ließ ihm keine Zeit zum Widerspruch, drückte ihm das Kind in den Arm und rannte hinunter auf die menschenleere Straße. Die Gischt wehte über die Ufermauer, der Wind pfiff um die Häuser, Fensterläden schlugen auf und zu. Am Himmel stand kein Stern, nur ein milchiger Widerschein der Stadt, reflektiert vom Sand in der Luft.

Niemand sollte nachts zu dem zerbombten Stahlwerk gehen. Schon gar nicht jetzt, wo Äste und Ziegel durch die Luft flogen. Aber vielleicht suchte er sie gerade deshalb dort. Weil sie verrückt geworden war. Weil vor der Ruine ein stählerner Pier ins Meer hinausragte, an dem sich die Brandung brach; weiße Schaumkronen im Dunkeln, keine Lichter dort draußen, nur scharfer Wind. Früher hatten hier Schiffe angelegt.

Als er näher kam, erkannte er, dass der Pier kein Ende hatte. Stattdessen verschwand er einfach im Meer. Eine Bombe hatte seine Fundamente erschüttert; an seinem äußersten Punkt neigte er sich zur Seite und fiel plötzlich nach vorne ab, in die wilde Brandung hinein.

Moritz wollte gerade umkehren, als er den hellen Fleck draußen im Dunkeln sah. Etwas Weißes flatterte im Wind, viel zu klein gegen das aufgewühlte Meer, ein Riss in der Nacht, ein Schmetterlingsflügel. Dann erkannte er ihre Silhouette, ihr

Nachthemd, und rief ihren Namen. Der Wind blies direkt aufs Ufer zu; er wusste nicht, ob sie ihn hörte, er wusste nicht, ob der Steg ihn tragen würde; und dann sah er sie auf einmal nicht mehr.

Der helle Fleck war verschwunden, verschluckt von Dunkelheit und Wind. Er rannte los. Der Pier schwankte, das geborstene Eisen stöhnte, hin und her geworfen vom aufgewühlten Meer. Ein schreckliches Kreischen, lauter als das Pfeifen des Windes, wie ein sterbendes Tier aus Metall. Als Moritz vorne angekommen war, sah er Yasminas weißes Nachthemd wie einen Kranz im schwarzen Wasser. Halb versunken klammerte sie sich an dem kaputten Geländer fest, wollte zurück, konnte sich jedoch nicht mehr bewegen, ohne von der Wucht der Wellen weggeschleudert zu werden. Er brüllte ihren Namen gegen den Wind. Sie wandte sich um.

»Yasmina! Sind Sie wahnsinnig geworden?«

Sie starrte Moritz wie gelähmt an. Er ging ihr langsam entgegen, ins dunkle Wasser hinein.

»Kommen Sie zurück!«

Sie will nicht sterben. Er spürte es. Da war noch viel zu viel Leben in ihr. *Wenn man sich umbringen will, macht man es richtig.* Nein, sie hatte sich verirrt, das war es, sie wusste nicht mehr, ob sie zu den Lebenden oder den Toten gehörte. Sie war ins Meer gegangen, um es herauszufinden.

Jetzt spürte Moritz die ungeheure Kraft des Meeres. Wenn es sich hob und senkte, wurde man federleicht, ein Spielball der Elemente. Er tastete sich voran, immer tiefer. Wenn eine Welle Yasmina anhob, versank sie fast darin, und wenn sie weiter rollte, entblößte das Meer ihren kaum verhüllten Körper. Sie starrte ihn an wie einen Eindringling in eine Welt, zu der er keinen Zutritt hatte. Wie jemanden, der etwas sah, das er nicht sehen durfte. Es war eine Sache zwischen ihr und den Elementen.

»Geben Sie mir Ihre Hand!«

Yasmina weigerte sich. Sie klammerte sich an das Geländer. Er ging Schritt für Schritt auf sie zu, streckte ihr seine Hand entgegen, schrie ihren Namen, um sie aus dem Traum wachzurütteln, in dem sie sich verfangen hatte. Dann, als eine hohe Welle anrollte, ließ sie los, ließ sich anheben und schwamm an Moritz vorbei. Er griff nach ihr, aber sie entglitt ihm; sie gehörte dem Meer, das sie trug wie ein zärtlicher Riese und dann mit aller Wucht gegen das Geländer warf.

Yasmina taumelte, verlor die Orientierung, hing fest, drohte, wieder fortgespült zu werden. Moritz schwamm zu ihr. Noch eine starke Welle, ein Schlag mit dem Kopf gegen den Stahl, und es wäre vorbei. Kein Schmerz mehr, keine Fragen. Er bekam ihre Hüfte zu fassen, zog sie zu sich, aber sie wollte nicht gerettet werden; sie kämpfte gegen ihn, nicht gegen das Meer. Doch Moritz hielt sie fest und zog sie auf dem schiefen Steg nach oben, wo ihre Füße wieder Halt bekamen, bis sie hustete und Wasser spuckte und ins Leben zurückfand, dieses verfluchte Leben, dem sie schon fast entkommen war.

Moritz schrie sie an.

»Sind Sie völlig verrückt geworden?«

Yasmina richtete sich auf. Ihre wilden, staunenden Augen. Seine Hände, die sie immer noch an der Hüfte hielten. Nur ein Stück nasser Stoff auf ihrer Haut.

»Das dürfen Sie nicht tun! Sie können nicht mit Ihrem Leben spielen!«

Yasmina stieß ihn weg und lief zum Ufer, nur weg von diesem verfluchten Meer. Moritz folgte ihr über den schwankenden Steg zwischen den Wellen. Als sie das Ufer erreichten, ließ sie sich atemlos auf die Knie fallen. Der harte, sichere Boden. Moritz kniete sich neben sie.

»Warum lassen Sie mich nicht allein?«, keuchte sie.

Schwer atmend sahen sie sich in die Augen. Da war etwas Wildes in ihr, etwas Abgründiges. Etwas, das niemand sehen durfte. Und jetzt hatte er es gesehen. Eine Weile kauerten sie dort, bis ihr Puls sich beruhigt hatte und sie begriffen, dass sie beide am Leben waren.

»Wenn Sie es meinem Vater sagen, bringe ich Sie um.«

Moritz reichte ihr die Hand.

»Kommen Sie. Wir müssen gehen.«

Yasmina schüttelte den Kopf. Sie konnte nirgends hingehen. Es war, als würde ihr Körper noch auf die Seele warten, die irgendwo verlorengegangen war.

»Stehen Sie auf, los! Ihr Vater macht sich Sorgen. Joëlle ist aufgewacht.«

Sie zog ihre Knie an die Brust und umschloss ihre Beine mit den Armen. Eine Muschel im Sturm. Sie konnte nicht zurück. Moritz nahm ihren Arm und zog sie hoch.

»Yasmina!«

»Lassen Sie mich los!«, fauchte sie und stieß ihn weg. Jetzt wurde er wirklich wütend.

»Schluss jetzt! Wo wollen Sie denn hin?«

Sie wusste es wirklich nicht. Weder hier noch dort; sie hatte keinen Ort mehr auf dieser Welt, an den sie gehörte.

»Dann bleiben Sie doch, wo Sie sind!«, rief Moritz, wandte sich ab und ging.

»Warten Sie!«, rief Yasmina. Er drehte sich um. Sie stand langsam auf und bedeckte ihre Brust mit den Armen. Der Wind fuhr durch ihre nassen Haare.

»Was soll ich denn machen?«, rief sie. Es war keine Klage, sondern eine ernst gemeinte Frage. Sie wusste es wirklich nicht.

»Sie haben eine Tochter, verflucht nochmal!«

»Was für eine Mutter ist das, die nur unglücklich ist? Wie soll Joëlle jemals glücklich werden?«

»Soll sie als Waisenkind aufwachsen? Ist das besser? Yasmina, wachen Sie auf! Sie müssen jetzt stark sein. Für Joëlle.«

»Ich hatte nur einen einzigen Wunsch. Mehr wollte ich nicht, keinen Reichtum, keine große Welt. War das zu viel verlangt? Warum kommt das Glück nur zu den anderen? Warum liebt Gott mich nicht?«

Lass Gott aus dem Spiel, Gott ist gleichgültig. Aber ich liebe dich. Stattdessen antwortete er: »Aber Victor hat Sie geliebt.«

Erst stand sie nur da, mitten im Wind unter der schwankenden Laterne, und sah Moritz an. Es kostete sie unvorstellbare Überwindung, diesen Satz anzunehmen, ohne etwas zu entgegnen. Seinen Blick auszuhalten, nur mit einem nassen Fetzen Stoff auf der Haut. Dann begann ihre Brust zu beben; sie kämpfte dagegen an, aber schließlich gab sie den Widerstand auf und ließ eine Flut von Tränen zu, die sich in ihr aufgestaut hatte, nicht erst heute, sondern seit Victors Verschwinden und schon lange davor. Sie verbarg ihr Gesicht in den Händen. Moritz ging auf sie zu und umarmte sie. Sie ließ ihn gewähren. Fast war es wie Haut auf Haut. Es war gut.

»Victor würde sich wünschen, dass Sie glücklich sind. Er würde sagen: Leb dein Leben!«

»Aber ich bin nicht wie er. Ich bin *sfortunata*.«

»Nein, Yasmina, Sie sind eine wunderbare Frau.«

Sie löste sich aus seiner Umarmung und sah ihn an. »Sie kennen mich nicht, Maurice. Dass Papà mich aus dem Waisenhaus geholt hat, war mein größtes Unglück. Das hat mir in den Kopf gesetzt, dass ich zu den Glücklichen gehöre, dass ich ein Anrecht auf Glück hätte. Wäre ich dort geblieben, hätte ich mich nie in Victor verliebt, hätte ich mir nie diesen verrückten Traum in den Kopf gesetzt. Ich hätte nie das Waisenhaus verlassen sollen; ich habe kein Glück verdient.«

Moritz wollte sie umarmen, um ihr zu zeigen, dass es nicht wahr war. Da begriff er, dass er zwar ihren Körper halten konnte, aber niemals ihre zersplitterte Seele.

»Sie können aber nicht mehr zurück ins Waisenhaus. Niemand kann zurückgehen. Jetzt sind wir hier.«

Sie wischte sich die Tränen aus dem Gesicht.

»Ich weiß. Ich bin nach Italien gefahren, um nie mehr zurückzukehren. Um mit ihm zu sein.«

Er wollte sie schütteln, um sie in die Wirklichkeit zurückzuholen.

»Er ist tot, Yasmina.«

Sie zwang sich, ihm nüchtern in die Augen zu sehen. Sie hatte es begriffen.

»Aber was soll ich jetzt tun?«

Moritz spürte, dass er nur diesen Moment hatte, um ihre Frage zu beantworten, ohne sich weiter zu verstecken. Wenn er es jetzt nicht tat, würde die Tür, die ihnen in diesem Augenblick offenstand, sich wieder verschließen, und am nächsten Tag schon würden sie sich am Bahnhof verabschieden. Alles wäre vorbei. Wenn es aber einen Sinn in alldem gab, dann lag er zum Greifen nah, in allem, was zwischen ihnen entstanden war, ohne dass irgendjemand es beabsichtigt hatte, ja, tatsächlich war es *gegen* ihren Willen geschehen. Und wenn es irgendwo in dieser zerstörten Welt einen Gott gab, dann musste es ein Gott der Liebe sein, denn das war es, was er jetzt spürte: reine Liebe, ohne Hintergedanken und falsche Versprechungen. Und wenn es keinen Gott gab, dann war das nicht wichtig, denn die einzige Wahrheit, die jetzt existierte, war das Gefühl, unfassbar lebendig zu sein.

»Dann bleiben Sie bei mir«, sagte er.

Yasmina sah ihn überrascht an. Jetzt wachte sie aus ihrem Traum auf.

»Sie und Joëlle. Wir bleiben einfach zusammen.«

»Aber ...«

»Kein aber. Wollen Sie mich heiraten?«

Die Frage ließ sie erstarren. Er wartete auf eine Antwort. Sie zitterte. Dann schüttelte sie den Kopf.

»Es tut mir so leid, Maurice.«

Sie lief weg, zurück zu der Pension. Moritz blieb stehen und sah ihr nach. Es war entschieden. Aber er konnte sich wenigstens nicht vorwerfen, sich weiter versteckt zu haben.

Als er in die Pension kam, sah er sie neben Albert auf seinem Bett sitzen, mit der weinenden Joëlle im Arm. Leise sang sie das Schlaflied vom *Légionnaire*.

»Was ist passiert?«, fragte Albert Moritz, der in der Tür stand.

»Nichts.«

51

Bevor sie zum Bahnhof gingen, um dort in verschiedene Richtungen nach Hause zu fahren, gaben sie im Postamt ein Telegramm an Mimi auf. Die Telegraphistin las mit nüchterner Stimme den Text vor, den Albert ihr durch den Schalter gereicht hatte.

»TRAURIGE NACHRICHT. STOP. VICTOR TOT. STOP. SCHON APRIL. STOP. TRAGISCHER UNFALL IM MEER. STOP. KOMMEN ZURÜCK. Zwölf Worte, ja, der Herr?«

»Nein«, sagte Yasmina. »Ich komme nicht zurück.«

»Wie bitte?«

Yasmina sah ihn herausfordernd an.

»Jetzt hör auf!«, rief Albert unwirsch und wandte sich an die Telegrafistin, die auf eine Antwort wartete.

»Ja, KOMMEN ZURÜCK, mit ›n‹. Plural.«

Die Telegraphistin tippte den Text in ihre kleine Maschine. Klack klack klack. Man mochte sich nicht vorstellen, wie auf der anderen Seite des Meeres Mimis Hände, an denen frische Teigreste klebten, das braune Kuvert öffneten, wie sie die kargen Worte las und wie ihre Welt, oder das, was noch von ihr übrig war, zusammenbrach. Man mochte sich nicht vorstellen, wie sie Albert beschuldigte, Victor in den Tod getrieben zu haben, und Yasmina verfluchte, weil sie Unglück über das Haus gebracht hatte. Man mochte nicht in ihrer Haut stecken.

Moritz wartete draußen mit Joëlle. Bei einem fliegenden Eishändler kaufte er ein Zitroneneis in der Waffel, an dem sie gemeinsam schleckten. Jede gemeinsame Minute, die ihnen noch blieb, wollte er auskosten. Er konnte sich kaum vorstellen, ohne sie zu sein. Man kann sich zwingen, eine Frau zu vergessen, aber ein Kind, nie. Gemeinsam schauten sie den Menschen zu, die in ihre Büros und Geschäfte gingen, und zum ersten Mal seit langem freute er sich darauf, wieder einer von ihnen zu werden. Wieder jemand zu sein. Wer, das wusste er noch nicht; aber er würde wieder sichtbar sein.

Was letzte Nacht passiert war, hatte ihm, trotz allem, das Gefühl zurückgegeben, lebendig zu sein. Er spürte, dass wieder etwas Echtes durch seine Adern pulsierte, seine Wut, seine Traurigkeit und seine Liebe. Es zählt weniger, ob deine Liebe erwidert wird, dachte er, sondern dass überhaupt dein Herz schlägt. Lieben bedeutet, sich sichtbar zu machen. Sichtbar sein bedeutet, gesehen zu werden. Gesehen werden bedeutet, da zu sein.

Ein unverhofftes Glücksgefühl durchströmte ihn, als Albert und Yasmina aus der Post kamen.

»Auf Wiedersehen«, sagte er und reichte Yasmina die Hand. Ihre Entscheidung mochte falsch sein, aber nun lag es an ihm, seine Entscheidung zu treffen. Er wusste nicht, was er in Deutschland tun sollte und ob Fanny noch lebte, aber sie war sein letzter Fixpunkt auf der Welt.

Yasmina nahm seine Hand nicht.

»Was ist los?«, fragte Albert verwundert und fast verärgert. Sie ignorierte ihren Vater und sah Moritz ernst an. Dann sagte sie: »Ja.«

Er verstand nicht, was sie meinte.

»Ihre Frage gestern Nacht. Meine Antwort ist ja.«

Moritz stutzte. Albert blickte ihn fragend an.

»Es war *mektoub*, Maurice. Wenn es einem Menschen bestimmt ist zu sterben, dann kann niemand ihn retten. Niemand. Das Schicksal wusste, dass Victor sterben würde. Es hat Sie nicht zu uns gebracht, damit Sie ihn retten. Sondern damit wir uns begegnen.«

Jetzt begriff es auch Albert. Ein verlorenes Lächeln huschte über Yasminas Gesicht. Tatsächlich gab es in dem morschen Haus in ihrem Innerem einen einzigen Raum, den sie nie zu betreten gewagt hatte, in dem keine Geister wohnten, in dem nicht immer Winter war, in dem es nach frischen Blumen roch, in den die Sonne hineinschien. Und auch wenn niemand es wissen durfte, war in diesem Raum die Nachricht von Victors Tod als Befreiung aufgenommen worden.

Sie sah Moritz verlegen an, als würde sie fragen: *Glaubst du, du kannst mich lieben?* Und er antwortete mit den Augen, als würde er sagen: *Das tue ich doch schon längst. Warum siehst du es nicht?*

Dann sagte er, ungewollt steif und förmlich: »Sie müssen Ihren Vater fragen.«

Aber sie fragte ihn nicht. Sie verkündete einfach: »Ich gehe mit Maurice.«

In ihrer Stimme lag eine Kraft, die klarmachte, dass sie keine Erlaubnis mehr nötig hatte, dass Moritz nicht bei Albert um ihre Hand anhalten musste, dass diese Entscheidung allein ihre war. Es war eine Entschlossenheit, die Albert nicht gefiel, weil sie ihn überrumpelte und, unabhängig von seiner Wertschätzung für Moritz, überflüssig machte. Aber genau das war es, worum es ihr ging: Es auszuhalten, ihm nicht mehr zu gefallen. Das zu spüren versetzte ihm einen Stich in sein bereits gebrochenes Herz.

»Hast du dir das gut überlegt?«

»Nein.«

»Hast du an Joëlle gedacht?«

»Ich werde für sie sorgen«, sagte Moritz.

»Aber wo wollt ihr leben?«

Keiner wusste eine Antwort.

»Du kannst doch nicht nach Deutschland gehen. In das Land der Mörder. Und was wollen Sie in Tunis, Maurice?«

Bevor er antworten konnte, fiel sie ihm ins Wort.

»Papà, das ist es nicht. Die Leute würden Maurice akzeptieren. Niemand würde nach seiner Vergangenheit fragen. Und ich könnte das gehässige Gerede aushalten. Aber Joëlle? Es würde immer ein Schatten über dem Kind sein. In der Schule, auf der Straße ... Jeder kennt Victor. Jeder wird sie auf ihren Vater ansprechen, und wir können es nicht verhindern. Was soll sie von sich denken? Wie soll sie ihren Platz in der Welt finden, wenn die anderen Kinder ihr sagen, dass sie ein Kind der Schande ist?«

Sie hatte recht. Albert wusste es. Aber er wusste nicht, wie er ohne sie leben sollte.

»Und wenn wir in Italien bleiben?«, fragte Moritz unsicher. Er glaubte selbst nicht daran. Niemand hier kannte ihre Geschichte, aber sie waren beide Fremde, auf sich allein gestellt. Er wollte nur die unwürdige Situation beenden, aus Mitgefühl für Albert. Zwei Kinder auf einmal zu verlieren, das war zu viel ihn.

»Wo immer ihr auch lebt, es kann nicht in Schande sein. Ihr müsst heiraten.«

Das war sein Segen. Auch wenn Yasmina es nie zugegeben hätte, fiel ihr ein Stein vom Herzen. Ohne seine Zustimmung, das wusste sie, wäre sie nicht glücklich geworden. Sie fiel Albert um den Hals und dankte ihm. So heftig, dass er fast das Gleichgewicht verlor. Albert küsste sie überwältigt auf die Wange, dann wandte er sich Moritz zu, mit Tränen in den Augen. Moritz wusste nicht, ob es Tränen des Schmerzes oder Tränen der Rührung waren. Dann umarmte Albert Moritz mit dem Arm, der ihm geblieben war, aber damit hielt er ihn so fest wie einen eigenen Sohn. Vielleicht sogar noch fester. Joëlle fragte, was los sei. Yasmina beugte sich zu ihr hinunter und sagte: »Wir heiraten Maurice.«

Sie hob Joëlle hoch, und mit ihr auf dem Arm gab sie Moritz einen Kuss auf den Mund. Joëlle lachte. Es gefiel ihr, auch wenn sie nicht wusste, was dieser Kuss bedeutete, wie unerhört er war, vor Albert, auf offener Straße, und wie sehr dieser Moment ihr ganzes Leben verändern würde. Sie streckte ihre kleinen Arme nach Moritz aus und drückte ihm einen Kuss auf die Wange.

Und so schrieben Moritz und Yasmina ihr Schicksal um, als sie nur mit einem Koffer in der Hand und einem Kind auf dem Arm vor dem Hauptpostamt von Neapel standen, mitten im Gedränge, ohne zu wissen, wo sie morgen schlafen sollten. Yasmina wusste nur, was sie nicht wollte. Nicht einmal für die Hochzeit, wie Albert es vorschlug, würde sie zurück nach Hause gehen, wo die Lästermäuler und Moralapostel ihre bösen Augen auf das Brautpaar werfen würden. Doch unverheiratet konnte Albert sie nicht gehen lassen. Wenn das Kind schon in Schande geboren und der Bräutigam kein Jude war, musste das Hochzeitsritual dieser Verbindung einen Rahmen geben, der das aus den Fugen Geratene wieder in die Welt einfügte. Denn selbst wenn die beiden nicht zurückkämen, das Gerede würde bleiben. Das Einzige, was einen Schlussstrich setzen konnte, wäre eine offizielle Verbindung. *Comme il faut.*

»Müsste ich dann konvertieren?«, fragte Moritz.

»Sie sind längst Jude. Wenn Sie das nicht glauben, schauen Sie in Ihren Pass.«

Der einzige Weg, zu heiraten, ohne nach Tunesien zurückkehren zu müssen, führte über einen Rabbi vor Ort. Und die einzigen Rabbis, die nicht lange nachfragten und die Gemeinderegister prüften, waren diejenigen, die selbst Fremde auf der Durchreise waren.

Das Camp, zu dem sie geschickt wurden, lag vor den Toren Roms. Auch das war überfüllt, aber im Lager gab es ein Krankenhaus, und Alberts Satz »Ich bin Arzt« war der Zauberspruch, der ihnen das Tor öffnete. Sie waren darauf angewiesen, für Kost und Logis zu arbeiten, denn ihr Geld war aufgebraucht.

Als Moritz sie mit *Signor e Signora Sarfati* anmeldete, kam er sich zum ersten Mal nicht wie ein Lügner vor. Obwohl es immer noch eine Lüge war. Aber es fühlte sich an wie die Wahrheit. Sie gaben ihre Pässe ab und wurden von einem Amerikaner empfangen, der sie mit einer Pumpe voller Läusegift desinfizierte.

Erst im Inneren des großen Geländes erkannte Moritz, wo sie waren. Dieses Camp war anders. Es war ein Filmstudio. *Cinecittà* hieß es, die Stadt des Kinos. Das italienische Babelsberg. Fünftausend Flüchtlinge schliefen in den riesigen Hallen, die Mussolini hatte bauen lassen, im Wissen um die Macht der Bilder. Moritz kannte die Propagandafilme, die hier entstanden waren. Der Glanz des Römischen Reichs auf dem neuen Italien. Und er kannte die seichten Komödien fürs Volk, Brot und Spiele, Kino als Waffe. Er stand im Herzen der faschistischen Traumfabrik. In ihren Resten liefen nun Kinder herum, die Lumpen statt Schuhe an den Füßen trugen. Löchrige Wäsche hing an langen Leinen, und Frauen mit Kopftüchern, die kaum Fleisch auf den Knochen hatten, rührten in Kochtöpfen auf offenem Feuer. Auf dem Boden verstreut lagen Requisiten aus römischen Historienfilmen. Zerbrochene Büsten, Säulen aus zersplittertem Sperrholz, Statuen von römischen Göttern wie gefallene Engel. Als sie das große Studio betraten, auf dessen Tor noch »SILENZIO!« stand, waren sie überwältigt vom Lärm und Geruch und der schieren Masse von Menschen aus allen Ländern, die hier auf engstem Raum zusammengepfercht waren. Wände aus Karton und Sperrholzkulissen trennten kleine Vierecke ab, in denen die Familien auf dem Boden schliefen, mit Vorhängen als Türen. An Nägeln in der Wand hingen Hosen, daneben Töpfe, ein schiefes Bild der Madonna mit Jesus im Arm, ein paar Stühle und Tische wie aus einer anderen Welt, weißer Barock, Requisiten aus einem Kostümfilm, und darauf ein siebenarmiger Leuchter, den jemand aus Sperrholz gebastelt hatte. Man teilte ihnen zehn Quadratmeter zu, drei Strohmatratzen zwischen Wänden aus Pappe, das war alles. Neben-an herrschte eine Frau ihr weinendes Kind an: »Sei still, sonst lassen wir dich hier!«

Nein, das war kein Ort zum Bleiben. Es war ein Wartesaal zwischen der alten und der neuen Heimat. Und es war, tatsäch-lich, ein guter Ort zum Heiraten. Schon am ersten Tag lernte Albert im Lazarett einen russischen Rabbi kennen, der ihm in einer Mischung aus Französisch und Hebräisch erzählte, dass er gerade letzte Woche ein Paar vermählt hatte, das sich hier kennengelernt hatte. Er war alt, er hatte eine tätowierte Num-mer auf dem Arm und den Typhus überlebt. Er hieß Rubin Tejtelbaum. Albert würde den Namen nie vergessen, denn ob-wohl er nach aller medizinischen Logik längst tot sein sollte, strahlte er eine gelassene, fast unheimliche Lebensfreude aus.

»Alle Wissenschaftler sagen, die Hummel kann nicht flie-gen«, sagte er. »Die Gesetze der Physik. Sie ist zu schwer. Aber sie fliegt doch. Warum? Weil sie muss, *mon ami.*«

Tatsächlich stellte Tejtelbaum nicht viele Fragen, als Albert ihm seine Tochter und ihren Verlobten vorstellte. Es gab eine stille Übereinkunft unter den Juden im Camp, nicht zurück-zuschauen. Sie redeten nicht über das Grauen, sie zogen sich lange Ärmel an, um die Nummer auf dem Arm zu verdecken, und abends sangen sie ihre Lieder. Wie Orpheus und Eurydike auf dem Weg aus der Hölle. Wer sich umdreht, fällt zurück. Wer überlebt hatte, wollte leben. Nur nach einer Sache fragte der Rabbi: woher Joëlle stammte. *Der Vater ist tot,* sagte Yasmina, *er war bei denen von der Hagana.* Der Rabbi nickte und strich Joëlle zärtlich über den Kopf. Er hatte schon zu viele Kinder ohne Väter gesehen.

»Es ist gut, dass du einen neuen Mann gefunden hast. *Gzeira al ha'met sheyishtakakh me'halev.* Wir sollen die Toten betrauern, sagt die Schrift, aber dann müssen wir sie vergessen.«

Er fragte Moritz nicht nach seiner Bar Mitzwa, er verlangte keinen Auszug aus einem Gemeinderegister. Die meisten hatten ihre Papiere im Feuer verloren. Moritz' Pass genügte, denn wer trug in diesen Zeiten schon freiwillig den roten Judenstempel mit sich herum? Was Tejtelbaum aber von ihm wissen wollte, war, ob er dem Kind ein guter Vater sein würde, auch wenn es nicht seines war. Moritz musste nicht lügen, denn das wollte er wirklich; er hatte Joëlle seit ihrer Geburt begleitet und liebte sie wie seine eigene Tochter. Und sie liebte ihn, das spürte Tejtelbaum. »Unser Volk ist ein einziger großer Körper«, sagte er. »In den Kindern liegt unsere Hoffnung.« Er wollte nicht einmal genau wissen, wo Moritz' Familie herstammte. Ein italienischer Jude aus Tunis, ein Fotograf, ein *Mensch,* das genügte ihm. Stattdessen fragte er: »Wo wollt ihr jetzt hin?«

Das war es, was Tejtelbaum von anderen Männern seines Alters unterschied: Seine Augen waren nach vorne gerichtet.

»Wir wissen es noch nicht.«

»Habt ihr schon mit den Freunden vom *Mossad* gesprochen?«

Albert gefiel die Frage nicht. Sie rüttelte an seinem Weltbild. Wie Jacob, der Rabbi von Piccola Sicilia, waren die meisten Rabbiner vor dem Krieg keine Zionisten gewesen. Rabbi Jacob wollte nie etwas anderes, als seine Gemeinde dort zusammenzuhalten, wo sie lebte. Doch da, wo Rabbi Tejtelbaum herkam, gab es keine Gemeinde mehr. Die Synagogen geschändet, die Schriftrollen verbrannt, die Menschen ermordet.

»Ich weiß nicht, ob ich Jerusalem noch sehen werde«, sagte Tejtelbaum. »Das liegt in Gottes Hand. Aber ihr seid jung und stark. Sie bringen euch hin, auf den Schiffen der Hagana, und wenn ihr kein Geld habt, müsst ihr nichts bezahlen, es gibt großzügige Spender.«

Die ganze Zeit hatte es vor ihnen gelegen, aber sie hatten es nicht gesehen. Am wenigsten Moritz. Der Gedanke erschien ihm absurd, anmaßend, unmöglich. Vor allem aber drohte er Alberts Einverständnis zu gefährden. War es, weil er seine Tochter nicht ziehen lassen wollte oder weil ihm die zionistische Idee, die in den Camps wie eine Flamme herumgereicht wurde, seinen Sohn genommen hatte? Oder war es, weil sie sein Selbstverständnis erschütterte? Weil er, der schon immer gegen den Strom geschwommen war, einen anderen Schluss aus der Katastrophe zog als die meisten. Nämlich den, dass der Nationalismus die Wurzel allen Übels war, nicht die Lösung.

»Wir haben aus der Diaspora eine Bereicherung gemacht«, sagte er. »Wir Juden sind Weltbürger, unser Geist kennt keine Grenzen, warum sollen wir jetzt Grenzen um uns ziehen?«

Vielleicht war es genau diese Idee, oder besser: dieses Gefühl, das bei Yasmina verfing: Grenzen um sich zu wissen, die sie vor allem Bedrohlichen beschützen würden. Sie, deren Schwäche darin bestand, keine Grenzen zwischen sich und der Welt zu haben.

»Aber es ist nicht sicher dort«, sagte Albert. »Es ist nur ein Traum, dieses Eretz Israel.«

»Nein«, sagten die Männer vom Palmach, die im Camp ihre Bücher, Schiffstickets und Waffen verteilten. Die Elitekämpfer der Hagana. Die mit den kräftigen Körpern, mit der blauweißen Flagge an der Sperrholzwand. »Es ist kein Traum. Ihr seid schon da. Eretz Israel wird hier geboren, in den Camps! Aus euch wird es geboren, aus denen, die alles verloren haben, ihr Geld, ihr Land, ihre Liebsten. Egal, woher ihr kommt, egal, was ihr hinter euch habt, ihr seid willkommen!«

Als Moritz das hörte, begriff er das Geheimnis ihrer Bewegung. Sie hatten keine besonderen Waffen, aber etwas anderes, das den Ohnmächtigen wieder Kraft verlieh: eine Geschichte. Nachdem andere ihre Geschichte hatten auslöschen wollen, erzählten sie sich jetzt eine neue. Ihre eigene. Es war die Geschichte einer Rückkehr. Die Geschichte eines Volkes, das seit der Zerstörung seines Tempels in Jerusalem über die Erde gewandert ist, aber nirgends zu Hause war. Ein bislang friedfer-

tiges, ausgegrenztes Volk, das jetzt zu den Waffen greifen musste. »Das darf nie wieder passieren!«, sagten sie. »Wir werden
nur überleben, wenn wir uns neu erfinden. Wir dürfen nie mehr
schwach sein!«

Sie lasen das kleine Buch im Kerzenlicht, als sie nachts zusammen in ihrer Ecke lagen, eng, aber immer noch auf getrennten
Strohmatratzen, Yasmina mit Joëlle im Arm, Moritz und Albert. Es hieß »Der Judenstaat« und war vor fünfzig Jahren geschrieben worden. Es sprach von der Judenfrage und vom Anti-
semitismus, von »Gruppenwanderung« und »Landergreifung«.
Ein Kapitel hieß *Argentinien oder Palästina?*« Argentinien, weil es
dort viel leeres Land gab, Palästina, weil es die historische Heimat sei. Durch die dünnen Wände hörte man die Stimmen der
anderen. Husten, Schnarchen, Streit. Kein Ort, um zu bleiben.

»Und wenn du mitkommst, Papà?« fragte Yasmina, »Du und
Mamma? Victor hätte es gewollt.«

»Ich war schon einmal dort«, sagte Albert in die Stille hinein, noch in das Buch vertieft. »Bevor du geboren wurdest, als
Victor klein war.«

»Was, Victor war schon dort?«

»Ja. Mit Mamma und mir.«

»Wie ist es dort?«

Albert nahm die Brille ab und klappte das Buch zu. »Es ist
interessant: Herzl beschreibt jedes Detail des Staats, von den
Arbeitsgesetzen bis zum Aussehen der Flagge – aber kein Wort
von den Arabern, die dort leben. *Ein Land ohne Volk für ein Volk
ohne Land,* sagen sie. *Wir bringen die Wüste zum Blühen.* Aber das
Palästina, das ich gesehen habe, war fruchtbares, bewohntes
Land. Orientalische Städte und Dörfer mit Oliven- und Oran-
genfeldern. Moscheen, Kirchen und Synagogen.«

»Wie bei uns?«

»Ein bisschen, ja.«

Albert rutschte auf seiner Matratze herum. Sein Bein schmerzte.

»Warum machst du dir dann Sorgen?«

»Es ist eine logische Frage. Eine Frage der Zahlen. Wenn ein paar Tausend einwandern, ist genug Platz für alle. Aber schau dich um, wie viele Flüchtlinge auf die Schiffe wollen. Und es werden täglich mehr. Zehntausende. Hunderttausende. Es gibt eine kritische Masse.«

»Wie viele Araber leben dort?«, wollte Moritz wissen. »Und wie viele Juden?«

»Als wir hingefahren sind, 1920, hatten die Briten gerade eine Volkszählung durchgeführt: Siebenhunderttausend Araber. Und siebzigtausend Juden. Sie kauften Land und bauten Siedlungen. Vorher lebte dort eine kleine Zahl orthodoxer Juden, in guter Nachbarschaft mit den muslimischen und christlichen Arabern.«

»Vor was?«

»Bevor England den Juden eine Heimat in Palästina versprach. Im Ersten Weltkrieg. Seitdem stieg die Zuwanderung; und die einheimische Bevölkerung hatte zunehmend Angst, ihr Land zu verlieren. Es gab Streiks, es gab Aufstände, es gab Tote auf beiden Seiten. Die Araber sind immer noch die Mehrheit, vielleicht zwei Drittel. Aber die Zionisten kommen nicht als Gäste, sie wollen einen *jüdischen* Staat. Was soll also mit den Muslimen und Christen geschehen? Auch sie wollen ihre Unabhängigkeit, wie überall.«

Albert nahm nachdenklich seine Brille ab und legte das Buch weg.

»Soll die Befreiung unseres Volkes zur Versklavung eines anderen Volkes führen?«

»Aber Gott hat uns das Land versprochen!«, rief Yasmina. »Damals sind wir aus der ägyptischen Sklaverei ins Gelobte Land gezogen; heute ziehen wir aus diesen Lagern hier aus.«

Albert schmunzelte ironisch. »Theodor Herzl glaubte nicht an Gott. Genauso wenig wie Léon. Wie können sie also wissen, dass er uns ein Land versprochen hat?«

»Papà! Warum musst du immer mit Fragen antworten, wenn ich dich was frage!

»Damit du deinen Verstand benutzt!«

Es war schwer für Yasmina, einem Vater, der so viel Wissen in die Waagschale werfen konnte, etwas entgegenzusetzen. Alles, was sie hatte, war ein Gefühl, und ihr Gefühl war ihre Wahrheit. Und anders als früher, als sie klein war, war sie mit diesem Gefühl nicht mehr allein, nein, es war ein Strom, der durch den ganzen großen Körper lief, von dem Rabbi Tejtelbaum gesprochen hatte. Papàs Argumente mochten richtig sein, doch seine Wirklichkeit war immer eine moralische; alles leitete er von einer ideellen Gerechtigkeit ab. Aber war die Welt denn gerecht?

»Wo sollen all die Menschen sonst hingehen? Zurück dorthin, wo man sie umbringen wollte? Du sagst doch selbst an jedem Seder und jedem Pessach: *Nächstes Jahr in Jerusalem!* In allen Gebeten sprechen wir von Israel, und jetzt tust du so, als gäbe es das nicht!«

Es war, als würde Victor aus ihr sprechen. Sein Widerspruchsgeist. Sein Wille, eine Lücke in Alberts Argumenten zu finden.

Albert setzte sich auf. Obwohl er müde war, obwohl es ihn aufwühlte, schien es doch etwas zu geben, das ihm an diesem Gespräch gefiel: dass er wieder wie ein Vater mit seiner Tochter sprechen konnte. Dass er sie noch nicht ganz verloren hatte.

»Im Tanach steht auch: *Liebe deinen Nachbarn wie dich selbst!* Unsere Schrift hat so viele Schichten, mein Schatz. Sie widerspricht sich sogar. Das ruft uns dazu auf, alles zu hinterfragen und zu einem eigenen Urteil zu kommen. Die jüdische Moral lehrt uns, nicht alles nachzubeten wie dumme Schafe, sondern ständig an uns zu arbeiten, ein besserer Mensch zu werden. Und sagen die Bücher der Christen und Muslime nicht das

Gleiche wie unser Buch? Dass alle Menschen nach Gottes Bild geschaffen wurden? Dass wir den Armen und Unterdrückten helfen sollen? Dass wir nicht stehlen und nicht töten sollen? Wir kamen immer gut mit den Arabern aus, und weißt du warum? Weil wir Nachbarn sind. Cousins. Keiner wollte den anderen vertreiben.«

Jetzt sah Yasmina, wie erschöpft Albert war. Erschöpft von einer Welt, die seine letzten Gewissheiten überholt hatte. Yasmina hatte Mitleid mit ihm. Sie erinnerte sich an die arabischen Hochzeiten, auf denen sie getanzt hatte, an die Sufi-Frauen in der Medina, an Latif. Natürlich sind wir Cousins, dachte sie, warum können wir in Palästina nicht zusammenleben wie in Tunesien?

»Verzeiht, wenn ich mich einmische«, sagte Moritz, »aber nach allem, was den Juden angetan wurde, ist es doch gerecht, dass sie einen eigenen Staat bekommen.«

Yasmina freute sich, dass er ihr zur Seite sprang.

»Sicher«, sagte Albert ernst. »Jetzt mehr denn je. Wenn Deutschland uns einen Teil seines Landes geben würde, das wäre gerecht. Aber die Araber in Palästina sind nicht schuld an Hitlers Verbrechen. Warum sollten sie uns ihr Land geben?«

Er muss immer alles so kompliziert machen, dachte Yasmina, *immer muss er alles von allen Seiten betrachten, immer das große Ganze! Dabei übersieht er, was direkt vor ihm liegt!*

»Wir werden in Frieden mit den Muslimen und Christen leben«, sagte sie. »Wie bei uns. Als Nachbarn.«

Albert wurde ungehalten; wie immer, wenn er meinte, sie aus einem Traum aufrütteln zu müssen.

»Yasmina! Hast du nicht gesehen, was sie hier tun, die Leute vom Palmach? Sie singen nicht nur, sie trainieren die Menschen für den Kampf. Sie haben Waffen. Nachbarn kommen nicht mit Gewehren!«

»Aber wenn die Araber uns mit Gewehren empfangen?«

Albert fuhr sich erschöpft durchs Haar.

»Wenn wir uns das Land nehmen, auf dem sie leben, wird es eine ewige Feindschaft zwischen Juden und Arabern geben. Wollt ihr diesen Preis zahlen?«

Yasmina schwieg. *Was würde Victor jetzt antworten?*

»Also wirst du nicht mitkommen, Papà?«

»Mein Zuhause ist Piccola Sicilia. Deines auch. Und dass du nicht zurückkehren willst, macht mich sehr traurig. Aber es ist dein Leben.«

Yasmina setze sich zu ihm und fasste ihn zärtlich am Arm.

»Papà, die Wahrheit ist, ich weiß nicht, wie ich ohne dich leben kann. Und ich will nicht, dass Joëlle ohne ihren *nonno* aufwächst. Was soll ich tun, Papà?«

Albert schwieg. Es war das erste Mal, dass er ihr nicht mehr den Weg weisen konnte. Er verabscheute, was der Nationalismus angerichtet hatte, und sah zwei Völker auf den nächsten Krieg zusteuern. Für ihn hieß die Antwort auf die Katastrophe, dass alle Menschen gleich viel wert waren und wieder lernen mussten, in gegenseitigem Respekt zusammenzuleben. Aber er wusste auch, dass es nie wieder sein würde wie zuvor, selbst in Piccola Sicilia nicht. Die Juden würden sich mit den Juden solidarisieren, die Araber mit den Arabern. Nachbarn würden zu Fremden werden, Freunde zu Feinden.

Auch Moritz wurde immer stiller. Das war eine Geschichte, die Tausende von Jahren zurückreichte, eine Geschichte, die Albert und Yasmina betraf, nicht ihn. Es fiel ihm schwer, dazu seinen Standpunkt zu finden. Als sein Leben in der Schwebe hing, hatte er, unsichtbar, das Privileg genossen, keine Entscheidungen treffen zu müssen. Aber seit er sich sichtbar gemacht und für Yasmina entschieden hatte, ging alles, was sie anging, auch ihn an – und zwang ihn zu einer Entscheidung. Vielleicht war es mehr als nur ein Wort in einem falschen Pass. Vielleicht konnte er nicht länger so tun, als wäre er kein Teil dieser Geschichte.

In derselben Nacht hatte Yasmina einen Traum: Sie sah ein großes weißes Schiff. Sie stand an der Reling, zusammen mit Moritz und Joëlle. Unter ihnen, am Hafen, stand Victor und winkte, während das Schiff sich langsam vom Kai entfernte. Er lächelte ihnen zu. Er war einverstanden. Der Himmel war blau, weiße Wolken zogen übers Meer, und die Sonne schien warm. Als Yasmina aufwachte und sich an den Traum erinnerte, weckte sie Moritz und sagte: »*Mektoub*. Ich weiß wieder, was geschrieben steht.«

Als sie Albert von ihrem Traum berichtete, dachte er lange darüber nach, ohne ein Wort zu sagen. Und dann erzählte er ihr von seinem Traum in dieser Nacht: Er irrte durch die Gassen von Piccola Sicilia, die plötzlich neue Namen trugen. Er suchte seine Patienten, klopfte an die Häuser und fand niemanden. Keiner hieß mehr Emile, Isaaco oder Raphael. In den Synagogen liefen die Ratten herum, auch die Kirchenglocken waren verstummt, nur noch der Ruf des Muezzin hallte zwischen den Häusern. *Wo sind die Juden?*, fragte er einen kleinen Jungen, der alleine Fußball spielte. *Sie sind alle fort*, antwortete er achselzuckend. Albert lief zum jüdischen Friedhof von Tunis, um seine Patienten zu suchen, seine Freunde und Verwandten. Aber die Gräber waren wild überwuchert, die Steine zerbrochen, die Namen verblasst und nicht mehr als eine Erinnerung. Zwischen den Bäumen sah er Rabbi Jacob, der ihm entgegenlief und rief: *Albert! Bleib hier! Ich will euch nicht verlieren, ihr seid meine Kinder! Wir leben doch gut mit den anderen!* Aber seine Kinder waren auf die Schiffe gestiegen und hatten sich dem Meer anvertraut. *Wir gehen nach Hause,* hatten sie gesagt. Und als sie dort ankamen, breiteten sie eine Kuhhaut aus, um darauf ihr Haus zu errichten, wie Königin Dido. Was dann geschah, war das Ende einer Welt, die Albert geliebt hatte. Die Welt von Piccola Sicilia.

52

Albert schickte ein zweites Telegramm an Mimi. Er brauchte Stunden, um die richtigen Worte zu finden, und wusste doch, dass es immer die falschen wären. Er bat sie inständig, ihren Kindern zu verzeihen, die Vergangenheit ruhen zu lassen und nach Rom zu kommen. Zur Hochzeit. Nur einen Tag später erhielt er ihre Antwort. Er las sie Yasmina nicht wörtlich vor, um sie nicht zu schockieren. Aber Yasmina hatte nichts anderes erwartet. Und wenn sie ehrlich war, wollte sie auch nicht, dass Mimi dabei war. Es hätte ja doch nur *sfortuna* gebracht.

Albert war niedergeschlagen, aber entschlossen, die Hochzeit dennoch zu feiern. Doch es gab noch etwas anderes, das er Yasmina verschwieg. Er wartete auf eine Gelegenheit, um es Moritz unter vier Augen zu sagen, und fand sie, als sie bei der Essensausgabe anstanden.

»In Tunis ist ein Brief angekommen. Adressiert an Moritz Reincke, *Ciné Théâtre, Avenue de Carthage.* Man hat ihn Mimi gebracht.«

Moritz erschrak. »Steht ein Absender drauf?«

»Ja. Eine Signora Fanny Zimmermann aus Berlin.«

Albert blickte diskret weg. Moritz war elektrisiert. Das Erste, was er empfand, war Freude. Fanny hatte überlebt! Sie hatte seinen Brief gelesen! Aber dann packte ihn ein Schuldgefühl.

»Ändert das etwas an Ihrer Entscheidung?«, fragte Albert. Er siezte ihn immer noch.

»Hat Mimi ihn geöffnet? Hat sie gesagt, was drinsteht?«

»Maurice! *Tranquillo!* Mimi würde das nie tun. Außerdem versteht sie kein Deutsch. Sie wird ihn hierher nachsenden.«

Moritz erzählte Yasmina nicht von dem Brief. Er wanderte allein durch das Studiogelände und dachte unruhig nach. Im Geiste spielte er alle Möglichkeiten durch: dass sie sich über sein Überleben freute. Dass sie ihm sein Schweigen nicht verziehen hatte. Dass sie ihn immer noch liebte und sehnsüchtig erwartete. Dass sie einen anderen Mann gefunden hatte. Dass sie gesund oder verletzt war. Dass ihre Eltern lebten oder im Bombenhagel gestorben waren. Und wie er es drehte und wendete, am Ende kam immer das Gleiche heraus: Es änderte nichts an seiner Liebe zu Yasmina. Ja, seine Gefühle für Fanny waren nicht erloschen. Aber sein Herz hatte sich auf eine Weise erweitert, die er damals nie für möglich gehalten hatte.

Erst jetzt, im Rückblick, begriff er den Unterschied zwischen seiner Liebe für Fanny und der für Yasmina. Die eine war eine romantische Liebe gewesen. Sommertage am Wannsee und Sternschnuppennächte, Träume von Zukunft, Briefe übers Meer. Die andere war eine tätige Liebe, konkret und gegenwärtig: Joëlle durch die Mittagshitze tragen, während sie schlief. Für Yasmina da sein, wenn sie verloren war. Sich ganz dem Interesse an ihrem Wesen hingeben, das so anders, so besonders und so liebenswert war. Und deshalb war sie die richtige Frau für ihn, weil er mit ihr nicht von einem möglichen Leben in der Zukunft träumte, sondern weil alles, was er mit ihr teilte, bereits das Leben war. Und bei all den möglichen Versionen des Briefs aus Berlin, die er im Kopf durchspielte, dachte er nur an eine nicht: dass inmitten des allgegenwärtigen Todes ein neues Leben entstanden war.

Nachts, als alle schliefen, stand er leise auf, ging vor die Halle, setzte sich unter eine Laterne und schrieb, mit Herzls Buch als Unterlage, seine Antwort an Fanny, noch bevor ihr Brief ihn erreichen würde. In diesem Moment war er sich noch nicht einmal sicher, ihn vorher abzuschicken. Vielleicht schrieb er ihn auch, um sich im Akt des Schreibens zu versichern, dass seine Entscheidung richtig war. Worte, die einmal auf Papier standen, galten, und das suchte er in diesen Wochen der Wanderung: etwas, das Gültigkeit besaß. Denn nur Entscheidungen würden das Leben wieder voranbringen.

Rom, den 10. September 1945

Liebe Fanny,
ich hoffe, dass mein Brief Dich bei guter Gesundheit erreicht. Ich bin so froh, dass Du lebst! Dein Brief hat Tunis nach meiner Abreise erreicht. Ich bin bereits in Rom. Und auch hier kann ich nicht bleiben. Ich hatte vor, in die Heimat zurückzukehren. Aber ich habe, ohne es zu wollen oder darauf vorbereitet zu sein, eine andere Heimat gefunden. Eine, die im Herzen liegt. Es gibt Momente, in denen man in der Fremde die Orientierung verliert. Und dann gibt es Momente, in denen plötzlich alles klar erscheint. Was vorher noch fremd war, ist plötzlich vertraut, und was vorher vertraut war, ist nun fremd geworden. Liebe Fanny, ich werde heiraten.
Ich weiß, moralisch ist es falsch. Und dennoch sagt mein Herz, dass es richtig ist. Vielleicht gibt es irgendwann einen Ort jenseits von Gut und Böse, an dem wir uns wiedersehen können.

In Liebe
Dein Moritz

In der folgenden Nacht ging er wieder hinaus und setzte sich unter die Laterne. Er las den Brief durch, suchte nach etwas, das er falsch formuliert oder übersehen haben könnte; aber je länger er seine eigenen Worte las, desto sicherer wurde er. Was auch immer Fanny für ihn empfände, es würde seinen Entschluss, Yasmina zu heiraten, nicht ändern. Natürlich hatte er Gewissensbisse, denn er wollte niemanden verletzen. Doch was auch immer er tun würde, er musste eine von beiden verletzen.

Und nichts ist verletzender, als mit dem einen Menschen Bett und Tisch zu teilen, aber im Herzen bei einem anderen zu sein.

Am nächsten Tag ging er zur Poststelle und fragte den Amerikaner, ob ein Brief für ihn gekommen sei.

«No, Sir. But no news is good news.»

Dann reichte er dem Amerikaner seinen Brief an Fanny in Berlin. Der Amerikaner klebte eine Briefmarke darauf und stempelte sie ab. Moritz verließ das Büro mit einem Gefühl der Erleichterung.

Zwei Tage später war Fannys Brief da. Moritz nahm ihn entgegen und setzte sich damit auf die Wartebank. Er erkannte ihre Schrift, erschreckend vertraut, er sah die Briefmarke ohne Hakenkreuz, er schnupperte am Kuvert. Auf seinem langen Weg hatte es seinen Duft verloren und neue Gerüche angenommen. Wenn er den Brief öffnete, würde er es wieder riechen: Berlins Kohleöfen und ein lang vergessenes Parfüm. Doch er ließ den Brief verschlossen. Er zerriss ihn auch nicht. Er legte ihn einfach auf einen Sack voller ungeöffneter Post, Adressat unbekannt, Adressat verzogen. Dort ließ er ihn liegen und ging zur Tür hinaus. Niemand kümmerte sich darum. Seine Entscheidung war kristallklar, das Ergebnis einer bewussten Haltung, so wie Orpheus auf seinem Rückweg aus dem Hades: Er durfte sich nicht umdrehen, sonst würde er, wie seine geliebte Eurydike, die der Versuchung nicht widerstehen konnte, zurück in die Unterwelt gezogen. Er wusste, wenn er diesen Brief öffnete, würde er nicht nur ein Kuvert öffnen, sondern die Tür zu einem Leben, das die Kraft hatte, seine Gegenwart auszulöschen. Sein Ja zu Yasmina und Joëlle. Die beiden waren hier und Fanny nicht, so einfach war das. Er konnte nur in einer der zwei Welten leben. Eine Tür musste er für immer verschließen, und durch die andere musste er gehen. Jetzt. Er wählte die Tür direkt vor seinen Augen.

Im Nachhinein, viele Jahre später, würde er darüber nachdenken, ob das Zünglein an der Waage nicht Joëlle gewesen war. Das vaterlose Mädchen, für das er seit ihrer Geburt Gefühle empfunden hatte, wie nur Väter sie haben: den Wunsch, sie zu beschützen, was auch immer geschehen möge. Dann ging er zu Yasmina und sagte ihr die Wahrheit. Über den Weg von Fannys Brief über das Mittelmeer und zurück, und über seine Antwort. Manche Dinge muss man ruhen lassen, sagte er. Sie liebte ihn dafür.

Am nächsten Tag tauschte er seinen abgetragenen Anzug gegen den Anzug eines Italieners aus Venedig, der noch abgetragener war. Als er ihn Yasmina zeigte, stand sie irritiert vor ihm, in dem kleinen Abteil in der großen Halle, als wäre ein Fremder zur Tür hereinspaziert. Der Anzug war zu klein, er roch anders, er war schwarz. Aber noch mehr störte sie, dass jetzt ein Unbekannter in Victors Anzug herumlief.

»Ich mochte ihn. Er stand dir.«

»Ich möchte, dass du *mich* heiratest.«

Er sagte es mit der gleichen Entschlossenheit, mit der er von dem ungeöffneten Brief berichtet hatte. Es war seine Forderung an sie, mit ihm gleichzuziehen. Die Tür zu dem anderen Leben, das für sie möglich gewesen wäre, für immer zu schließen. Yasmina schwieg und verstand. Sie nahm zärtlich seine Hand, zog ihn zu sich heran und schmiegte sich an ihn, voller Lust und Erwartung. Bevor sie sich küssen konnten, kamen Albert und Joëlle herein, mit einem Stück Brot, etwas Käse und Oliven fürs Abendessen.

53

MARSALA

Ich stelle mir vor: ein ausgebombtes Mietshaus in Berlin. Offene Wände, notdürftig vermauert, ein Betttuch als Vorhang zum Schutz vor den Blicken, die Sonne scheint. Fanny sitzt am Tisch und schält Kartoffeln, ihre kleine Tochter Anita spielt im Schutt mit anderen Kindern und hört die Fahrradklingel des Briefträgers. Er zieht einen Luftpostbrief aus der Tasche. Italienische Briefmarke. Fanny läuft zu ihm, reißt das Kuvert auf, liest den Brief und erstarrt.

»Ist der von Papa?«, fragt Anita.

»Nein«, lügt Fanny.

»Wann kommt Papa?«

»Ich weiß nicht.«

Jetzt spürt die Kleine, dass etwas nicht in Ordnung ist.

»Ist er tot?«, fragt sie zögernd. Ihre Mutter setzt sich auf eine Mauer.

»Nein.«

»Mag er uns nicht mehr?«

Fanny starrt ihre Tochter an und weiß nicht, ob sie ihr die Wahrheit zumuten kann. Dann faltet sie den Brief zusammen und sagt:

»Das darfst du nicht denken. Papa hat uns lieb.«

»Aber warum kommt er dann nicht?«

»Er ist verschollen. In der Wüste.«

Wir stehen auf der Veranda und schauen hinaus auf den nassen Strand. Der Horizont ist verschwunden; Meer und Wolken verschwimmen zu einem einzigen Grau. Jetzt begreife ich, warum das Rote Kreuz nie eine Vermisstensuche begonnen hat. Meine Großmutter hat meiner Mutter erzählt, sie hätte einen Antrag gestellt; aber in Wahrheit hat sie das nie getan. Warum auch. Sie wusste ja, dass er lebt. Bei einer anderen Frau.

»Ihr könnt deiner Großmutter dankbar sein«, sagt Joëlle. »Was hätte deine Mutter gedacht, wenn sie die Wahrheit erfahren hätte? Dass ihr Vater sie allein lässt, weil er eine bessere Familie gefunden hat? Weil sie nicht gut genug war?«

Ich starre in den Regen und sehe meine Großmutter zum ersten Mal in einem anderen Licht. Die stille Größe dieser kleinen Frau. Der Rest von Würde, die sie uns mit ihrer Lüge bewahrt hat.

»Was hätte Moritz getan, wenn er gewusst hätte, dass er Vater war?«, frage ich.

»Ich glaube, er wäre zurückgefahren. Er war sehr pflichtbewusst.«

Ich stelle mir vor, wie unser Leben verlaufen wäre, wenn er nach Hause gekommen wäre. Sie wären eine ganz normale Familie gewesen, in der Biederkeit der Nachkriegszeit. Er hätte Yasmina vergessen und nie davon gesprochen, was in Piccola Sicilia geschehen war. Lieber hätte er vom Spiegelei auf dem Panzer erzählt. Und vielleicht hätte ich ihn als schlechtgelaunten alten Mann kennengelernt, der es seiner Frau und den Kindern verübelt, dass er sein Leben, das eigentliche, nie gelebt hat. Wäre Fanny dadurch eine glückliche Frau geworden? Vielleicht. Wahrscheinlich aber nicht. Erst als er Fanny betrog, fand Moritz eine Lebendigkeit, die er sich nie vorher zugestanden hatte. Er mischte sich ein, wurde Teil des Lebens, machte sich schuldig. Vielleicht kann man nicht lieben und zugleich unschuldig bleiben. Es gibt keine Entscheidung ohne Konsequenzen, und es gibt keine Liebe ohne Entscheidung.

»Lass uns gehen«, sagt Joëlle.

»Warte! Wo sind sie dann hingegangen?«

»Das ist eine andere Geschichte. Komm, mir ist kalt, und ich hab keine Zigaretten mehr.«

»Erzählst du's mir nicht?«

»Sie haben sich geliebt, wirklich, alle beide, falls du das wissen willst. Und deshalb musst du ihm verzeihen, Schätzchen. Wenn einer etwas aus Liebe tut, trifft ihn keine Schuld. Er muss es tun. Schuldig wird man nur, wenn man nicht aus dem Herzen handelt. Schuldig an sich selbst.«

Als wir in die Lobby zurückkommen, stehen dort die Triebels mit gepackten Koffern und verlorenen Gesichtern. Auch Herr Bovensiepen und Frau von Mitzlaff kommen die Treppe herunter. Alles, was sie gewollt hätten, war eine Erkennungsmarke. Eine siebenstellige, in ein Metallplättchen gestanzte Nummer, die ihnen Gewissheit geben sollte und jetzt irgendwo am Meeresgrund liegt. Was würde es ändern, denke ich, wenn ihr das jetzt als Andenken mitnähmt? Ihr wüsstet immer noch nicht, wer er wirklich war, euer Vater, euer Großvater. Ich dagegen habe einen unsichtbaren Schatz gehoben. Eine Geschichte. Patrice kommt zur Tür herein, nass wie ein Pudel, und beschwört die Angehörigen, noch zu warten; bei besserem Wetter könnte man vielleicht noch einen Tauchgang wagen. Aber er weiß selbst, dass es aussichtslos ist. Es gibt kein Flugzeug mehr. Nur ein weit verstreutes Trümmerfeld.

»Ich hasse Abschiede«, sagt Joëlle und hüllt sich in ihren Pelz, als das Taxi mit den Deutschen wegfährt. »Das ist immer so sentimental. Dabei besteht das ganze Leben aus Abschieden. Ab einem gewissen Alter jedenfalls.«

Sie zwinkert mir zu und zündet sich eine Zigarette an. Patrice kommt zu uns, nimmt sich eine Zigarette von Joëlle und reißt einen Witz. Über sich selbst. Er gefällt mir immer besser.

»Ein bisschen Verzweiflung steht dir gut, weißt du das?«

»Übernachtest du bei mir?«, fragt er zurück.

Ich blicke zu Joëlle. Ich will das Ende der Geschichte hören.

»Geh ruhig zu ihm, Schätzchen«, sagt Joëlle, »der kann jetzt gute Gesellschaft gebrauchen. Und morgen sehen wir uns im Strandbad. *Ça va*, Patrice?«

Er zieht eine sarkastische Grimasse. »Sie sind die Einzige, der es nichts auszumachen scheint, dass wir den Schatz nicht gehoben haben.«

»Oh, ich habe ein viel schöneres Schätzchen gefunden«, sagt sie und wirft mir einen verschmitzten Blick zu. »Außerdem, stellen Sie sich vor, der ganze Streit um den Schmuck! Sie müssten sich mit drei Regierungen herumschlagen und den Erben, also auch mir; und das ist kein Spaß, glauben Sie mir!«

Sie grinst, und zum ersten Mal seit der Katastrophe sehe ich Patrice auch wieder lächeln.

»Es ist wie in der Liebe«, fügt sie hinzu. »Manchmal ist das Fischen spannender als der Fang.«

»Und manchmal wünscht man sich etwas weniger Spannung im Leben«, antwortet er. »Ab einem gewissen Alter jedenfalls.«

Auf dem Schiff erzähle ich Patrice die ganze Geschichte von Moritz und Yasmina. Wir liegen in seiner Kajüte, während der Regen leise aufs Deck trommelt. Unter uns atmet das Meer. Als ich fertig bin, sagt er: »*Putain!* Und wie ging es aus?«

»Ich weiß noch nicht. Und ich hab auch ein bisschen Angst davor.«

»Warum?«

»Der Anfang von Liebesgeschichten ist immer schöner als das Ende. Vielleicht aber will ich nur nicht, dass Joëlle aufhört zu erzählen.«

»Wenn man in der Liebe immer schon das Ende wüsste, finge man gar nicht erst an.«

Wir lächeln uns an, und ich weiß, er denkt in diesem Moment dasselbe wie ich: *Ist das hier schon das Ende oder erst der Anfang?*

»Ich würde gerne mal bei jemandem ankommen«, sagt er. »Und bleiben.«

»Hättest du mir das damals gesagt, wäre ich geschmolzen. Nein, ich hätte dir kein Wort geglaubt.«

Wir lachen.

»Weißt du«, sage ich dann, »ich wollte mein Leben lang nichts anderes. Bei jemandem ankommen. Und bleiben. Als es dann in die Brüche ging, war es das Ende der Welt. Aber jetzt, zum ersten Mal, erlebe ich es als Geschenk, mich frei zu fühlen.«

»Wir könnten jeden Tag so leben, als wäre es der erste«, sagt Patrice.

Er weiß, dass das nicht geht. Ich weiß es auch. Und er weiß, dass ich weiß, dass er es weiß. Aber das ist jetzt unwichtig. Wir küssen und lieben uns, als hätten wir nur diese letzte Nacht. Auf einmal überkommt mich das Gefühl, jemand würde uns dabei zusehen. Ich werfe einen Blick durchs Bullauge, aber da ist nur Wasser, auf dem die Lichter der Stadt tanzen. Ich denke an Yasmina und die zwei Männer ihres Lebens, an die Nacht, in der Joëlle gezeugt wurde, und wie schnell alles vorbei sein kann. Die Kunst ist es, sich leidenschaftlich aufs Leben einzulassen und zugleich nicht daran festzuhalten.

54

MEKTOUB

Am Freitag vor der Hochzeit konnte Yasmina in keine Mikwe gehen, um das rituelle Bad zu nehmen. Aber sie hatten Übung im Improvisieren hier in Cinecittà; sie waren nicht das erste Paar, das hier getraut wurde. Zwei Italienerinnen aus Tripoli, unzertrennliche Schwestern, begleiteten sie in den Hof der Requisitenkammer, wo irgendjemand eine alte Badewanne aus Emaille abgestellt hatte; mit gusseisernen Füßen, voller Risse, aber noch gut genug für Yasmina, um darin zu baden. Sie bauten einen Vorhang aus zerrissenen Bettlaken und brachten heißes Wasser in Töpfen aus der Küche. Irgendwoher trieben sie sogar ein Stück Seife auf.

Die beiden Schwestern hatten große Freude daran, Yasmina zu baden, zu rasieren und mit Gebeten zu bedenken. Wenn sie die Augen schloss, konnte sie sich vorstellen, es wäre die Mikwe von Piccola Sicilia, in der sie sich von der Vergangenheit reinigte. Manchmal, wenn sie die Augen zu lange schloss, sah sie Victor. Als Kind am Strand, Sandkrusten auf der Haut und Sonnenlicht in den Augen. In Uniform auf dem Pier von Piccola Sicilia, als sie ihm von Joëlle erzählte. Und mit einem Kind auf den Schultern im Meer bei Nacht, als eine Welle ihn mitriss, aus der er nie wieder auftauchte. Aber dann öffnete sie die Augen und zwang sich, ihn zu vergessen, so wie der Rabbi es befohlen hatte.

Maurice, murmelte sie, *mein Mann ist Maurice.* Sie brauchte einen Zauber, um die Erinnerung zu bannen. Sie brauchte Augen und Sterne und Blumen auf der Haut. Albert hatte es als rückständig bezeichnet, aber sie bestand darauf, mit Henna geschmückt zur Hochzeit zu gehen. Im Kopf mochte sie Europäerin geworden sein, aber ohne das orientalische Mädchen, das sie einmal gewesen war, war sie nicht ganz. Und Ganzwerden, darum ging es jetzt, nachdem sie die andere Hälfte ihrer Seele im Meer verloren hatte. Henna gab es keines, aber die Schwestern aus Tripoli besorgten Tinte aus dem Postbüro und eine schwarze Feder, mit der sie Yasminas Hände, Arme und Füße beschrieben, mit Zeichen aus einer Zeit vor der Zeit, einem Zauber, der sie vor dem Bösen schützen würde.

Währenddessen, am selben Nachmittag, geschah etwas Merkwürdiges. Moritz fastete, wie die Tradition es verlangte. Es war ihm verboten, Yasmina zu sehen, also streunte er in den Kulissen herum. Das alte Rom, kaputte Säulen und Statuen.

»*Sigaretta?*«

Moritz fuhr herum. Zwischen zwei kopflosen Göttern aus Pappmaché saß ein Mann in Schwarz. Er rauchte und hielt Moritz ein offenes Päckchen Zigaretten entgegen. Moritz ging zu ihm, nicht weil er rauchen wollte, sondern weil dieser Mann eine undefinierbare Gefahr ausstrahlte und er sich nicht mit ihm anlegen wollte, indem er ihn abwies. Es war eine der Gestalten, denen man von weitem ansah, dass sie alleine hier waren. Er schien ungefähr Moritz' Alter zu haben, aber aus der Nähe sah er zehn Jahre älter aus. Seine Zähne waren gelb, seine Hände voller Schorf, er stank nach Fusel. Moritz spürte einen Widerwillen, die Zigarette zu nehmen, aber da der Mann darauf bestand, zog er eine heraus.

»Woher kommst du?«, sagte der Mann auf Italienisch. Moritz hörte den deutschen Akzent sofort heraus.

»Aus Tunesien«, antwortete er auf Italienisch.

Der Mann zündete ihm die Zigarette an. Dann reichte er Moritz die Hand und sagte: »Ich heiße Moritz.«

Moritz erschrak so sehr, dass er vergaß, ihm die Hand zu geben. Normalerweise empfindet man beim Klang seines eigenen Namens etwas Vertrautes, ein Echo aus einer guten Zeit. Aber er empfand Fremdheit. Moritz war tot. Verbrannt mit dem Reich, das ihn geformt, ausgespien und vergessen hatte.

»Was ist?«, blaffte der Mann. Moritz riss sich zusammen und reichte ihm die Hand.

»Ist es mein Akzent? Keine Angst«, sagte der Mann, der sich Moritz nannte, »ich bin zwar Deutscher, aber Halbjude.« Er hustete hässlich und grinste. »Nur eine Hälfte hat überlebt, aber niemand weiß, welche. Und du, wie heisst du?«

»Victor«, log Moritz. Der erste Name, der ihm einfiel. Es interessierte den Mann nicht. Er suchte Gesellschaft; das war es, was er wollte.

»Vielleicht bin ich auch nur Vierteljude«, grunzte er. »Niemand kennt sich da aus in meiner Familie, und jetzt kann ich sie nicht mehr fragen. Wir waren Kommunisten, verstehst du, nicht Halbkommunisten, sondern ganze. Sie sind alle ins Gas gegangen.«

»Das tut mir leid«, sagte Moritz. Er wollte weg. Die Hälfte der Zigarette musste er noch rauchen.

»Ich hatte Glück«, sagte der Mann, der sich Moritz nannte, »unverschämtes Glück; ich konnte in die Schweiz fliehen, gerade noch rechtzeitig. Ich hab im Stroh geschlafen, zwischen den Schweinen. Ich hab mehr Mist geschaufelt, als hunderttausend Kühe scheißen können, aber ich kriegte zu essen. Und wie's vorbei war, bin ich abgehauen, nach Süden, auf Bergpfaden, mit den anderen Verlumpten. Über Mailand kamen wir, und mit dem nächsten Schiff fahr ich nach Amerika. Argentinien, vielleicht mache ich eine Farm auf. Deutschland ist verbrannt für mich. Kein Jude kann nach Deutschland zurückkehren, weder die halben noch die ganzen. Das Land ist verflucht, die Toten werden den Lebenden keine Ruhe lassen.«

Moritz lief ein Schauer über den Rücken. Plötzlich spürte er, dass auch für ihn der Weg nach Hause verbaut war. Nicht weil er jetzt Maurice, der Jude, geworden war. Sondern weil der Verrat, den der Nationalsozialismus an seinem Deutschland begangen hatte, so tief war, dass es die Grundfeste seiner Seele erschütterte. Wie könnte er nach allem, was geschehen war, wieder zur Tagesordnung übergehen? Er spürte einen geradezu körperlichen Ekel davor, wieder in die alte deutsche Haut zu schlüpfen. Nein, es gab keinen Weg zurück, nur viele Wege nach vorn.

»Danke, Moritz«, sagte er, »gute Reise.« Er warf die Zigarette auf den Boden, trat sie aus und ging.

Als er in die Halle zurückkam, entschied er sich, entgegen der Tradition seinen Bart abzurasieren. Er verspürte das dringende Bedürfnis, sich zu reinigen, alles Alte abzustreifen, um unbelastet in die Ehe zu gehen. Als er sich in dem kleinen Spiegel beobachtete, staunte er über den Unbekannten, der dort langsam erschien, um Jahre verjüngt, aber doch ganz anders als früher: Reifer. Abgeklärter.

Bei Sonnenuntergang verließ er mit Albert die Halle. Sie suchten sich einen stillen Platz unter einer Pinie. Albert legte den Gebetsschal um Moritz' Kopf und half ihm, die Amida zu sprechen. Das Gebet der achtzehn Bitten, in dem er seine Sünden bekennen und um Vergebung bitten würde. Er las es auf Hebräisch vor und übersetzte es, Satz für Satz. Alte Worte, die Moritz erst fremd vorkamen, dann immer vertrauter, die ihn zurücktrugen zu Alberts Haus in der Rue de la Poste, zum Familientisch am Shabbat, dem Duft von frischem Brot und Kaffee mit Kardamom, den Klängen einer Fremde, die ihm Heimat geworden war. Er schloss die Augen und sprach die Worte gemeinsam mit Albert, bis sich der Nachthimmel schützend über Cinecittà legte. *Nach deiner Stadt Jerusalem kehre zurück, o Herr, wohne in ihr, wie du gesprochen hast, erbaue sie bald in unseren Tagen als ewigen Bau.*

In dieser Nacht durfte er seine Braut nicht sehen; deshalb schlief er draußen auf der Wiese. Es war eine der letzten warmen Nächte des Jahres. Seine Gedanken wanderten weit, und er erinnerte sich an das Rilke-Gedicht aus seiner Kindheit.

Wer jetzt kein Haus hat, baut sich keines mehr.

Dann dachte er an Fanny. Ob sie jetzt auch unter offenem Himmel schlief. Dass er sie verraten hatte. Und dass er es wieder tun würde, aus Liebe zu Yasmina.

Als er Yasmina dann sah, am nächsten Tag, bekam er zum ersten und einzigen Mal Angst, die falsche Entscheidung getroffen zu haben. Ringsherum standen römische Statuen unter freiem Himmel, die traurigen Reste einer Villa aus Pappmaché, und die Zikaden zirpten wie verrückt. Alles war, wie Albert es ihm angekündigt hatte – ihr von einem Schleier verhülltes Gesicht, der Brauthimmel, den vier Männer trugen, und der Wein, den der Rabbi reichte. Aber jetzt, als es tatsächlich geschah, kam Moritz sich vor wie ein Statist in einem Film, den jemand anderer inszenierte. Tatsächlich war der ganze Zinnober aus alten Requisiten zusammengeschustert; der pompöse Baldachin schien sich aus dem alten Rom hierher verirrt zu haben, Yasminas üppiges Brautkleid hatten sie im Kostümfundus entdeckt, und die Hochzeitsgäste waren Fremde aus aller Herren Länder, die schwarze Hüte trugen und ihm Worte zuriefen, die er nicht verstand.

Auch Albert, zu dem Moritz hilfesuchend blickte, schien sich nicht ganz wohl in seiner Haut zu fühlen, hatte er dem Rabbi doch eingeschärft, dass er einen modernen Ritus wünschte, ohne viel Firlefanz. Selbst Yasmina, die Hochzeiten liebte und alle Rituale auswendig kannte, kam ins Stolpern, als der Rabbi sie um den Bräutigam herumführte. Erst weigerte sie sich, doch dann ließ sie es geschehen, um kein Aufsehen zu erregen. Das Ritual aus dem Osten für eine Frau aus dem Süden, in einem Niemandsland zwischen einem Leben, das vorbei war, und einem anderen, das noch nicht begonnen hatte.

Moritz schwitzte in seinem schlecht sitzenden Anzug unter der Sonne. Das Schlimmste war, dass er Yasminas Gesicht nicht sehen konnte. Schließlich war sie sein einziger Fixpunkt in diesem fremdartigen Wachtraum; für *sie* träumte er ihn, für sie und Joëlle, die an Alberts Hand verzaubert zusah und besser als alle anderen wusste, dass das, was gerade geschah, gut war. Moritz suchte Joëlles Blickkontakt, verlor sie aus den Augen, und als er sie wieder fand und sie ihm zulächelte, wusste er, dass seine Entscheidung richtig gewesen war. Er liebte sie, daran bestand kein Zweifel, er liebte sie beide, und er wollte den Rest seines Lebens dafür sorgen, dass es ihnen gutging.

Vielleicht war die leise Panik, die in ihm aufstieg, nicht die Angst vor der falschen Entscheidung, sondern die Angst, aufzufliegen, nicht die richtigen Worte zu sagen, eine falsche Geste zu machen – den Ring an den Zeigefinger stecken, Maurice, an den Zeigefinger! – und damit enttarnt zu werden. Ausgerechnet vor den Augen derer, denen gegenüber er die größte Schuld empfand. Als Wehrmachtssoldat entblößt, als Scharlatan entzaubert, zur öffentlichen Hinrichtung preisgegeben. Wer könnte es ihnen verübeln, wenn sie ihn hassten, einfach nur weil er Deutscher war? Doch selbst als er sich bei den hebräischen Formeln verhaspelte, schien niemand Verdacht zu schöpfen, war es doch niemandes Muttersprache. Dann reichte der Rabbi ihm das Glas mit Wein, damit er seiner Braut daraus zu trinken gebe. In diesem Moment, als er ihren Schleier hob und endlich ihre Augen erblickte, die ihn fest und erwartungsvoll ansahen, vergaß er die anderen, vergaß seine Angst, war einfach nur da, jetzt, mit ihr, während ringsherum die Zeit stehenblieb. Niemand anderes schien sich mehr zu bewegen, alles an der Peripherie ihres Gesichtsfeldes verschwand. Die Sekunden dehnten sich, wurden zu Minuten, Stunden, Tagen, wie ein weites Feld, über das die Jahreszeiten zogen. Ein ganzes Leben spiegelte sich in ihren Augen. In diesem Moment gab es nichts, was sie trennte: Sie waren zwei verlorene Scherben einer einzigen Seele, die sich endlich wiedergefunden hatten.

»Der Wein! Maurice! Gib ihr den Wein zu trinken!«

Erst als die anderen über ihn lachten, wachte Moritz aus seiner Trance aus, erinnerte sich an den Kelch in seiner Hand und führte ihn an Yasminas Lippen. Sie umfasste ihn zärtlich mit beiden Händen und trank daraus mit halb geschlossenen Augen, während sie den Rabbi einen Segensspruch murmeln hörte und langsam wieder begann, alle anderen wahrzunehmen: Albert und Joëlle und all die Fremden, die heute ihre Verwandten waren und morgen schon wieder vergessen sein würden, wenn sie die Zwischenwelt des Camps verließen. Und wo auch immer sie mit Moritz leben sollte, dort wäre sie nicht mehr allein mit ihrer Liebe, die endlich erwidert wurde. Sie würde eine Frau wie alle anderen sein, mit einem Mann und einem Heim, in dem sie selbst bestimmte, wer es betreten durfte und wer nicht. Und sie würde nie mehr dorthin zurückkehren müssen, wo man sie verachtet und beschimpft hatte.

Sie empfing den Ring, den Moritz ihr an den Zeigefinger steckte, sie hörte den Rabbi die *Ketubba* vorlesen und fühlte sich wie ein reich beschenktes Kind, das jetzt zur erwachsenen Frau wurde. Mit diesem Vertrag betraten sie ein Land, in dem die Liebe nicht dem Auf und Ab der Gefühle ausgesetzt war, sondern auf dem Fundament eines heiligen Versprechens ruhte, wo sie Wurzeln schlagen und wachsen durfte, wo ihr Mann – so sprach der Rabbi – sie ehren, kleiden, ernähren und für ihre ehelichen Bedürfnisse sorgen würde. Die Morgengabe aus dem Hause ihres Vaters würde er noch verdoppeln. So stand es nun schwarz auf weiß geschrieben, *mektoub*. Dabei wussten sie alle drei, dass

Albert die Summe, die im Vertrag stand, nicht bezahlen konnte, ebensowenig wie Moritz sie verdoppeln konnte, dass Yasmina im Falle einer Scheidung also leer ausgehen würde. Aber all das war nicht wichtig, da sie einander vertrauten.

»Das Glas, Maurice, worauf wartest du?«

Alle Augen richteten sich auf ihn. Er sah das Weinglas vor seinen Füßen liegen, vom Rabbi in ein Tuch gewickelt, und sprang darauf. Es zerbrach, und nach einer Sekunde der Stille begann jemand hinter ihm zu singen, andere klatschten, ein Geiger und ein Akkordeonspieler stiegen ein. Yasmina und Albert verstanden das jiddische Lied nicht, im Gegensatz zu Moritz, der einige Wörter aufschnappte, die dem Deutschen ähnelten.

Es begann schnell, wurde noch schneller und steigerte sich zu einem irrwitzigen Tempo, das alle anfeuerte, wie entfesselt zu tanzen. Joëlle lief auf ihre Mutter zu, Yasmina fasste ihre Hände und tanzte mit ihr, mitgerissen von der Freude, die sich ringsherum entlud, zwischen Menschen, die sich kaum kannten, an diesem merkwürdigen Ort – aber was zählte das alles gegen ihr Glück, am Leben zu sein.

Moritz stand erst wie benommen da und sah den anderen zu, doch dann riss Yasmina ihn lachend mit, und er begann mit ihr zu tanzen, während alle anderen sie umkreisten. Joëlle lief zu Albert und zog ihn in den Kreis, bis auch er von der Musik mitgerissen wurde und mittanzte, als hätte sein Körper nie vergessen, was es bedeutete, jung zu sein, alles noch vor sich zu haben und darauf zu vertrauen, dass alles schon gutgehen würde. Nichts war gutgegangen für ihn, seit das Unglück sein Land befallen hatte, aber jetzt war er zum ersten Mal seit langem wieder ein Vater, der glücklich über sein Kind sein durfte. Yasmina tanzte wie damals auf den arabischen Hochzeiten. Sie vergaß, wie sie hierhergekommen war und dass sie nicht wusste, wie es weitergehen sollte. Sie tanzte, als wäre Moritz der einzige Mann in ihrem Leben, auch wenn sie wusste, dass sie ihn nie so lieben würde wie Victor. Moritz wusste das ebenso und liebte sie dennoch, und dafür liebte sie ihn. Und noch mehr als das: Sie liebte ihn, weil er bereit war, sich für sie zu verändern, so weit, dass er tatsächlich ein neuer Mann wurde. Sie zog ihn beim Tanz zu sich, küsste ihn und flüsterte ihm ins Ohr: »Du tanzt, als wärst du nie ein anderer gewesen. *Ti amo!*«

Tatsächlich tanzte Moritz, als würde alles, was er nicht mehr war, von ihm abfallen. Er spürte seine Muskeln, die schmerzten, und das Glück, das durch seine Adern rauschte. Er war wieder ganz und gar sichtbar. Jetzt begriff er, dass er nicht erst jetzt, sondern schon seit frühester Kindheit beschlossen hatte, unsichtbar zu sein. Etwas in ihm hatte damals entschieden, dass es besser wäre, sich nicht zu zeigen, sich aus der Welt zurückzuziehen. Die Kunst, der Strafe auszuweichen und Lob für Gehorsam zu bekommen. Ein Leben ohne Schläge. Und der Preis war ein Leben ohne Selbst. Diesen Weg hatte nicht nur er gewählt, sondern sein ganzes Land. In Wahrheit, das erkannte er nun, lebt jede Diktatur nicht von der Stärke des Führers, sondern der Schwäche seines Volkes. Die Deutschen waren keine Herrenrasse, sondern ein Volk von Untertanen.

Und diese anderen Menschen, die ihn hier umringten, drückten ungehemmt ihre Freude aus, einfach nur zu leben, ohne Sklaven oder Herren zu sein. Eine Welle des Glücks breitete sich unter ihnen aus. Man hatte sie für das, was sie waren, töten wollen. Aber das, was sie waren, war nicht unterzukriegen. Sie hatten alles verloren, aber sich selbst gerettet. Jetzt wusste Moritz, wer er wirklich war und zu wem er gehörte; *das* war tatsächlich sein Volk, und er war einer von ihnen, dieser Schar von Heimatlosen im Transit.

Er wusste, wer *sein* Pharao gewesen war, und er wusste, was es bedeutet, ein Sklave in der Fremde zu sein, selbst wenn es der eigene Staat war, der seine Untertanen versklavte. Und er hatte es geschafft, sich zu befreien, indem er sein Ich so klein gemacht hatte, dass er ungesehen durchs Netz schlüpfen konnte. Eine tiefe Dankbarkeit durchströmte ihn. Er war entkommen und von einer Gemeinschaft aufgenommen worden, die sich nicht auf die gemeinsame Hautfarbe berief, sondern auf gemeinsame Werte. Die nicht fragte, woher er kam, sondern nur, wohin er gehen wollte. Nur, wo sein Gelobtes Land war, das wusste er nicht.

Er war überrascht, als er sich im Spiegel sah. Eine Requisite mit goldenem Rahmen, die jemand in die Kulissen gestellt hatte. Er warf das Bild eines glücklichen Mannes zurück, der tanzte, wie Moritz noch nie getanzt hatte.

Salve, Maurice, sagte er zu seinem Spiegelbild. *Danke für mein Leben.*

Und dann stieg plötzlich wieder die Panik in ihm auf, die er schon fast vergessen hatte. Schlagartig wurde ihm bewusst, wovor er sich wirklich fürchtete: sich zu verlieren. So sehr Maurice zu sein, dass er Moritz vergaß. Als hätte seine Seele sich vom Körper gelöst und könnte den Weg zurück nicht mehr finden. Yasmina spürte seine Verwirrung und strich ihm liebevoll über die Wange.

»*Amore, tutto bene?*«

»*Sì.*«

Ihre Berührung tat gut, sie zog ihn zurück in seinen Körper. Er fasste ihre Hand und hielt sie fest. Er sah sie an und wusste nicht mehr, ob es in Wahrheit nicht Yasmina war, an die er sich verlor, an ihr Lachen und ihre Traurigkeit, ihr grenzenlos geöffnetes Herz, ihre Selbstvergessenheit im Tanz. Vielleicht liebte er sie, weil sie in dieser Welt genauso verloren war wie er.

»Spielen Sie Youkali«, rief Yasmina dem Akkordeonisten zu. Er kannte es. Er spielte es. Und Yasmina sang dazu.

Youkali,
C'est le pays de nos désirs
Youkali,

C'est le bonheur, c'est le plaisir
Youkali,
C'est la terre où l'on quitte tous les soucis
C'est dans notre nuit
Comme une éclaircie
L'étoile qu'on suit
C'est Youkali.

Alle blieben stehen und lauschten ihrer Stimme, die erst so zart und zerbrechlich wirkte wie ihr Körper, aber dann immer mehr an Sicherheit gewann. Auch Moritz war völlig verzaubert. Er hatte sie noch nie singen gehört. Tatsächlich hatte sie sich nie getraut, vor anderen zu singen, immer nur in der Heimlichkeit ihres Zimmers, zu den Schellackplatten ihres großen Bruders. Und jetzt schien es, als strahlte Victors Stimme durch ihre hindurch und erhellte die Nacht. Als wäre er nie gestorben. Sie sang für ihn, und auf einmal war er mitten unter ihnen. Albert wischte sich erschüttert eine Träne aus dem Gesicht. Dann sangen die mit, die Französisch sprachen. Für sie war Youkali, die Insel des Glücks, keine Erinnerung, sondern ein Versprechen. Als Yasmina das Lied beendete, kam Albert zu ihr und umarmte sie. Er musste nicht sagen, was er dachte; sie wusste es. Sie hatte ihn zurückgebracht, für einen kurzen Augenblick nur, aber das genügte, um Albert spüren zu lassen, dass sein Sohn nicht verloren, sondern nur ein Lied entfernt war.

»Warum ist der Papà traurig?«, fragte Joëlle.

»Nein, er ist glücklich. Weil wir jetzt eine Familie sind«, sagte Moritz. »Ab heute ist er dein Großvater, und ich bin dein Papà.«

Joëlle sah ihn mit großen Augen an. Es würde eine Weile dauern, bis sie das alles begreifen konnte. Er küsste sie zärtlich auf die Stirn.

Albert brachte einen frischen Fisch aus der Lagerküche. Yasmina hatte darauf bestanden – *Kouss El Houta*, das Ritual, das jede jüdische Hochzeit in Piccola Sicilia krönte. Sie bekam ein scharfes Messer, Moritz ein stumpfes, und auf ein Kommando begannen sie beide, den Fisch aufzuschneiden, er vom Kopf und sie vom Schwanz her. Und wie es die Tradition wollte, hatte Albert ein Stück Holz in das Kopfende gesteckt. Wer zuerst mit seiner Hälfte fertig war, so hieß es, würde zu Hause die Hosen anhaben. Die Osteuropäer schauten amüsiert zu, wie Moritz sich verzweifelt abmühte, als Yasmina schon längst fertig war. Es gab keine Braut in Piccola Sicilia, die dieses Spiel verlor, und auch die Männer akzeptierten, dass die Frauen im Haus und die Männer auf der Straße das Sagen hatten. Yasmina hielt den Fischschwanz in die Höhe, lachte und warf Moritz einen Kuss zu.

Dann kam Albert zu ihm, legte seinen linken Arm um seine Schultern und flüsterte ihm ins Ohr: »Danke, Maurice.«

»Danke, Albert.«

Sie hielten sich lange fest, wissend, dass mit diesem Tag nicht nur eine Verbindung geschlossen, sondern auch ein Abschied besiegelt wurde. Yasmina brachte den Fisch in die Lagerküche, wo er gegrillt wurde, so dass zumindest die Brautleute heute etwas anderes zu essen bekamen als das, was die Lagerküche ausspuckte. *Pasta e fagioli* und ein Stück Brot, das war alles, was es gab, Nudeln mit Bohnen. Aber heute schmeckte es wie ein Festmahl, denn beim Essen zählten sie all die Gerichte auf, die es in ihren Ländern zur Hochzeit gab, und mit ein bisschen Phantasie und etwas Wein konnte man aus der Bohnenpampe auf den Blechtellern den Gefilten Fisch aus Krakau herausschmecken, mit roter Bete und Zwiebeln, die scharfen Merguez-Würste aus Marrakesch und den Riso Persiano, den die Jüdinnen aus Isfahan nach Italien gebracht hatten, mit Safran, Mandeln und Rosinen.

Lange, nachdem die Sonne untergegangen und Joëlle erschöpft auf ihrem Schoß eingeschlafen war, flüsterte Yasmina Moritz ins Ohr: »Lass uns ans Meer fahren.«

»Wann?«

»Jetzt.«

»Warum ans Meer?«

»Weil es mir fehlt.«

Ohne seine Antwort abzuwarten, stand sie mit dem Kind im Arm auf und ging hinüber zu Albert, der mit dem Rabbi redete.

»Wir hatten noch keinen *Yichud*«, sagte sie. Die rituelle Viertelstunde, in der das Brautpaar sich nach der Zeremonie zurückzieht. Wo auch in dem überfüllten Lager?

»Pass bitte auf Joëlle auf.«

»Wo wollt ihr hin?«

»Mach dir keine Sorgen, Papà.«

Die Landstraße nach Ostia lag wie ein blaues Band im Mondlicht, und das Fahrrad hatte kein Licht. Ein amerikanischer Soldat hatte es ihnen geliehen. Ihr Brautkleid über die Knie gezogen, saß Yasmina auf der Stange und genoss das Gefühl, zwischen Moritz' Armen geborgen zu sein. Sie waren ganz allein hier draußen, erfüllt von einer stillen Euphorie. Einfach nur unterwegs im Nirgendwo. Gegen Mitternacht kamen sie am Lido di Ostia an. Es war nicht schwer, das Meer zu finden; man roch das Salz und hörte die Brandung. Ein paar Jugendliche waren auf ihren *motorini* unterwegs, eine Bar hatte noch geöffnet, ansonsten war nicht viel los. Die Pinien rauschten im Wind, dahinter begann der Strand. Sie ließen das Fahrrad liegen, zogen die Schuhe aus und gingen barfuß über die Dünen, Hand in Hand wie ein heimlich verliebtes Paar, als hätten sie nicht eben gerade geheiratet.

Die Weite war ungewohnt, keine Mauer versperrte den Blick. Nur ein paar zusammengeklappte Sonnenschirme und eine

Reihe von Umkleidekabinen standen auf dem langen Strand. Eine Holztür klapperte im Wind. Der kühle Sand unter den Füßen und die Wärme der anderen Hand. Sie liefen bis ans Wasser, wo Yasmina ihr Brautkleid hob und die auslaufenden Wellen um ihre Fußgelenke strömen ließ. Lange standen sie nebeneinander und schauten hinaus. Der Mond legte eine silberne Brücke übers Meer. Als könnte man darüber laufen.

»Es ist dasselbe Meer«, sagte Yasmina. »Aber zu Hause war es eine Grenze. Jetzt ist es ein weites Feld.«

Er zog sie an sich. Ihr Körper in seinen Armen. Seine Lippen suchten die ihren.

»Nicht hier.«

»Niemand sieht uns im Dunkeln. Außerdem, wir sind jetzt verheiratet.«

»Ich hab Angst, Maurice.«

»Vor mir?«

»Vor dem Meer.«

Alle Türen der Umkleidekabinen waren verschlossen, bis auf eine, deren Schloss fehlte. Es dauerte einige Sekunden, bis ihre Augen sich an die Dunkelheit gewöhnt hatten. Es gab nur ein Lüftungsgitter, durch das ein Streifen Mondlicht hereinfiel. Sie konnten ihren Atem hören. Das Knarzen der alten Holzdielen unter ihren Füßen. Und die Brandung; ferner, aber gleichmäßig. Sie kannte seine Hände; vom ersten Moment an hatten sie Sicherheit verströmt. Sie würde ihn immer an seinen Händen erkennen. Feine Hände, die wussten, was sie tun, die nie eine unbedachte Bewegung machten. Hände, die unter ihr Brautkleid fuhren und es langsam, aber entschlossen öffneten, bis es an ihren Schultern herabfiel. Ihre Körper im Mondlicht, ihre dunkle Haut auf seiner hellen. Sie schloss die Augen, um ihn besser spüren zu können. Er hielt seine Augen offen, um diesen kostbaren Moment in seiner Erinnerung einzuprägen.

Sie spürte seinen Blick auf ihrem nackten Körper und hielt die Augen geschlossen, denn so fühlte sie keine Scham. Wenn sie es nicht sah, fand kein störender Gedanke einen Spalt, durch den er sie erreichen konnte; so blieb sie eins mit ihrem Körper, so konnte sie sich ganz den warmen Strömen hingeben, die seinen Händen folgten. Nichts an ihm war ungeduldig, nichts war hastig oder atemlos, wie es mit Victor gewesen war. Sie empfing ihn ruhig und voller Vertrauen. Ihre Körper atmeten im gleichmäßigen Rhythmus der Brandung. Yasmina umfasste seinen Kopf mit beiden Händen und zog ihn an sich heran; sie verlor sich in ihm, wurde eins mit ihm. Und plötzlich sah sie ihn, obwohl ihre Augen geschlossen waren, sah seine Augen im Mondlicht, Augen, die auf ihr ruhten, so wie damals, beim allerersten Mal, als ihr Körper Victor liebte, aber ihre Gedanken sich mit seinen trafen. Sie öffnete die Augen, diesmal wirklich. Das Lüftungsgitter über Moritz' Kopf, das Mondlicht auf seinen Haaren. Er bewegte sich weiter in ihr, aber sie hielt den Atem an, als müsste sie ganz leise sein. Als würde jemand sie beobachten.

»Was ist?«, fragte er.

»Da ist jemand.«

Moritz hielt inne und lauschte. Da war niemand. Nur er und sie und das Rauschen des Meeres. Er fuhr ihr liebevoll über das Haar und küsste sie.

»Verzeih mir«, flüsterte sie.

»Soll ich nachsehen?«

»Nein. Mach weiter.« Sie schloss die Augen und hielt ihn fest. Sie musste den Gedanken, der einen Spalt gefunden hatte, wieder aus seinem Kopf vertreiben. Sie küsste und liebkoste ihn, bis er wieder ganz bei ihr war. Ihr Körper entspannte sich. Sie hatte keine Angst mehr, denn sie wusste jetzt, wer sie beobachtete. Es war Victor. Er war immer noch in diesem Meer, dachte sie, denn die Seelen, die zu jung sterben, finden keine Ruhe; sie gehen nicht hinüber zu den Toten, sie lieben das Leben zu sehr. Sie konnte ihn nicht sehen, aber spürte seine Anwesenheit, während Moritz' Küsse an ihrem Hals herunterfuhren, sie hörte ihn in jeder Welle, die heranrollte. Das war jetzt sein Zuhause, dachte sie, für immer in der Brandung. Sie fragte ihn etwas in Gedanken und hörte seine Antwort. Er war einverstanden, dass sie Moritz' Frau geworden war. Er würde sie immer lieben, aber nur aus der Ferne. Er hatte sie immer nur aus der Ferne lieben können.

»Woran denkst du?«, fragte Moritz keuchend. Sie überlegte einen Moment lang, ob sie lügen sollte. Aber sie wollte nicht, dass irgendeine Falschheit zwischen ihnen war. Sie hatte genug von all den Verstellungen.

»An Victor«, sagte sie.

Er hatte es gewusst.

»Lass uns weggehen von hier«, sagte er.

»Wohin?«

»Wo wir alles vergessen können. Wo wir uns neu erfinden.«

»Gut. Wohin du willst. Aber es muss nah am Meer sein.«

55

MARSALA

Du bist nicht verpflichtet, das Werk zu vollenden,
noch bist du frei, von ihm abzulassen.

Talmud, Sprüche der Väter, 2,21

Sie sind hier, denke ich. Hier, in diesem verfallenen Strandbad. Wir hören dasselbe Meer. Joëlle drückt ihre Zigarette aus.

»So, jetzt muss ich zum Flughafen.«

Ich blicke erschrocken auf die Uhr.

»Hast du schon gepackt?«

»Ja.«

Es ist zu früh, denke ich. Warte noch. Die Geschichte ist noch nicht zu Ende. Die von Moritz und Yasmina, aber auch die von uns beiden.

»Wo seid ihr damals hingefahren, nach der Hochzeit?«

»Schätzchen, ich verpasse noch mein Flugzeug. Das ist eine andere Geschichte.«

»Aber du sagtest, er würde noch leben. Wo denn?«

»Wenn ich das wüsste, wäre ich nicht hierhergekommen. Ich hatte gehofft, er würde auftauchen, *mais bon.* Wäre ich in Paris geblieben, hätte ich dich nicht kennengelernt.«

Joëlle lächelt mir zu und legt liebevoll ihre Hand auf meine. Dann, als sei es ihr unangenehm, dass wir uns allzu lange ansehen, steht sie auf. Ich folge ihr über die Veranda auf den Strand. *Au revoir,* altes Strandbad. Nein, *adieu,* altes Strandbad. Wir werden nicht wiederkommen.

»Und wenn wir ihn suchen? Gemeinsam?«

»Maurice ist ein Mann, der nicht gefunden werden will. Er hat seine Spuren so geschickt verwischt, wie es nur einer tut, der abtauchen will. Selbst ein Toter wirbelt mehr Staub auf. Das ist kein Zufall. Das ist er.«

»Aber warum?«

»Der Moritz, mit dem deine Großmutter sich verlobt hat, existiert nicht mehr. Er hat sich aufgelöst, gehäutet, in einen anderen verwandelt. Er schlüpft durch alle Netze, die wir knüpfen. Du kannst ihn nicht finden. Selbst wenn er drüben auf der Piazza vorbeiliefe, würdest du ihn nicht erkennen. Aber er weiß von dir, da bin ich sicher.«

»Wenn ich er wäre ... ich würde uns noch einmal treffen wollen.«

»Er musste einen Schlussstrich ziehen. Das, was er nicht mehr ändern kann, auf sich beruhen lassen. Sonst kann man doch nicht weiterleben. Und das solltest du auch tun. Eines Tages erzähle ich dir mehr. Aber jetzt musst du aufhören, zurückzuschauen. Dein Leben ist jetzt.«

»Also sehen wir uns wieder?«

»Komm mich besuchen.«

»Sehr gerne.«

Wir kommen vor dem Hotel an. Ich will sie umarmen, aber sie geht weiter.

»Ich hasse Abschiede.«

»Fahren wir zusammen zum Flughafen?«

»Natürlich.«

Ich packe meinen Koffer. Ich muss nicht mehr suchen. Etwas hat mich gefunden, das genügt. Moritz bleibt vielleicht für immer im Reich der Verschollenen; vielleicht ist das seine wahre Heimat. Vielleicht macht es in Wahrheit keinen großen Unterschied, ob er lebt oder nicht. Er wird für immer der ruhelose

Geist sein, der durch die Weite meiner Gedanken zieht. Und so, wie man die Toten ruhen lassen soll, muss man manchmal auch die Lebenden ruhen lassen.

Als alle Kleider im Koffer zusammengelegt sind, sehe ich die Scheidungspapiere auf dem Tisch. Ohne sie noch einmal zu lesen, setze ich meine Unterschrift darunter und packe sie ein.

Als ich meinen Koffer hinunterbringe, ist die Lobby leer. Ich gehe in den Frühstücksraum, wo ein Zimmermädchen den Fußboden wischt. Schwarze Locken, schwarze Haare. So könnte Yasmina ausgesehen haben.

»Die Signora ist vor einer halben Stunde mit dem Taxi weggefahren.«

Ich stutze.

»Sicher? Signora Sarfati?«

»Ja.«

»Hat sie keine Nachricht hinterlassen?«

»Nein. Wollen Sie jetzt die Rechnung begleichen? Die *padrona* ist nicht da, aber Sie können bei mir zahlen.«

Ich folge ihr zur Rezeption.

»Sind Sie mit Signora Sarfati befreundet?«

»Ja.«

»Können Sie ihr was mitbringen?«

»Was?«

Sie deutet auf einen in Papier eingehüllten Blumenstrauß, der in einer geschmacklosen Vase auf dem Tresen steht.

»Kam gerade für sie an.«

Ich stutze. Vorsichtig nehme ich die Blumen aus der Vase und löse das Papier. Es sind Rosen, weiße, rote und violette. Der Jasmin, die Granatapfelblüte und die Bougainvillea.

»Wer hat den Strauß gebracht?«

»Ein Blumenbote.«

»Hat er irgendwas dazu gesagt? Einen Brief hinterlassen?«

Das Zimmermädchen schüttelt gelangweilt den Kopf.

»Zahlen Sie bar oder mit Karte?«

Mein Taxi fährt über die leere Straße zum Hafen. Durch die hohen, grauen Wolken überm Meer bricht plötzlich ein Sonnenstahl, fast unwirklich hell. Bevor ich heimfliege, ein letzter Kuss; Patrice wartet auf seinem Schiff. Die Hafenbar, in der ich Joëlle getroffen hatte, zieht vorbei. Fischer stehen davor, zwei Segler, eine junge Familie aus Marsala. Das kleine Mädchen an der Hand ihres Vaters schleckt ein Eis. Als sie mich sieht, winkt sie mir zu. Ich winke zurück. Auf einmal überkommt mich eine Welle der Liebe für die Welt. Ich bin nicht mehr allein, ich bin ein Teil von allem. Ich bin wieder da.

Joëlle geht noch ran, als ich sie anrufe.

»Schätzchen!«, sagt sie, als wäre nichts geschehen.

»Warum bist du schon weggefahren?«

»Ich hab dir doch gesagt: Ich hasse Abschiede.«

Während das Taxi in den Hafen einbiegt, erzähle ich ihr von dem Blumenstrauß. Sie schweigt lange. Ich glaube, ein leises Schluchzen zu hören. Aber es ist nur ein langes großes Lächeln am anderen Ende der Leitung.

»Glaubst du's mir jetzt?«

»Erst, wenn du mir das Ende der Geschichte erzählst.«

Joëlle lacht.

»Wie du siehst, ist diese Geschichte noch lange nicht zu Ende.«

»Wohin seid ihr denn gegangen, damals?«

»Wir sind übers Meer gefahren.«

56

AL MARE

Entweder wir finden einen Weg. Oder wir schaffen einen.

Hannibal

Der Lastwagen hielt im Schutz von Bäumen. Den letzten Weg zum Strand mussten sie zu Fuß gehen. Yasmina hatte die ganze Fahrt über stumm geweint. Obwohl sie ihre Entscheidung nicht bereute, war der Abschied von Albert kein leichter gewesen. Er hatte sie bis zum Lastwagen begleitet, der um Mitternacht losfuhr – nicht am Haupteingang, sondern auf einem Feldweg bei Cinecittà. Dreißig, vierzig Menschen in Wintermänteln mit Rucksäcken, Koffern und Decken auf dem Kopf, still und entschlossen auf dem Weg in eine Heimat, die sie nie gesehen hatten. Die Amerikaner wussten es, aber drückten ein Auge zu. Moritz trug die schlaftrunkene Joëlle auf den Schultern. Sie war nicht das einzige Kind in der Gruppe; eines war gerade erst geboren worden. Am Lastwagen warteten zwei kräftige Männer vom Palmach mit einer Namensliste und wiesen den Leuten ihren Platz auf der Ladefläche zu. Auf einmal ging alles viel zu schnell. Moritz, der Yasmina das Kind nach oben reichte. Albert, der keine Zeit fand, sich von Yasmina zu verabschieden und hastig auf den Lastwagen kletterte, um sie noch einmal zu umarmen, bis der Mann vom Palmach ihn zurückrief.

»Ich werde dich vermissen«, sagte Yasmina zu Albert, »jeden Tag, jede Sekunde.« Er hielt sie fest, ohne etwas antworten zu können. »Ich habe von Victor geträumt«, flüsterte sie. »Er sagte: Jedes Haus wird irgendwann zu klein. Geh deinen Weg.«

»Signor! Wir haben keine Zeit!«

»Er hat recht«, sagte Albert. »Und ich werde dich immer lieben, vergiss das nie.« Er küsste Yasmina auf die Stirn und riss sich los. Moritz half ihm, wieder herunterzuklettern. Albert sah sich verloren um; ein alter Mann in einer Welt, die ihn überholt hatte. Er fasste Moritz am Arm und zog ihn beiseite. Der Fahrer ließ den Motor an.

»Weißt du noch«, sagte er, »was ich dir auf Sizilien gesagt habe? Jetzt musst *du* für sie da sein, wenn sie fällt. Aber du kannst sie nicht vor sich selbst retten. Behandle sie gut, und wenn sie dich enttäuscht, verzeih ihr. Sie wird von ihren Gefühlen überschwemmt wie von einer Welle. Gefühle, die wir nicht kennen und verstehen. Nimm es nicht allzu ernst; es kommt und geht wie Ebbe und Flut. Bleib einfach bei ihr. Halte sie nicht zu fest, aber lass sie niemals los.«

Moritz nickte. Das war ein Versprechen. Dann kletterte er als Letzter auf den Wagen, der Mann vom Palmach zog die Plane zu, und sie fuhren in die Dunkelheit. Durch die Plane zog die feuchte Novemberluft herein. Yasmina griff nach Moritz' Hand.

»Bist du sicher, dass du es auch willst?«, fragte sie.

Er nickte. Es war nicht Moritz, der diese Entscheidung traf. Maurice hatte das Ruder übernommen. In Europa gab es keine Heimat mehr für ihn. Er war im Innersten an einem Ort angekommen, oder besser: einem Nicht-Ort, einem inneren Zustand, der ihn mit all den Menschen vereinte, die zusammengepfercht in diesem alten Lastwagen saßen. Er war ein Baum ohne Wurzeln.

Er wusste nicht, wovon sie in Palästina leben sollten. Ob er jemals wieder Fotos oder Filme machen könnte. Bilder, die die Welt zeigten, wie sie war; nicht, wie sie sein sollte. *Mein Auge ist korrumpiert worden*, dachte er. *Es muss wieder sehen lernen.* Alles, was er wusste, war, dass er radikal mit der Vergangenheit brechen wollte, um einen Neuanfang zu wagen. Und dass er damit nicht allein war. Er musste keine Verbündeten mehr suchen, er hatte sie längst gefunden. Entwurzelt sein, das war auch die Chance, sich von Grund auf neu zu erfinden. An einem Ort, der ihnen nicht gehörte und doch versprochen wurde als Ort der Freude und der Gemeinschaft, ihr Youkali jenseits des Meeres.

Obwohl sie jetzt zurückgerufen wurden, *bleibt doch, bleibt bei uns!,* wollten sie nicht mehr zurück, sondern in das Land, das ihnen einen anderen Namen verleihen würde, das sie alle, woher sie auch kamen, unter einer neuen Flagge vereinen würde. Wenn er sie von dem »neuen Juden« sprechen hörte, der Eretz Israel aufbauen würde, kein Opfer mehr, sondern ein Pionier, dann sah er darin auch das, was mit ihm geschehen war, in dieser unglaublichen Zeit am Rande des Mittelmeers: Er war gestorben und neu geboren, und mit jedem Kilometer, den der Lastwagen sich vom Lager entfernte, wuchs das Gefühl, ein neuer Mensch zu werden.

Taschenlampen wiesen den Weg zum Boot. Lichtfinger in der Nacht, die Rufe der Männer und die hastigen Schritte über den Sand. Ein böiger Wind wehte Regenschauer über den Strand. Alles lief in einer stillen, organisierten Eile ab. An einem Schlauchboot warteten die Männer vom Palmach. Alle liefen in die Brandung. Die kräftigen Matrosen hoben die Frauen und Kinder an Bord.

»Wo ist das Schiff, Mamma?«, fragte Joëlle. Sie zitterte in der Kälte.

»Dort draußen. Wir sehen es noch nicht, aber es ist da.«

Dann schoben die Matrosen das Boot ins Wasser und fuhren hinaus in die Nacht. Tatsächlich tauchte aus dem Regen die schwarze Silhouette eines alten Schoners auf. Nicht weit vom Ufer entfernt ankerte er mit ausgeschalteten Positionslichtern.

Moritz konnte am Bug hebräische Schriftzeichen erkennen. Als sie sich näherten, sahen sie ein zweites Schlauchboot, das bereits längsseits gegangen war und in den hohen Wellen auf und ab taumelte. Matrosen halfen den durchnässten Menschen, über eine Strickleiter an Bord des Schiffes zu klettern. Zuletzt zogen sie das Gepäck in einem großen Netz nach oben. Sie waren vielleicht noch fünf Bootslängen entfernt, als Yasmina Moritz in die Seite stieß.

»Schau mal, dort!«

Moritz blickte hinüber. Es war schwer, etwas zu erkennen, von einem tanzenden Boot zum anderen, zwischen den Köpfen der übrigen Passagiere hindurch. Aber dann sah er es, ganz eindeutig: Am Ruder des anderen Schlauchboots saß der blonde Mann. Victors Todesbote, der ebenso plötzlich erschienen wie abgetaucht war. Er trug eine Matrosenmütze des Palmach. Zwei andere Matrosen kletterten über die Strickleiter zurück ins Boot und ließen sich vom Wind abtreiben, so dass das nächste Boot anlegen konnte. Taue flogen vom Schiff herunter. Alles ging viel zu schnell. Dann sprang Yasmina auf.

»Victor!«, rief sie. Sie verlor das Gleichgewicht und wäre über Bord gestürzt, wenn Moritz sie nicht festgehalten hätte.

»Da ist Victor!«

Moritz starrte ungläubig hinüber zu dem anderen Schlauchboot, das aus den Wellen auf- und wieder abtauchte. Er versuchte, die Gesichter der Matrosen zu erkennen, aber der Regen legte einen Schleier zwischen das andere Boot und ihres, das jetzt gegen die Bordwand des Schiffes stieß. Die Matrosen brüllten, die Passagiere sprangen auf und griffen nach der Strickleiter.

»Victor!«, schrie Yasmina durch die Nacht. Das Boot verschwand im Regen.

»Yasmina, das kann nicht sein!«, rief Moritz.

»Nein, das war er!« Sie sah ihn völlig aufgewühlt an.

»Steig auf die Leiter, los!«

Sie blieb stehen und starrte in die Nacht, auf das Meer. Sie spürte Victors Nähe in jeder Faser ihres Körpers. Ein Gefühl, das sie nie vergessen hatte. Es war nur eingeschlafen gewesen. Aber warum hatte er ihren Ruf nicht gehört? Warum war das Boot nicht umgekehrt?

»Yasmina! Steig auf die Leiter!«

Moritz riss sie herum und führte sie zur Strickleiter. Die Matrosen hielten sie fest und drängten sie zur Eile. Das Boot drohte, an der Bordwand zu kentern. Von oben brüllten sie herunter. Yasmina klammerte sich an die Taue und kletterte wie in Trance nach oben, wo die Matrosen sie an Deck hoben. Moritz band Joëlle mit einem Seil auf seine Brust und stieg hoch. Dann warfen die Matrosen die Strickleiter von Bord, und das Schlauchboot drehte ab. Yasmina stand durchnässt an der Reling und starrte in die Nacht. Die Matrosen hievten den Anker und setzen Segel.

Moritz legte den Arm um Yasmina.

»Du hast es geträumt«, sagte er.

Nein, das war kein Traum, dachte sie. Sie wusste zu unterscheiden zwischen den Bildern der Träume und den Zeichen der äußeren Welt.

»Victor ist tot, Yasmina!«

»Nein. Er lebt.« Sie starrte ihn fassungslos an. Sie liebte Moritz, zweifellos, aber genauso wenig zweifelte sie daran, was sie gesehen hatte. Victor, der jetzt einen Bart trug und eine weiße Matrosenmütze des Palmach. Sie verstand es nur noch nicht. Das alte Schiff legte sich auf die Seite und nahm Fahrt auf. Kein fester Boden mehr unter den Füßen. Keine Leine, die sie mehr hielt. Sie vertrauten sich dem Wind an. Moritz hielt Yasmina fest und starrte auf das aufgewühlte Meer. Ob es die Wahrheit war oder nicht, spielte keine Rolle, solange Yasmina es glaubte. Sie würden nie wieder alleine sein.

FINE

Patrice hat es noch mal versucht. Bei Wind und Regen ist er rausgefahren und runtergetaucht, alleine. Alles, was er gefunden hat, war eine Kiste. Immerhin, eine von sechs. Es gelang ihm, sie aus dem Wasser zu hieven; ein rostiger, aufgerissener Haufen Blech. Leer. Was auch immer darin versteckt gewesen war, jetzt liegt es in Einzelteile verstreut im sandigen Boden. Nach den Winterstürmen wird man nichts mehr davon sehen.

Vielleicht findet irgendwann ein Fischer einen silbernen Ring in seinem Netz. Einen goldenen Armreif. Oder eine von Algen verkrustete Halskette mit einem Davidstern in der Hand der Fatma. Wer weiß. Wer denkt noch an die Menschen, die sie am Körper trugen, an ihr Glück und das Unglück, das übers Meer kam? Wer erinnert sich an Piccola Sicilia; wer glaubt, dass es wirklich existierte? Eines Tages werde ich hinfahren, es ist nicht fern, man kann es fast sehen von hier, vielleicht stehen die Häuser noch, auch wenn die Gassen andere Namen tragen.

Und wenn ich am Straßenrand einen Jasminbaum sehe, werde ich in seinen Schatten treten und meine Augen schließen, und vielleicht höre ich dann, durch den Lärm unserer Zeit, eine leise Klaviermelodie und eine unvergessene Stimme:

Youkali, c'est le pays de nos désirs
Youkali, c'est le bonheur, c'est le plaisir
Youkali, c'est la terre où l'on quitte tous les soucis
C'est dans notre nuit
Comme une éclaircie
L'étoile qu'on suit
C'est Youkali.

DRAMATIS PERSONAE

Berlin:
MORITZ REINCKE
FANNY ZIMMERMANN, Moritz' Verlobte
ANITA ZIMMERMANN, Moritz' Tochter
NINA ZIMMERMANN, Moritz' Enkeltochter
GIANNI SCATÀ, Ninas Exmann

Tunis:
DOTT. ALBERT SARFATI, Mimis Ehemann
MIMI SARFATI, Alberts Ehefrau
VICTOR SARFATI, Alberts und Mimis Sohn
YASMINA SARFATI, Alberts und Mimis Adoptivtochter
JOËLLE SARFATI, Yasminas Tochter
LATIF ABDERRAHMANE, Concierge des Hotel Majestic
KHADIJA ABDERRAHMANE, Latifs Frau
LÉON ATTAL, Kinobesitzer
SYLVETTE ATTAL, Léons Frau

Marsala:
PATRICE LEGRAND, Ninas Studienfreund und Taucher
LAMINE, BENOîT, PHILIPPE, Taucher
HILDEGARD VON MITZLAFF, LUTZ BOVENSIEPEN,
MAX UND JANINA TRIEBEL, Angehörige

Youkali

Übersetzung nach dem Originaltext von Roger Fernay, 1935
Musik: »Tango Habanera« von Kurt Weill, 1934

Bis fast ans Weltenende
treiben mein Schiff die Winde
auf den Wellen hin und her.
Sie führen mich zu einer Insel,
die ist nur winzig klein,
doch dort wohnt eine Fee,
die uns herzlich empfängt
und einlädt, ihr zu folgen.

Youkali, das Land unserer Sehnsucht,
Youkali, das Glück und die Lebenslust,
Youkali, wo wir alle Sorgen vergessen,
ein Lichtstreif in unserer Nacht,
der Stern, der uns den Weg weist,
das ist Youkali.

Youkali, wo alle guten Wünsche wahr werden,
Youkali, wo wir die Liebe teilen,
die Hoffnung im Herzen aller Menschen,
die Befreiung, auf die wir warten,
Youkali, das Land unserer Sehnsucht
Youkali, das Glück und die Lebenslust.

Aber es ist nur ein Traum, nur eine Phantasie,
es gibt kein Youkali!
Aber es ist nur ein Traum, nur eine Phantasie,
es gibt kein Youkali!

Grazie

Ein großes *merci* und *shoukran* an die Menschen, die mich mit ihrer herzlichen Gastfreundschaft in Tunis empfangen, auf meinen Spaziergängen durch die Zeiten begleitet und mir ihre Geschichten erzählt haben, insbesondere:

Jacob Lellouche mit seiner unvergleichlichen jüdisch-tunesisch-mediterranen Koch- und Erzählkunst.

Karim Bey, Direktor und Seele des Hotel Majestic.

Amel Saïd, stellvertretende Direktorin des Goethe-Instituts.

Franz Maget, ehem. Sozialreferent der Deutschen Botschaft.

Battou Hattab, Rektor der jüdischen Grundschule von Tunis.

Meinen Freunden M'hamed, Aïda, Mamous und Hmida Mistaoui.

Den Archives Nationales de Tunisie sowie dem Museo Storico dello Sbarco in Sicilia.

Meinem Großvater Prof. Dr. Otto Speck, für die menschlichen Geschichten aus einer unmenschlichen Zeit und die genaue Durchsicht des Manuskripts.

Lino von Gartzen, München, für den Crashkurs in Unterwasserarchäologie.

Dem wunderbaren Team von S. Fischer für das Vertrauen in meine Vision und das außergewöhnliche Engagement für dieses Buch: Siv Bublitz, Jörg Bong, Julia Schade, Cordelia Borchardt, Thomas Reisch, Verena Wälscher, Kerstin Seydler, Nadine Umlauf und insbesondere meiner Lektorin Susanne Kiesow.

Meiner Agentin Lianne Kolf und ihren Mitarbeiterinnen, die immer treu an meiner Seite stehen.

Julie Grünewald für die klugen und hilfreichen Kommentare.

Und *last but not least* Tony, dem amerikanischen Onkel von Clara Rametta – dafür, dass er seine Bomben lieber über dem Meer als über Messina abgeworfen hat.

Liebe Leserin, lieber Leser,

jedes Ende einer Reise ist der Beginn einer neuen Reise, und in jedem Ende einer Geschichte steckt der Anfang einer neuen Geschichte. Während Sie dieses Buch lesen, schreibe ich bereits an der Fortsetzung, »Jaffa Road«, die erzählt, wie es mit den Protagonisten von »Piccola Sicilia« weitergeht. Der Roman erscheint im Herbst 2020.

Wenn Sie weitere Informationen über meine Romane erhalten wollen, besuchen Sie meine Facebook-Seite »Autor Daniel Speck«, oder senden Sie eine E-Mail mit Ihrem Namen an:

news.danielspeck@fischerverlage.de

Sobald es Neuigkeiten gibt, werden Sie umgehend benachrichtigt.
Ich freue mich auf Ihre Zuschrift!

Herzlich,

Ihr Daniel Speck

Lesen Sie jetzt schon weiter!

Leseprobe aus dem neuen Roman
von Daniel Speck, »Jaffa Road«.

Der Roman erscheint im Herbst 2020.

PROLOG

Später, in Momenten des Zweifels, würde Joëlle sich immer an diesen Morgen erinnern. Das endlose Meer ringsherum und die begrenzende Geborgenheit in seinen Armen. Reines, leuchtendes Glück. Immer wenn sie sich an Papà zu erinnern versuchte, würde sie ihn als diesen jungen Mann im frühen Licht sehen, der mit seiner kleinen Tochter auf dem Arm an der Reling stand. Wie er seinen Hut tiefer zog, damit der Wind ihn nicht fortwehte, wie seine raue, unrasierte Wange sich an ihre schmiegte, wie er auf eine Wolke zeigte und ein springendes Pferd sah. Einen Walfisch. Einen Drachen. Sie liebte ihn wie nur ein Kind lieben kann, grenzenlos. Zwischen ihnen war nichts Falsches, nichts als Liebe und Vertrauen. In Papàs Gegenwart vergaß sie die schwitzenden Körper unter Deck, ihren Gestank und ihre schrecklichen Geräusche in der Nacht, all die unruhigen Träume, die sie übers Meer verfolgten und das Grauen, das sie zu vergessen suchten. Papà sang ein Lied, ganz leise, damit niemand ihn hörte, denn er sang auf deutsch. Joëlle erinnert sich noch genau an den Refrain, *Heimat, deine Sterne, sie strahlen mir auch an fernem Ort.* Sie liebte den Klang dieser Sprache, auch wenn sie kein Wort verstand. Und sie vermochte nicht zwischen dem Wiegen seiner Arme und dem Atem des Meeres unter dem Schiff zu unterscheiden. Aber sie weiß heute noch, wie all diese Geheimnisse, eingebettet in die riesigen Wolkentürme über dem Wasser, sie erregten und zugleich mit tiefer Ruhe erfüllten.

Wenn es ein Vermächtnis gab, das Papà ihr in diesen frühen Jahren geschenkt hatte, dann war es seine Zuversicht. Wenn sie bei ihm war, trug sie das Leben. Alles schien, mitten im Chaos, in eine unerklärliche, unerschütterliche Ordnung eingebunden. Heute, wo ihr diese Sicherheit abhandengekommen ist, fragt sie sich, ob Papà es im Innersten auch so empfunden hat oder nur für sein Kind stark sein musste, während er in Wahrheit genauso verloren war wie alle anderen Seelen auf diesem Schiff. Das Geheimnis des Glücks, hatte er einmal gesagt, ist Dankbarkeit. Es ist nicht wichtig, ob du viel oder wenig besitzt. Entscheidend ist nur, ob du für das, was du hast, dankbar bist. Das Leben ist ein Geschenk, Joëlle, eine Gnade. Es hängt an einem dünnen Faden. Denk nie, du hättest einen Anspruch darauf.

Tatsächlich war es nur Dankbarkeit, die das marode Schiff in ein Haus verwandelte, die enge Koje in ein Bett, und das Land, auf das sie Kurs hielten, in eine Heimat. Keine Ferne machte ihnen Angst, und Hoffnung war alles, was sie besaßen. Jeder sang und träumte in seiner Sprache, und das Meer trug sie. Woher sie das Vertrauen nahmen? Keiner wusste es. Es war die grundlose Heiterkeit der Überlebenden. Jenes Land, das ihnen versprochen worden war, in den *Displaced Persons Camps*, den illegalen Büros und dunklen Gassen, wo sie Geldscheine gegen Geflüster tauschten, hatte keiner von ihnen gesehen. Und dennoch erschien es ihnen nicht als Fremde, sondern als sicherer Hafen, der sie mit offenen Armen empfangen würde. Sie täuschten sich, wie alle, die von einem Ort zum anderen fliehen, doch es war eine süße Täuschung.

»Wie weit fahren wir, Papà?«

»Immer der aufgehenden Sonne entgegen. Bis das Meer aufhört.«

So einfach war das. Wenn es in dieser Welt einen Menschen gibt, auf den sie sich verlassen konnte, dann war es Papà. Er hatte ihr nicht nur die ersten Schritte und Fahrradfahren beigebracht, sondern auch das freie Denken und den Mut zu einem Leben, das niemand bestimmte außer sie selbst. Papà war ein Mann, der nicht viel Worte machte, aber wusste, wohin er ging. Er besaß etwas, das vielen heute fehlt: Gewissen. Ein innerer moralischer Kompass. Wenn er sagte, dass etwas richtig war, war es richtig, und wenn er fand, dass etwas falsch war, war es falsch. Später, wenn Joëlle sich in der Welt verlaufen hatte und nicht weiterwusste, wünschte sie sich, sie könnte ihn nach seinem Rat fragen. Und dennoch hat Papà sie bei der wichtigsten Frage im Leben belogen. Die Frage: Wer bin ich?

»Alle Passagiere unter Deck!«, brüllte ein Matrose hinter ihnen. Im selben Moment sahen sie die Rauchfahne des britischen Zerstörers. Von der Brücke warf der Kapitän, der keine Uniform trug, die Fischereikarten, das Logbuch und das Funkgerät über Bord. Sie hatten keine Waffen, aber sie würden die verhassten Briten mit einem Hagel von Konservenbüchsen begrüßen. Sie würden sich nicht zurückschicken lassen; alle Brücken hinter ihnen waren verbrannt. Nicht weit hinter dem Horizont lag ihr gelobtes Land.

PALERMO

Maurice hatte seinen Tisch für zwei gedeckt. Zwischen den beiden Tellern steht immer noch eine unberührte Schüssel mit Oliven. Der Schuss war draußen gefallen, in seiner Garage. Vorher hatte er noch die Fensterläden geschlossen und die Haustür abgesperrt. Als hätte er sich erschossen, weil er vergeblich auf einen Gast gewartet hatte. Seine Katze streicht mir unruhig um die Beine; niemand hatte sich darum gekümmert, sie zu füttern. Das erste, was ich tue, als ich im Haus meines Großvaters ankomme, ist, nach Katzenfutter zu suchen. Joëlle steht vor seinem Schreibtisch, regungslos, und als sie den Kopf zu mir dreht, ist sie nicht mehr die elegante Dame, als die ich sie kennengelernt hatte. Sondern ein hilfloses, zitterndes Mädchen.

»Warum?«, fragen ihre Augen.

Gestern war die Welt noch in Ordnung gewesen. Eigentlich ist sie ja nie in Ordnung, andauernd zerbricht irgendwo irgendetwas, aber wer will das schon so genau wissen. Ich hatte die Scherben meiner Ehe aufgesammelt, geordnet und beschriftet. Noch passte nichts zusammen, es fehlten Stücke, aber ich hatte gelernt, mich im Unvollständigen einzurichten. Ich hatte die Wohnung umgebaut und schlief die Nächte wieder durch. Unter meinen Füßen trug der Boden, ich begann meine Flügel auszubreiten, und manchmal ertappte ich mich staunend dabei, dass ich schon seit Tagen nicht mehr an die Trennung gedacht hatte. Berlin wurde leicht und vergaß den Winter.

Ich weiß noch genau, wann der Anruf kam, um 9 Uhr 33, denn im selben Moment blieb die U-Bahn im Tunnel stehen, kurz vorm Bahnhof Friedrichstraße, und ich sah auf die Uhr. 0039, Italien. Avvocato Catalano, sagte er, aus Palermo. Er sei der Notar meines Großvaters, Moritz Wolff. Ich unterbrach ihn. Das müsse eine Verwechslung sein, mein Großvater heißt Moritz Reincke. Der Italiener fragte nach meinem Namen. Nina Reincke, ja, korrekt. Ob ich morgen nach Palermo kommen könnte. Unmöglich, erwiderte ich. Die U-Bahn fuhr ruckartig an und ich stand auf, um auszusteigen. Ich wollte das Gespräch schon beenden, da erklärte er, es tue ihm leid, aber er habe mir eine traurige Mitteilung zu machen: Mein Großvater sei vorgestern verstorben. Der Strom der Aussteigenden spuckte mich auf dem Bahnsteig aus. Der Mann am Telefon blieb ruhig, nannte meine Adresse, mein Geburtsdatum und den Geburtsort. So stehe es in seinem Testament, das ihm zur Verwahrung anvertraut wurde. Nach italienischem Recht müsse ich persönlich in Palermo erscheinen, um mein Erbe anzutreten. Ob ich vielleicht auch zur Beerdigung ... Die Menschen drängten sich an mir vorbei, rempelten mich von hinten an, und ich fühlte - nichts.

Oben auf der Straße schnappte ich nach Luft und rief meine Tante Joëlle in Paris an. An ihrer Stimme spürte ich sofort, dass sie es auch wusste. Derselbe Notar hatte sie auch angerufen. Und dann sagte sie mir etwas, das mir den Boden unter den Füßen wegzog.

»Er sagt, es war Selbstmord.«

Ihre Stimme klang gebrochen, untröstlich. Ich fühlte mich betäubt, verwirrt, aber vor allem: betrogen. Der Mann, den wir gemeinsam gesucht hatten, war gestorben, bevor wir ihn finden konnten. Mein Großvater, ihr Vater, der zwei Familien hatte und sich beiden entzogen hatte.

»Nina, ich kann das nicht glauben. Ich kenne ihn doch. Er könnte das nie tun.«

Fakten. In solchen Momenten muss man sich an den Fakten festhalten.

»Wo soll das passiert sein?«

»In Palermo. Er hat dort ein Haus, sagt der Notar.«

»Wie hat er dich ausfindig gemacht, Joëlle?«

»In seinem Testament steht meine Adresse, meine Telefonnummer, kannst du dir das vorstellen, all die Jahre wusste er, wo ich lebe, aber...-«

Mir wurde schwindlig.

»Kommst du, Nina? Bitte. Ich schaff das nicht alleine.«

Ich rief meinen Chef an, packte meinen Koffer, und am nächsten Morgen nahm ich den ersten Flieger, den ich bekommen konnte. Berlin-Rom-Palermo. Das Erbe meines Großvaters: Bisher war alles, was er uns hinterlassen hatte, eine Leerstelle, die nichts als Legenden gebar. Die meine Großmutter zu einer verbitterten Frau und meine Mutter zu einer rastlosen Nomadin gemacht hatte. Nichts war uns geblieben, nicht einmal eine Uniform oder ein Grab, an dem wir ihn besuchen konnten. Nur das Rätsel seiner Abwesenheit, die unser aller Leben bestimmt hat. Der Mann mit den zwei Namen. Moritz, Maurice. Das Chamäleon mit den drei Leben. Eines in meiner Familie. Eines in Joëlles Familie. Und ein drittes, von dem wir beide nichts wussten.

Wie trauert man um einen Angehörigen, den man nie kennengelernt hat? Ich weiß nicht, was ich fühle, nur was ich fühlen *sollte*. Als vor einigen Jahren meine Mutter starb, hatte ich im Geist noch einmal alle Momente durchlebt, die uns verbanden, das Schöne vor allem, präsenter und leuchtender als je, wie ein Film, der noch einmal vor meinem inneren Auge ablief und mein Herz mit Liebe flutete. Es hatte in den Tagen vor ihrem Tod begonnen und hörte auch Wochen und Monate danach nicht auf. Wir hatten zusammengehört, trotz allem, wir hatten das

Leben geteilt, und jede Faser in mir sträubte sich gegen die Einsamkeit. Jetzt, mit Großvater ist es völlig anders: eine bodenlose Leere, die mich überfordert. Das Loch, das sein Verschwinden damals gerissen hatte, als er nicht aus dem Krieg zurückkam, einer von eins komma sieben Millionen Vermissten, weitet sich jetzt aus und droht alles zu verschlucken, wie Treibsand. *Er ist in der Wüste verschollen*, das war alles, was Großmutter über ihn sagte. Die Abwesenden sind mächtiger als die Anwesenden, das hatte ich schon als Kind gelernt, denn unser ruheloser Geist toleriert keine Leere, muss sie mit Hörensagen ausfüllen, auch wenn es Lügen sind; alles ist erträglicher als das Nichts. Über unserer Familie lag der Schatten seines Schweigens. Und gerade als ich aus dem Schatten getreten war, um das Schweigen zu brechen, stürzt die Hoffnung, ihm doch noch zu begegnen, in sich zusammen. Er hat sich wieder entzogen, selbst im Tod, er ist der ewig Rätselhafte, unerreichbar. Jetzt bleibt nur noch der Abschied, aber wie soll ich mich von jemandem verabschieden, der nie da war? Üblicherweise setzt der Tod einen Punkt hinter ein Leben, manchmal auch ein Ausrufezeichen, in tragischen Fällen ein Komma. Maurice aber hinterließ ein Fragezeichen.

Jetzt stehe ich als Fremde in seinem Haus, drinnen ist es kühl, seine Katze streicht mir um die Beine und ich finde das verdammte Futter nicht. Der halb gedeckte Esstisch, das geschlossene Klavier, ein Notenblatt auf dem Ständer, die betretene Stille. Joëlle kommt auf mich zu; sie braucht mich noch mehr als ich sie, als wüsste ich die Antwort auf ihre Frage: *Warum?* Sie umarmt mich und beginnt zu weinen. Ich halte sie und staune, wie leicht es mir fällt, Trost zu spenden, während ich doch selbst verloren bin. Durch die geschlossenen Fensterläden dringt gedämpfter Straßenlärm, die Stimmen von Kindern und von ferne das Meer.

»Ich traue ihm nicht«, flüstert Joëlle mir ins Ohr, plötzlich ganz nüchtern. Ich blicke zu dem Mann, der vor dem Fenster steht, im Garten, und uns beobachtet. Er hat bemerkt, dass wir über ihn reden. Ich fühle mich ertappt, ohne etwas getan zu haben. Als wären Joëlles Worte meine Worte gewesen. Tatsächlich habe auch ich das Gefühl, dass er uns etwas verschweigt.

Der Notar war am Flughafen nicht erschienen, obwohl er versprochen hatte, uns abzuholen. Ich hatte nach ihm Ausschau gehalten, als ich in die Ankunftshalle kam – lauter Männer, die Namensschilder hielten, Mr. und Mrs. Soundso, aber nirgends stand mein Name. Ich fragte mich kurz, was ich hier überhaupt mache. Ob ich einem Betrüger auf den Leim gegangen war. Dann sah ich Joëlle. Sie wartete an der Bar. Neben ihr bohnerte ein Putzmann apathisch den Boden. Sie tat so, als würde der Lärm sie nicht stören. Ihr kleiner, resoluter Körper, ihre mondäne Erscheinung, ein bisschen zu jugendlich in ihrem Sommerkostüm mit Hut. Lippenstift und Schminke, tiefe Lachfalten und blitzende Augen, und nie ohne Schal, selbst jetzt nicht an einem warmen Apriltag. Sie ist über siebzig und lebendiger als ich es je gewagt hatte zu sein. Aber sie mich erkannte, lächelte sie, als wäre sie immer noch dieselbe, aber als ich näherkam, erkannte ich den Abgrund, der sich in ihr aufgetan hatte. Sie breitete ihre Arme aus und umarmte mich. Keine Worte waren nötig. Es gibt Menschen, die kann man nicht finden, sie finden einen. So jemand ist Joëlle. Seit sie mich gefunden hat, ist etwas in mir in eine heilsame Unordnung geraten.

Dann rief der Notar an. Es habe eine Verzögerung gegeben, sagte er, irgendwas mit Polizei und Spurensicherung, es tue ihm leid, er würde uns später im Hotel besuchen.

»Geben Sie mir seine Adresse«, sagte Joëlle.

Der Notar versuchte sie abzuwimmeln, man könne auch morgen noch das Haus besuchen, aber sie insistierte unerbittlich, bis er ihr die Adresse gab. Er würde auf uns warten.

Auf der Fahrt mit dem Taxi schwiegen wir, irgendwann nahm Joëlle meine Hand und drückte sie. Auf der Landstraße am Meer entlang ließ sie das Fenster runter und zündete sich, ohne den Fahrer zu fragen, eine Zigarette an.

Wir fanden das Haus in Mondello. Tatsächlich war ich schon einmal hier gewesen, auf meiner Hochzeitsreise. Die Vorstellung, dass mein Großvater nur ein paar Schritte von dem Strand entfernt wohnte, auf dem ich gelegen hatte, verstört mich. Er hätte an mir vorbeigehen können, und ich hätte ihn nicht erkannt; einer der Herrschaften mit Hut, die hier wohnen, abseits vom Lärm der Stadt. Der Villenvorort schmiegt sich an ein ehemaliges Fischerdorf, wo die Sommerfrischler aus Palermo mit ihren Badetaschen aus dem Bus steigen. Schattige, gerade Straßen mit schattigen Gärten und Jugendstilvillen mit geschlossenen Fensterläden. Alles scheint etwas aus der Zeit gefallen; der weiße Sandstrand, die Badeanstalt auf dem Pier mit ihrer Art-Deco-Fassade, ein aristokratisches Sommeridyll, heute banalisiert durch den Lärm der Bars und Restaurants am Lungomare, wo feiernde Palermitaner auf Rentnerpärchen stoßen, die ihren Hund ausführen.

Im ersten Moment kam es mir abweisend vor, das Haus meines Großvaters. Aber das lag nur an dem Schweigen, das es umgab. Die hohen Fensterläden waren geschlossen. Auf dem Gehweg lagen Laub und Blüten. Im Vorgarten ragte eine verwilderte Palme in die Höhe. Es lag in einer Seitenstraße und sah unscheinbarer aus als die Jugendstil-Villen nebenan. Eine weiße, schnörkellose Fassade im Bauhaus-Stil, deren Putz abblätterte. Tatsächlich war es gepflegt, aber in die Jahre gekommen. Moritz muss wohlhabend gewesen sein, oder er hatte das Haus schon vor Jahrzehnten gekauft, als es noch bezahlbar war. Und erst jetzt, als ich davorstand, wurde mir bewusst: Das könnte jetzt meins sein. Mein Leben lang hatte ich von einem Haus am

Meer geträumt. Da lag es nun und wartete. Sofort verscheuchte ich den Gedanken wieder. Das Eisentor stand offen. Auf dem Kiesweg vor der Garage parkte ein schwarzer Mercedes, und daneben erkannte ich zwei Männer. Der ältere telefonierte leise am Handy, der jüngere stand daneben, rauchte. Ich erkannte die Stimme des Notars. Als der andere, jüngere, uns vor dem Tor stehen sah, kam er auf uns zu.

Ich schätzte ihn auf Mitte, Ende Vierzig. Hemd, Halbschuhe Dreitagebart, graue Strähnen im schwarzen Haar. Er wirkte genauso übernächtigt und durch den Wind wie wir. Aber er hatte seine Gefühle besser unter Kontrolle.

»Buongiorno.«

Er gab mir die Hand, ohne seinen Namen zu nennen. Er schien auf uns gewartet zu haben, auch wenn er keine Freude darüber zeigte. Auf den ersten Blick wirkte er schüchtern, obwohl er eine eigenartige Präsenz besaß. Das Auffälligste waren seine tiefgrünen, intensiven Augen. Als er mich ansah, hielt er den Blick, als würde er sich wirklich dafür interessieren, wer ich bin. Er war auf verwirrende Art anziehend, denn trotz seiner Freundlichkeit umgab ihn ein Mantel aus Melancholie, etwas Unergründliches, das ihn vom Rest der Welt trennte, ohne dass ich es hätte benennen können. Es gibt Menschen, die ihre Verletzungen offen tragen. Solche wie ich, die sich einfach nicht verstellen können. Die über alles nachdenken müssen. Und dann gibt es solche, deren Wunden so tief reichen, dass sie nur überleben können, wenn sie nichts mehr davon wissen wollen. So einer schien er zu sein. Der traurigste gutaussehende Mann, dem ich je begegnet war.

Der ältere Mann beendete sein Telefonat, kam zu uns und schüttelte uns kräftig die Hand. Maßgeschneiderter Anzug mit Krawatte, Wohlstandsbauch und gepflegter Haarkranz, umflort von einer Aura aus Aftershave und humanistischer Bildung.

»Bruno Catalano. Willkommen in Palermo.«

»Signora Sarfati. Frau Reincke. Das ist Dottor Elias Bishara. Er ist ...«

Sein diskreter Blick schien den anderen zu fragen, ob er den Satz beenden dürfe.

»Ich habe mich um Ihren Großvater gekümmert«, unterbrach ihn der andere. Ich bemerkte eine kurze Irritation zwischen ihnen, die sie zu überspielen versuchten. Ohne es auszusprechen, fragte ich mich, was er damit meinte. Ob der Dottore sein Arzt war. Ob mein Großvater krank war. Einen unangenehm langen Moment trafen sich unsere Augen. Er schien etwas zwischen Joëlle und mir zu wittern, das ihm nicht gefiel, auch wenn er sein Misstrauen zu verbergen versuchte.

»Mein herzliches Beileid«, sagte Catalano.

»Grazie«, sagte Joëlle. »Dürfen wir rein?« Ohne die Antwort abzuwarten, ging sie zum Haus. Von Anfang an hielt sie Catalano auf Abstand, obwohl sie keinen Grund dazu hatte. Er war zuvorkommend und korrekt, aber nichtsdestotrotz der Überbringer einer Nachricht, die sie nicht hören wollte. Ihr Vater gehörte ihr, und jeder, der ihre Erinnerung störte und ihre Hoffnung, dass er doch noch lebte, war ein Eindringling in die Schatzkammer ihrer Seele. Den anderen, stilleren Mann schien sie zuerst nicht groß zu beachten. Aber ich spürte, dass *er* es war, nicht der Notar, der das Geheimnis meines Großvaters kannte. Catalano lief Joëlle nach und holte sie noch vor der Türe ein. Bishara und ich blieben stehen.

»Kommen Sie auch?«, fragte ich.

Er schüttelte den Kopf. Ich spürte einen instinktiven Widerwillen, wie ein Tier, das die Reviere der anderen meidet. Catalano rief mich zu sich, und ich ging zu ihm, während Bishara am Tor stehen blieb. Das war unsere erste Begegnung, drei Fremde vor der Haustür eines Verschwundenen, unter Palmen, an einem windigen Junitag.

Daniel Speck
Bella Germania
Roman
Band 29597

2014: Die Münchner Modedesignerin Julia ist kurz vor dem
ganz großen Durchbruch. Als plötzlich ein Mann vor ihr steht,
der behauptet, er sei ihr Großvater, gerät ihre Welt aus den
Fugen. 1954: Der junge Vincent fährt von München über den
Brenner nach Mailand, um dort für seine Firma zu arbeiten.
Er verfällt dem Charme Italiens, und er begegnet Giulietta.
Es ist Liebe auf den ersten Blick. Doch sie ist einem anderen
versprochen. Eine tragische Liebe nimmt ihren Lauf, die auch
Jahrzehnte später noch das Leben von Julia völlig verändern.

»Daniel Speck nimmt uns mit auf eine lange Reise
durch Italien und Deutschland. Und nach wenigen Seiten
will man nicht mehr aussteigen.«
Jan Weiler

Das gesamte Programm gibt es unter
www.fischerverlage.de